Alianza Universidad

Juan Gil

Mitos y utopías del descubrimiento:
I. Colón y su tiempo

Alianza
Editorial

Primera edición en "Alianza Universidad": 1989
Primera reimpresión en "Alianza Universidad": 1992

© Juan Gil
© Sociedad Quinto Centenario
© Alianza Editorial, S. A., Madrid, 1989, 1992
   Calle Milán, 38, 28043 Madrid; teléf. 300 00 45
   ISBN: 84-206-2577-9 (T. I.)
   ISBN: 84-206-2959-6 (O. C.)
   Depósito legal: M. 26.282 -1992
   Impreso en Lavel. Los Llanos, nave 6. Humanes (Madrid)
   Printed in Spain

INDICE

A

Jaime Arteaga
Matías Cortés
Ramón López Vilas
José Ortiz Berrocal

Isidro Arcenegui
Luis Cosculluela
Juan Miquel
Antonio Reverte

Manuel García Amigo
Carlos Palao

(Amigos entrañables de Bolonia)
1962-1963

LISTA DE ABREVIATURAS

A.G.I.	Archivo general de Indias.
A.M.S.	Archivo municipal de Sevilla.
A.P.S.	Archivo de Protocolos de Sevilla.
B.A.E.	*Biblioteca de autores españoles desde la fundación del lenguaje hasta nuestros días*, Madrid, 1864.–
BN	Biblioteca Nacional.
Brunetto Latini	*Li livres dou tresor de Brunetto Latini*, édition critique par Francis J. Carmody, University of California Press, 1948.
BU	Biblioteca Universitaria.
Cartas	*Cartas de particulares a Colón y Relaciones coetáneas*, recopilación y edición de Juan Gil y Consuelo Varela, Madrid, 1984.
C.D.I.A.	*Colección de documentos inéditos relativos al descubrimiento, conquista y colonización de las posesiones españolas en América y Oceanía*, sacados, en su mayor parte, del Real Archivo de Indias bajo la dirección de los señores don Joaquín F. Pacheco y don Francisco de Cárdenas, miembros de varias reales academias científicas; y de don Luis Torres de Mendoza, abogado de los Tribunales del Reino, con la cooperación de otras personas competentes, Madrid, 1864.–
C.D.I.U.	*Colección de documentos inéditos relativos al descubrimiento, conquista y organización de las antiguas posesiones españolas de Ultramar*, Segunda serie, publicada por la Real Academia de la Historia, Madrid, 1885.–
FGrHist	Felix Jacoby, *Die Fragmente der griechischen Historiker*, Leiden, 1957.–
González de Mendoza	Fr. Juan González de Mendoza, *Historia de las cosas más notables, ritos y costumbres del gran reino de la China*, edición, prólogo y notas por el P. Félix García, O. S. A., Madrid, s. a.
San Francisco Javier	*Cartas y escritos de San Francisco Javier*. Unica publicación castellana completa según la edición crítica de "Monumenta Historica Soc. Iesu" (1944-1945), anotadas por el padre Félix Zubillaga, S. I., Biblioteca de autores cristianos, Madrid³, 1979.
Haitón	*Haithoni Armeni ordinis Praemonstratensis de Tartaris liber* en S. Grynaeus, *Nouus orbis*, Basileae, 1537, pp. 419-81.
Ibn Battuta	Ibn Battuta. *A través del Islam*. Introducción, traducción y notas de Serafín Fanjul y Federico Arbós, Madrid, Editora Nacional, 1981.
Juan de Mandevilla	*Mandeville's Travels, Translated from the French of Jean d'Outremeuse*. Edited from ms. Cotton Titus C. XVI, in the Brithish Museum by P. Hamelius, I: *Text;* II: *Introduction and Notes*, Early English Text Society, London-New York-Toronto, 1919, 1923. "Libro de las maravillas del mundo" de Juan de Mandevilla, [versión aragonesa, editada por] Pilar Liria Montañés, Zaragoza, 1979.
fray Juan de Pian del Càrpine	*Ystoria Mongalorum* editada por van Wyngaert, *Sinica Franciscana*, I, pp. 27-130, y traducida al italiano por Giorgio Pullè (*Giovanni da Pian del Càrpine. Viaggio ai Tartari*, Milano, 1956). Utilizo no obstante los extractos de Vicente de Beauvais, que conservan a mi juicio una redacción más pura y menos interpolada.
Levillier	*Cartas de virreyes*, R. Levillier, *Gobernantes del Perú. Cartas y papeles*. Siglo XVI, Madrid, 1921.–
Martin Behaim	E. G. Ravenstein, *Martin Behaim. His Life and his Globe*, London, 1908.
fra Mauro	*Il Mappamondo di fra Mauro*, a cura di Tullia Gasparini Leporace. Presentazione di Roberto Almagià, Roma, Istituto Poligrafico dello Stato, 1966.

Medina   *DIHChile*, J. T. Medina, *Colección de documentos inéditos para la historia de Chile*, Santiago de
                  Chile, 1888.–

Mendiburu   *Diccionario* M. de Mendiburu, *Diccionario histórico-biográfico del Perú*, Lima², 1931.–

NBAE   *Nueva biblioteca de autores españoles*, fundada bajo la dirección del Excmo. señor don Marce-
                  lino Menéndez y Pelayo, Madrid, 1906.–

Nicolò de'   Relación de su viaje a Oriente, traducida al latín por Poggio y publicado en *Poggii Bracciolini*
Conti   *Florentini Historiae de uarietate fortunae libri quattuor, ex ms. codice Bibliothecae Ottobonianae*
                  nunc primum editi et notis ilustrati a Dominico Georgio. Accedunt eiusdem Poggi Epistolae LVII
                  quae nunquam antea prodierunt. Ommia a Joanne Oliva Rhodigino vulgata. Lutetiae Parisiorum,
                  1723, libr. IV, pp. 126-48.

Pacheco   Duarte Pacheco Pereira, *Esmeraldo de situ orbis*, edición de Damião Peres, Lisboa, 1954.
Pereira

Pastells   *Catálogo. Catálogo de los documentos relativos a las islas Filipinas existentes en el Archivo de Indias*
                  de Sevilla, por don Pedro Torres y Lanzas, precedido de una Historia general de Filipinas por el P.
                  Pablo Pastells, S. J., Barcelona, 1925.–

PG   *Patrologia Graeca* accurante J. P. Migne, Paris, 1857— (reimpresión Brepols, Turnhout).

Pigafetta   Antonio Pigafetta, *Primer viaje en torno del globo*, traducción de José Toribio Medina, editorial
                  Francisco de Aguirre, Buenos Aires - Santiago de Chile, 1970. El texto italiano fue editado en
                  Raccolta, V 2, pp. 51-122. Una nueva versión francesa dio a la luz R. A. Skelton (*Magellan's*
                  Voyage. A Narrative Account of the First Circumnavegation by Antonio Pigafetta. Volume I trans-
                  lated and edited by R. A. Skelton from the manuscript in the Beinecke Rare Book and Manus-
                  cript Library on Yale University, New Haven-London, 1969. Volume II: A Facsimil of the Ma-
                  nuscript).

PL   *Patrologia Latina*, accurante J. P. Migne, Paris, 1844— (reimpresión Brepols, Turnhout).

Raccolta   *Raccolta di documenti pubblicati dalla Reale Commissione Colombiana nel Quarto Centenario de-*
                  lla Scoperta dell'America, Roma, Ministerio della Pubblica Istruzione, 1892.–

RE   Pauly's *Real-Encyclopädie der classischen Altertumswissenschaft*, Stuttgart, 1893.–

Relación   *El viaje de don Ruy López de Villalobos a las islas del Poniente (1542-1548).* Edición, introduc-
anónima   ción y notas de Consuelo Varela, Milano, 1983, pp. 35-115.

Rotero del   *Periplus maris Erythraei* en C. Müller, *Geographi Graeci minores*, Parisiis, 1882, I, p. 257ss.
Mar Rojo

Rotero   Fernando de Magallanes, *Descripción de los reinos, costas, puertos e islas que hay desde el Cabo*
portugués   *de Buena Esperanza a Leyquios*, por A. Blázquez, Madrid, 1920. Se trata del rotero comúnmente
                  atribuido a Duarte Barbosa (así, p. e., en la Hakluyt Collection o en la edición de A. Reis y
                  Machado [*Libro em que da relação do que viu e ouviou no Oriente*, Lisboa, 1946], y que en
                  cualquier caso es de origen luso. Fue utilizado por el bachiller Enciso en su *Suma de Geogra-*
                  bia, Sevilla, 1530. Un resumen del mismo se encuentra en A. G. I., Patron, 34 13 (n.º 1).

Santa Cruz   *Islario general de todas las islas del mundo por Alonso de Santa Cruz*, con un prólogo de don
                  Antonio Blázquez, Madrid, 1918.

fray Simón   Véase Vicente de Beauvais.
de
San Quintín

Tafur   *Andanças e viajes de Pero Tafur por diversas partes del mundo avidos (1435-1439)*, edición de M.
                  Jiménez de la Espada, Madrid, 1874 (Colección de libros españoles raros o curiosos, tomo oc-
                  tavo).

Textos   *Cristóbal Colón. Textos y documentos completos*, editados por Consuelo Varela, Madrid², 1984.

van Wyngaert   *Sinica Franciscana*. Volumen I. Itinera et relationes fratrum minorum saeculi XIII et XIV colle-
                  git, ad fidem codicum redegit et adnotauit P. Anastasius van den Wyngaert, O. F. M. Quarac-
                  chi-Firenze, 1929.

Varthemà   *Itinerario di Ludovico de Varthema*, a cura di Paolo Giudici, Milano, 1956.

Vicente de   Vincentius Bellouacensis, *Speculum historiale*, editum... impensis... nom mediocribus ac cura so-
Beauvais   lertissima Hermanni Liechtenstein Coloniensis Agrippine Colonie, Venetiis, 5 de setiembre de
                  1494. En los libros XXIX y XXXI extracta o copia las relaciones de Juan de Pian del Càrpine
                  y de Simón de San Quintín.
                  Speculum naturale, editum... cura... Hermanni Liechtenstein, Venetiis, 15 mayo de 1494.

Yule   *The Book of Ser Marco Polo the Venetian Concerning the Kingdoms and Marvels of the East*, trans-
                  lated and edited, with notes, by Colonel Sir Henry Yule. Third edition, revised throughout in
                  the ligth of recent discoveries by Henri Cordier (of Paris), London, 1921, 2 vols. a los que se
                  une *Ser Marco Polo. Notes and Addenda to Sir Henry Yule's Edition, Containing the Results of*
                  Recent Research and Discovery by Henry Cordier, London, 1920.

PROLOGO

Los mitos del Nuevo Mundo han dado lugar a una copiosa producción literaria, aunque la mayor parte de estas elucubraciones, ensayos y escritos de variopinto pelaje no puede decirse que se alce por encima de un precario nivel de elemental divulgación [1]. Un lugar de honor merecen, entre tanta balumba impresa, las narraciones un tanto anoveladas y carentes de mayores pretensiones del andariego madrileño Ciro Bayo († 1939), un hombre en verdad enamorado de la historia tanto patria como americana que, dolido del, a su juicio, inmerecido olvido en que se habían sumido por el paso del tiempo los acontecimientos de la conquista, dedicó una tetralogía a exponer en apacible prosa las «leyendas áureas del Nuevo Mundo» (*La Colombíada, Los Marañones, Los Césares de la Patagonia* y *Los caballeros de El Dorado*); esta serie de volúmenes, que intenta a la manera de Kingsley hacer accesible al gran público un romántico pedazo del pasado, hoy quizá no disfruta del reconocimiento que merece, sin que se necesite ser un zahorí para adivinar el motivo.

En efecto, en una falta y no liviana incurre el planteamiento puramente literario de Ciro Bayo, y es que el tema está tratado desde un punto de

[1] La bibliografía oportuna vendrá dada en cada apartado, de modo que sólo procede aquí deshacer un par de posibles confusiones. En efecto, tiene título equívoco el libro de H. Sanabria Fernández, *En busca de Eldorado. La colonización del Oriente boliviano por los cruceños,* Buenos Aires, 1958, ya que se trata de la historia de Santa Cruz de la Sierra durante los siglos XIX y XX. No más afortunado anduvo F. Giunta en la elección del suyo, *La conquista dell'El Dorado,* Milán, 1983, que es en realidad una selección y traducción de una serie de cronistas, precedidos de una magra introducción en la que no falta la característica visión maniquea de la historia, con «il ordine perfetto» de los ingas destruido por la «singolare butalitò» de los españoles.

Ni que decir tiene que el tema ha seducido desde siempre a los artistas y desde luego a la cinematografía (baste citar las películas de Herzog y de Saura). La fortuna de T. Heyerdahl movió también a otros autores de menor fuste a imitar su ejemplo. Ahí tenemos, p.e., a H. Ertl (*Tras las huellas de los incas,* Barcelona, 1963) realizando una expedición al cerro Paititi (3.150 m) y descubriendo en los valles vecinos santuarios solares, que solemniza con la fotografía y con la pluma.

vista demasiado unilateral, glorificador en exceso de los conquistadores: sus protagonistas vienen a ser como héroes griegos, más o menos simpáticos y atrayentes pero situados fuera del alcance de la crítica; claro es que la historia se convierte así en epopeya o en santoral, y el mundo, hoy por hoy, no parece muy dispuesto a aplaudir espontáneamente a un panegirista de héroes, seglares o religiosos, ni aunque el cantor sea un Jacobo de la Vorágine redivivo. Desde la Edad Media es cosa sabida, además, que si algo hay sometido al giro constante de la rueda de la fortuna es la fama, y más aún la de los conquistadores, ensalzados hoy y denigrados mañana según los humores predominantes. Esta es la razón de que la idea de Ciro Bayo de deleitar enseñando no encuentre en la actualidad el eco que debiera: sus personajes no gozan de buena prensa, si es que gozan de alguna.

Sobre parecida base, pero corregida y aumentada, se asienta el muy atractivo estudio que el padre Bayle consagró a *El Dorado fantasma,* publicado por el Consejo de la Hispanidad en 1943, cuando el mundo entero se veía sacudido por el tronar horrísono de los cañones. En este libro salen muy claramente a la luz las virtudes y defectos del prolífico jesuita, quizá por ser el más redondo de todos los que entregó a la imprenta; por un lado se aprecia agudeza y gracejo, elegante y amenísima pluma, experiencia americana y erudición a raudales, por lo general adquirida en las bibliotecas y no en los archivos; por otro, se nota cierta confusión apresurada, un ingenuo regusto por lo arcaico y castizo y, a la par, una concepción del patriotismo muy encastillada en lo tradicional, comprensible después de los horrores de nuestra guerra civil y que a efectos ideológicos se traduce en una defensa a ultranza del imperio español, tan traído y llevado entonces por la propaganda falangista. Toda la obra se deshace en encendidísimos elogios de aquellos «Quijotes de la raza» que conquistaron América arrostrando mil dificultades y superando los tremendos obstáculos de la naturaleza, sin retroceder ante las heladas cumbres de los Andes ni los inmensos pajonales y sabanas de los llanos plagados de mosquitos y sabandijas. Las circunstancias del momento, aturdido por la desmesura nazi, dejaron huella bien perceptible en la visión histórica del padre Bayle: en el capítulo intitulado «Los alemanes en las avanzadas» se teje una guirnalda en torno a la gesta de los primeros gobernadores de Venezuela, pues los tudescos «descubridores se parean con los castellanos» en «la lucha entre la tenacidad y la naturaleza indomable, entre el empeño y la tozudez y los imposibles»[2]: ni más ni menos como se pensaba entonces que los ejércitos del III Reich y la División Azul iban a pasear sus banderas victoriosas por las estepas de la Rusia revolucionaria.

La idea motriz de este estudio es totalmente diversa, por lo que no viene al caso escribir ni un ditirambo ni un libelo. Se mire como se mire, subsiste el hecho innegable de que, salvando su calificación moral, los es-

---

[2] *El Dorado fantasma*, Madrid, 1943, p. 105.

pañoles que pasaron al Nuevo Mundo, buenos y malos, santos y pecadores, se dejaron todos ellos deslumbrar por espejismos notabilísimos, siendo los primeros en desvariar quienes en 1492 y 1493 oyeron hablar de amazonas, hombres de cara de perro y otros monstruos similares. Alguna explicación hay que dar a esta alucinación colectiva que duró siglos y en la que desempeñó no escaso papel la mitología clásica, el acicate que me impulsó a interesarme por tan intrigante como peculiar pervivencia de la Antigüedad grecolatina en el mundo moderno. Pero aquí surge otra nueva dificultad, y es que el problema se puede encarar desde dos ángulos radicalmente opuestos, ya que todo depende de si se considera o no el mito un producto de exportación español o, por decirlo de otra manera, si se piensa que sus creadores fueron los vencedores o los vencidos.

La primera postura la defendió ya el gran científico y gran humanista al tiempo que fue Alejandro de Humboldt, a quien parecieron fruto de un error de óptica europeo estas fábulas, en las que cabía reconocer la tendencia de los escritores renacentistas «a buscar en los pueblos nuevamente descubiertos todo lo que los griegos nos han enseñado sobre la primera edad del mundo y sobre las costumbres de los bárbaros escitas y africanos» [3]. Este juicio muy correcto, que hubiese merecido una exposición más amplia, cayó pronto en un lamentable olvido, en parte porque comenzaron a soplar los vientos románticos exaltadores del exotismo indígena y sobre todo porque, después del desgarro que trajeron consigo las guerras de independencia, ni los españoles ni los americanos quisieron recordar un pasado demasiado reciente cuyas heridas aún no se sentían cicatrizadas. Sólo en nuestro siglo un italiano, L. Olschki, ha vuelto a poner sobre el tapete alguna de estas cuestiones en la por tantos conceptos excelente *Storia letteraria delle scoperte geografiche* (Florencia, 1936), sin que su ejemplo haya tenido por desgracia continuadores.

Por otra parte, frente a la visión que propugna una transmisión europea de los mitos se alza la interpretación partidaria de la génesis americana que, contra lo que sería de esperar, no procede de la pluma de detractores intransigentes de la labor de España en Indias, sino de sabios muy amantes de lo hispano. Tal fue la tesis que granó, p.e., en diversas notas de R. Cúneo-Vidal, esforzado paladín del carácter autóctono de «las leyendas geográficas del Perú de los Incas» [4]. Su método, que por su deliciosa ingenuidad trae a la memoria la doctrina de Evémero, explica todo recurriendo a la lengua y a las tradiciones indígenas. Resulta, así, que el personaje Dorado existió realmente, y dado que en quechua *manu* significa "tributo", la fábula se habría originado de haber entendido mal los españoles el pago de un impuesto a un cacique, que se revolcaría en el

[3] *Viage a las regiones equinocciales del Nuevo Continente, hecho en 1799 hasta 1804 por A. de Humboldt y A. Bonpland*, París, 1826, III, pp. 245-46.
[4] *Boletín de la Real Academia de la Historia*, LXXXVII (1927) 309-16.

oro como un símbolo de toma de posesión; a su vez la fábula de las amazonas reflejaría un resto del matriarcado de ciertas cacicas, las *capullanas,*
y la abundancia proverbial de Jauja derivaría de *saxay,* que en quechua
significa "hartarse", "saciar el hambre y la sed".

Idénticos reproches, aunque mucho más suaves y matizados, cabe formular a un libro en verdad admirable por el arte con que sabe conjugar
la erudición con amenidad, libro que aún hoy sigue siendo la obra clásica
sobre la cuestión: la *Historia crítica de los mitos y leyendas de la conquista
americana* de Enrique de Gandía, que apareció por vez primera en Madrid, en 1929, seguida de algunas reediciones (Buenos Aires, 1946).
Gandía, con su maestría habitual, va analizando con todo pormenor la
evolución particular de las diversas quimeras del descubrimiento: islas
fantásticas, gigantes y pigmeos, la fuente de la eterna juventud, las amazonas, etc. Esta pulcra disección temática de los mitos, considerados uno
a uno y por separado, constituye sin embargo el mayor defecto de un trabajo riquísimo, porque entre tan denso frondaje acaba por perderse la
perspectiva general. De ahí que Gandía sostenga, p.e., que las múltiples
tradiciones amazónicas derivan del impacto que produjo en el corazón
sensible de los españoles la fama de las vírgenes del Sol, hipótesis a todas
luces precipitada [5].

Las consecuencias de este enfoque parcial se dejan sentir también en
otro libro no menos erudito, el ensayo que un sabio de criterio tan ecuá-
nime como R. Levillier consagró pocos años ha al examen de un puñado
de mitos [6]; el análisis sereno y equilibrado, pero incompleto, de las fuentes hace concluir al gran historiador que no sólo los ingas se refugiaron
realmente en el movedizo compás del nebuloso Paititi, localizado ahora
en la sierra de Parecis, sino que las amazonas, en vez de ser un producto
de la imaginación de los europeos, existieron de veras y lucieron su mas-
culina hombría en el corazón del Nuevo Mundo.

El caso es, no obstante, que los españoles, por seguir con el mismo
ejemplo y sin hacer un recuento exhaustivo, vieron amazonas en la Nueva
Galicia y en California, en las islas del Pacífico Sur, en Chile, en la cuenca
del Marañón y en el río Madre de Dios: demasiados parajes y demasiado
apartados para pensar en una proliferación masiva de *capullanas* y vírgenes del Sol o en una peregrinación universal de las legendarias precurso-
ras de cierto feminismo radical. Lo mismo cabe decir de los gigantes, de
los pigmeos o de los grifos. La solución a todos estos interrogantes sólo
puede venir de un estudio lo más exhaustivo posible de las fuentes, que
ofrezca una visión global de un conjunto realmente complejo, aunque de

[5] Ya criticaron esta conclusión poco admisible C. Bayle (*El Dorado fantasma,* p. 200,
nota 2) y E. Jos («Centenario del Amazonas: la expedición de Orellana y sus problemas
históricos», *Revista de Indias,* IV 13 [1943] 517).

[6] *El Paititi, El Dorado y las Amazonas,* Buenos Aires, 1976.

entrada parece claro y meridiano que todas estas apariciones fabulosas, como ya vislumbró Humboldt, responden a una misma causa y que esta causa no es real, sino ficticia: dicho de otro modo, que fue la fantasía de los españoles la que tuvo reiterado interés y empeño en descubrir amazonas por razones que creo quedarán aclaradas de manera suficiente en las páginas que siguen.

Huelga decir en consecuencia que el presente estudio está consagrado a la comprensión de la mitología de los conquistadores y que por lo tanto está escrito exclusivamente desde su punto de vista. Dado su enfoque, no podía ser de otra manera. Es indudable que un careo con la mitología de los vencidos podría haber enriquecido sus resultados, puesto que en ocasiones se aprecia de manera muy clara un curioso mestizaje intelectual y religioso. Desde el primer momento, sin embargo, he renunciado a tan bello como ambicioso proyecto porque mi deformación filológica me lleva a juzgar, quizá erróneamente, que requisito indispensable para entender la manera de pensar de un pueblo es saber antes que nada su lengua, y a veces incluso otra u otras por añadidura: entre las llamadas «visiones de los vencidos» hoy tan de moda suelen figurar, p.e., ciertos textos en náhuatl y en español, pero no la notable versión que de la conquista de México y pacificación de la Nueva España dio en latín Pablo Nazareo de Xaltocán, casado con doña María, una sobrina de Moctezuma, al dirigir juntamente con su suegro, don Juan de Axayaca, una serie de largos memoriales a Felipe II en 1556; y la omisión no proviene de mala fe, sino de desconocimiento. Como aviso para los lectores y profilaxis de malentendidos, pues, me apresuro contrito a hacer pública profesión de ignorancia de los idiomas amerindios y de muchas, muchísimas cosas más de aquende y allende los mares, tantas y tamañas que me avergüenza proceder a su enumeración, sobre todo en un prólogo que debería ser pregón de excelencias y no de defectos; por acabar de decirlo de una vez, me falta la sabiduría de Sócrates. ¡Qué le vamos a hacer!

Cuando se intenta penetrar en la mentalidad del pasado el escollo más difícil de sortear es el anacronismo. Para salvar sus trampas todas las precauciones son pocas, razón que, al historiar sucesos pretéritos, aconseja evitar el uso de palabras que hoy nos parecen insustituibles. Así ocurre con el propio nombre de América que, salvo con ánimo de polémica, salió en muy contadas ocasiones de labios de un español en el siglo XVI y que por tanto asoma muy rara vez en el texto, sólo cuando así lo autorice la fuente. Este es también el motivo de que se españolicen los nombres de lugar, incluso los puestos por los portugueses o los conocidos a través de ellos; se hace alusión, pues, a isla Hermosa con preferencia a Formosa, a la ciudad de Macán y no a la de Macao, y así sucesivamente. También en los nombres indios se ha respetado la transcripción castellana: se dirá, pues, aruaca (y no arawak ni aravaco), Tupa Amaro (que es como firmaba don José Gabriel Condorcanqui y la única forma que explica el derivado "tupamaro") y no Túpac Amaru, inga (así Gómara, Cieza) y no inca. La cuestión puede parecer baladí, mas a mi entender tiene bastante más busilis de lo que parece, pues no significa lo mismo hablar del Amazonas, un hidrónimo más, que del río de las Amazonas, evocador de una realidad muy concreta, máxime cuando la nueva forma de colonizar deja su huella en exóticas distorsiones de las palabras, aunque sean griegas como es el caso que nos ocupa: y así comienza ahora a ponerse de moda incluso en medios muy cultos una absurda acentuación Amazonía, calco servil del francés Amazonie.

La presente obra está dividida en tres volúmenes, dedicado el primero al mundo antillano, el segundo al Pacífico y el tercero a la tierra firme. En este tomo que abre la serie la parte del león corresponde, de manera lógica e inevitable, al análisis del pensamiento colombino, a averiguar qué significaba para Colón su propio hallazgo. No sin causa domina este período inicial la grande, escurridiza y dramática figura del primer almirante de las Indias, ni me ciega la pasión por el hecho de haber consagrado a su estudio una gavilla de artículos, algunos de ellos recogidos aquí en parte [7], y sobre todo un extenso capítulo de los prolegómenos a la edición del Marco Polo colombino publicada en 1986 [8] que, con ciertas adiciones y enmiendas, ha parecido oportuno incorporar al volumen presente. En efecto, aparte de que ninguno de los navegantes de la época resiste la comparación con la magia opaca de la personalidad colombina, el problema está en que los marinos castellanos contemporáneos fueron remolones en demasía a la hora de poner por escrito sus vivencias, de suerte que ahora hay que reconstruir sus aventuras indianas a partir de probanzas escribaniles o de partidas contables, siendo otro italiano, un embustero patético que se llamó Amerigo Vespuche, el único que tomó la pluma para sembrar confusión. Como no es mi propósito historiar estos viajes mal llamados «andaluces» —no eran andaluces Hojeda ni Cosa—, acerca de los cuales he publicado documentación inédita en otro lugar [9], me he tenido que conformar con dedicarles un puñado de páginas, pocas quizá para sus merecimientos, suficientes para nuestro intento. El mito de la fuente de la Juventud ha corrido mejor suerte; a él va dedicado el último capítulo de este volumen.

[7] Son utilizados los siguientes: «Colón y la Casa Santa», *Historiografía y Bibliografía americanistas*, XXI (1977) 125ss.; «Pedro Mártir de Angleria, intérprete de la cosmografía colombina», *Anuario de estudios americanos*, XXXIX (1982) 487ss.; «Nuevo cielo y nueva tierra: exegesis de una idea colombina», *Homenaje a Pedro Sáinz Rodríguez*, Madrid, 1986, II, pp. 297ss.; «Tarsis y Tarteso», *Actas del IV. Coloquio sobre lenguas y culturas paleohispánicas*, Vitoria, 1987, p. 422ss.

[8] *El libro de Marco Polo. Ejemplar anotado por Cristóbal Colón y que se conserva en la Biblioteca capitular y colombina de Sevilla*, Madrid, 1986, pp. 15-107.

[9] «Marinos y mercaderes en Indias (1499-1504)», *Anuario de estudios americanos*, XLII (1983) 297ss.

Muy ajeno estaba yo, cuando por primera vez pisé el umbral del Archivo de Indias, hace ya muchos años, a que la curiosidad que me llevaba a la consulta de unos pocos legajos me iba a engolfar en un estudio que se iba a prolongar a lo largo de más de un decenio. De haberlo sabido, me lo hubiera pensado dos veces antes de embarcarme alegremente en una empresa que se salía de mi campo de trabajo habitual. Tampoco era entonces consciente de que se cernía sobre nuestras cabezas un *annus mirabilis,* la fecha fatídica de 1992, con la enojosísima carga política que llevan consigo a nivel mundial tales festejos y celebraciones en las que todos quieren llevar agua a su molino. Prevenido a tiempo, también me hubiera escabullido prudentemente del embolado sin tocar, ni aun rozar, temas que aún hoy levantan incomprensibles ampollas. Parece triste sino de nuestra historia ése de dar pie a que, a la primera de cambio, se desencadene virulenta la polémica; y muy en especial se desborda la pasión con motivo de la colonización de las Indias occidentales, eterna manzana de la discordia desde fecha muy temprana y desde posiciones muy diferentes; en los albores del siglo XVII el buen padre Sigüenza, refiriéndose al descubrimiento de las islas del Poniente, no tenía ya palabras sino para lamentarse de que los tesoros del Nuevo Mundo, lejos de haber enriquecido a España, hubiesen volado a otras manos: «aunque la gloria y honra d'esto se quedó para España, el provecho junto con el principio d'esta impressa ha sido para la patria de Colón, como lo lloramos sin tener abilidad para el remedio» [10]. Ahora las quejas, despojándonos también de la gloria y la honra, provienen de otras partes [11]. En definitiva, la sensibilidad sigue estando a flor de piel, así que la mayoría de las veces sólo se oyen cursilerías o improperios cuando se habla o escribe del imperio español, privado de un tratamiento desapasionado e imparcial que no se niega a las conquistas de Alejandro Magno ni de Julio César, ni siquiera a las más cercanas campañas de Napoleón; e incluso hay veces que se renuncia de manera deliberada a la historia y se actualiza el pasado para convertir en cuestión de honor nacional el tema de debate, como si de esta manera voluntarista se pudieran resolver los problemas: error crasísimo que suele traer muy malas consecuencias.

Toda dominación se basa en último término en la ley de la fuerza y es por tanto tan tiránica e injusta, medida con los raseros actuales, como necesaria de algún modo para el punto de vista del hombre del siglo XVI y aun para el de muchos del siglo XX. Pero de 1492 acá ha llovido mucho: ha transcurrido casi medio milenio desde que tuvieran lugar tales sucesos y desde que los propios españoles denunciaran antes que nadie los

---

[10] *Historia de la Orden de San Gerónimo,* III 1 9 (*NBAE* 12, p. 41 a).
[11] La condena de la conquista española fue ya tema predilecto de la Ilustración francesa (cf. la polémica contra el abate Raynal de J. P. Forner, *Exequias de la lengua castellana,* Clás. Cast., p. 156ss.).

desmanes inherentes a «su» conquista, y se va a cumplir un siglo desde la liquidación vergonzante de los últimos jirones del imperio, la fecha que merecería ser especialísimo motivo de reflexión para todos, los ahora dominantes y los ahora dominados, la antigua metrópoli y las colonias de otrora. Por de pronto, sería bueno y aconsejable tratar desde España de aproximarse a los acontecimientos con la cabeza más fría posible y deslindando siempre el presente, que nos pertenece —o así se nos figura— en exclusiva, de un pasado lejano que compartimos con muchos y en el que con frecuencia, a uno y otro lado del Atlántico, se ha ido a pescar a río revuelto, para disimular tristes carencias del momento con glorias o desatinos pretéritos. El imperio español ha dejado de existir hace mucho; es preciso sustituir nostalgias imposibles o denuestos inútiles por el estudio objetivo, si cabe, de un singularísimo hecho histórico, mientras que la actualidad depara pábulo abundante de loa y de crítica a exaltados y justicieros de uno y otro signo: que de nada sirve poner guirnaldas a un cadáver o dar lanzadas a moro muerto [11].

Ya va siendo hora de poner punto final a esta introducción, que se resiste rebelde a concluir, pidiendo indulgencia para mis muchas faltas. He trabajado en solitario durante más de un decenio y esta soledad, ni deseada ni deseable, tiene evidentes secuelas negativas; de haber contado con ayuda, p.e., habría comprobado todas las citas y uniformado el libro, completando y ajustando más la bibliografía y las abreviaturas. En la medida de mis fuerzas, he hecho lo posible por subsanar los errores advertidos, aunque quedan sin duda muchos por corregir. Ni que decir tiene que la composición de esta obra me ha costado muchos berrinches y sofocones; pero también estos largos años me han enseñado muchas cosas que, al fin y a la postre, compensan la labor y el esfuerzo, pues, como decía el sabio Solón, no deja de ser bello envejecer aprendiendo.

Sevilla, julio de 1988

---

[11] Permítaseme ilustrar mi postura con un ejemplo. Hace poco un ilustre debelador de la conquista ponía de relieve los aspectos más negativos y desagradables de la dominación y, dispuesto a hallar carencias por doquier, reclamaba una investigación sobre el cruel uso que hicieron los españoles de los lebreles en Indias. La sugerencia me parecería de perlas, si no resultara que tal pesquisa hace tiempo que está ya hecha; desde mi punto de vista, más bien habría que pedir que la iniciativa para llevar a cabo ese trabajo la tomara en el futuro no un anglosajón, sino un español. Sobran críticas o panegíricos, faltan estudios.

I.   LOS ENSUEÑOS DEL PRIMER VIAJE.
   EL ORIENTE SEGUN COLON

Nunca jamás, hasta el momento presente, el hombre ha emprendido un viaje a lo desconocido en términos absolutos. A la empresa descubridora han precedido siempre estudios y debates sobre datos positivos, después ensayos y tanteos experimentales de todo tipo. La navegación llevada a cabo en 1492 no constituye una excepción a la regla, por cuanto Colón creía saber dónde se hallaba, en los confines del Asia oriental, y tal convencimiento lo acompañó hasta su muerte. Aunque pocas, algunas noticias había de la India y de la China, recorridas en peregrinajes increíbles desde el siglo XIII por comerciantes, religiosos y aventureros, cuyas relaciones, leídas ávidamente en Occidente, habían pasado a formar parte habitual de la cartografía de los siglos XIV y XV. El almirante, pues, hubo de enfrentarse a muchos problemas, pero quizá a ninguno tan peliagudo como el de interpretar el mundo que estaba contemplando. En efecto, por fuerza debía de adecuar la realidad circunstante a los datos que sobre el Extremo Oriente habían transmitido tanto los geógrafos de la Antigüedad, que asimismo habían trazado y escrito mapas y descripciones de la India allende el Ganges, como Marco Polo y sus seguidores. La tarea, más que ardua, era imposible; pero Colón se aplicó a ella con una tenacidad y una habilidad que asombran, jugando de manera magistral con la intrínseca anfibología de la percepción lingüística, que le permite aplicar los mismos términos para designar seres y cosas del mundo soñado (la India) y de la realidad vista y vivida en las islas del poniente. Por otra parte, el genovés es hombre perseverante donde los haya; así, cuando encuentra contradicción, vuelve a pensar sus ideas y a reforzarlas con nuevos argumentos, introduciendo en sus escritos las correcciones oportunas que le invitaban a hacer sus más amplias lecturas y su más dilatada experiencia indiana. El resultado de todo ello es que lo que ahora se nos presenta como un bloque monolítico (el *Diario del primer viaje*, por ejemplo), es el fruto de un largo proceso de decantación de datos y reflexiones, en cuyo término el almirante ha intercalado adiciones, pero también ha tachado párrafos enteros, privándonos para siempre de poder calibrar sus primeras sensaciones y sopesar sus juicios erróneos en el alba del descubrimiento. Así y todo, los textos, por manipulados que estén, siguen transmitiendo su mensaje, trucado y doble a veces, transparente en ocasiones y en determinados momentos más significativo por lo que callan que por lo que dicen.

1. *Localización del descubrimiento*

El primer punto que ha de solventar el almirante consiste en el no pequeño problema de delimitar con la mayor precisión posible su situación en la carta de marear. Colón, por confesión propia, ha visto y consultado «esperas... e mapamundos» (24 de octubre [p. 44]), que contaban maravillas del Cipango, gracias a los cuales puede deducir el 14 de noviembre que el archipiélago de las Antillas forma parte de «aquellas innumerables [islas]... que en fin de Oriente se ponen» (p. 58). Efectivamente, Marco Polo había encarecido la multitud sin cuento de las islas de la India (III 8 y 42), y en el mapa catalán de 1375 se había fijado su número en 7.548, siguiendo la pauta del viajero veneciano. Pero hay más: los reyes Católicos habían entregado al navegante una carta para el Gran Kan; era lógico que Colón expresara el 21 de octubre su intención de alcanzar la tierra firme y llegar hasta la ciudad de Quinsay, para hacer entrega de la misiva al soberano mongol (p. 42), si bien un lector de Marco Polo jamás habría situado la residencia del Gran Kan en Quinsay, sino en Cambalic. Pero dejemos ahora esta cuestión y atendamos a las demás precisones geográficas que nos brinda el almirante. El 1 de noviembre se lee en el *Diario*: «Es cierto qu'ésta es la tierra firme, e qu'estoy ante Zaitó e Quinsay, çien leguas poco más o menos lexos de lo uno e de lo otro» (p. 49). Resulta de ese aserto que Cuba se integra ya en China continental (más tarde el almirante la identificará con Mangi), y que el puerto de Zaitón se encuentra cercano. A Zaitón dedica un capítulo el libro de Marco Polo (II 70), pero tampoco esta mención implica conocimiento de su obra por parte de Colón: el puerto de Zaitón aparece en todo Atlas que se precie, como en el catalán de 1375, en la mapamundi de fra mauro (XXV, 8, 27), que pondera el «magnífico porto de Zaiton», o el globo de Martín Behaim [1]. El almirante, en consecuencia, no está

[1] Aparte de las noticias de Marco Polo, los europeos disponían de otros testimonios latinos antiguos sobre la ciudad de Zaitón. En efecto, en 1308 llegaron a Cambalic fray

haciendo alardes de peregrina erudición, sino que se limita a orientarse respecto a ciudades de todos conocidas: también en el famoso mapa de Toscanelli figuraban Quinsay y Zaitón con sus letreros correspondientes. Para colmo, una afirmación de Colón prueba que en 1492 no había manejado todavía la relación de Marco Polo: el 30 de octubre nos declara que pensaba ir a Catay, ciudad muy noble y grande, «según le fue dicho antes que partiese d'España» (p. 48). Un conocedor del libro poliano jamás hubiera cometido el error de confundir una comarca, como es Catay, con una ciudad [2]; lo que es más, no habría tenido necesidad ninguna de que un cosmógrafo bien intencionado lo pusiera en antecedentes de las excelencias de Catay antes de zarpar de Palos, porque un rápido repaso a los capítulos correspondientes le hubiese bastado con creces para apreciar su grandeza y magnificencia.

Andrés de Perugia, fray Gerardo y fray Peregrino, portadores de una bula del Papa por la que se concedía el arzobispado de Cambalic a fray Juan de Montecorvino, con facultad de crear otros obispados según lo juzgase oportuno. Pronto se presentó la ocasión, como indica una carta de fray Andrés de Perugia: «Hay una gran ciudad junto al mar Océano que se llama en lengua persa Zaitón; en ella una rica mujer armenia erigió una iglesia muy hermosa y grande, que, transformada a petición suya en catedral por el arzobispo con la dote competente, la donó en vida a fray Gerardo, obispo, y a los que estaban con él, y se la dejó a su muerte. Este fue el primero que tuvo esa silla episcopal. Fallecido el dicho obispo y sepultado allí, el arzobispo quiso hacerme a mí su sucesor en esa iglesia; pero al no prestar yo mi consentimiento a la sucesión se la entregó a fray Peregrino...» (M. Le Quien, *Oriens Christianus*, Parisiis, 1740, III, c. 1358 = van Wyngaert, *Sinica Franciscana*, I, p. 375. De este fray Peregrino se conserva una carta [van Wyngaert, *Sinica Franciscana*, I, p. 365ss.]). También narró las excelencias de Zaitón Odorico de Pordenone (21 1ss. [van Wyngaert, *Sinica Franciscana*, I, pp. 460-61]), relatando que los franciscanos tenían allí dos casas y que era tan grande como dos veces Bolonia. «En ella hay muchos monasterios de religiosos que adoran ídolos. Estuve en uno de ellos, en el que vivían sus tres mil religiosos, que tenían once mil ídolos, y uno de ellos, el que parecía menor que los demás, era parejo a un San Cristóbal». Cuando la vio Juan de Marignolli (van Wyngaert, *Sinica Franciscana*, I, p. 536), los franciscanos tenían «tres iglesias hermosísimas, magníficas y muy ricas, un baño, una alhóndiga... y campanas excelentes y muy bellas, de las que yo hice forjar dos con gran solemnidad, decidiendo que la mayor se llamara Juanina, la otra Antonina».

Un puerto de Chincheo figuró muy pronto en la cartografía lusitana del XVI. Fray Andrés de Urdaneta, al emitir su informe sobre la pertenencia de las islas Filipinas a la zona de demarcación española en octubre de 1566, tenía en su poder dos cartas que había conseguido en Lisboa: en una estaba pintada «la tierra desde Europa hasta cabo de Comorín...; la otra carta, que es menor, tiene desde el mar Rubro hasta cabo de Chincheo, que está en la costa de China, que está en 25 grados de latitud de la parte del Norte» (A.G.I., Patron. 49, 12 n.º 1). Ahora bien, Phillips y Douglas probaron con buenas razones que el Chincheo portugués no es Tsuan-cheu, sino Chang-cheu; es sugestiva, por tanto, su teoría de identificar Zaitón con Chang-cheu, el puerto de más nombre en el s. XVI (cf. Yule, *The Book of Ser Marco Polo*, II, p. 239ss.).

[2] Algo de esto logró intuir E. Jos *(El plan y la génesis del descubrimiento colombino,* Valladolid, 1979-1980, p. 46 y la rectificación de p. 40). Cf. ahora sobre todo J. Manzano Manzano, *Colón y su secreto*, Madrid, 1976, p. 181ss.

2.   La fauna y la flora indiana

En la India se crían los mayores animales del mundo: por ella se pasea majestuoso el elefante, avanza torpe el rinoceronte, corre el tigre, acecha la pantera negra. Desilusión de desilusiones: cuando desembarca en Guanahaní, escribe el almirante: «ninguna bestia de ninguna manera vide, salvo papagayos en esta isla» (p. 31); al costear el 16 de octubre la Fernandina se escucha la misma cantilena: «bestias en tierra no vide ninguna de ninguna manera, salvo papagayos e lagartos» (p. 37). Después divisa un gozque que no ladra el 28 de octubre (p. 45, cf. 29 oct. [p. 47]), y el 6 de noviembre remacha: «bestias de cuatro pies no vieron, salvo perros que no ladran» (p. 53). El chasco no puede ser mayor, tanto, que se comprende que Colón registre como gran hazaña en su *Diario* que el 22 de octubre se diese muerte a una sierpe que se había refugiado en una laguna (pp. 41-42), y que al día siguiente anote que Martín Alonso «mató otra sierpe» (p. 43). Gran proeza sin duda la realizada por nuestros antepasados, si aquella serpiente hubiese sido como las descritas por Marco Polo (cf. II 40) y demás cronistas de Indias: ofidios de gigantescos anillos que se atreven a habérselas con elefantes y otras fieras de fuerzas desaforadas y tamaño descomunal; pero la realidad no es tan bella: se trataba de una tan inofensiva como imponente iguana, que poca resistencia pudo ofrecer a las lanzadas de los españoles.

No siempre fue así, no obstante; los escritos colombinos resultan a este respecto muy engañosos, y apenas cabe duda de que han sido retocados *a posteriori*. Hubo de existir por fuerza una atmósfera de tensión entre aquellos hombres inexpertos y asustados, que esperaban ver salir de improviso de los manglares una feroz alimaña de las reseñadas por los historiadores de la Antigüedad. Mal se comprende, si no, que el 6 de diciembre Colón pusiera a un promontorio de la ·Española el nombre muy significativo de Cabo del Elefante. En realidad, el encuentro con un paquidermo, entrevisto en sueños en el tercer viaje [3], no figuraba entre los peligros más señalados. El miedo cerval a los grifos, de los que se creyó haber divisado huellas, provocó la desbandada de una cuadrilla que había salido a explorar el interior de Cuba en 1494 [4]. Todavía en la cuarta navegación, cuando los mareantes vieron que los indígenas del puerto de Huibá hacían su morada encima de los árboles, se pensó que la

---

[3] Una pisada de elefante vio o creyó ver Bernardo de Ibarra en 1498, como declara en los *Pleitos colombinos*, I, p. 139 (*C.D.I.U.* Madrid, 1982, vol. VII). Cf. mi introducción a *Textos*, p. XLIV, nota 138.

[4] A. Bernal (=Bernáldez), *Memorias del reinado de los Reyes Católicos,* cap. CXXVIII, p. 321 (ed. Gómez Moreno-Carriazo).

causa de tal novedad se debía al pavor a los grifos [5], que, por cierto, infestaban según se decía la tierra del Labrador descubierta por Corte Real [6]; y aun al apacible Motolinía [7] le alcanzaron inquietantes nuevas sobre la existencia de tales monstruos, «que hay en unas sierras grandes que están cuatro o cinco leguas de un pueblo que se dice Teocan, que es hacia el Norte», y que hicieron inhabitable por su extrema ferocidad el valle de Auacatlan.

El desencanto que le produce la falta de cuadrúpedos, animales tan esperados y tan peculiares de la India, lo ha de compensar el almirante cargando las tintas sobre otros aspectos de la fauna, además de arriesgar algunas suposiciones aventuradas, como cuando el 29 de octubre «vido cabeças de güesso que le pareçieron de vaca» (p. 46) o el 17 de noviembre el fuerte olor de almizcle le hizo creer «que lo debía de aver allí» (p. 59), es decir, que allí se daba la gata de algalia que él conocía de su experiencia africana. Una manera de evitar la mala impresión que tal carencia podía causar en los reyes estriba en ponderar el pescado, abundantísimo y a veces muy semejante al de España; sólo extraña que no se extienda más sobre el manatí, cuya piel, desollada el 16 de noviembre (p. 59), hizo curtir para mostrarla a los monarcas. De la misma manera se afana en conseguir papagayos, que los indios le entregan de grado el 13 de diciembre (p. 80), por más que Colón sabía mejor que nadie que tales pájaros también se encontraban en las selvas guineanas.

No es la fauna, sin embargo, la que salva al almirante del atolladero en que se encuentra sumido, sino la flora. Mil veces se explaya el *Diario* en descripciones de la vegetación lujuriante de las islas del Océano, donde todo es verdor y hermosura, de suerte que da gloria ver los árboles espesos y grandes, y es maravilla contemplar cómo cercan en ruedo las lagunas, cómo todos ellos son de mil maneras diferentes y cómo producen flores infinitas de aroma embriagador, mientras canta en sus ramas pajarería sin cuento. Mil veces también se ha alabado la finura con que Colón capta y siente el paisaje, y resulta ya tópico más que manido cantar al almirante como primer enamorado europeo de los trópicos. Bien es verdad que la prosa colombina se exalta en jubilosa alabanza de las islas, aunque no es menos cierto que el ambiente que se crea resulta a veces un tanto artificioso e irreal, y no porque gorjeen en las frondas ruiseñores

[5] D. Hernando, *Le Historie della vita e dei fatti di Cristoforo Colombo*, XCIV (II, p. 225 Caddeo). Nada dicen al respecto Las Casas ni el extracto hecho por Zorzi de la relación de D. Bartolomé.

[6] Cf. F. López de Gómara, *Historia general de las Indias*, cap. XXXVII (*BAE* 22, p. 177 b).

[7] *Historia de los indios de la Nueva España*, III 7 (p. 150 O'Gorman).

inexistentes [8], sino porque la relación raya en la hipérbole paradisíaca, pecadillo, si lo es, que nadie va a reprochar al gran descubridor. El nudo de la cuestión no radica en el grado de idealización, sino en su forzosidad: Colón ha de pintar las excelencias del clima, del aire, de las campiñas, de las arboledas, porque no tiene otra cosa de mayor enjundia que ofrendar a los reyes por el momento; no dispone de perlas, rubíes, carbunclos o esmeraldas, así como tampoco su singular Ofir le da marfil de que hacer presente a los monarcas. Colón, el marino, pero también el comerciante, debe vender su descubrimiento, y a fe que sabe hacerlo a la perfección, demostrando una torrencial elocuencia que haría palidecer de envidia a más de un orador de su tiempo, pues como relatador y hablista apenas tiene rival. Otras veces, la realidad de las islas podía hacerse corresponder con la idea tradicional de la India, y ello sin cometer en apariencia grandes estropicios y desbarajustes. Entre las características del lejano Oriente había señalado Pomponio Mela [9] que «los bosques daban lana y que los entrenudos de las cañas, vaciados, podían llevar como navíos a dos y algunos hasta a tres hombres». Pues bien, era muy fácil identificar esa «lana» con el algodón, del que «se cogen copos de los árboles, como entre los Seres», según anota Pedro Mártir [10]. A su vez, ¿qué eran esas

[8] En un bello capítulo de su libro *Storia letteraria delle scoperte geografiche*, Florencia, 1937, p. 13ss. L. Olschki ha señalado muy oportunamente cómo la carta y la relación del primer viaje contienen motivos literarios, ajustándose a la descripción imaginaria del Paraíso terrenal, visto como un jardín siempre verde en el que infinitos pájaros cantan la eterna primavera: entre sus bondades no puede faltar el ruiseñor, «atributo fijo, proverbial, inmutable de las primaveras poéticas» (p. 20). De la misma manera, la existencia de cinocéfalos y cíclopes viene a constituir como una confirmación de la proximidad del reino de Gran Kan (p. 23). Señala Olschki agudamente (p. 28ss.) que las alucinaciones que sufren tanto Marco Polo como Colón (y después Pigafetta) tienen lugar en las islas de la India, en virtud de un romanticismo que no sin razón es tachado de «insular» (p. 39), pues en islas en definitiva se desarrollan también las aventuras de Amadís (p. 51ss.).

[9] *Corografía*, III 62. De estos árboles que producen algodón y lana hablaron mucho los antiguos (Estrabón XV 1, 20 [693 D]; Plinio, *Hist. Nat.*, XII 25, Arriano, *Indica*, 16, 1 ss.), hasta el propio Heródoto (III 106, 3): «los árboles salvajes dan allí como fruto lana, que en hermosura y bondad aventaja a la de oveja». Se trata, evidentemente, del algodonero (*Gossypium arboreum* L.); pero como de lana (o lino) se había hecho mención en la Geografía clásica, pues árboles de lana intentó buscar Colón en la Española (cf. p. e. la narración de G. Coma 17 [*Cartas*, p. 198]).

En la Antigüedad el *Rotero del Mar Rojo* (15 [p. 270, 5 Müller]) apunta ya que en la isla Menutíade (¿Zanzíbar?) «hay barquichuelas cosidas de un solo leño *(ploiária raptá monóxyla)* para la pesca y la captura de tortugas», barquichuelas que dan nombre precisamente al puerto de Rapta, el último de Azania (*ibidem*, 16 [pp. 270-71 Müller]). En la India recibían, según la misma fuente (60 [p. 301, 10 ss.]) el nombre de *sángara* o *colandio-fonta*, si bien el último se reservaba para las naves que iban a Crise y al Ganges.

[10] *Décades*, I 1, Compluti, 1530, f.4r (=*Cartas*, p. 46); cf. la relación de Guillermo Coma en *Cartas*, p. 198.

almadías sino las canoas de las que se hacía lenguas el almirante, fabrica-
das todas de un madero? Para el que no hubiera visto la caña índica, el
bambú, la adecuación cuadraba a las mil maravillas.

Por si acaso, el almirante descendió a detalles más precisos, referentes
todos ellos a droguerías y especierías, en las que él, por desgracia, no se
consideraba un experto. Aun así, en las islas por él descubiertas encontró,
como no podía menos, mil tesoros y riquezas de aromas y especias. Como
hombre conocedor de Quío, Colón se fijó muy mucho en todo arbusto
del que se pudiera obtener almástica, que tanto provecho reportaba a la
Señoría de Génova, sin duda el producto más citado en todo el *Diario*;
sigue en número de referencias el lináloe, y después la pimienta, de la que
Pedro Mártir [11] envió a probar unos granos a su antiguo protector el
cardenal Ascanio Sforza; a continuación viene la canela y el ruibarbo. Por
último, la nuez moscada es despachada con una sola referencia.

Como suele suceder, a este aluvión de hueca palabrería no se ajusta la
realidad, que Colón disfraza de manera muy sutil. Los diez quintales de
lináloe que quiere cargar el 21 de octubre (p. 42) se esfuman después
como por ensalmo, y muy poco hubo de recogerse al día siguiente cuando
nos indica al desgaire: «fize tomar aquí del liñáloe cuanto se falló»
(p. 43), por más que el 23 de octubre también se enfardeló algo (p. 43).
En el puerto de Mares vio mucho palo «que le pareçio lignáloe» el 5 de
noviembre (p. 52), pero del ser al parecer media un buen trecho. El 15 de
noviembre halló «infinito lignáloe» (p. 58); Colón, sin embargo, no pasa
del «ver» (13 dic. [p. 81] o del «hallar» (7 en. [p. 110]. La misma decepción nos espera con la almáciga. El almirante divisó un árbol «que se
cognosçió que era almáciga» y juzgó que se podría sacar de aquella comarca mil quintales (5 nov. [p. 52]); lástima que, cuando ordenó hacer
una incisión en el tronco, la cantidad obtenida fuera ridícula, «muy po-
quita», como escribe el nunca modesto genovés el 12 de noviembre
(p. 55). Días después avanza una explicación de su fracaso: «no es agora
el tienpo para cogella, porque no cuaja» (10 dic. [p. 77]), y si en Quío el
tiempo de la recolección caía en el mes de marzo, allí había de ser enero
«por ser tan tenpladas» aquellas tierras (11 dic. [p. 78]).

Especia noble si las hay es la canela. Puede suponerse el júbilo que
embargó a todos cuando Martín Alonso y el contramaestre de la «Pinta»
anunciaron el 4 de noviembre (pp. 50-51) que habían dado con árboles
de canela; otra vez aguarda un desengaño, pues «fue el almirante luego
allá e halló que no eran». El 6 de noviembre los indios dijeron que había
mucha «çerca de allí al Sueste» (p. 53). Siempre, no obstante, queda la
confirmación en el aire. En cuanto al ruibarbo, se recogió un serón en la

---

[11] *Décades*, I 2 (=*Cartas*, p. 62).

isla Amiga (1 en. [p. 104]). La nuez moscada la divisó el almirante el 6 de diciembre (p. 74), pero otra vez el destino le jugó una mala pasada, pues «no estaban maduras y no se cognosçían». En conclusión, de cuantas drogas y especias se hace mención altisonante, queda únicamente la sombra a la hora de la realidad. Tan sólo abunda la pimienta, el ají de los taínos; y aquí es cuando se desborda la fantasía de Colón, pues escribe a los reyes que de esa especia tan sana «puédense cargar çincuenta caravelas cada año en aquella Española» (15 en. [p. 118]). Se aprecia muy a las claras que en este punto el almirante se siente seguro, que no experimenta vacilación ni duda: el ají existe y no por presunción ni conjeturas, sino por comprobación directa. Con la misma tajante rotundidad se expresa el genovés el 6 de noviembre respecto al algodón: «en una sola casa avían visto más de quinientas arrovas», así que «se pudiera aver allí cada año cuatro mill quintales» (p. 53). He aquí cómo, cuando pisa terreno firme, Colón exagera y promete millonadas; sus evasivas y su taciturnidad, en consecuencia, nos hacen concebir de inmediato sospechas de que toda la especiería infinita que, según decía, había en la Española, no existe sino en sueños. No se habla ahora de quintales de almáciga, ni de lináloe ni de canela: el almirante deforma a sabiendas la realidad para adecuarla a lo que cabía esperar de la India, sin mentir, es cierto, pero creando unas falsas expectativas que le habían de costar muy caras, mostrando siempre de manera curiosa una extraña fijación por el número: en 1498 vuelve a encandilar a los reyes con el envío de cuatro mil quintales de brasil (doc. XXVII [p. 243]). Por doquiera que se abra el *Diario*, choca su falseamiento deliberado de cuanto ve: de la almáciga no pudo hacer acopio porque el momento de cogerla era enero; en cambio, de las perlas le resulta imposible hacer pesquería porque «no devía de ser el tienpo d'ellas, que creía él que era por mayo e junio» (16 nov. [p. 59]). En este contraste, se aprecia de manera paladina cómo juega Colón con una naturaleza que se le muestra esquiva: cuando no encuentra lo que espera, la culpa la echa a la estación del año, poco propicia para satisfacer sus deseos. De esta suerte todo acaba por hacerse posible, gracias a que el *Diario* se mueve, y no por ingenuidad precisamente, dentro de la imprecisión y de las vaguedades, cuando se toca algún extremo en verdad fundamental. En esa India que él ha descubierto no puede haber faltas, todo ha de ser superlativo. Para dar cuenta a los reyes, «no bastaran mill lenguas a referillo ni su mano para lo escrevir, que le pareçía qu'estava encantado» (27 nov. [p. 67]).

3. Los monstruos del Oriente

En el último cabo de Oriente era donde los geógrafos clásicos habían situado todas las maravillas del mundo: allí, en India o en Etiopía, pues la caliginosa nube de misterio que envuelve a toda frontera hacía que ambas comarcas fueran intercambiables, se decía que las tierras abundaban en prodigios de toda índole [12]. En la primera habitaban pueblos tan extraños como los monocolos, que sólo tenían una pierna, lo que no les impedía ser de rapidez sin igual en el salto; también se les conocía con el nombre de esciápodes porque, cuando apretaba el calor, se tumbaban boca arriba y se protegían del sol bajo la sombra de su propio pie. No lejos de ellos vivían otros pueblos sin cuello, que tenían los ojos en los hombros. En el confín de la India, cerca de la fuente del Ganges, estaba avecindada la gente de los ástomos, carentes de boca y en consecuencia obligados a alimentarse por los orificios de la nariz, incapaces de sufrir un dolor fuerte sin sucumbir al instante. Otra nación, los pandas, moradores de los valles, se caracterizaba porque su pelo era cano en la niñez, negro en la ancianidad. Con estos especímenes no se había acabado la serie de prodigios, pues todavía había que contar con los desnarigados, los morrudos, dotados de un labio superior tan prominente que les servía de quitasol, los deslenguados y otros, cuyo solo recuerdo agobia y espeluzna.

Fácil es comprender que los engendros no ya vistos, sino entreoídos por Colón mal podían hacer la competencia a tan escogida cuadrilla, flor y nata del disparatario. No obstante, si se repasa la lista de seres extraños que el almirante sometió en 1493 a la consideración de los reyes, pronto se echa de ver que la elección no tuvo lugar al buena tuntún. Algún resquicio había que dejar para el asombro y Colón, llegado el momento inexorable de confeccionar el catálogo de endriagos —de otra suerte, pensó para su coleto, nadie estaría dispuesto a darle crédito—, seleccionó los más humanos, sí, pero también los más representativos. En los tiempos de San Agustín [13] un mosaico en la plaza del puerto de Cartago

[12] Cf. Plinio, *Hist. nat.*, VII 21ss.

[13] *Ciudad de Dios*, XVI 8, 1. La geografía fantástica poblada de hemíquines, pigmeos, macrocéfalos, amén de grifos y otros endriagos es muy antigua; además de los monstruos mencionados en la *Odisea*, cf. Hesíodo, fragmentos 152-53 Merkelbach-West.

Por otra parte, un eco del mosaico cartaginés se conserva a mi juicio en la mapamundi que acompaña a los Beatos. Así, en el ms. de Burgo de Osma aparece en el mundo de los antípodas, situado frente a Etiopía, la figura de uno de estos esciápodes melenudos, protegiéndose con su único pie monstruoso del sol, representado por un gran círculo rojo; el letrero que acompaña tal ilustración procede de San Isidoro (*Etim.* XI 5, 23 con un añadido introductorio derivado de XIV 5, 17; facsímile en *Los Beatos,* Catálogo de la Exposición de junio-septiembre 1986, Biblioteca Nacional, Madrid, 1986, anejo a la p. 38). Pues bien, la iconografía persevera de tal punto y con tal fidelidad que esta imagen del s. XI torna a

iniciaba al vulgo en los fantásticos arcanos de la geografía india; entre los portentos representados figuraban pigmeos, esciápodes y cinocéfalos. En los escritos colombinos sólo aparecen estos últimos, aunque su mención expresa no excluya la presencia de los demás. Como primera providencia, pues, conviene que examinemos con algún detenimiento las tradiciones relativas a los pueblos extraordinarios a los que alude el almirante en su *Diario* o en la carta en la que anunció el descubrimiento, pues la historia y evolución del mito correspondiente nos ha de deparar no pocas enseñanzas.

a) *Cinocéfalos y antropófagos.* El 4 de noviembre de 1492 el almirante creyó entender que, no lejos de donde se encontraba, había «honbres de un ojo e otros con hoçicos de perro que comían los honbres» (p. 51); la sombra siniestra de los ciclopes vuelve a proyectarse el 23 de noviembre (p. 62), mezclada con vagas noticias de los antropófagos, esto es, de los caribes llamados caníbales, en cuyo nombre, quizá deformado a conciencia, se busque la la asociación con «can». El miedo de los taínos a los comehombres asoma de nuevo el 26 de noviembre (p. 65) y el 5 de noviembre (p. 72). Tales monstruos tenían una larga ejecutoria mitológica. De hecho, la existencia de los cinocéfalos había sido afirmada con toda rotundidad por Eliano [14] que, basado en las burlerías índicas de Ctesias [15], nos ofreció de ellos una descripción amable y hasta divertida:

En el mismo paraje de la India donde se crían los escarabajos [purpúreos] se encuentran los llamados «cinocéfalos», a los que dio nombre el aspecto y la naturaleza de su cabeza, pues en el resto de sus miembros tienen figura humana. Andan cubiertos de pieles de animales y son justos y no agravian a ningún hombre. No hablan, sino que emiten sonidos guturales, aunque entienden la lengua india. Se alimentan de fieras salvajes, que cazan con gran facilidad, pues son velocísimos, y las matan cuando les dan alcance. No asan su carne al fuego, sino al calor del sol, partiéndola en pedazos. Crían cabras y ovejas. Su sustento es la carne de las alimañas, su bebida la leche del ganado que apacientan. He hecho mención de ellos entre los seres carentes de razón y no sin motivo, pues no tienen una voz articulada, clara y humana [16].

encontrarse en la ilustración de la impresión castellana de Juan de Mandevilla, que viene así a hundir sus raíces en la Antigüedad tardía.

[14] *Nat. an.,* IV 16.

[15] FGrHist 688 F 45 p Jacoby (cf. Plinio, *Hist. Nat.,* VII 23; Solino, *Colec.* 52, 27 y 29; San Isidoro, *Etim.* XI 3, 15.

[16] Una interpretación racional del mito intenta adelantar Wecker (*RE,* s.u. 'India', c. 1305, 8ss.): se llamarían así estos hombres por disponer de muchos perros de caza o mejor, como dice rectificándose a sí mismo en *RE,* s.u. 'kynokephaloi', c. 25-26, se trata de una denominación despectiva de un pueblo (una de las castas más bajas tenía el nombre de *śvapaku* 'perrero'), como se hablaba de que en las fuentes del Indo habitaban los legenda-

Como era de esperar, con estos pacíficos seres se encontró Alejandro en la saga del Pseudo-Calístenes (II, 34 y 36 Müller). Su aspecto, no obstante, era demasiado fiero para que no adquirieran muy pronto una fama terrible, más acorde con el feroz natural que se les suponía oculto detrás de las facciones perrunas. El *Liber monstrorum* [17] acentúa los rasgos siniestros de este engendro en principio inofensivo: «corrompen cada palabra que dicen con sus continuos ladridos y no imitan a los hombres, sino a las fieras, al comer carne cruda», que no se especifica si es de animal o no. Los cinocéfalos llegaron así a formar parte de los pueblos inmundos encerrados por Alejandro tras las puertas Caspias; no es de extrañar, en consecuencia, que en el séquito infernal de los tártaros Mateo París [18] hiciera figurar junto con los lotófagos y antropófagos a los *cenofari*, palabra que sin duda se ha de corregir en *cinofali* [19], de mayor parecido fonético, como se ve, con «caníbales». A lo largo de todo el Medievo la fama que acompañó a los cinocéfalos distó mucho de ser risueña. Como culminación de un viaje morrocotudo unos monjes alcanzaron a ver al beato monje Macario, que les aseguró encontrarse a sólo unas veinte millas del Paraíso terrenal. La dirección que tomaron los anacoretas los condujo siempre rumbo a Oriente; pues bien, el primer pueblo con el que toparon en su camino al orto fue el de los cinocéfalos, que vivían con sus mujeres e hijos en cavernas y que, si no les causaron ningún daño, fue por la providencia de Dios [20]. Cabeza de perro tenía

rios *śuna-muka* 'rostro de can'; después tal apodo habría sido sometido a una exegesis literal.

A unos cinoprosopos que viven más allá del oasis de Egipto se refiere también Eliano (*Nat. an.*, X 25); como sus compañeros indios, carecen de comunicación articulada, de forma que hablan a chillidos, pero son negros y de la papada les cuelga una barba. Cabe identificarlos, pues, con los gorilas.

[17] I 16 (editado por M. Haupt, *Opuscula*, Leipzig, 1876, II, p. 228, 1ss.

[18] *Chronica maiora* en *Monumenta Germaniae Historica, Scriptores*, XXVIII, p. 232, 3.

[19] Y no *cynophagi*, como proponen los editores. En efecto, *cinofali*, la forma haplológica documentada en latín tardío, prevalece en romance y así, p.e., en el *Libro del conosçimiento de todos los reynos e señoríos* editado por M. Jiménez de la Espada (Madrid, 1877, p. 86. cf. p. 110), se lee: «E a la parte del nort confinan con la Tartaria cerrada las tierras de Albizibi, que son tierras yermas deshabitadas, pero que en algunos lugares cierran gentes; e son omes viles e comen la carne e los pescados crudos, e han los rostros luengos como canes, pero que son blancos, e fazen todas las cosas que veen fazer; e llámanlos 'sinófalos', e yo vi uno d'ellos en la ciudad de Norgancio». Asimismo la *Epistola del Prete Ianne* (impresa en Venecia el 4 de marzo de 1478) enumera entre los pueblos que domina el rey los «zenofali», al hacer el catálogo de monstruos: «fauni, satiri, femene de quela generation, *zenofali*, ziganti..., homini cornudi, homini che ano ochi denanzi al pecto dreto, homini senza testa, che han ochi e boca in el petto», etc.

[20] *PL* 73, c. 417 B § 5. En el mapa de Andrea Bianco aparece dibujada la morada del eremita, el *ospitium Macorii*, como señala A. Graf (*Miti, leggende e superstizioni del Medio Evo*, reimpr. Nueva York, 1971, I, p. 178, nota 22).

también el gigantón de San Cristóbal, cuyo origen no queda del todo claro, salvo una vaga alusión a que provenía de la región de los antropófagos [21].

La naturaleza del mito hace que los cinocéfalos, para respiro del común de los mortales, habiten siempre en los confines del mundo. No es de extrañar que, en su viaje a la Corte del Gran Kan, el misionero franciscano Juan de Pian del Càrpine [22] tuviera noticias de que, después de los samoedos, existían unos hombres «que se dice que tienen la cabeza de perro, en el litoral del Océano». Ibn Battuta [23] declaró haber visto una generación de faz perruna en el país nebuloso de los Barahnakar. Se trata, en definitiva, de monstruos característicos de la mitología de frontera. Cuando los tártaros volvían derrotados de su legendaria expedición a la India, atravesaron un desierto a cuyo término dieron con una tierra en la que «todos los que nacían hembras tenían forma humana, los machos, por el contrario, rostro canino» [24]. Marco Polo [25] se plegó al peso de la tradición, pero localizando a los cinocéfalos en las islas Andaman, como conocedor que era de la tierra firme. Idéntica tradición recogió Odorico de Pordenone [26], sólo que refiriéndola a la isla de Nicuneram (= Nicobar), que según él abrazaba en su circunferencia 2.000 millas: «en ella los hombres y las mujeres tienen la faz canina y adoran a un buey como a su dios». Juan de Mandevilla [27], copiando al franciscano, recordó a los hombres de cara de perro de las islas de Necumeran, mezclándolos con el entorno mítico del rey de Ceilán y su rubí fabuloso; y sobre tan fantástica doctrina se basa el letrero correspondiente del globo de Martín Behaim [28]. Todo viajero, pues, ha de topar con esta mítica jauría en los extremos del mundo, y más en las islas de la India. Colón no constituyó una excepción a la regla; más bien sorprende el escepticismo de que hizo gala M. Fernández de Enciso [29], cuando afirmó de manera tajante que en Etiopía «dizen que de la otra parte de la equinocial ay muchos monstruos y honbres con cabeça de perros; pero no es de creer».

[21] *Passio Christophori*, 3 (p. 299) y 5 (p. 300) en el *Pasionario hispánico* editado por A. Fábrega Grau.

[22] *Apud* Vincent. Bellou., *Spec. hist.*, XXXI 23 (f. 420r)=IX, p. 195 Pullè.

[23] *Viaje*, p. 708.

[24] Vincent. Bellou., *Spec. hist.*, XXI 11 (f. 418v). Esta tradición concuerda con el Nan shi, así como con un pasaje de Adán de Bremen, como señala Cordier (*apud* Yule, *The Book of Ser Marco Polo*, III, p. 110).

[25] III 21 (versión latina).

[26] 16, 1 (van Wyngaert, *Sinica Franciscana*, I, pp. 452-53).

[27] Versión inglesa, p. 130, 11ss.; versión aragonesa, f. 55r.

[28] E. G. Ravenstein, *Martin Behaim. His Life and his Globe*, p. 88.

[29] *Suma de Geographía*, Sevilla, 1530, f. 49r.

Por otra parte, los geógrafos clásicos se imaginaban que la costa oriental de Asia estaba poblada de pueblos antropófagos, entre ellos los maságetas, de los que el almirante había de hacer mención en su cuarto viaje basado en la autoridad de Pío II. Ahora bien, la antropofagia bien podía evocar la dieta inmunda de las hordas terribles que han de asolar la tierra en la consumación del siglo: «Los pueblos que saldrán del Aquilón comerán carne humana y beberán sangre de bestias como agua y comerán serpientes asquerosas y escorpiones y todo género de bestias y reptiles que reptan sobre la tierra, por repugnante y abominable que sea, y los cadáveres de los jumentos», vaticina el conocidísimo oráculo del Pseudo-Metodio [30]. Es más: se decía que los maságetas inmolaban a los ancianos de la tribu y comían su carne [31], y un uso semejante atribuyó Marco Polo a los habitantes del reino de Dragoyam, en la isla de Java la Chica (= Sumatra) [32]; esta razón indujo a un compañero de Colón en el segundo viaje, Miguel de Cúneo, a deducir que a tan poco piadosas prácticas se entregaban los ferocísimos caribes [33]. Pero precisamente el solo pensar en semejante acto había inspirado tal horror a los antiguos, que uno de los rasgos distintivos que caracterizan a las tribus inmundas es precisamente esta antropofagia familiar. No otra justificación pone el Pseudo-Calístenes [34] en boca de Alejandro para explicar el encarcelamiento de aquellos hombres espantables hasta el fin del mundo:

Encontré allí [en el aquilón] muchos pueblos que devoraban carne humana y que bebían como agua la sangre de los animales y fieras; y no enterraban a sus muertos,

---

[30] Cf. E. Sackur, *Sibyllinische Texte und Forschungen*, Halle, 1898, p. 92.

[31] Cf. Heródoto, I 216, 2-3. Otro tanto cuenta de los Isédones de Escitia (IV 26), y en la India de los Pedeos (III 99) y los Calatias (III 38, 4). Aristóteles (*Topica*, II 11 [115, 22ss.]) documenta esa costumbre entre los Tribalos. Lo mismo refiere de los Tebec, en Tartaria, Guillermo de Rubruc (26 3 [van Wyngaert, *Sinica Franciscana*, I, p. 234]).

[32] III 17 (versión latina). Odorico de Pordenone (18 1ss. [van Wyngaert, *Sinica Franciscana*, I, p. 455ss.]) hace excusarse de la misma manera que los dragoyanos de Marco Polo a los pobladores de la isla de Dandin (de ahí sale el Dondun o Doudin de Juan de Mandevilla [versión inglesa, p. 132, 19ss.; versión aragonesa, f. 56r], que copia al franciscano de manera descarada, según su costumbre): «Hacemos esto para que los gusanos no coman su carne, y por eso la comemos, para que su alma no sufra pena alguna; pues si los gusanos la comiesen, su alma padecería grandes sufrimientos».
De tales prácticas oyó hablar San Francisco Javier como vigentes en las islas del Maluco (doc. 55, 11 [p. 194 Zubillaga]). También las menciona Varthemà (p. 174 Giudici) y Pigafetta (*Viaje*, pp. 183-84).

[33] Así lo señalé en *Cartas*, p. 251. El mismo lugar común se encuentra en Hernando Colón (*Historie*, LXI [II, p. 32 Caddeo]) y en Vespuche (*Carta a Soderini* [V, p. 44, 8 Formisano]).

[34] III 29 Müller. Cf. Pseudo-Metodio 8 (en E. Sackur, *Sibyllinische Texte und Forschungen*, Halle, 1898, p. 73): «a los muertos no los entierran, sino que con frecuencia se los comen».

sino que los comían. Yo, al contemplar esos pueblos malvadísimos, temeroso de que, al sustentarse así, mancillasen la tierra con su perversa impiedad, elevé una oración a Dios y los vencí y maté con la espada a muchos de ellos, y sometí a cautiverio su tierra.

Colón ha llegado, pues, cerca del país de los horrores; claro es que mal podía esperarse caridad seráfica de los hombres de cara de can, de los caníbales, los cinocéfalos que figuraban por derecho propio entre los 22 pueblos, inmundos encerrados por el macedonio; más adelante veremos otras implicaciones del mito.

b) *Amazonas*. Las hembras guerreras aparecen en el *Diario* del almirante relativamente tarde. Sólo el 6 de enero (p. 109) llegó a Colón la nueva de que al Este de la Española había una isla habitada sólo por mujeres, isla que el 15 de enero (p. 117) recibe ya un nombre: Matininó. A ella decidió encaminarse el 15 de enero (p. 117) para lastrar la nave, según se nos comunica más tarde (p. 126); pero al día siguiente, en vista de que las dos carabelas hacían agua, puso Colón rumbo a España, a pesar del deseo que tenía de apresar cinco o seis de aquellas hembras para presentarlas a los reyes (p. 119). La noticia amazónica se ajusta de manera perfecta a la *fable convenue*:

çierto tienpo del año venían los honbres a ellas de la dicha isla de Carib, que diz qu'estaba d'ellas diez o doze leguas; e si parían niño, enbiávanlo a la isla de los honbres, e si niña, dexávanla consigo,

tópicos que se repiten más o menos a la letra en la carta a Santángel (p. 145, cf. nuevo texto, carta I, p. 5), si bien con la precisión importante de que Matininó es la primera isla que se encuentra en el camino a las Indias.

Esta isla mujeril volvió a ser tema de conversación en 1493, en el segundo viaje, según sabemos por Pedro Mártir, que se extiende en curiosos detalles sobre su guarida subterránea [35]. En verano de 1494 proyectó Colón ir a su isla con fustas de remo (nuevo texto, carta II, p. 15). También en 1496, al regresar a la Península, tornó el almirante a pensar en amazonas cuando en la Guadalupe un grupo de mujeres se presentó en la playa con aire amenazador a medirse en lucha desigual con los españoles [36]: en efecto, las mujeres estaban solas, ya que los hombres se hallaban ocupados en sus labranzas en otra parte de la isla, y esta separación de sexos es consustancial a la fábula amazónica. Con el tiempo, no obstante,

[35] *Decades*, I 2, 6 (*Cartas*, p. 53).
[36] Las Casas, *Historia de las Indias*, I 111 (*BAE* 95, p. 303 a), D. Hernando, *Historie*, LII (II, pp. 60-61 Caddeo).

empezaron a entrarle serias dudas sobre el crédito que merecían tales rumores al propio cronista milanés [37], que, sintiéndose cogido en falta, no tuvo el menor empacho en cantar la palinodia de cuanto antes había escrito: las mujeres del feroz pueblo de los caribes, no menos guerreras que sus maridos, se defienden con valentía de quienes las atacan cuando los hombres están ausentes: «de ahí pienso que se ha creído que hay islas en ese mar que sólo pueblan mujeres», concluye Pedro Mártir avanzando una interpretación más racional, si bien había personas de autoridad como Alfonso de Argüello [38] o Diego Cañizares [39], que creían a pie juntillas en la existencia de la Matininó amazónica. No podía ser de otra manera, pues de amazonas estaba cuajada la geografía mítica, y no sólo la de la India.

Para la mentalidad antigua, en efecto, el curso de la historia está sometido a una constante bélica: la lucha que mantienen Europa y Asia por la hegemonía mundial. En esta contienda encarnizada y multisecular los habitantes de Asia reciben el auxilio de unas mujeres guerreras que llamaron los helenos amazonas, las «hembras de un solo pecho». De esta suerte, la lucha de Aquiles y Pentesilea constituye uno de los episodios finales de la guerra troyana; después, las amazonas vuelven a aparecer en la saga de Heracles y Teseo, como siempre plantando cara a los héroes griegos. Siguiendo la misma pauta, en otro de los lances del forcejeo entre Europa y Asia, en las campañas de Alejandro Magno, era inevitable que entraran también en escena las belicosas doncellas, si bien la burguesía helenística prefirió trocar el brutal enfrentamiento bélico en un acaramelado romance entre el macedonio y la reina Taléstride, que en definitivas cuentas sólo conduce a la mejora de la raza, pues la amazona se acerca al monarca por mor de tener un hijo del héroe [40]. A lo largo de las centurias, pues, el mito sufrió un desplazamiento hacia Oriente: las amazonas, que antes vivían a orillas del río Termodonte, en la Meótide o mar de Azov [41], acabaron por verse relegadas al Cáucaso o al Caspio [42] y, por último, a los confines de la India, pero siempre para habitar en parajes acuáticos y estando siempre libres de todo trato con los hombres. Su primitivo carácter maligno, que repugnaba a los ideales greco-romanos, se trasluce todavía en las leyendas tardías de la doncella guerra. Así como contra Eneas

[37] *Decades*, III 9 (Compluti, 1530, f. 52v).
[38] *Decades*, VII 8 (f. 99r).
[39] *Decades*, VII 9 (f. 101v).
[40] Quinto Curcio, VI 5, 24ss. y Diodoro Sículo, XVII 77, con la expresa censura de Estrabón, XI 5, 3 (504ss.) y de Plutarco, *Alejandro*, 46; cf. además Arriano, *Anábasis*, VII, 13, 2ss. y Pseudo-Calístenes, II 25ss. Müller.
[41] Heródoto, IV 110ss., Justino II 4, 1ss.
[42] Cf. Jordanes, *Getica*, VII 50, 52.

lucha la virago Camila, en la epopeya bizantina Digenís Akritas ha de vérselas también con una mujer, Maximó, que descendía por línea directa de las amazonas que Alejandro había traido del país de los bramanes [43]; era Maximó una doncella bellísima que sólo se complacía en la lucha; pero de nada le valió su hermosura, pues Digenís no sólo le hizo conocer la derrota, sino que, tras vencerla y desflorarla, cayó presa de un súbito arrepentimiento por su adulterio de modo que, yendo en su busca, le dio muerte, pues no en vano se dice que hay amores que matan. Paulo el Diácono [44] relata a su vez un tanto incrédulo el duelo de una de estas amazonas con el futuro rey langobardo Lamisión: ambos libraron un combate a muerte en las aguas de un río, cuyo paso prohibían las mujeres. El cristianismo, poco propicio en verdad al protagonismo bélico de las féminas, acentuó todavía más sus rasgos tétricos y siniestros: en efecto, al vivir cerca de las puertas Caspias, bien podía pensarse que tales engendros eran, como los cinocéfalos, uno de los pueblos encerrados detrás del portón de hierro; es así como las amazonas pasan a militar en las hordas del Anticristo y, según cuenta el tratado de Breidenbach traducido por Martín Fernández de Ampíes [45], a ellas han de llegar los mensajeros del Maligno, y su reina está destinada a convertirse en «capitán de las gentes inmundas». ¡Tan triste sino les deparaba el futuro a estas profesionales de la guerra! Además, para extremar su truculencia, una leyenda tardía relata que, de sus hijos, mataban a los niños varones y sólo criaban a las hembras [46].

En todas las variantes de la saga es fundamental el ingrediente acuático. Tanto es así, que Ariosto [47] nos hace asistir al nacimiento de una isla amazónica, que recuerda en cierto modo el trágico lance de las mujeres de Lemno. Pero además, y esto es lo que más nos interesa ahora, el mito acabó por echar raíces en la India, como ya queda apuntado. Todavía Plinio [48] indica que eran los pobres sármatas los cónyuges atribulados de estas hembras, que mandaban en su vida de forma imperiosa; pero ya las personas del séquito de Ruy González de Clavijo [49] sabían muy bien que las tales amazonas se encontraban a «onze jornadas de... Samaricante [Samarcanda] fasta [i.e. fazia] la tierra del Catay». El imán índico atrae con su misterioso gancho a todos los monstruos, tesoros y maravillas.

[43] VI 385ss. Mavrogordatos.

[44] *Historia Langobardorum*, I 15 (*Monumenta Germaniae Historica, Scriptores rerum Langobardicarum*, I, p. 55).

[45] *Libro del Anticristo*, Burgos, 1497, cap. XXIII y XXIV.

[46] Justino, *Epítome*, II 4, 8-10; Paulo Orosio, *Hist.* I 15, 3; Jordanes, *Getica*, VIII 56. Ya cita esta costumbre Bardesanes, F Gr Hist 719 F 3 b 29 Jacoby.

[47] *Orlando furioso*, XX 22ss.

[48] *Hist. Nat.*, VI 19.

[49] *Embajada a Tamorlán*, p. 212, 1ss.

Para remate, esta nueva patria posibilitó la imbricación de las amazonas con otra tradición, la de los bramanes que llevan vida retirada. Como afirma el Pseudo-Calístenes [50],

los hombres viven del lado del Océano a la otra orilla del río Ganges..., mientras que las mujeres habitan del otro lado de la India, a esta orilla del río. Los hombres pasan con las mujeres en julio y agosto, pues éstos son entre ellos los meses más fríos, al elevarse el sol hacia nosotros y sobre el aquilón, y se dice que son los de mayor templanza y los que excitan el deseo. Después de morar con sus esposas cuarenta días, vuelven a cruzar el río. Cuando la mujer ha parido dos hijos, el hombre no torna a atravesar el río ni se ayunta con ella.

En esencia, como se ve, ésta es la misma historia de las mujeres guerreras, sometida a un cambio de protagonistas: el agua que divide a uno y otro sexo se ha convertido en mar, mientras que la morada de ambos, para mayor seguridad, pasa a ser una isla. No es difícil deducir que las amazonas del Pseudo-Calístenes [51] tampoco habitaban en la tierra firme, y así se lo notifican las ilustres marimachos a Alejandro:

Vivimos dentro del río Amazónico, pero no en la otra orilla, sino en su centro. El perímetro de nuestra tierra tiene un año de camino de circunferencia, y el río es un círculo que carece de comienzo. Contamos con un solo paso, por el que salimos. Habitamos aquí un número de 270.000 doncellas armadas, sin que haya entre nosotras nada masculino. Los hombres residen al otro lado del río, cultivando la tierra con nuestros ganados y pastores. Cada año celebramos la fiesta de la Hipofonia, en la que sacrificamos [caballos] a Zeus, Posidón, Hefesto y Ares durante treinta días. Y cuantas de nosotras quieran cruzar el río y juntarse con ellos, permanecen en su casa, y las niñas que nacen las cuidan los hombres y pasan con nosotros al cumplir los siete años.

Tan extravagantes fantasías se incorporaron finalmente a la apócrifa *Carta* del Preste Juan [52]. Las diferencias de matiz entre los bramanes y los maridos de las amazonas son mínimas, si bien hay que confesar que los sacerdotes conservan una dignidad viril que les está negada a los otros hombres, que sirven sin rechistar a sus tremebundas esposas como humildes corderitos. La iniciativa, en efecto, les corresponde a los santones, que deciden o no pasar con sus mujeres y, una vez cumplida la obligación de procrear, guardan ya castidad para siempre. Tales leyendas debieron de ser conocidas en esta u otra versión a la Europa occidental en los

---

[50] III 9 Müller.
[51] III 25 Müller.
[52] Utilizo la edición hecha en Venecia el 4 de marzo de 1478, sin foliar, de BN Madrid (*Epistola del prete Ianne ad Emanuel rector di Greci dele cose mirabile de Iudea* [sic por *India*]). La carta se explaya también en la descripción de esta isla que por todas partes mide mil millas y está circundada de un río privado de principio y de fin.

albores de la Edad Media: en la punta Sureste de Asia sitúa a las amazonas la llamada por G. Menéndez Pidal [53] «familia tabarense de los mapas de los Beatos».

Otra característica sempiterna es que las mismas fábulas maravillosas se prediquen tanto en la India como en Etiopía. Y así como el fantasma del Preste Juan vaga de China a Abisinia, las amazonas, situadas ya por Diodoro Sículo en la africana Tritónide, acaban por buscar refugio en las aguas mágicas del mar de Etiopía. Allí las documenta Marco Polo siguiendo tradiciones árabes, y con su relato concuerda Nicolò de' Conti [54]:

A no más de cinco mil pasos enfrente de esta isla [Socotra] se encuentran otras dos, a cien millas una de otra. En una habitan hombres solos, en otra mujeres solas. Algunas veces van los hombres a la isla de las mujeres y otras veces van las mujeres a la isla de los hombres, si bien han de volver a su morada antes del término de seis meses que les está impuesto, pues de otra suerte mueren de inmediato, si habitan los unos en la isla de los otros pasado el tiempo que les ha fijado el destino.

La versión difiere poco de la de su predecesor veneciano, aunque aquí haya mayor licencia y promiscuidad en los viajes de unos y otros, viajes sobre los que se cierne, sin embargo, la negra sombra de una prohibición fatídica, cuyo origen se prefiere sumir en el silencio. El *Rotero portugués* [55], refiriéndose a Socotra, recoge el último estadio de la leyenda:

dizen los moros que ésta fue la isla de las amazonas, e que después por tienpo se entremetieron con los onbres; e aun alguna cosa parecen d'eso, porque ellas menistran sus faziendas e las goviernan sin sus maridos entender en ello.

De esta tradición de raigambre árabe, como queda dicho, se hace eco el globo de Martín Behaim [56] y el *Islario* de Alonso de Santa Cruz [57]. En cambio, San Francisco Javier, que residió algún tiempo en Socotra [58], prefirió silenciar estos rumores, que sin duda le parecían cuentos de viejas. Una Amazonia isleña menciona sin más precisión Juan de Mandevilla [59]. En cuanto a la Ocoloro de Pigafetta, que Skelton, siguiendo a

[53] *Mozárabes y asturianos en la cultura de la Alta Edad Media,* Madrid, 1954, p. 116.

[54] Traducido al latín en la *Historia de uarietate fortunae* de Poggio (París, 1723, pp. 138-39).

[55] P. 31. (ed. Blázquez).

[56] E. G. Ravenstein, *Martin Behaim. His Life and his Globe,* p. 105.

[57] P. 376 Blázquez. Santa Cruz relata una historia semejante acerca de la isla Bella, cercana a Francia (*ibidem,* p. 131).

[58] Doc. 15, 9ss. (p. 88ss. Zubillaga) o 71, 5 (p. 276ss.).

[59] Versión inglesa, p. 102, 22ss.; versión aragonesa, f. 42v.

Yule [60], en vano intenta identificar con Enggano, isla fabulosa donde no había sino mujeres que, como las yeguas lusitanas, eran fecundadas por el viento, no me cabe duda de que es un brumoso recuerdo de Socotra, confundida con el país sagrado de Uttara Kuru.

Otros curiosos testimonios árabes sobre islas femeniles recoge E. García Gómez [61], para explicar un lance, «la fôret aux pucelles», del poema de Alejandro de Li Tors y Bernay. En efecto, junto a la isla de *vac vac*, llamada así por los gritos de los grandes papagayos [62] que pueblan sus bosques, es decir, el Japón según De Goeje, localizaba el Cazuní (1203-1283 d. C.) una isla de las mujeres, que concebían del viento y que daban a luz sólo hembras; e incluso en la isla de *vac vac* gobernaba una reina acompañada de 4.000 ó 400 esclavas desnudas. Asimismo, en *La perla* del historiador andalusí el Xatibí (h. 1465 d. C.), se relata la historia de una nave persa que va en busca de un tesoro remoto en el Océano y que, si bien sufre mil peripecias amargas —entre ellas la aparición del *ruj*—, también goza en justa compensación de los placeres de la isla de las doncellas que, desnudas, hablan cantando como perdices y les ofrecen sus encantos durante la noche, sumergiéndose en el mar al rayar el alba. Esta inmersión acuática, sin embargo, cuadra mejor a las sirenas o a las neréides que a las amazonas, que son siempre mujeres de carne y hueso y no ninfas o semidiosas; en cambio, quizá recuerde el plazo impuesto a la permanencia de los hombres en las islas de las mujeres la desaparición de las doncellas al despuntar el día, otra característica, no obstante, que parece más propia de espíritus malignos que de seres humanos. Y conviene observar que también a oídos del agustino fray Juan González de Mendoza [63] llegaron noticias de que

no lejos de estas islas de Japón han descubierto de poco acá unas que llaman de las Amazonas. A éstas van cada año en ciertos meses algunos navíos de japoneses a llevar mercadurías... En llegando las naos saltan en tierra dos mensajeros a dar aviso a la reina de su venida y del número de los hombres que en ellas vienen, la cual les señala el día en el cual se han de desembarcar todos; y el mismo día lleva ella a la playa igual número de mujeres que el que le trajeron de hombres, las cuales llegan primero que ellos desembarquen y, llevando cada una un par de zapatos o alpargatas en la mano con su señal distinta de las demás, las ponen en el arenal de la playa sin orden ni concierto... Saltando en tierra los hombres, cada uno se calza los primeros zapatos que

[60] *Magellan's Voyage*, New Haven-Londres, I, p. 179, y *The Book of Ser Marco Polo of Venice*, II, p. 406, respectivamente.

[61] *Boletín de la Real Academia de la Historia*, XC (1927) 197ss. Sitúa las islas de Vacvac en Africa, al N. de Sofala, O. Peschel, *Geschichte der Erdkunde*, reimpr. Amsterdam, 1961, p. 123.

[62] Y no simios, como traduce mal García Gómez el «Psittacées» de Humboldt.

[63] *Historia de... la China*, II 3, 19 (pp. 367-68 F. García).

topa, y luego salen las mujeres y llevan por huésped a su casa a aquél a quien le cupo en suerte el calzarse sus zapatos.

c) *Los hombres con cola.* En 1493 aseguró Colón [64] que en la Española le quedaban por explorar dos provincias, «la una de las cuales llaman Auan («Faba» nuevo texto, carta I, p. 6), adonde nasen la gente con cola». También en el segundo viaje, durante la exploración de Cuba, cuando estaba en la provincia de Hornofay llegó a oídos del almirante el rumor de que más adelante, en Magon (= Mangi), «todas las gentes tenían rabo» [65]. En efecto, la tradición que situaba en el mar de la India islas habitadas por hombres provistos de tan curioso apéndice remontaba a la más rancia Antigüedad: Ptolemeo [66] coloca las tres islas de los Sátiros [67] a 171 grados de longitud y 2 1/2 de latitud añadiendo:

Los que las habitan se dice que tienen cola, tal cual pintan la de los Sátiros; y hay a continuación otras diez [islas] llamadas Maníolas [68], en las que paran los navíos que tienen clavazón de hierro, ya que la piedra de Hércules que nace en su entorno los atrae; por esta razón afirman que amarran en seco las tablas con tarugos [69]; y se cuenta que las pueblan antropófagos.

De los Sátiros que andan tanto a dos como a cuatro patas habla Plinio [70], situándolos en las montañas orientales de la India. El Pseudo-

---

[64] *Textos*, doc. V (p. 143).

[65] A. Bernal, *Memorias de los Reyes Católicos*, CXXVII (p. 318 Gómez Moreno-Carriazo). O como dice el propio Colón en el nuevo texto (IV, p. 33): «Estos [los de Hornofay] me dixeron cómo allí adelante hera Magon, en la cual provinçia toda la gente tenía cola, y que a esta causa yo los hallaría todos vestidos». Es curioso como aquí se da otra explicación racional al hecho de andar vestidos.

[66] VII 2, 30 (cuaternión E'''r de la edición príncipe, publicada en Vicenza en 1475 por Angelus Vadius y Barnabas Picardus Vicentinus).

[67] Hai-nan según Herrmann (*RE*, s.u. 'Satyron nesoi', c. 223-24); las islas al Norte de Java (como Modoera, Bali, Lombok) de creer a Lassen y las Anamba para Gerini (cf. Wecker, *RE*, s.u. 'India', c. 1290, 20ss.).

[68] Cf. Pseudo-Calístenes, III 7 Müller.

[69] La misma explicación racionalista recoge Ruy González de Clavijo (*Embajada a Tamorlán*, p. 113, 7ss.): «Si de fierro fuesen guarnidas, luego serían desfechas por las piedras yamantes, que ha muchas en este mar». La misma reminiscencia clásica se encuentra en Andrés Bernal (*Memorias del reinado de los Reyes Católicos*, CLIX [p. 384 Gómez Moreno-Carriazo]), al relatar el viaje de Vasco de Gama: «Las naos que van a las dichas islas por las especias son pequeñas y llanas, porque ay poco fondo, y algunas ay que no llevan hierro, porque han de pasar sobre la piedra imán, que es de la dicha isla poco». Todavía otra interpretación avanzó Ibn Battuta (*Viajes*, p. 66), que explicó la ausencia de clavazón de hierro por la mayor elasticidad que dan las cuerdas a la nave, impidiendo que se abra al rozar con los arrecifes.

[70] *Hist. Nat.*, VII 24 y 30.

Calístenes [71] no se priva de narrar el jocoso encuentro de Alejandro con unos

hombrecillos, que tenían un solo pie, y de los que colgaba una cola como la del ganado, si bien sus manos, su cabeza y aquel único pie era igual que el de los hombres.

Todavía a Marco Polo [72] le llenaron la cabeza con fábulas acerca de la existencia en el reino de Lambri, en la isla de Java la Chica, de hombres que tenían cola «de un palmo de longitud». Las islas de los Sátiros rabones encontraron acogida en el globo de Behaim, uno de cuyos letreros alude de manera expresa a la tabla oncena de Ptolomeo [73]. Mucho más tarde aún el padre Colín [74], a fin de probar la identidad de las islas Maníolas de la Antigüedad con la Manila filipina, adujo la autoridad de Marco Polo sobre los «caudatos», localizados ahora en Nueva Guinea.

Nada más natural, en consecuencia, que un descubridor encontrara tales portentos en el curso de sus viajes. Ya Diogo Gomes de Sintra relata que, según contaban los negros del Río d'Ouro, en el camino de Adén a Timbuctú se alzaba una gran sierra llamada Montaña de Abofur, en la cual vivían hombres con rostro de perro y una gran cola, totalmente cubiertos de pelo, si bien Gomes, dándoselas de entendido, tachó todas estas noticias de «mentiras» [75]. Más tarde, los portugueses toparon con sátiros en Sierra Leona, «todos cobertos de um cabelo ou sedas quasi tão asperas como de porco», como dice Duarte Pacheco Pereira [76]. Después, ya en suelo de la India, tornó a aflorar la misma tradición de la que había tenido noticia Marco Polo: en la isla de Sumatra viven unos hombres, llamados *Daraquedara* (*Daraquc Dara* según la versión de Hakluyt), provistos de rabos como carneros, según afirma A. Galvão [77]; y el rey de

[71] II 44 Müller.
[72] III 18 (versión latina). Andrés Bernal (*Memorias del reinado de los Reyes Católicos*, CXXVII [p. 319 Gómez Moreno-Carríazo]) conoció a la gente con rabo a través de Juan de Mandevilla, situándola asimismo en la provincia de Lamori (que así se ha de escribir y no, como anda impreso, «la Mori»).
[73] «Wie ptholomeus schreibt in der ailfften tafel von Asia» (cf. E. G. Ravenstein, *Martin Behaim. His Life and his Globe*, p. 88, que sugiere su identificación con las islas Anamba).
[74] *Labor evangélica en las islas Filipinas*, I 1, Barcelona, 1900, I, pp. 3-4.
[75] *O manuscrito Valentim Fernandes*, ed. Baião, Lisboa, 1940, p. 187.
[76] *Esmeraldo*, I 33 (p. 118 Peres). A doscientas leguas del río de Mandinga habla asimismo de una comarca muy rica en oro, donde los hombres «tem rosto e dentes como cães e rabos como de cão e som negros», sin poner en duda la existencia de tales monstruos (*ibidem*, II 7 [p. 150 Peres]); sin duda se trata de gorilas.
[77] *Tratado... de todos os descobrimentos*, Londres, 1862, p. 108.

Tidore le aseguró al mismo Galvão [78] que había asimismo hombres con cola en la isla de Batachina.

d) *Las sirenas*. El 9 de enero de 1493 (pp. 111-12) surgieron de las aguas del mar tres sirenas, no tan gentiles como se decía, pero «que en alguna manera tenían forma de honbre en la cara». Lástima que no pudieran ser presentadas por el almirante como un prodigio nunca visto: tan común resultaba su aparición a los marinos portugueses, que el propio Colón tuvo que apuntar que él había visto otras en Guinea, en la costa de la Menegueta [79].

He aquí, en definitiva, un bestiario bastante completo, con un elenco no mal nutrido de personajes míticos y figuras terribles de encuentro nada grato. Sin embargo, en 1493, Colón parece presa de la decepción y del desencanto, pues no ha hallado los «onbres monstrudos» [80] que hasta cierto punto esperaba encontrar. La decepción del genovés recuerda la incredulidad con que a mediados del siglo XIII Guillermo de Rubruc acogió la negativa de los tártaros cuando les preguntó solícito acerca de la existencia de los monstruos de que hablaban Solino e Isidoro de Sevilla: «ellos me decían que nunca habían visto tales cosas, de lo que mucho nos asombramos, si es que es verdad» [81]: el europeo se resiste a desprenderse de su antañona tradición de maravillas, y lo que choca realmente es que otro misionero, Juan de Marignolli, hombre que se definió a sí mismo como persona de más curiosidad que virtud, negara de manera rotunda la realidad de tales portentos, adelantando incluso una curiosa explicación a la ficción poética, según él, de los esciápodes [82].

En cualquier caso, los monstruos hallados por el almirante distaban mucho de tener un toque de distinción o de novedad, porque éstas y otras patrañas estaban al orden del día en las conversaciones de los marinos portugueses, según hemos visto. Preciso es convenir que hombres con cabeza de can o rabones se encontraban por aquel entonces con cierta facilidad en muy diferentes latitudes; por consiguiente, el desengaño colombino estaba más que justificado, dado que topar con monstruos de ese jaez no entrañaba mayor mérito, no constituía una singular hazaña que aureolase el prestigio del capitán general y virrey de las Indias del mar Océano.

---

[78] *Ibidem*, p. 120.
[79] Había negado la existencia de sirenas Plinio (*Hist. nat.*, X 136-37). Una nueva interpretación aparece p.e. en Brunetto Latini, *Li livres dou Tresor*, I 136, 2 (p. 132 Carmody).
[80] Doc. V, p. 144.
[81] 29 46 (van Wyngaert, *Sinica Franciscana*, I, p. 269).
[82] Van Wyngaert, *Sinica Franciscana*, I, p. 546.

Por último, nos interesa abordar otro problema sobre el que no se ha debatido con argumentos cumplidos, y que no es ni más ni menos que la determinación de la fuente en donde Colón bebió los conocimientos que tenía sobre las maravillas del Extremo Oriente. Por regla general, se suele pensar en el libro que está más a mano, el incunable latino de Marco Polo impreso en Amberes en 1485 que el almirante ilustró con copiosas anotaciones marginales de su puño y letra. Bien es verdad que el veneciano había sancionado con su autoridad la existencia de los hombres con hocico de perro en las islas de Andamán (III 21), así como había hecho mención de rabones en el reino de Lambri (III 18); pero no es en Marco Polo en quien el almirante se basó para arrullar su fantasía y, de paso, acariciar los oídos de los reyes. En efecto, el veneciano no había podido por menos de citar a las amazonas, pero situándolas como hemos visto muy lejos, nada menos que cerca de la isla de Socotra, en el embocadero del golfo de Adén (III 37). Por otra parte, las sirenas no nos deleitan con su canto en el libro poliano, cuyo ejemplar le fue enviado al almirante por el mercader inglés John Day muy tarde, a finales de 1497. ¿De dónde pudo obtener Colón esas noticias? Forzoso es reconocer que no le costó mucho esfuerzo ni mucha imaginación dar con ellas, pues en una mapamundi como la catalana de 1375 aparecen las sirenas junto a las costas de la Tapróbana y más allá, en la isla de Jana, está acotada una comarca con el letrero *regio femarum*, error evidente por *feminarum*, «provincia de las mujeres», donde es de pensar que vivían libres y a su aire aquellas lozanas hembras de armas tomar. Y aún puedo aportar un nuevo dato muy curioso que viene a indicar cómo Colón se guiaba en su periplo indiano por cartas ya periclitadas. En efecto, al costear Cuba, le informaron los indios del litoral al almirante

que, allende de aquellas montañas, reinava un rey que me pareçía qu'ellos dezían por maravilla el modo y forma de su regimiento y de la gente; dezían de su estado y que tenía infinitas provinçias y que se llamava «sancto», y traía túnica blanca que le arrastrava por el suelo [83].

Se da el extraño caso de que también Miguel de Cúneo [84] nos habla de que al ídolo de los caribes lo encarnaba un hombre a quien llamaban «santo», vestido de una jerga de blanco algodón, personaje que no hablaba jamás y que era tratado por todos con suma reverencia. Parece fuera de duda razonable que detrás de uno y otro «santo» se oculta la misma

[83] Nuevo texto de Colón, IV p. 35 (cf. A. Bernal, *Memorias del reinado de los Reyes Católicos*, CXXVIII [p. 322 Gómez Moreno-Carriazo]).
[84] *Cartas*, p. 251.

persona, a quien una vez se piensa hallar en territorio caribe, otra en suelo de Cuba. Pues bien, en la carta catalana de 1375 figura en la tierra firme de China la ciudad de Santo, la Ciandu de Marco Polo [85], la Xanadú de Coleridge; como no es infrecuente que ciudades y reyes intercambien sus nombres, no parece descaminado concluir que el singular «santo» debe su existencia a una confusión del propio Colón o del cartógrafo de turno que, copiando distraído, tomó por un monarca lo que era sólo un topónimo, quizá desorientado por la imagen de un rey pintada como adorno. El despiste, inexplicable a partir del texto poliano, recibe luz proyectado sobre el mapa, ese mapa ignoto que iluminaba a Colón en sus navegaciones por aguas de la India y que no debe ser otro que el que el genovés envió a Martín Alonso Pinzón el 25 de septiembre (p. 24) y el que consultó con los ojos cansados por la larga vela el 3 de octubre (p. 26); y si mi hipótesis está en lo cierto, en él se leía Santo, siguiendo la tradición de la cartografía catalana.

La mapamundi de 1375 nos da noticia también de otros portentos en la gran isla Tapróbana: «En alguns munts de aquesta illa ha homens de gran forma, ço es, de .xii. coldes, axi com a gigants e molt negres e no usants de raho, abans menjen los homens blanchs e estranys, s'ils poden aver». Nada tiene, pues, de extraño que Colón en un principio, al oír hablar de antropófagos, pensara en gigantazos negros de este tipo; la interpretación racionalista de que los caníbales eran hombres del Gran Kan hubo de venir después, mucho más tarde, cuando nada siniestro había sucedido y se podían hacer pinitos etimológicos sin tener el corazón encogido, pues la primera nueva heló por fuerza la sangre en el corazón de todos. Mas conviene insistir una y otra vez en que la fuente de esta feria de monstruos colombina no pudo ser nunca Marco Polo. En efecto, menciona el almirante una isla donde nacen los hombres sin cabello, precisión extraña que tampoco documenta la geografía poliana y que dista mucho de ser común. En la relación anovelada del Pseudo-Calístenes (II 33, versión β) se narra, sí, que Alejandro llegó a una región herbosa habitada por hombres semejantes en tamaño a gigantes, membrudos, pelirrojos, de mirada leonina y donde había «también otros llamados Oclotos [o Oclistos, Oclitos] que no tenían pelo, y cuya longitud era de cuatro codos, su anchura como una lanza», que se presentaron al parecer

---

[85] I 66. Es la residencia estival de Cublay, la tierra más fría del mundo al decir de Odorico de Pordenone (26 9 [van Wyngaert, *Sinica Franciscana*, I, p. 475]). Es de observar que el nombre que más se aproxima a Santo es el que da Odorico (*Sandu*); el texto de Marco Polo presenta diversas variantes: *Ciandu* (versión francesa y latina), *Ciendi* (versión catalana), *Giandu* (versión toscana). Lo mismo ocurre con Juan de Mandevilla: *Saduz* (versión inglesa, p. 158, 8), *Çaydon* (versión aragonesa, f. 59v).

conjuntamente ante el ejército griego, causando grandes estragos entre los soldados luchando, no con dardos y jabalinas, sino con troncos. Pero la noticia de tales seres no le ha llegado al navegante tras largas horas de lectura alejandrina, sino a través de las leyendas de los mapas o, mejor, en sus charlas con los marineros, preñadas siempre de milagros y prodigios.

En cualquier caso, ahora se comprende la razón que asiste a Cortés cuando despacha a Alvarado a buscar «ricas tierras y *extrañas* gentes» [86]. La presencia de monstruos augura riquezas, de modo que, cuando envía regalos al emperador, no se olvida de presentarle «indios corcovados de tal manera, que era cosa monstruosa, porque estaban quebrados por el cuerpo y eran muy enanos» y también «indios e indias muy blancos, que con el gran blancor no veían bien» [87]: los enanos y los albinos probaban, más que el oro y la plata que mandaba a vueltas de mil penachos y curiosidades, la bondad de sus conquistas, la verdad de haber superado las hazañas de Alejandro.

4. *El oro*

La India abunda, sí, en piedras preciosas de toda suerte, pero su riqueza más preciada consiste en el oro, que se puede coger a espuertas, si bien hay que sortear la vigilancia de monstruos como los grifos o las hormigas, que lo custodian con acucioso celo. Pues bien, no hay duda de que la búsqueda del oro guía a Colón en su largo peregrinar por las islas del mar Océano. En efecto, el almirante surca las aguas del Caribe durante semanas sin perder tiempo en pequeñeces, pues quiere «topar a la isla de Cipango», como declara ya el 13 de octubre (p. 32), en la confianza de que «Nuestro Señor le avía de mostrar dónde nasçe el oro» (17 dic. [p. 85]; cf. 15 oct. [p. 34]). Por ello, siempre se muestra alerta al descubrimiento de la isla aurífera, que va cambiando de nombre según las informaciones de los indios orientan acá o acullá la atención de los españoles: primero es Samaet (16 oct. [p. 36]; 17 de oct. [p. 37]), después Cuba (21, 23, 24 y 26 oct. [p. 42, 43, 44, 45]), luego Baveque (13 y 22 nov.; 5, 11, 16 y 17 dic. [p. 57, 61, 72, 78, 82, 85]). Colón anda errante por este archipiélago sin rumbo fijo, sin querer detenerse nunca, a fin de «calar e andar muchas islas para fallar oro» (15 oct. [p. 35]).

Esta inacabable romería tiene un final imprevisto. El 25 de diciembre

[86] F. López de Gómara, *Conquista de México* (BAE 22, p. 399 b).
[87] Bernal Díaz del Castillo, *Verdadera historia de... la conquista de Nueva España,* cap. CXIV *(BAE* 26, p. 280 b).

se perdió durante la noche en la Española la nao capitana. En este momento, la mente de Colón no se rige por unas coordenadas lógicas normales, sino que tiene lugar en él algo así como una revelación milagrosa. En efecto, la terrible desgracia se convierte para el almirante en prueba irrefutable de que «Nuestro Señor avía hecho encallar allí la nao porque hiziesse allí asiento» (26 dic. [p. 100]), de que «milagrosamente» había sucedido así (6 en. [p. 109]), adverbio que emplea otra vez en 1499 (doc. XXXVII [p. 259]): «la tierra... se vee que Nuestro Señor la dio milagrosamente». Tan es así, que el almirante consideró que su misión había concluido, que ya «avía hallado lo que buscaba» (9 en. [p. 112]). Es curioso que este testimonio terminante no haya sido tenido en cuenta a la hora de valorar el viaje colombino y sus objetivos. La meta de las tres carabelas no puede ser en modo alguno la tierra de Catayo ni la Corte del Gran Kan, por muchas cartas y mensajes que llevase para el soberano chino; Colón se dirige a Cipango, y una vez alcanzada esta isla, que no es otra que la Ofir bíblica, considera que ha cumplido su promesa, que asimismo dan por satisfecha los reyes. Ahora bien, ningún razonamiento riguroso ni ningún hallazgo nuevo justifican este convencimiento ni mucho menos esta conclusión desmesurada, máxime cuando ya el 24 de de diciembre había oído hablar de Cibao (p. 95), cuyo rey traía «las vanderas de oro de martillo». Pero este nombre tan significativo no parece que cobró importancia en la fantasía colombina sino dos o tres días después, cuando, ya varada la «Santa María», se hizo según todas las trazas luz repentina en su cerebro: Cibao había de ser Cipango, la tierra fabulosa en cuya demanda hacía tantos días que navegaba, y que el genovés, sin embargo, siguió considerando isla aparte de la Española todavía el 29 de diciembre (p. 102). Existe, pues, una conversión súbita por parte del almirante, que acierta a vislumbrar secretos que pocas horas antes yacían ocultos en la más negra de las tinieblas. No es, por otra parte, la única vez que el navegante ve visiones y recibe el consuelo del Dios de los ejércitos: una aparición divina relata él mismo con todo lujo de detalles en su carta desde Jamaica (doc. LXVI [p. 322ss.]), precisamente en uno de los momentos de mayor depresión física y anímica que sufrió en sus cuatro viajes.

Sea como fuere, con el señuelo de oro hubo de encandilar el almirante a Martín Alonso Pinzón en los primeros meses de 1492. El paleño tragó el anzuelo y pasó él mismo a convertirse en el más fervoroso creyente de las charlatanerías colombinas. La obsesión que se apoderó de Martín Alonso con Cipango queda de manifiesto en el testimonio de Fernán Yáñez de Montiel, vecino de Huelva, que nos relata en 1536 las palabras con que el capitán arengaba en 1492 a los marineros de Palos, recalcitrantes ante la idea de enrolarse en viaje tan incierto:

Amigos que andáis aquí misereando, andad acá, íos con nosotros esta jornada, que avemos de descubrir tierra con la ayuda de Dios que, segund fama, avemos de fallar las casas con tejas de oro, y todos vernéis ricos e de buena ventura [88].

El palacio del rey de Cipango, según contaba Marco Polo (III 2), estaba todo él recubierto de oro fino [89]; pues bien, esta «casa con tejas de

[88] *Pleitos colombinos,* Sevilla, 1964, VIII, p. 314. He comprobado el pasaje en A.G.I., Patron. 12, 5 f. 102r, corrigiendo el texto, que por un despiste del escribano dice así en la probanza: «amigos anda aca ios con nosotros esta jornada que andais aqui misereando ios esta jornada etc.».

[89] Para Marco Polo la isla de Cipango (del chino *Je-pen Kuo* 'país del sol naciente') viene a constituir una especie de comarca de fábula donde cualquier cosa es posible y en la que se dan cita todas las maravillas del mundo. Por esta razón la residencia del rey de la isla ha de ser por fuerza un palacio de oro, pues este rasgo caracteriza desde muy antiguo la región de ensueño. Tanto es así, que ya en el *Libro de los monstruos* se advierte al lector: «Pocas son las maravillas a las que se debe dar crédito, pues son innumerables las fábulas que, si se pudiese tener alas para ir a comprobarlas, se averiguaría que, aunque propaladas por un rumor extendido, son sin embargo falsas, y donde ahora se dice que hay una ciudad de oro o una costa cuajada de pedrería divisaría allí una ciudad de piedra o nada y un litoral de acantilados» (I 1 en M. Haupt, *Opuscula,* II, Leipzig, 1876 [= 1967] p. 222, 12). Pues bien, muchos años después se contó a Guillermo de Rubruc que el pueblo de los Seres se llamaba así por un topónimo: «y bien comprendí» —añade— «que en aquella región hay una ciudad que tiene las murallas de plata y las torres de oro» (26 8 [van Wyngaert, *Sinica Franciscana,* I, p. 236]). Como se ve, Marco Polo traslada más al Oriente las leyendas que el dominico situaba en la nebulosa China: la leyenda se desvanece del continente para refugiarse en las islas del levante. Pero siempre la imaginación sigue acariciando las mismas utopías; tanto es así, que cuando Alonso Núñez de Reinoso ha de ponderar la bondad de la ínsula de la Vida, adornada, como puede suponerse, de todas las excelencias del mundo, recurre al mismo tópico: la casa del duque les pareció que «era toda fabricada de oro y de cristal, con tan hermosas cuadras y salas que era maravilla de vellas, todas tan bien labradas que sobraba la obra artificiosa a cualquiera otra natural» *(Clareo y Florisea,* 11 [*BAE* 3, p. 441 b]). Sobre el tópico literario del palacio de oro y de cristal cf. L. Olschki, *Storia letteraria delle scoperte geografiche,* Florencia, 1937, p. 77ss., quien señala con razón que también en la descripción de la morada del Gran Kan Marco Polo recurre a frases estereotipadas, propias del «palais luisant» de los poemas y novelas francesas del s XIII, quizá introducidas por Rustichello.

El Japón real llenó de asombro a Sebastián Vizcaíno, que lo visitó como embajador del virrey de la Nueva España D. Luis de Velasco en 1611, hasta el punto que escribió en su *Relación del viaje (C. D. I. A.,* VIII, Madrid, 1867, p. 137, cap. VI): «según se va haciendo y viendo cosas así de edificios como de gente y otras cosas, que me parece se puede dar algún crédito a los libros antiguos de caballerías y a sus grandezas y encantamientos, y decir al que compuso a Don Quijote que no tuvo razón, porque verdaderamente es gran reino éste». El tono admirativo recuerda las frases de estupor que escribió Bernal Díaz del Castillo al evocar su primera visión de México: pero no menor maravilla rezuman los informes del gobernador de Filipinas D. Rodrigo de Vivero, que naufragó en la costa japonesa en 1609 (edición en W. M. Mathes, *Californiana,* I, 2, Madrid, 1965, p. 809ss.), de donde lo despachó el emperador japonés a la Nueva España.

Merecen atenta lectura las noticias que da San Francisco Javier (doc. 90, 12ss. [p. 354 Zubillaga]; 96, I ss. [p. 384]), que no parece haber manejado nunca el libro de Marco

oro», pero multiplicada por mil, es la que pensaba encontrar Martín Alonso Pinzón. Así se explica también su impaciencia el 6 de octubre de 1492, cuando veía que el almirante persistía en mantener el rumbo fijo al Oeste, en vez de enderezar el timón al Oeste-Sudoeste, para encontrar el oro a raudales. Aunque Colón arguye, según cuenta (p. 27), «que era mejor una vez ir a la tierra firme e después a las islas», más bien semeja que tenía razón el marino de Palos y que el genovés no quiso dar su brazo a torcer por puro empecinamiento, pues apenas había pasado un día cuando puso proa a la derrota señalada por Martín Alonso.

Mas conviene desmenuzar ahora las palabras del almirante. Ya el 13 de octubre, nada más desembarcar en Guanahaní, entra en escena el oro bendito, porque algunos de los indios «traían un pedaçuelo colgado en un agujero que tienen a la nariz» (p. 32). Este mismo adorno es el que llevan los principales en otras islas, y Colón hace mención frecuente del mismo: así, el 22 de octubre (p. 43), el 1 de noviembre (p. 49), el 12 de diciembre (p. 79) y el 16 de diciembre (p. 82). Sin embargo, el modo en que relata la primera impresión que le produjo el encuentro con los indios muestra que sufrió la más profunda de las decepciones: él esperaba hallar grandes pueblos y monarcas poderosos, y en su lugar dio con «gente muy pobre de todo». El tiempo se encargó de suavizar estas ásperas palabras, sobre todo cuando en la Española tuvo ocasión de tratar con un pueblo de cultura más elevada que los yucayos. Allí, en efecto, vio «oro labrado en hoja delgada» el 17 de diciembre (p. 84), así como carátulas, es decir, máscaras, una de las cuales, «tenía dos orejas grandes de oro en martillo, e la lengua e la nariz» (22 dic. [pp. 92-93]; cf. 29 dic. [p. 103]), plastas de buen tamaño (28 dic. [p. 102]; 30 dic. [p. 103]; 1 en. [p. 104]) y «pedaços grandes de oro» (21 dic. [p. 91]; 22 dic. [p. 93]; 23 dic. [p. 96]; 26 dic. [p. 99]; 6 en. [p. 109]; 13 en. [pp. 114-15]). El panorama se anima y se colorea de amarillo, aunque tampoco semeja que los habitantes de Haití nadaran en la abundancia. Da igual, porque Colón se ha colocado ya las orejeras, y con ellas puestas hace la más paradisíaca descripción de la vida y costumbres de los taínos, «gente de amor e sin cudiçia e convenibles para toda cosa», que «aman a sus próximos como a sí mismos» y que, aunque andan desnudos, «entre sí tienen costumbres muy buenas e el rey muy maravilloso estado» (25 dic. [p. 98]). En este arrebato lírico no puede faltar el brillo del metal dorado: el buen cacique quería «cobrir todo de oro» a Colón (27 dic. [p. 101]), o mejor dicho,

---

Polo. Lo copia, sin mencionar su nombre, Alonso de Santa Cruz en su *Islario* (p. 431ss.; ni siquiera lo cita en la lista de autoridades de la p. 54). Juan de Mandevilla atribuye a una fabulosa Jana parte de las maravillas de Cipango (versión inglesa, p. 125, 7ss.; versión aragonesa, f. 52v-53r).

trataba de levantar «una estatua de oro puro tan grande como el mismo Almirante» (2 en. [p. 105]) [90]. Como a cualquiera se le alcanza, este dorado monumento al descubridor no llegó a labrarse nunca; pero basta la fugaz alusión para arrobar al futuro lector y muy particularmente para hacer soñar a los reyes.

La fantasía genovisca puebla las islas de arreos preciosos que no ha visto: ajorcas, brazaletes, anillos, aros (15 oct. [p. 35]; 4 nov. [p. 51]; 12 nov. [p. 55]) y hasta banderas de oro (24 dic. [p. 95]). La exageración sube conforme avanza el *Diario*, en un *crescendo* mágico y espectacular: el 25 de noviembre (p. 63), al ver relucir piedras en un río, le pareció que podían ser cantos dorados; a idéntica conclusión llega el 2 de diciembre (p. 70). Pues bien, la imaginación se dispara el 8 de enero, cuando encuentra el río que llama precisamente del Oro (pp. 110-111), porque su arena estaba «toda llena de oro» y «en poco espacio halló muchos granos tan grandes como lantejas». Nunca se presentó ocasión más propicia para hacerse ricos en un santiamén; y sin embargo, el almirante «no quiso tomar de la dicha arena que tenía tanto oro», porque lo acuciaba el deseo de volver ante los reyes para darles cuenta de nuevas tan maravillosas. El tesoro aparece, pero nada más asomar lo escamotea el hábil prestidigitador que es el navegante. Los hombres dejados en la Navidad tenían el encargo de encontrar la mina y colmar de oro hasta los topes un tonel, que encontraría Colón a su regreso (26 dic. [p. 101]; 2 en. [p. 105]). Al día siguiente ya se le antoja al genovés que conviene extremar la nota, y su aplomo llega al extremo de afirmar que, «si él tuviera consigo la caravela Pinta, tuviera por çierto de llevar un tonel de oro» a España (3 en. [p. 106]). Antes tal cantidad había parecido exorbitante, por lo que su acopio se encomienda a los colonos, que disponen de vagar y tiempo para ello; ahora la recogida la puede realizar el propio almirante en un abrir y cerrar de ojos, pero la fatal deserción de Martín Alonso le impide realizar tan loable empeño y abarrotar de lingotes las menguadas arcas de los reyes. Colón, que no desaprovecha ocasión de disparar sus dardos contra el paleño, cargándolo de todas las culpas habidas y por haber, otra vez vuelve a situarse en el plano de la potencialidad, jugando siempre con posibilidades que acaban fatalmente por ser siempre irreales. Claro es que pisar suelo de la India implica esta disociación de la realidad. Los imperativos índicos exigen proliferación nunca vista de riquezas; así, en la Española, las pepitas tienen el tamaño de un grano de trigo, pero en Yamaye, en Jamaica, alcanzan y sobrepujan el grosor del haba (6 en. [p. 109]). Y así continúa la exageración hasta llegar al colmo de los colmos: un ancia-

---

[90] Es el *diaho* de que habla Francisco García Vallejo en los *Pleitos* (*C.D.I.U.*, VIII, p. 221).

no taíno tuvo la bondad de indicar que «avía isla que era toda oro» (18 dic. [p. 87]). No cabe duda de que Colón entiende lo que quiere oír o, mejor dicho, lo que tiene que oír de boca de un indio de verdad.

5. *Las minas del rey Salomón*

El oro no constituye un fin en sí mismo, sino que su valor reside en el uso que de él cabe hacer. Colón, hombre muy religioso, soñó en reconquistar con el oro de las Indias la ciudad de Jerusalén y en reconstruir el Templo de Salomón, según veremos, viejo anhelo de todos los judíos que ahora podía hacerse realidad en el crepúsculo del mundo y el comienzo de la era mesiánica. No deja de ser curioso que un fin semejante se atribuyera a la mente de Pinzón con el correr de los años, pues andando el tiempo y en pleno hervidero de los pleitos se forjó una curiosa superchería; se decía, en efecto, que justo antes de partir a descubrir en el mar de poniente, Martín Alonso había ido a Roma y que allí, revolviendo viejos pergaminos en la biblioteca de Inocencio VIII, se había encontrado con una escritura del tiempo de Salomón en la que se leía el siguiente texto:

Navegará por el mar Mediterráneo hasta el fin d'España, e allí al poniente del sol entre el norte e el mediodía por vía tenperada fasta noventa e çinco grados del camino, que fallaría una tierra de Sipanso, la cual es tan fértil e abundosa, e con la su grandeza sojuzgará a Africa e Europa [91].

Se trata evidentemente de una falsificación [92], pero toda falsificación tiene siempre algún asidero en la realidad. Esta burda patraña permite

[91] El texto se encuentra en la probanza de los *Pleitos* hecha a petición del fiscal en 1515: cf. *C.D.I.U.*, VIII, p. 126 y Las Casas, *Historia de las Indias*, I 134 (*BAE* 95, p. 125).

[92] Sin embargo, da crédito a esta fábula H. Vignaud, *Histoire critique de la grande entreprise de Christophe Colomb*, París, 1911, II, p. 27ss.: habría sido pues Pinzón el que hizo partícipe de su quimérico proyecto a Colón, y a él se debería por tanto lo que después se convirtió en idea fija del almirante: la búsqueda del Oriente por el poniente. La admite sólo en parte C. Fernández Duro («Colón y Pinzón» en *Memorias de la Real Academia de la Historia*, X [1883] 282ss.), al que sigue A. Ortega, *La Rábida. Historia documental crítica*, Sevilla, 1926, III, p. 41ss., y M. Giménez Fernández (*Nuevas consideraciones sobre la historia, sentido y valor de las bulas alejandrinas de 1493 referentes a las Indias*, Sevilla, 1944, pp. 84-85 y 93). Acepta la existencia de tales escrituras traídas de Roma J. Manzano (*Cristóbal Colón, 7 años decisivos de su vida. 1485-1492*, Madrid, 1964, pp. 365-66), y al parecer A. Rumeu de Armas, que parafrasea a Manzano en su monografía sobre *La Rábida y el descubrimiento de América*, Madrid, 1968, pp. 113-14. Se muestra más crítico, entre los modernos biógrafos, P. E. Taviani (*Cristóbal Colón*, Barcelona, 1974, II, p. 291).

ver hasta qué punto Martín Alonso prestó crédito a la arrebatada fantasía colombina, que imaginaba a los reyes de España plantando su pendón en los Santos Lugares, así como acababan de izar su enseña en el alcázar de Granada; con este magno acontecimiento se entraba ya en las postrimerías del siglo, que el almirante, según creo, interpretaba a la manera judía. En este pequeño y curiosísimo texto apenas se trasluce la idea mesiánica, aunque sí se profetiza el dominio del mundo, especificándose la conquista de Europa y África, porque la de Asia, con la llegada a Cipango, se da por descontada. En cualquier caso, el imperio universal ya implica una utopía mesiánica, tanto en la escatología cristiana como en la judía. Algo, pues, debió de hablar Martín Alonso en torno a la cruzada de Jerusalén, empresa reservada a los monarcas de Castilla y Aragón, y ello a vueltas del descubrimiento de Cipango y de las minas de Ofir, ya que es evidente que, si el mismísimo Salomón indicaba el camino de Cipango, era porque en esa isla se hallaba el oro del que se había servido para construir el templo jerosolimitano; por tanto, las ideas de Colón y de Martín Alonso coincidían al menos en un punto fundamental, en la identificación de Cipango con Ofir. Fuera de esta conclusión, poco más puede extraerse de tal engendro, si bien el proceso mental de sus falsificadores resulta transparente: ¿no decía Colón que tenía una carta de Toscanelli y encima un mapa? Pues ellos, los Pinzones, tenían más, pues el viejísimo manuscrito salomónico lo había descubierto Martín Alonso hurgando en los polvorientos anaqueles de la biblioteca papal. Como era de esperar, casi ninguno de los testigos pudo confirmar la existencia de ese fabuloso documento en 1515; en 1532 sin embargo, el embuste tenía ya un cierto cuerpo y logró mayor aceptación y crédito entre los deponentes [93].

No es éste el único documento que permite atisbar el substrato salomónico de la primera experiencia colombina. Pedro Mártir [94] nos informa de que el almirante se jactaba de haber descubierto Ofir, isla a la que él había puesto el nombre de Española; mas el humanista no se muestra muy conforme con la cosmografía de D. Cristóbal, y prefiere pensar que la tierra encontrada pertenece en realidad a la Antilla, sustituyendo sin darse cuenta un mito por otro. Para desgracia de la investigación colombina, la datación de las cartas de Pedro Mártir plantea problemas de muy difícil solución; por tanto, no se debe dar crédito sin más a la fecha, 1493, que presenta este primer libro enderezado a Ascanio Sforza.

[93] En 1515 los únicos que saben algo en torno a tal documento son Martín Martínez, Juan de Ungría, Antón Fernández Colmenero y Arias Pérez, hijo de Martín Alonso. En 1532 atestiguan que Pinzón fue a Roma «para saber del mapamundi del Papa» Pedrarias, vecino de Palos, Pedro Alonso Ambrosio, Bartolomé Martín de la Donosa, Diego Rodríguez Colmenero y Hernando de Villarreal.

[94] *Décades*, I 1 (=*Cartas*, p. 42), I 3 (=*Cartas*, p. 64).

Sí se conserva, sin embargo, otra relación coetánea que dirime a mi juicio la cuestión. El viaje inaudito del genovés levantó enorme revuelo en las cancillerías europeas, pero sobre todo en Italia, cuyas ciudades dependían en buena parte de la fortuna del comercio ultramarino. Ya a finales de marzo de 1493, en su *Libro de' Conti*, el florentino Tribaldo de Rossi daba cuenta del gran descubrimiento, diciendo entre otras cosas que aquellas tres carabelas habían partido «ben fornite d'ongni chosa per .3. anni» [95]. El último detalle, tan insignificante en apariencia, proporciona una luz preciosa, porque esta travesía imaginaria, proyectada para un trienio, no es otra que la que hacían en tres años los navíos de Hiram, rey de Tiro, para ir a Ofir. El abultado desajuste con la realidad lo pone de manifiesto una precisión de Las Casas [96] que indica que las naos de Colón iban «aderezadas de bastimentos hartos para un año»; ya es mucho contar con mantenimientos para un año, pero tenerlos para tres es utopía pura, por lo que quizá sea en realidad otro eco ofírico una de las presuntas objeciones que, según D. Hernando [97], se le hicieron a su padre: «dicevano il mondo esser di così immensa grandezza che non era credibile che tre anni di navigazione bastassero per giunger al fine dell'Oriente». Sea como fuere, el mismo acoplamiento de los ensueños a los viajes salomónicos se observa después en la leyenda del globo de Martín Behaim [98], que asegura que en 1484 el muy ilustre rey D. Juan II de Portugal, «envió dos naves llamadas carabelas avitualladas y pertrechadas para tres años, con objeto de explorar las costas de Africa hacia el mediodía y el oriente», cuando en realidad la expedición, como se refiere después, sólo duró 19 meses y nunca perdió de vista la costa.

6. *La comarca de Ofir*

Conviene ahora extraer las consecuencias de cuanto venimos diciendo, para acabar de conocer la tierra que Colón pensaba haber hollado él el primero después de los almirantes de Salomón. Una leyenda antiquísima, recogida por Heródoto [99], relataba que al Norte de la India se exten-

---

[95] *Raccolta,* III 2, p. 1, 8-9.
[96] *Historia de las Indias,* I 34 *(BAE* 96, p. 126 b).
[97] *Historie,* XII (I, p. 106 Caddeo).
[98] Cf. E. G. Ravenstein, *Martin Behaim. His Life and his Globe,* Londres, 1908, p. 71. De ser verdad el letrero, se refiere al primer viaje de Diogo Cão, que partió en 1482 (cf. D. Peres, *História dos descobrimentos portugueses,* Porto, 1943, p. 201ss.).
[99] III 102-103; cf. Propercio, *Eleg.* III 13, 5, Plinio, *Hist. nat.,* XI 111. Engrandece el relato Pomponio Mela *(Corografía,* III 62), que Solino *(Colect.,* 30, 23; cf. San Isidoro, *Etimologías,* XII 3, 9) sitúa en Etiopía, junto al río Nigris (cf. Vicente de Beauvais, *Specu-*

día un desierto en el que unas hormigas, de tamaño mayor que una zorra, hacían sus galerías escarbando en arenas auríferas; los indos, a la alborada, llegaban con un tiro de camellos, para cargar los sacos de arena antes de que los olfateasen los monstruosos insectos, pues corrían gran peligro los temerarios buscadores de no emprender la retirada a tiempo. Una tradición semejante relató Aristeas de Proconeso acerca de los arimaspos, los hombres justísimos de un solo ojo que peleaban con los grifos por la posesión del oro [100]. Cuando la leyenda en la edad helenística llegó a conocimiento de los judíos, les vino de perlas para localizar en ese desierto la dorada Ofir; pero un tanto descontentos con las prosaicas hormigas —por esta razón, sin duda, Ctesias [101] las había sustituido por grifos—,

lum naturale, XX 134 [ff. 259-60]). Recoge el testimonio de Nearco y Megástenes Estrabón (XV 1, 44 [705-706]) y Arriano (*Indica* 15, 4). En su *Panatenaico* (I 25) Elio Aristides hace una mezcla curiosa entre grifos y hormigas, al hablar de las «hormigas aladas» de la India. Entre las huestes que militan bajo el mando del Sol enumera Luciano (*Historia verdadera* I 16) «hipomirmeces» ('caballo-hormigas') aladas, de dos pletros de longitud, así como «cinobálanos», de cabeza de perro. Sobre la verdadera *formica leo* cf. H. Gossen, *RE* Suppl. Bd. VIII (1956) 3 a 13ss. Como bien puede comprenderse, el ejército de Alejandro según la *Historia de preliis,* 119 (p. 212 Rolán-Saquero) sufrió el ataque de estos insectos de cuidado, de seis pies de longitud y dotados de pinzas como las langostas y de dientes como perros; menos mal que sólo se cebaron en las acémilas. En la Edad Media habla de las hormigas el *Liber monstrorum,* II 16 (ed. M. Haupt, *Opuscula,* II, p. 241, 11ss.). De la misma manera la *Epistola del Prete Ianne ad Emanuel Rector di Greci dele cosse mirabile de Iudea (sic* por *India),* Venecia, 1478, menciona las hormigas que excavan oro por la noche y que son «quasi come cavalete marine e hano in bocha denti mazor di cani». Juan de Mandevilla (cap. XLIX, ff. 51-52 del códice de la Biblioteca Colombina, 7-5-35) sitúa en las islas de la India bestezuelas a modo de perritos que escarban el metal dorado con sus uñas, y a las que hay que acercarse sólo cuando están descansando por el calor. El recuerdo de las hormigas, no obstante, nunca se perdió del todo, como demuestra su aparición en el curioso relato de *Li livres dou tresor* de Brunetto Latini (I 187 [p. 166 Carmody]): el oro y las hormigas, grandes como perros, se localizan no en la India, sino en una isla de Etiopía. «Los comarcanos envían a pacer a esta isla borricas que tienen crías y que van cargadas de grandes cofres. Cuando las hormigas se percatan de los cofres, meten dentro su oro, pues piensan que es lugar seguro. Pero cuando a la caída de la tarde el asna está bien llena y cargada y oye a sus crías, que ha llevado allí el amo, relinchar y piafar al otro lado de la orilla, se tira al agua corriendo y pasa al otro lado». La argucia es semejante a la utilizada por los tártaros para entrar en la Oscuridad (cf. Marco Polo, III 49). Una leyenda pareja narra Vicente de Beauvais en el pasaje citado *(Speculum naturale,* XX 134 [ff. 259-60]); cf. *PL* 177, c. 76 B ss. En la *Suma de Geographia* de M. Fernández de Enciso (Sevilla, 1530, f. 55v; cf. 49v bis) se puede leer una afirmación estupefaciente: en Etiopía «ay leones que les llaman formigas; a éstos llaman en la India ultra Ganjes aurifodiuas, e piensan que son formigas los que lo leen, e son leones». El bachiller que hace semejantes alardes de erudición confunde el nombre de la mina aurífera en latín *(aurifodina)* con la supuesta designación del monstruo: mal había aprendido la lengua del Lacio, si es que la había saludado alguna vez en su infancia.

[100] Cf. Heródoto, III 116, 1-2, IV 13, 1, Pausanias, I 24, 6, Plinio, *Hist. Nat.,* XXXIII 66 (cf. K. Ziegler, *RE,* VII 2, c 1920ss.).

[101] FGrHist. 688 F 45 h (pp. 494-95) Jacoby.

inventaron un curioso híbrido: la «hormiga-león», palabra utilizada por los *Setenta* en Job 4, 11 [102]. Esta rectificación pasó a San Jerónimo [103], que sitúa en la India «los montes de oro», guardados por dragones, grifos y monstruos de tamaño desaforado; de San Jerónimo copió la noticia San Isidoro, y de San Isidoro la tomaron las mapamundis medievales. Retocada como es debido la leyenda en este punto, pasó a convertirse en doctrina canónica de los comentarios bíblicos. Oigamos lo que dice la *Glosa ordinaria* [104]: Ofir es

el nombre de una provincia en la India, en la que hay montes que tienen minas de oro, pero que están habitados por leones y bestias cruelísimas. Por esta razón, nadie se atreve a acercarse si no tiene la nave junto a la costa como refugio. Entonces, indagando la hora en que se retiran las susodichas bestias, los navegantes salen de repente y arrojan en la nave la arena excavada por las uñas de los leones, y después se alejan. Esta tierra después se echa en un horno y lo que tiene de impureza se consume por la fuerza del fuego, y queda oro puro.

Ahora se comprende por qué Colón, que registró convenientemente el pasaje de Nicolás de Lira en el *Libro de las Profecías* (f. 78r), creía y quería entender a los indios que en la fabulosa isla de Baveque «la gente d'ella coge el oro con candelas *de noche en la playa*, e después con martillo diz que hazían vergas d'ello» (12 nov. [p. 54]), o que cerca de la Española «avía isla que era toda oro, e en las otras que ay tanta cantidad que lo cogen e çiernen como con çedaço e lo funden e hazen vergas» (18 dic. [p. 87]), isla de la que acordó todavía en el *Diario del segundo viaje* (nuevo texto, carta II, p. 9), precisando que se encontraba «en esta parte de los caníbales... y que los tres cuartos eran oro». Esta búsqueda clandestina del oro en la costa es una curiosa interpretación de la glosa bíblica; más manida resulta la fundición del oro en lingotes.

Evidentemente, el almirante y sus hombres conocían una versión de la leyenda que se había convertido con el tiempo en una conseja de marineros. A la isla de las Siete Ciudades, según se decía en el siglo XVI, había llegado un navío empujado por la tempestad; y se contaba que, mientras los demás marineros de la nave, acogidos a mesa y mantel por los católicos moradores de la isla, rezaban jubilosos en la iglesia, «los grumetes cogieron cierta tierra o arena para su fogón, y que hallaron que

---

[102] Cf. L. Gil, *Nombres de insectos en griego antiguo*, Madrid, 1959, p. 56ss.

[103] *Cartas*, 125, 3 (=San Isidoro, *Etimologías*, XIV 3, 7). De los *montes aurei* fabulosos de Persia habla ya Plauto (*Estico* 25, *Aulularia* 701).

[104] Utilizo la edición de Basilea, 1507, II, p. 146v margen izquierdo, glosa a III Reg. 9, 25-28 (cf. asimismo *PL* 113, c. 601 C-D).

mucha parte d'ella era oro» [105]. Esta isla de las Siete Ciudades, que en 1497 se rumoreaba que la habían encontrado los marinos de Brístol, es una de las muchas variantes de Ofir, que los portugueses, por la cuenta que les traía, situaban más cerca de su costa, en el Atlántico que andaban explorando a la sazón. Alvise de Cà da Mosto oyó hablar de una isla recién descubierta, que era toda ella un vergel y —¿para qué decir más?— «todo lo que cogían en la susodicha isla era oro» [106]. Después se desplazó su localización al Pacífico: en 1520 corrían nuevas de que en la gobernación de Pedrarias Dávila se había encontrado una isla tan rica que se podrían lastrar las naves de oro [107].

Noticias tan alucinantes traspasaron pronto las fronteras y llegaron hasta los últimos rincones de Europa. Hacia el 1518 escribía el propio Erasmo [108] a Pedro Barbier, capellán de Jean Le Sauvage, que andaba en pos de obispar en las Indias, una cariñosa carta ironizando sobre el país de los sueños de su amigo, donde se refería que en algunas comarcas el suelo era de oro puro y que se podía hacer acopio de él en tanta cantidad como uno quisiera, sin que hubiera de temer a hormigas monstruosas ni a grifos que guardasen el codiciado tesoro. Poco después anotaba Pedro Mártir [109] que las naos de Magallanes habían encontrado cerca del ecuador islas cuya arena era oro, la Ofir y Tarsis en cuya demanda iba a salir Caboto.

Cuando Cervantes quiere escribir un país de fábula, acude precisamente al mito ofírico de su variante más placentera: Periandro sueña que desembarca en una isla «no conocida por ninguno», en cuya playa la arena era de oro y de perlas, y en el interior los prados estaban tapizados de mantos de esmeraldas y los ríos eran corrientes de diamantes, y las frutas que pendían de los árboles «estavan... en su sazón, sin que las diferencias del año las estorvassen» [110].

Ofir, en definitiva, es una entelequia, cifra de todas las ansias y aspiraciones humanas; pero de esta entelequia sabían mucho los hombres del Medievo, que tenían conocimientos más exactos sobre la realidad que la brumosa ignorancia que profesa la ciencia contemporánea sobre multitud

---

[105] Las Casas, *Historia de las Indias,* I 13 *(BAE* 95, p. 49 a)=H. Colón, *Historie,* IX (I, p. 71 Caddeo); cf. A. Galvão, *Tratado... de todos os descobrimentos,* ed Bethune, Londres, 1862, p. 72.

[106] *As viagems de Luís de Cadamosto,* ed. D. Peres, Lisboa, 1948, p. 11.

[107] Así lo asegura Hernando Pacheco, deponiendo en favor del licenciado Zuazo (A.G.I., Justicia 43, n.º 1 f. 154v).

[108] *Epistula* 794 (Allen, III, lin. 21-24), citada por M. Bataillon, *Erasmo y España,* México-Buenos Aires, 1966, p. 83.

[109] *Décades,* VII 6, Compluti, 1530, f. 96v y 97v.

[110] *Los trabajos de Persiles y Sigismunda,* Libro II, 15.

de cuestiones, entonces resueltas con todo desparpajo por teólogos y
biblistas o por rabinos y alfaquíes. Todos habían oido hablar de Ofir, y
todos sabían lo que cabía esperar de ella; oro, sí, pero también peligros
sin cuento. Una cosa todavía desconoce Colón: que Ofir se encontraba en
el monte Sophora; es que aún no había leído la *Imago mundi* de d'Ailly,
en cuyo capítulo XXXVIII se hablaba de aquel Sophora que intrigó mucho a Las Casas, y que resaltó Colón en una apostilla marginal (C 303-
304), para alardear de su ciencia en la relación del tercer viaje (doc.
XXIV [p. 204]), según veremos.

II. LA EUFORIA INDICA
Y LAS PRIMERAS DECEPCIONES

1. *Retorno en olor de multitud*

Colón volvía de las Indias sin traer las bodegas de las naos atestadas de oro, pedrería y especias, como hubiese sido de esperar, mas no por ello sufrió su ánimo un momento de flaqueza o decaimiento; antes por el contrario, la experiencia le había enseñado al nauta la enorme importancia que reviste saber adornar un descubrimiento, grande o pequeño, con aplomo y autoridad. En vez de súbditos del Gran Kan, trajo indios de la Española; en vez de brocados de seda, guaízas, esto es, máscaras, hechas de hueso de pescado, y cintos fabricados de la misma manera; por pepitas trajo algunas muestras de oro; en lugar de colmillos de elefante o de unicornio se presentó con papagayos verdes, la señal más evidente, a juicio de Pedro Mártir [1], de haberse acercado al suelo de la India. Pero todas estas cosas nunca vistas, aun dentro de su simpleza y escasa vistosidad, causaron sensación. Las Casas [2] se acordaba todavía, al hurgar en su memoria, de haber visto de chico a los siete indios supervivientes, que se avecindaron en Sevilla junto al arco de las Imágenes, en la collación de San Nicolás. Y, al menos en Andalucía, el pueblo se apiñó en las calles para ver pasar cortejo tan desusado y pintoresco, que venía de islas remotísimas de las que ni los más viejos del lugar tenían noticia cierta. Por otra parte, Colón no cesaba de pregonar a bombo y platillo que había descubierto las islas de la India en su famosa misiva, convenientemente distribuida a todos los personajes del reino y es de suponer que del extranjero: el 22 de marzo de 1493 el cabildo de Córdoba, tras haber «visto una carta que enbió Colón de las islas que falló», acordó que «se vistiese al mensa-

---

[1] *Décades,* I 1 (= *Cartas,* p. 45).
[2] *Historia de las Indias,* I 78 (*BAE* 95, p. 233 a).

57

jero e gele diese mill mrs. para el camino»[3], rebosante de júbilo ante la noticia que también había trastornado al duque de Medinaceli, que desde Cogolludo comunicó al Gran Cardenal el 19 de marzo —las noticias volaban sin que se sepa bien cómo— que Colón había «hallado todo lo que buscava e muy conplidamente»[4]: las Indias, por más señas.

Es lástima que apenas se tengan noticias sobre la reacción de D. Juan de Portugal, aunque no parece inverosímil que Martín Alonso Pinzón hubiera rendido un postrer y singular servicio al almirante al arribar en solitario a Bayona en Galicia, con lo que todo intento de ocultación por parte del monarca portugués de la llegada de Colón a Lisboa hubiese supuesto un crimen innecesario y gratuito. De la buena nueva los reyes Católicos se enteraron muy pronto, bien por oficiosidad de algún noble, bien por relación del propio Martín Alonso, de la que hizo mención expresa la carta llevada a la Corte lusa por medio del contino Lope de Herrera, despachado a fin de limar asperezas y solventar «differencias que podrían resultar sobre la conquista de las islas e tierras que se espera-van descubrir por el Océano occidental»[5]. Sorprende, no obstante, la referencia a Pinzón, cuando por aquellas fechas ya había llegado a manos de los reyes la misiva colombina, que alcanzó a leer Aníbal Zennaro[6], estante a la sazón en Barcelona, y los soberanos le habían contestado el 30 de marzo dándole el título oficial de «Almirante del mar Océano e Visorey e Governador de las islas que se han descubierto en las Yndias»[7]. A mediados de abril, sin duda por las mismas fechas en que se envió la embajada a Portugal, se expidieron cédulas a Galicia, Guipúzcoa y Vizca-ya, «para que no fuesen ningunas personas a las Yndias sin liçençia de Sus Altezas»[8], dando por buena la versión de los marinos, que hubo de ser unánime, y atajando de paso cualquier intento incontrolado de apoderar-se de las riquezas de Salomón, pues bien cabía sospechar que, ante tama-ña noticia, se produciría una verdadera estampida a ver quién cogía oro el primero. No parece, pues, que se abrigara duda de ningún tipo sobre el éxito del viaje: Colón había llegado a la India, pero más en concreto a sus

[3] Reproduce el texto C. Sanz, *El gran secreto de la carta de Colón*, Madrid, 1959, p. 148.

[4] Editada en *Cartas*, pp. 145-46.

[5] Así dice Jerónimo Zurita, *Historia del Rey don Hernando el Cathólico*, Zaragoza, 1580, f. 30v.

[6] Cf. *Cartas*, p. 148ss.

[7] Editó la cédula M. Fernández de Navarrete, *Colección de los viajes y descubrimientos que hicieron por mar los españoles desde fines del siglo XV*, Madrid, 1859, II, p. 27ss. (doc. XV).

[8] *Cuentas de Gonzalo de Baeza, tesorero de Isabel la Católica*, ed. de A. de la Torre y E. A. de la Torre, Madrid, 1956, II, p. 66.

islas, de las que hacía explícita referencia la epístola regia; y de estas islas se le concedía, en virtud de la capitulación refrendada después en Barcelona, el virreinato y la gobernación, sin que apareciese por ningún lado mención a la tierra firme, por la que nadie sintió entonces mucho interés: tal era el resplandor que despedía la ofírica Española, cuyo rumbo quedaba ya indicado por el propio curso del sol.

En el *Tratado de la herida del rey* del doctor Alonso Ortiz, impreso en Sevilla por los tres alemanes compañeros en 1493, se hizo digna alusión al descubrimiento de las islas del poniente, que bien merecían reyes tan hazañosos, así que «no ay gente tan bárbara, aunque sea en las Indias remota, que ya de... tan prósperos vencimientos sea ignorante» [9], cumpliéndose de paso el vaticinio del salmo 18,5: «Por toda la tierra se esparció su sonido» [10], pues era indudable que con el imperio del mundo iba aparejada la victoria de la fe cristiana hasta los últimos confines del universo. Las remotas Indias: tampoco Ortiz duda de su descubrimiento por las carabelas colombinas.

2. *La impresión inicial entre los humanistas*

Ningún atisbo de crítica se observa tampoco en la versión al latín de la famosa *Carta* colombina [11], hecha el 29 de abril de 1493 por un zaragozano de probable estirpe judía, Leandro de Cosco [12], desde un punto de vista muy aragonés y no sin ciertos errores de bulto [13]. Un mérito indiscutible tiene al menos esta traducción, que glorifica al famoso converso Gabriel Sánchez, tesorero general de Aragón: gracias a ella Europa toda

[9] *Apud* H. Harrisse, *Bibliotheca Americana Vetustissima,* reimpr. Carlos Sanz, Madrid, 1958, n.º 10, p. 33.

[10] Es éste un salmo citadísimo en esta época (cf. p.e. Duarte Pacheco Pereira, *Esmeraldo de situ orbis,* 122 [p. 79 Peres]).

[11] Aprovecho en estas páginas una ponencia que acerca de *Los humanistas españoles ante el Descubrimiento (1493-1498)* pronuncié en Granada el 15 de abril de 1982 en el Simposio sobre «Humanismo y Descubrimiento» organizado por D. J. Muñoz Pérez. Las Actas del mismo, a pesar de todos los pesares, quedaron sin publicar, y mi texto indefenso sirvió de pasto fácil para la feroz bulimia publicística de un historiador caco y cuco, cuyo nombre más vale dejar en el olvido mientras no vuelva a las andadas.

[12] Sobre este personaje siguen siendo fundamentales las páginas de M. Serrano y Sanz, *Orígenes de la dominación española en América,* Madrid, 1918, XLXXIII ss. *(NBAE,* XXV).

[13] Me limito a señalar dos: *propterea quod ab equinoctiali linea distat ubi uidentur gradus sex et uiginti ex montium cacuminibus* («puesto que es distinta de la liña inquinocial veinte e seis grados. En estas islas, adonde ay montañas grandes») y *sicuti de earum coniugibus dixi* «como los sobredichos de cañas»).

se enteró de la hazaña del almirante, de suerte que el reino de Aragón se convierte en el primer pregonero de la gloria peninsular; era lógico, dada su relevante proyección mediterránea y la importancia de sus intereses en Italia. Por lo demás, Cosco reproduce con fidelidad las ideas colombinas, y no duda en hablar de *India, Indi* e *Indicum mare*. No obstante, ya el epigrama adjunto de Ludovico de Corbaria (obispo entonces de Montepeloso en la Basilicata), dedicado a Fernando el «Bético» [14], augura que iba a engrandecer el renombre del rey «la región descubierta a lo lejos de las olas eoas». Es probable que esta denominación no encierre mayor misterio; pero conviene recordar que lo que correspondería al mar de la China de hoy se llamaba en la Antigüedad *mare Eoum*.

Más importancia tiene la alocución que pronunció el 19 de junio de 1493 ante el Papa Borja el intrigante y ambicioso Bernardino de Carvajal [15], discurso que encabezaba una referencia a la visión mesiánica del ternero y el león durmiendo en el mismo cubil [16], alusión evidente al

[14] «Bético magno», sobrenombre del rey, es entendido por Harrisse (*Bibliotheca Americana Vetustissima*, reimp. de C. Sanz, Madrid, 1958, I, p. 13 nota 1) como referido a la Bética: de ahí su extravagante traducción («Rejoice, Iberia!»).

[15] *Oratio super praestanda solenni obedientia Sanctissimo D. N. Alexandro Papae .VI. ex parte Christianissimorum dominorum Fernandi et Helisabe Regis et Reginae Hispaniae habita Romae in consistorio publico per. R. Patrem dominum Bernardinum Carvaial episcopum Carthaginensem die Mercurii XIX Iunii Salutis Christiane MCCCCXCIII*. Utilizo el ejemplar de la BN Madrid (I 836). Acompañaban a Carvajal el embajador Diego Lope de Haro, Gonzalo Fernández de Heredia y Juan Ruiz de Medina.

[16] Isaías 11, 6. El ternero representaba a Alejandro VI (su familia tenía tal emblema) y el león a los reyes Católicos, que dirigidos por un niño (Cristo) sublimarían la religión cristiana. Apoyaba Carvajal su exegesis en las profecías de San Isidro y Santa Brígida, tras rechazar la interpretación literal mesiánica de Moisés egipcio (=Maimónides). Destacaba el palentino la admirable conformidad entre Roma y España, llamadas las dos Hesperia, tanto en el paganismo como en la cristiandad, y exaltando la inteligencia de los hispanos (para ello traía a colación la consabida serie: Séneca, Lucano, Marcial, Silio, Quintiliano, Trogo, Pomponio Mela, Lucio Floro, Orosio, Isidoro, Ildefonso, Avicena, Averroes, Almanasar y Rabí Moisés) convertía en español hasta a Aristóteles. La providencia de Cristo guía, pues, a Alejandro y a los reyes, que superan en nobleza a todos los demás monarcas de la cristiandad por descender de los godos, y que han sido dados al mundo para realizar máximas hazañas, como demuestran los nuevos descubrimientos y la gran expedición contra los infieles.

La exaltación que había producido la campaña contra Granada queda patente en otro discurso del mismo Carvajal, que conmemora la toma de Baza el 4 de diciembre de 1489 (*In commemoratione victoriae Bacensis ciuitatis apud sanctum Iacobum Hispanorum de urbe sermo ad Senatum cardenalium habitus die dominica X Ianuarii MCCCCXC* [BN Madrid, I 555]). Destacando los milagros que habían acaecido en el asedio, señala Carvajal que no se había extendido la peste en el real cristiano, a pesar de que había diezmado casi toda Andalucía y había en el sitio casi 200.000 almas; tampoco había arreciado el frío ni se había producido deshielo. Ya veía Carvajal el día en que, expulsada la religión musulmana de España, se persiguiera a los mahometanos en su huida a Africa.

dominio universal que les estaba reservado a los reyes Católicos. Pues bien, como adelanto de ese imperio, Cristo les había concedido poder a los soberanos españoles no ya sobre las Canarias, sino que les había mostrado «otras islas desconocidas hacia la India». De pasada, pues, Carvajal hace una precisión fundamental: no sólo esas islas descubiertas por Colón son desconocidas —la *Carta* impresa cautamente tampoco las identifica—, sino que además se encuentran «hacia la India» (*uersus Indos*), luego no son la India. El palentino Carvajal se limita a expresar llanamente una realidad; resulta, sin embargo, que esta realidad no corresponde a las ideas que defendía en la Corte el almirante y que los reyes habían aceptado en principio. Y hay que notar que precisamente este vago *uersus Indos* había quedado sancionado por la bula *Inter cætera* del 3 de mayo, mientras que desaparece, sin duda por sutil intervención de la diplomacia española, de la segunda *Inter cætera* del 4 de mayo que establece la famosa línea de demarcación entre España y Portugal [17].

Claro es que Carvajal seguía la pauta de otros oradores ilustres. Al celebrar la toma de Málaga, Pedro Boscán imaginaba también que los reyes, tras conquistar Granada, pasarían a Africa y extirparían la secta mahometana: de la misma suerte que un Fernando había reconquistado Sevilla en el pontificado de Inocencio III, otro Fernando habría de vencer al Islam en el pontificado de Inocencio VIII (*Oratio Petri Bosca artium et sacre Theologie Doctoris R.D. Cardinalis S. Marci Auditoris Rome habita XI Kal. Nouembris ad sacrum Cardinalium senatum apostolicum in celebritate uictorie Malachitane per serenissimum Ferdinandum et Helisabeth Hispaniarum principes catholicos feliciter parte anno Christi MCCCLXXXVII* [BN Madrid, I 558]). El ideal de la toma de Jerusalén vuelve a aparecer, esta vez de manera explícita, en el discurso de Antonio Geraldini, protonotario apostólico, pronunciado en Roma el 19 de Septiembre de 1486, que juega también con el recuerdo de Inocencio III (BN Madrid, I 558). Así se explica que Jerónimo Porcio no tenga empacho en decir que la conquista de Granada es el hecho más glorioso después del Nacimiento del Salvador (*In Turcos Porcia declamatio,* encuadernada en el mismo volumen).

Esta tensión bélica y religiosa puso sobre el tapete muchas cuestiones que después se hubieron de replantear ante la conquista de América. Entre ellas, era primordial decidir si los infieles tenían o no justo derecho de dominio. Carvajal, en su apasionado sermón sobre la victoria de Baza, conoce la opinión afirmativa de Inocencio IV, pero él está más de acuerdo con el cardenal Ostiense, ya que desde la venida de Cristo los infieles han de ser considerados más como tiranos que como dueños, pues Cristo trasladó a sí todo el dominio del mundo, a los herederos de Cristo los cristianos. En el cuarto aniversario del pontificado de Alejandro VI, pronunció en la fiesta de Pentecostés Sancho de Miranda su *Oratio de diuino amore* (BN Madrid, I 261,3); en ella indica que están obligados a servir a Dios no sólo los cristianos, sino también todos los paganos y los infieles por ley natural, aunque reconoce que se trata de un tema muy debatido en su tiempo: ¿no nos parece estar escuchando ya las voces de Palacios Rubios, de Las Casas y de Sepúlveda en esta Conquista *avant la lettre?* Sobre el particular cf. sobre todo P. Castañeda. *La teocracia pontifical y la conquista de América,* Vitoria, 1968, que no trata sin embargo de los autores antes citados.

[17] Pueden compararse los textos cómodamente en M. Giménez Fernández, *Nuevas consideraciones sobre la historia, sentido y valor de las bulas alejandrinas de 1493 referentes a*

3. *La fiebre del oro*
   y la realidad cotidiana

Nada más lógico que la opinión pública quedara conmocionada en España con aquellas noticias, que obnubilaron con el dorado fulgor de las minas salomónicas el seso de los colonos que se alistaron en el segundo viaje. En efecto, aquellos hombres no pensaban sino «que el oro... era a coger con pala... e todo a la ribera del mar, que no avía más salvo echarlo en las naos» (doc. XXXVII [p. 256]). Con razón se quejó Colón en 1499 de que la mayoría de ellos no fue sino a haraganear; pero, ¿no era él mismo quien les había prometido una tierra encantada? Oro, montones de oro cabía esperar de Ofir, una Ofir que de repente se mostraba huidiza y no revelaba sus secretos. Las propias palabras del Almirante se volvían contra él, conforme pasaba el tiempo y el anhelado metal no aparecía.

La obsesión por el palacio de oro de Cipango tiene una curiosa secuela en el segundo viaje: el cacique que señoreaba los montes de Cibao-Cipango tenía por nombre Caonabó, y Caonabó, según nos indica Pedro Mártir [18], quiere decir precisamente «señor de la casa del oro», dado que *cauni* suena 'oro' y *boa* 'casa'. De aquellos montes de Cibao descendían ríos cuyas arenas arrastraban oro en abundancia extraordinaria, como indicaron Hojeda y Gorvalán, enviados por el almirante en avanzadilla: bastaba con hacer una fosa de un brazo de profundidad, y los indios extraían con la mano izquierda un puñado de lodo, del que sacaba pepitas como garbanzos, algunas hasta de nueve onzas.

En marzo de 1494, en las naos de Antonio de Torres, llegaron a la Península una serie de relaciones sobre la Española, todas ellas muy favorables a Colón y a la empresa indiana. El panorama que se presenta

---

las Indias, Sevilla, 1944, p. 170. Según el ilustre historiador, la expresión *uersus Indos* nace de «la necesidad de eludir la vigencia del *usque ad Indos* de la bula *Aeterni Regis,* que concedía a Portugal cuanto hallara en su ruta por Oriente hasta las Indias» (p. 78 y después p. 91, con concreta referencia al texto de Carvajal). Si ello es así, no se comprende por qué no se suprimió sin más esa incómoda referencia, como se hizo de hecho en la segunda *Inter cætera,* que, según es sabido, Giménez Fernández data en el 28 de junio; de hecho, el propio Giménez Fernández (p. 34) tiene que reconocer que las palabras *per partes occidentales, ut dicitur, uersus Indos* suponen una restricción que en la segunda *Inter cætera* desaparece, ampliando a todo el ámbito del Océano la misión descubridora. No pienso, por tanto, que se acuñara la frase para salvar escollos diplomáticos, que por el contrario inevitablemente habría de provocar. El discurso de Carvajal refleja la opinión pública más de lo que cree Giménez Fernández. En vista de las deficientes traducciones de Harrisse (*Bibliotheca Americana Vetustissima,* I, p. 35) y de Giménez Fernández (p. 90), hay que advertir que Carvajal habla de islas «que se juzgan máximas y llenas de todas las cosas preciosas del mundo, y se cree que gracias a los enviados reales obedecerán en breve a Cristo».

[18] *Décades,* I 2 (f. 7r = *Cartas,* p. 61) y 14 (f. 10v = *Cartas,* p. 79).

de la isla resulta idílico, y no se perdona una descripción pormenorizada de la fertilidad de sus campos y de la docilidad de los taínos. Sin embargo, sobre esta bucólica atmósfera prima la fiebre del oro multiplicado por la fantasía del almirante, que pensaba que las minas tendrían la extensión de Portugal (nuevo texto, carta II, p. 16), paroxismo que causa vértigo incluso a espíritus cultos como Coma o Chanca. El primero, escribiendo a comienzos de 1494, refiere maravillas increíbles:

Se coge el oro cavando a la orilla del río. De inmediato, en efecto, brota agua a borbotones; primero mana algo turbia, después, a poco de recobrar su color cristalino, quedan a la vista los granos de oro que están posados en el fondo por su pesantez, de mayor y menor peso que una dracma de oro, de los que Hojeda en persona cogió muchísimos. Lo más maravilloso aún es lo que me avergonzaría de escribir de no haberlo escuchado a un hombre bajo juramento: al golpear con un mazo una roca que está junto al monte, se derramó gran cantidad de oro y por doquier brillaron centellas doradas con resplandor inenarrable [19].

Pero más tesoros que Hojeda había encontrado, según decía, Gorvalán, pues había descubierto nada menos que cuatro ríos auríferos, volviendo a la Isabela como si fuese un Mercurio. La misma ofuscación cegaba los ojos de Chanca, que poseído de delirio parejo no tuvo empacho en anunciar a los reyes que se podían tener ya «por los más prósperos e más ricos príncipes del mundo» [20]. Tan descomunal exageración responde sin duda a apremios del almirante, movido de su ambición desmesurada; está muy lejos de saber que, al fomentar estas declaraciones, Colón comete el mayor error de su vida, dado que la realidad indiana no puede satisfacer semejantes quimeras. De hecho, el oro que llevó Torres en este viaje no corría a raudales, como después observaron con cierta acritud los monarcas, según veremos. Si no oro, al menos Colón pudo presentar esta vez algunos monstruos de la India, muy en particular antropófagos, los tres caníbales apresados en Santa Cruz que se guardaron en la casa de bastimentos de Sevilla [21], cercana sin duda al alcázar viejo, y que, mostrados después en Medina del Campo, se convirtieron en el centro de atracción de la feria; Pedro Mártir [22] acudió varias veces a ver al hijo de la cacica impelido por cierta morbosa curiosidad, no sin experimentar siempre escalofríos al contemplar tamaño portento. Asimismo, se vieron por primera vez en España guacamayos [23] y hutías, que dieron la nota coloris-

---

[19] *Cartas*, p. 200.

[20] *Cartas*, pp. 175-76.

[21] De la noticia Juan de Bardi (*Cartas*, p. 214).

[22] *Décades*, I 2 (= *Cartas*, p. 55).

[23] Se pasma del tamaño de los guacamayos Simón Verde (*Cartas*, p. 210).

ta y pintoresca del Nuevo Mundo que comenzaba a mostrar su faz enigmática.

Además de la información acerca de la Española, vinieron otras nuevas risueñas sobre las islas de los caribes. En la Guadalupe, donde paró la
flota algunos días, hubo quien afirmó haber encontrado almáciga, jengibre, cera, incienso, sándalo y otros aromas, sin duda por fantasía de los
sentidos, ya que Las Casas [24] tuvo que apostillar que, hasta su tiempo, «no
se ha sabido que tales cosas haya ni allí ni en las otras islas»; pero donde
había monstruos era natural que proliferaran los tesoros. En cualquier
caso, puebla la Guadalupe pajarería infinita: milanos, garzas, grajas, palomas, tórtolas, dorales, ánsares y ruiseñores. ¿Qué mucho que se columbra-
ra volar en su cielo a halcones y neblíes? Con ocho papagayos del tamaño
de un halcón dejó maravillados Torres a los reyes, que admiraron también otros más pequeños. Esta insistencia en la riqueza ornitológica y,
sobre todo, en la existencia de aves de presa, perseguía un fin muy concreto. Con ella el almirante, gran conocedor del corazón de los hombres,
supo tocar una fibra muy sensible del monarca, ardiente apasionado de la
cetrería. El halago cortesano se hizo sentir hasta en la lengua, pues más
tarde Colón había de cometer un castellanismo al latinizar «neblíes» en
neblini (D 366), cuando el ave en italiano se dice «nibbio». Pero oigamos
ahora sus finuras:

Procuraré... de aver d'estos falcones para le enbiar y creo que, aviendo persona que
sea maestro de prenderlos {los}, que pudiera aver cuantos oviere menester para su
serviçio y podrá enbiar a otros prínçipes (nuevo texto, carta II, pp. 9-10).

La idea de tener halcones de la India, de cazar como se decía iba de
caza el Gran Kan, entusiasmó a D. Fernando, que inmediatamente despachó la siguiente cédula:

El rey. Don Juan de Fonseca, etc. Por serviçio nuestro que fagáis buscar ende un
redero para que vaya a las Yndias para tomar falcones, e que pase con Antonio de
Torres; en lo cual plazer e serviçio me faréis. De Segovia, a xvi días de agosto de xciiii
años [25].

Tenían fama, en efecto, los rederos andaluces, y una vez creada la
Casa de la Contratación corrió a cargo de sus oficiales el pago de sus
servicios a la Corona [26]. Ahora uno de estos hombres iba a cruzar el

---

[24] *Historia de las Indias,* I 84 (*BAE* 95, p. 248 a); cf. Hernando Colón, *Historie,* XLVI
(I, p. 270 Caddeo). Así lo atestigua también el nuevo texto (*Carta* I).

[25] A.G.I. Patron. 9, 1 f. 68v (publicada en *C.D.I.A.,* I, XXI, p. 533 y XXX, p. 342).

[26] En efecto todos los años se libraban a Juan de Ordián, alcalde de los Palacios y
cazador mayor, 12.000 mrs. para que los repartiera entre los tres rederos que tomaban

Océano en busca de los halcones de la China, los mismos que el gran
Cublay regalaba con sus mimos al visitarlos una vez a la semana, según
contaba Marco Polo (I 66), y quién sabe si también de gerifaltes, que eran
llevados a la corte tártara de unas islas del mar Océano (I 62; cf. III 15,
26). En tragicómico contraste, ese mismo virrey que prometía tales joyas
de altanería se encontraba muy falto de todo, a pesar de encontrarse en
aquel Cipango lleno de oro y perlas y en las cercanías de la China, donde
al Gran Kan lo revestían finas sedas y pieles suavísimas. Estando los reyes
en Arévalo les llegó un memorial del comendador mayor (sin duda el
contador mayor Gutierre de Cárdenas) con una lista pormenorizada de
las urgencias tanto de Colón como de sus criados, sin excusar ni los
detalles más íntimos y raheces, ocultados en la pudibunda edición de
Navarrete [27]. La reacción de los monarcas fue inmediata, pues mandaron
a Fonseca que, de los dos millones que habían ordenado librársele, desti-
nara 100.000 mrs. a satisfacer las necesidades expuestas en el memorial,

halcones para el rey, Cristóbal Bernal, Martín Bernal y Bartolomé Domínguez, a razón de
2.000 mrs. de quitación y otros 2.000 de líbrea cada uno (cf. A.G.I., Contrat. 4674, Libro
manual de Matienzo, II, f. 37r y 62r, en 26 de febrero y 31 de diciembre de 1511
respectivamente). Otro tanto se daba al redero Diego Martín de Montilla (*ibidem*, f. 61r:
23 de diciembre de 1511). Por lo que alcanzamos a ver por las cuentas, el halcón neblí
pollo valía cuatro ducados (*ibidem*, f. 27r, 35r, 36r, 36v), esto es, 1.500 mrs., mientras que
un halcón neblí mudado tenía menos precio, 1.000 mrs. (*ibidem*, f. 61r). En 1501 Miguel
Rodríguez tuvo que pagar a Alfonso de Santander, cazador del duque de Medina Sidonia,
2.000 mrs. por un azor que le había matado en el campo (A.P.S., IV 1501, 1 f. 357v); pero
sin duda se dejó sentir en este arreglo amistoso el ascendiente de la casa ducal. Llevado por
su pasión a la cetrería, D. Fernando nombró por una cédula dada en Granada el 29 de
septiembre de 1501 (A.G.I., Indif. 418, I f. 59"r) redero mayor de las Indias a Alfonso
Pérez de Meneses, o a quien su poder hubiese, en pago a los servicios prestados a la
Corona, dándole licencia para «tomar falcones e otras aves cualesquier en las dichas
Yndias» y asimismo para «tomar para los dichos falcones las gallinas que fueren menester a
las personas que en las dichas Yndias estovieren, pagándoles por cada una d'ellas lo que al
dicho mi gobernador [Ovando] paresçiere que sea justo».
   Es probable que esta misma obsesión es la que hiciera ver halcones peregrinos en
cantidad infinita, tantos como pájaros, a los navegantes portugueses que fueron con Corte-
Real, según comunicó a su señor, Hércules de Este, Alberto Cantino en carta fechada en
Lisboa el 17 de octubre de 1501 (*Raccolta*, III 1, p. 152, 4); pero cf. G. Fernández de
Oviedo (*Historia de las Indias*, XIX 2 [*BAE* 118, p. 192 b]), que atestigua la existencia de
halcones neblíes en Cubagua.
   El valor de los halcones hace que con frecuencia aparezcan impuestos como tributo o
figuren en presentes. El Gran Turco exigió de la ciudad de Caffa un censo de 5.500
ducados y 50 halcones peregrinos al año (Benedetto Dei, *La Cronica*, Florencia, 1985, p.
157 ed. Barducci). En 1488 la ciudad de Sevilla se gastó 60.950 mrs. en comprar unos
esclavos moros y un halcón para hacer un regalo al maestre de Santiago (A.M.S., Papeles
de Mayordomazgo, años de 1487-1489).
   [27] A.G.I., Patron. 9, 1 f. 64v ss. (publicado por M. Fernández de Navarrete, *Colección*,
II, p. 170ss.).

que llevó Jimeno de Briviesca a Sevilla a su marcha de Arévalo el 3 de julio [28]. El contenido de este documento, hoy casi olvidado, no tiene desperdicio:

Las cosas que son neçesarias a la persona e casa del Almirante, a lo que me paresçe, son las siguientes:
Primeramente vestidos para su persona, calçado, de lo cual él tiene mucha neçesidad: lo que Vuestra Alteza mandare.

Para su cámara

Una cama de seis colchones de Bretaña. Tres pares de sávanas de media olanda. Cuatro almohadas de olanda. Una colcha delgada. Una manta fraçada. Unas sargas verdes e pardillas. Una alfonbra. Un par de paños de arvoleda. Dos antepuertas de lo mismo. Cuatro reposteros con sus armas. Un par de arcas ensayaladas. Algunos perfumos e x manos de papel.

Para su despensa e cozina

Cuatro pares de manteles de ocho cuarteles de çinco varas cada par. Seis dozenas de pañizuelos. Seis tovallas. Manteles para aparador e para comer su gente: seis pares de a seis varas cada par de manteles. Una baxilla de peltre. Dos taças de plata e dos jarros e un salero e doze cucharas. Dos pares de candeleros de açofar. Seis cántaros de cobre.

Para la cozina

Dos caços grandes e dos pequeños. Una caldera grande e otra pequeña. Cuatro sartenes, dos grandes e dos pequeñas. Dos caçuelas. Dos ollas de cobre, una grande e otra pequeña con sus coberteras. Un almirez. Dos cucharas de hierro e un par de rallos. Unas parrillas para asar pescado. Dos trévedes. Un espumadera. Paños de cozina: doze varas de lienço grueso. Una baçina grande para xabonar.

Conservas e çera

Doze hachas e treinta libras de velas. Veinte libras de diaçitrón; çincuenta libras de confites sin piñones. Una dozena de botes de todas conservas. Cuatro arrobas de dátiles. Doze caxas de carne de menbrillos. Doze botes de açúcar rosado. Cuatro arrobas de açúcar blanco. Una arroba de agua de azaar e otra rosada. Una libra de açafrán. Un quintal de arroz e dos de pasas de Almuñécar. Doze fanegas de almendras con caxco. Cuatro arrobas de buena miel. Ocho arrobas de azeite que sea fino. Dos jarros de azeitunas. Manteca fresca de puerco: tres arrobas. Cuatro arrobas de xabón; veinte orinales con sus vasijas. Çincuenta pares de gallinas e seis gallos.

Para el reparo de los de su casa

Doze colchones groseros. Doze pares de sávanas gruesas. Doze mantas comunes. Ochenta varas de paño verde e pardillo de a dos reales la vara. Ochenta camisas. Para

---

[28] A.G.I., Patron. 9, 1 f. 64r: cédula a Fonseca de 4 de julio de 1494 (publicada por M. Fernández de Navarrete, *Colección*, II, p. 169).

calças e jubones cien varas de bitre [29]. Çiento e veinte pares de çapatos comunes. De hilo negro seis libras. De hilera delgada una libra. De seda torçida negra tres onças.

Este virrey de las Indias, que había mandado construir un palacio real en la Isabela, carecía del tren de vida correspondiente a su estado y condición, y las peticiones formuladas, lejos de rayar en disparatadas fantasías, se limitan a solicitar los lujos mínimos de que gozaba un hidalgo de mediano pasar en la Península, como las tazas de plata, el único metal noble que sale a relucir entre tantos objetos de latón, cobre y hierro. Pero del oro infinito, de los brocados del Oriente, del calzado de camocán, de la lencería china, ¿qué se hizo? ¿adónde fue a parar el lujo asiático de la corte tártara? Eran preguntas que, por desgracia, ni el mismo Colón sabía contestar, y que formulaban en España almas poco caritativas, pero más realistas que aquellos locos cazadores de quimeras.

4. *El tráfico indiano*

En todo caso, las dudas y prevenciones no partían de los reyes, que se devanaban los sesos para proveer al socorro de la Española. El 3 de julio de 1494 se había acordado, según decía la correspondiente carta a Fonseca [30], el envío de trece carabelas a las Indias, cargadas de mantenimientos y de todas las cosas necesarias para los colonos; de ellas, habían de partir ocho de inmediato, mientras que el despacho de las cinco restantes se reservaba para más adelante. El único problema que agobiaba a los monarcas era la penuria de su erario, por lo que se llegaba a pensar, para costear la armada, en las impopulares sacas de trigo, e incluso se contemplaba la eventualidad, que luego se llevó a la práctica, de que esas ocho carabelas se redujeran por el momento a cuatro. De hecho, el 4 de julio se tornó a escribir a Fonseca [31] para notificarle el libramiento de dos millones de mrs., acuciándolo a mandar las primeras cuatro naves sin dilación para atender las apremiantes necesidades de los 1.000 hombres que se pensaba mantener en Indias. A fin de continuar la explotación minera, una serie de cédulas expedidas el 17 de agosto a fray mosén Lope

---

[29] J. Corominas y J. A. Pascual (*Diccionario etimológico castellano e hispánico,* Madrid, 1983, V, p. 832 b 2 ss.) documentan la palabra por primera vez en 1925. El bitre o vitre aparece sin embargo con cierta frecuencia en las *Cuentas de Gonzalo de Baeza, tesorero de Isabel la Católica,* Madrid, 1956, II, p. 55 («Ocho canas e media de bitre para aforro»), 96 («doze varas de lienço de bitre para enbolver»), 98-99 («una vara de lienço de bitre para la dicha almohada»), 151 («lienço de naval e bitre»), 176, 255, etc.

[30] A.G.I., Patron. 9, 1 f. 63r.

[31] A.G.I., Patron. 9, 1 f. 64r.

de Latuguía, su montero mayor y gobernador del campo de Calatrava, a Alonso Gutiérrez de la Caballería y a Alvaro de la Torre, alcaide de Almadén, ordenaba que, «sin daño de la obra», se quitasen de ella cuatro o cinco «minadores» para que fuesen con Torres a la Española a activar el laboreo del oro indiano [32].

En todas estas operaciones había que observar la capitulación hecha con el almirante, que ya había nombrado personero en la Península. Su elección había recaído en el florentino Juanoto Berardi, cuyas dotes de organización habían tenido ocasión de alabar los reyes con motivo del apresto de la armada del segundo viaje. El 15 de julio dictaron a Fonseca una cédula terminante:

Don Juan de Fonseca, arçediano de Sevilla: Ya sabéis lo que vos avemos escrito sobre el despacho de las caravelas que han de ir a las islas de las Yndias. Agora va allá Juanoto Berardi para entender en ello (con el almirante *tachado*) en nonbre del almirante de las dichas islas, porque tiene su poder para ello, el cual ha de aver libro e cuenta e razón así de lo que se ha gastado fasta aquí como de lo que de aquí adelante se gastare, porque por el libro del ofiçial de nuestros contadores mayores e por el suyo se pueda averiguar la contía d'ello cada que fuere menester; por ende nos vos mandamos que fagáis qu'el dicho Juanoto Berardi e el ofiçial de nuestros contadores mayores tengan sus libros e cuenta e razón así de lo que se ha gastado fasta aquí como de lo que se gastare de aquí adelante en la dicha negoçiación de las dichas islas, porque nos confiamos que el dicho Juanoto mirará con toda fidelidad las cosas de nuestro serviçio. De la çibdad de Segovia a quinze días de jullio de xciiiiº años [33].

Con todas estas provisiones y medidas el negocio de las Indias parecía encarrilado. No se contaba, sin embargo, con el alarmante deterioro de la situación en las islas del poniente.

5. *Primeras críticas de los colonos*

La flota de Torres trajo otras cartas e informes menos favorables a la manera en que se estaba llevando a cabo la colonización. El propio fray Bernardo Buil mostraba su descontento porque su estancia en la Española no aprovechaba lo que sería menester, y ello «por falta de la lengua, que no ay para ser intérprete con los indios» [34]. Poca atención han merecido estas palabras del mínimo, reveladoras sin embargo de una rivalidad latente entre las ideas del almirante y las de los religiosos; en efecto, se da

[32] A.G.I., Patron. 9, 1 f. 70r.
[33] A.G.I., Patron. 9, 1 f. 66r-66r.
[34] A.G.I., Patron. 9, 1 f. 67r.

el caso de que sí existía truchimán, el indio Diego [35], que había de llevar Colón para entenderse con los naturales de Cuba en el viaje de descubrimiento comenzado el 24 de abril de 1494. Por consiguiente, cuando Buil se lamenta de la carencia de intérpretes, en realidad está lanzando una acusación velada a D. Cristóbal, que, por razones políticas, no quiere poner a su disposición un indio ladino para ayuda de la tarea evangelizadora. También entra dentro de lo posible que la astucia del almirante engañara a todos, empezando por fray Buil y acabando por los reyes, a los que escribió para hacerles llegar la misma lamentación: «Otra cosa no me falta para que sean todos christianos salvo no se lo saver dezir ni predicar en su lengua» (nuevo texto, carta III, p. 19). Sea de ello lo que fuere y enmascarara el fraile sus censuras o no, lo cierto es que otros mostraron de manera más ruidosa su discrepancia e incurrieron en actos de abierta indisciplina, provocados por la insolencia del genovés o la desvergüenza de los españoles, o por ambas cosas a la vez. El hecho es que ya en julio de 1493 Juan de Soria le había plantado cara a D. Cristóbal, dando lugar a que los reyes le escribieran el 5 de agosto maravillándose de las novedades que hacía, no mirando ni acatando al almirante de las Indias «como es razón e nosotros lo queremos» [36]. Pero este respaldo regio, muy imperioso en España, poco efecto había de surtir en las islas.

Al encarar estas críticas y disensiones los reyes no entendieron el problema o, cuando menos, lo minimizaron. No se explica de otra suerte el tenor de las cartas despachadas el 16 de agosto a los colonos del Nuevo Mundo. Dirigiéndose a Buil, de hecho, le insistían encarecidamente en que su estancia en las Indias era «muy nesçesaria e provechosa por agora e para muchas cosas», pero sin poner remedio a los motivos de su descontento [37]. En cuanto a los que se habían insolentado con el almirante, les comunicaban que de ello habían recibido gran enojo y les conminaban a conformarse con Colón y a obedecerle «como si nos en persona vos lo mandásemos» [38]. Otra cédula venía a remachar en la misma cuestión, exigiendo el estricto cumplimiento de las órdenes del virrey «so las penas que vos pusiere o mandare poner de nuestra parte, las cuales nos por la presente vos ponemos e avemos por puestas para esecutar en los que lo

[35] Citado, p.e., por Pedro Mártir, *Decades,* I 3 (*Cartas.* p. 70ss.); cf. A. Bernal, *Memorias,* CXXIV (p. 311 Gómez Moreno-Carriazo), CXXVII (p. 318).

[36] A.G.I., Patron. 9, 1 f. 53r (publicada por M. Fernández de Navarrete, *Colección,* II, p. 106).

[37] A.G.I., Patron. 9, 1 f. 67v.

[38] A.G.I., Patron. 9, 1 f. 68r. No deja de ser significativo que Chanca y el tesorero Olano sean los únicos felicitados por los reyes: los dos pertenecían entonces al círculo afecto a Colón.

contrario fizieren» [39]. Es evidente que había que atajar cualquier conato
de rebeldía, gravísimo a tantas leguas de distancia; los reyes, no obstante,
no acertaron al dictar tales medidas, y la mejor prueba de su error fue
que, antes de ser conocidas en la Española, se había producido la desbandada encolerizada de algunos de los miembros más caracterizados de la
Isabela. Causa extrañeza que un hombre de peso como Melchor Maldonado, vuelto también con Torres, no aconsejara a los monarcas la adopción de providencias más cautas; quizá el hidalgo ya achacoso, casado en
segundas nupcias y cargado de hijos [40], no deseaba más que regresar a su
Sevilla natal sin meterse en mayores berenjenales; quizá también la política indicada a los reyes fuese la única posible por el momento: si había
acertado Colón hasta entonces, ¿a qué dudar de su buen tino en el futuro?

[39] A.G.I., Patron. 9, 1 f. 68r.

[40] En efecto, de su primera mujer, Isabel de Gallegos, había tenido Melchor Maldonado los siguientes hijos: Francisco Maldonado, Juan de Gallegos (que también llegó a ser
veinticuatro de Sevilla) e Isabel Ochoa: casado en segundas nupcias con Beatriz Fajardo
fue padre de Zoilo Fajardo, Pedro Maldonado, Aldonza Fajardo y María Maldonado, que
eran todos menores de 14 años en 1505 (cf. A.P.S., VII 1505, f. 132r [13 de febrero]).
Murió el 3 de septiembre de 1504, siendo enterrado en la iglesia sevillana de San Juan de
la Palma (cf. J. Gestoso, *Sevilla monumental y artística*, Sevilla, 1889, I, p. 221). En los
protocolos hispalenses no aparece tanto como sería de esperar (lo documento, p.e., el 22
de septiembre de 1501, haciendo sus personeros a Fernando de Cazalla y a su criado Juan
de Hierro, quizá un esclavo canario [A.P.S., IV 1501, 2 f. 175r]).

Mejor se puede seguir la actuación de Maldonado como veinticuatro, al menos en
parte, según permite la no tan cicatera documentación. El legajo de *Actas capitulares* del
Archivo municipal de Sevilla de los años 1492-1499 comienza precisamente *ex abrupto* con
un parecer suyo en cabildo: «E por Melchior Maldonado veinticuatro fue dicho que,
porque por cabsa de los hedores que avía en la çibdad por se matar el dicho ganado dentro
de la çibdad, se avía acordado de fazer la dicha carneçería fuera de la çibdad, e que
matándose carne en logares otros más de uno enderredor de la çibdad los aires echarían el
hedor a la çibdad, de que se infiçionaría e adoleçería la gente, que era [Maldonado] en que
no se diese logar a que se fiziese la dicha casa ni se matase en Sevilla carne sino en la dicha
casa general para todo». Esta opinión que velaba aparentemente por la sanidad ciudadana
recibió el refrendo del teniente de asistente. El 17 de febrero de 1492 los miembros del
cabildo «acordaron que se den a Melchior Maldonado, veinticuatro, e Françisco Pinelo,
jurado e fiel executor, que han de ir a la Corte sobre lo de la media alcuza del azeite e lo
del almoxarifazgo, a cuatroçientos mrs. a cada uno cada día, que son a ambos ochoçientos
mrs. cada día, por veinte e çinco días, que montan veinte mill mrs.» En esta comisión ante
los reyes, triunfantes en Granada, se debió apreciar su talento en la defensa de los intereses
hispalenses; desempeñado el encargo tornó a sus funciones de cabildante a partir del 2 de
julio de 1492. Su partida a Indias y la fragmentariedad de los datos abren sobre su persona
un híato que comienza en 1493 y se cierra en 1494, pues el 18 de julio de ese año lo
volvemos a ver asistir a cabildo.

6. *La nebulosa geográfica de Guillermo Coma*

Conviene volver ahora la atención a esa relación latina del segundo viaje [41] de la que se ha hecho ya mención: se trata de una versión que, a instancias de Ludovico Sforza, hizo el siciliano Nicolás Esquilache, médico por la Universidad de Pavía, de un escrito de Guillermo Coma [42], con el que obsequió a su antiguo protector Alfonso de la Caballería el 13 de diciembre de 1494. Otra vez las noticias del descubrimiento llegan a oídos de Europa gracias a la Corte aragonesa, y otra vez los amigos del rey Católico, conversos en buena parte —Santángel, Sánchez, Caballería— desempeñan un papel fundamental en esta transmisión. Aún presumo que podemos identificar a este Guillermo Coma, que no es otro, según creo, que Guillermo Pedro Coma, doctor en medicina y ciudadano barcelonés, que redactó en 1513 ó 1514 un curiosísimo folleto, dedicado a Martín García, obispo de la Ciudad Condal: la *Quaestio de sudore sanguinis Christi*, redactada en Cuaresma, el 10 de abril, en la que explicaba cómo fue posible que Cristo sudara sangre y en la que, de camino, salía al paso de algunas voces maledicentes sobre la cuestión [43]. La historiografía del segundo viaje, pues, se debe muy especialmente a la obra de dos médicos, Chanca y Coma, cuya posible relación sería oportuno investigar.

Pues bien, de esta obrita interesa señalar ahora su en apariencia estupenda ignorancia geográfica. En efecto, por dos veces afirma que las islas descubiertas por Colón pertenecen a su juicio más a los archipiélagos arábigos que a las islas del Mar Indico: «Desde aquí [la isla de Guadalupe] hacia Oriente se divisan esparcidas en el mar Indico las islas de los indios, en número mayor de ciento ochenta, inclinándose por la izquierda hacia el golfo Arábigo. Yo me inclinaría a pensar que éstas son las islas de los árabes, por el testimonio ciertísimo tanto de Gayo Plinio como de otros» [44]. Aunque más adelante se muestra más cauteloso: «Se puede llamar a esta isla [Isla bella = la Española] Feliz y con razón, ya pertenezca a la Arabia, ya a la India» [45], a su juicio los caníbales se encuentran en

---

[41] Editada por Berchet en *Raccolta*, III 2, 83ss. La traduje en *Cartas*, p. 182ss.

[42] Convierte a Coma en noble militar aragonés A. Tió, *Dr. Diego Alvarez Chanca (Estudio biográfico)*, Barcelona, 1966, p. 69 y 351. Claro es que ya C. Sanz (*Bibliotheca Americana Vetustissima, Ultimas adiciones*, I, p. 179) lo califica de «caballero de noble estirpe aragonesa», siguiendo a N. Y. *apud* Harrisse, *Bibliotheca Americana Vetustissima*, I, p. 46.

[43] Manejo el ejemplar de la Biblioteca Colombina (4-2-20, fasc. 8); fue impreso hacia 1512-1515 según F. J. Norton, *A Descriptive Catalogue of Printing in Spain and Portugal, 1501-1520*, Cambridge, 1978, p. 53-54, n.º 129.

[44] *Cartas*, p. 191.

[45] *Cartas*, p. 198.

la misma región que los Nisitas, etíopes marítimos, o los Nisicastas [46]; de ahí que se compare a los indios con los etíopes y con los árabes. No es maravilla, entonces, que el traductor, Esquilache [47], acabe por equiparar la navegación colombina con el periplo de Hanón, que había bordeado las costas de Africa; y aunque pueda ponerse en tela de juicio que fuera Coma el erudito que hizo tan inoportuno despliegue de erudición plinia-na, no deja lugar a dudas el hecho de que todavía en 1494 los europeos no sabían muy a ciencia cierta si Colón navegaba en el Océano Indico o en el golfo Arábigo. El confuso manejo del concepto de «antípodes» provoca extrema ambigüedad y a la postre estas confusiones incluso en un amigo del almirante como Coma, que no termina de entender las ideas geográficas de Colón, ya que tampoco éste las tenías muy claras. Para Coma (y para Colón), no cabe duda de que las carabelas españolas han llegado a los antípodes, luego por fuerza han tenido que cruzar la línea equinoccial (según Colón el ecuador, una especie de meridiano principal). De acuerdo con esta argumentación, no es de extrañar que se llegue a identificar a los indígenas de la Española con los Sabeos turíferos que, evidentemente, se localizan en el Africa oriental. Un errado razonamiento conducía a tan extravagante idea. Pero en aquel tiempo no era Coma el único que mantenía estos criterios.

7. *La propuesta del doctor Cisneros*
    sobre el descubrimiento de la Tapróbana

En efecto, parejas concepciones cosmográficas defiende un muy curio-so memorial reeditado hace poco [48]: el del doctor Francisco de Cisneros, vecino de Sevilla, muy probablemente el canónigo racionero de la Cate-dral y quizá antiguo colegial de San Clemente de Bolonia. La educación humanística de Cisneros pretende ya reflejarse en el empleo cuidadoso de un rebuscado vocabulario latinizante: «escritor muy acutísimo», «el fasti-gio del exçelso çeptro», «cosas strenuas [49] e señaladas», «stilo... grandílo-co». Dejando a un lado citas a autores clásicos [50], que sirven sólo para

---

[46] *Cartas,* p. 190. La referencia está tomada de Plinio (*Hist. nat.,* VI 194).

[47] Cf. la reproducción fotográfica de C. Sanz (*Bibliotheca Americana Vetustissima. Ultimas Adiciones,* Madrid, 1960, I, p. 189).

[48] Por D. Ramos, *Memorial de Zamora sobre las Indias.* Valladolid, 1982, que viene a reproducir hasta en sus errores el texto, tan criticado por él, dado a la luz por Carmen Pescador en *Revisto chilena de Historia del Derecho,* I (1959) 53-58.

[49] C. Pescador lee equivocamente «extremas», y «extremas» transcribe D. Ramos.

[50] Así, p.e., a Salustio (*Cat.* I 2-3) y a Tito Livio (XXII 46, 5); de nuevo se equivoca C. Pescador y por consiguiente D. Ramos, poniendo ambos un imposible *inntronibus* en vez del correcto *mucronibus.*

alarde de vana sapiencia o galanura del discurso, maneja Cisneros de los cosmógrafos antiguos a Plinio [51], menciona a Pomponio Mela y aduce pasajes de Estrabón [52], en la traducción de Guarino Guarini, autores los dos últimos que Colón parece desconocer. Según indica Cisneros a los reyes,

las islas que agora nuevamente son falladas sabrá Vuestra Alteza que non son en Yndia, sinon en el mar Oçéano Atlántico Ethiópico, e son llamadas Hespéridas e Hesperion ceras (teras *trae el ms.*); las cuales Hirta e Hanón, capitán de los cartagineses, descubrieron.

El doctor, pues, comparte una serie de ideas fundamentales con Coma: las islas colombinas se encuentran en el Océano Etiópico, por lo que el almirante ha realizado un periplo muy similar al de Hanón. La única diferencia que los separa es el diverso significado que uno y otro dan al término «Etiópico», ambiguo ya en la Antigüedad. En efecto, Etiopía, la región de donde nace el sol, fue pronto identificada, por la consabida confusión de contrarios, con la región donde el sol se pone: es lícito, pues, hablar de etíopes orientales y de etíopes occidentales, por lo que Ptolemeo [53] puede dar al golfo de Guinea el nombre de «golfo Etiópico», así como por «mar Etiópico» entienden Plinio [54] y Mela [55] el mar que se extiende por el Sur de Africa y que al Oeste se une con el Océano Atlántico. De esta suerte, en definitiva, cabe obtener muy distintas conclusiones de un mismo dato objetivo: para Cisneros por «mar Ethiópico» se ha de entender el Atlántico frontero a Africa; Coma da al término su prístino sentido de mar Arábigo. Y quizá esta precisión turbadora no provenga del mismo Coma, sino de Esquilache, aunque hay que recono-

[51] *Hist. nat.,* VI 201.

[52] Concretamente III 5, 3 y III 1, 6, que corresponden al f. 34v y 30r de la edición hecha el 28 de enero de 1494 por Ioannes Vercellensis. En Ptolemeo (cuaderno E''''v de la edición príncipe [Vicenza, 1475]), se lee que «delante de la Taprobana se encuentran las *Cohortes insularum,* que dicen que son 1378». Esta precisión ptolemaica la conoce el doctor Cisneros: «Onosícrito... descubrió todas las islas de Yndia e falló que eran mill e trezentas e setenta e ocho, segund escribe Tolomeo». El autor de la *Relación detallada del viaje de la nao San Jerónimo (C.D.I.U.,* Madrid, 1887, III, p. 458) comenta: «El número de las islas de que Tolomeo haze mención no se incluye en un solo arcipiélago, sino en munchos que ay en esta región, del cual no se deven de admirar por parecerles que se desmandó, porque aún no díxo cuantas ay». De hecho, en un rotero de la India conservado en el códice Valentim Fernandes (ed. Baião, Lisboa, 1940, f. 36r) se asegura que «as ylhas de Dyue som doze mill amtre pequenas e grandes, e das quaes oyto mill som pouoradas».

[53] *Geografía,* VII 5, 2.10.

[54] *Hist. nat.,* VI 196.

[55] *Corografía,* I 21.

cer, en descargo del traductor, que éste anuncia a Alfonso de la Caballería no haber añadido nada de su cosecha. En último término, la coincidencia de uno y de otro atestigua que en 1494 se hablaba mucho de la
navegación por el mar Etiópico. Asimismo, tales concordancias permiten,
según creo, fijar la fecha del escrito de Cisneros, que hubo de ser presentado a los reyes en 1494, después del regreso de las naves de Antonio de
Torres, cuando todavía se tenía una fe de carbonero en las riquezas
auríferas de la Española, esas riquezas que encandilaban a Chanca, a
Pedro Mártir, a Coma, y antes de que el regreso de fray Buil echara un
jarro de agua fría sobre los ánimos demasiado enardecidos de los españoles: esto es, me atrevería a proponer que fue presentado el memorial en el
período que corre del 8 de mayo al 7 de junio, días en que los monarcas
residieron en Tordesillas [56] y tuvo lugar la transcendental demarcación

---

[56] Cf. A. Rumeu de Armas, *Itinerario de los Reyes Católicos*, Madrid, 1974, pp. 210-11.
Ramos fecha el memorial entre 1495-1497, pensando que, por su carácter adverso a Colón,
ha de ser posterior a los informes de fray Buil, y más en concreto a la segunda quincena
de septiembre de 1497, pues el 21 están los reyes en Toro de camino para Salamanca. Pero
Cisneros sigue creyendo que «una d'ellas [las Hespérides] me paresçe que ponen los
auctores por muy rica». No han hecho mella en él, por tanto, los informes contrarios de los
colonos. Carmen Pescador (*Rev. chilena Hist. Derecho*, II [1961] 63-67) propone dos
fechas, 1494 y 1497, si bien «en contra de esta fecha tardía tenemos la frase de Cisneros en
que lanza su afirmación sobre los viajes colombinos como una novedad» (p. 65). Por
diversos caminos, pues, se llega como más probable a una data en 1494.
    Ponderó muchísimo las grandes riquezas de Ceilán, esto es, la Tapróbana, Marco Polo
(III 22), que habló maravillas de un gran rubí que tenía el rey de la isla. Véase, además de
Ibn Battuta (*Viaje*, p. 684ss, y 304), el *Rotero portugués* (p. 143ss.), que da muy curiosas
noticias sobre la manera de refinar los rubíes (cf. Nicolò de' Conti [p. 130]). Toma algunas
noticias de Marco Polo, siempre sin citarlo, Alonso de Santa Cruz (*Islario*, p. 402ss.). Cf.
Varthemà (pp. 148-49 Giudici).
    Haitón (*De Tart.* VI), al hacer un escueto resumen del reino de la India, escribe
siguiendo una tradición semejante a la de Marco Polo: «Hay allí una isla que se llama
Celán, y en ella se encuentran piedras denominadas rubíes y zafiros. El rey de la isla tiene
el mayor y mejor rubí que pueda hallarse; y cuando el monarca se va a coronar, tiene esa
piedra en sus manos y montado a caballo se pasea por la ciudad, y entonces todos le
obedecen como a su rey» (cf. J. González de Mendoza, *Historia de la China*, II 3, 25 [p.
388 ss.]). Del rubí, del collar de 300 perlas y de las oraciones correspondientes habla
también Odorico de Pordenone (16 4 [van Wyngaert, *Sinica Franciscana*, I, p. 45]), sólo
que atribuyéndolo al rey de la isla de Nicobar: hay un salto evidente en sus notas, pues a
continuación habla de la isla de Ceilán (17 [p. 454ss.]). Juan de Marignolli (van Wyngaert,
Sinica Franciscana, I, p. 537ss.), que residió cuatro meses en la corte de Coya Iaan, un
eunuco del que echa pestes, rey de Pervily, hace alusión indirecta a sus tesoros, pero toda
su atención se centra en el monte de Adán y en la proximidad de la isla al Paraíso.
    Acerca de la Tapróbana y su riqueza en pedrería se extiende la *Topografía cristiana* de
Cosme Indicopleusta (XI 3 [p. 343ss. Wolska = *PG* LXXXVIII, c. 445ss.]): «Es una gran
isla en el mar, situada en el Océano Indico, llamada por los naturales Sielediba y Tapróbana por los griegos; ...se encuentra pasada la región de la pimienta. La rodean muchísimas

del mundo por descubrir y momento indicadísimo para que, congregados cosmógrafos de nota, se hicieran nuevas proposiciones para ensanchar los dominios de la Corona.

En efecto, el memorial de Cisneros no se limita a hacer objeciones, sino que plantea la posibilidad de un descubrimiento. Si las islas halladas por Colón no están en el mar Indico (¿y cómo van a estarlo, si carecen de pedrería?), queda por encontrar la mayor isla del mundo, la Tapróbana, «la qual es mayor que vuestra España e tiene mill estados mathemáticos más que ella», riquísima en oro y piedras preciosas, así como los demás archipiélagos de la India, que cuentan con tesoros incalculables. Por ironías del destino, el crítico doctor incurre en el defecto que censura, incluyendo entre las islas del Indico la fabulosa Topazia y Topazon que los antiguos lozalizaban en el Océano Arábigo [57]. Pero hay otro despiste increíble también: resulta que esa extrema abundancia de aromas y especias con que nos aturde Cisneros y que atufaba también a los antiguos la sitúa Estrabón no entre los indios, sino entre los sabeos *odoribus stupefati* [58], con lo que curiosamente vuelven a hacer su aparición las ideas de Coma. Evidentemente, la geografía clásica no es uno de los fuertes del doctor, que hace además del *Hesperion ceras*, la punta occidental de Africa nada menos que una de las islas de las Hespérides, distraído quizá por el sonsonete de los nombres. Pero es que ni siquiera es un buen latinista este aprendiz de descubridor, ya que el extravagante Hirta proviene de

islas pequeñas, todas provistas de agua dulce y de cocos; por lo general son anegadizas. La gran isla tiene de perímetro, según dicen sus habitantes, trescientos *gaudia* así de largo como de ancho, es decir, novecientos *gaudia*. Reinan en ella dos monarcas, enemigos el uno del otro. Uno posee las minas de jacinto, el otro el resto, donde están la factoría y el puerto; y es gran feria de los de allí. También cuenta con una iglesia de los persas cristianos que moran en ella, con un presbítero elegido desde Persia y con un diácono, así como con todo el ceremonial eclesiástico... Hay en ella muchos templos; en uno de ellos, colocado en alto, se encuentra un jacinto rojo, según dicen, y grande, que semeja una peonza y resplandece desde lejos, en especial cuando lo tocan los rayos del sol, ofreciendo un espectáculo inimaginable. Recibe naves de toda la India, Persia y Etiopía, por estar en el medio, así como las despacha. De los reinos del interior, me refiero a la China y a otros puertos, recibe seda, áloe, clavo, «zandana» y otros productos de la tierra, que transporta a los del litoral, es deccir a Malé, donde se cría la pimienta, y a Caliana, donde se produce el bronce, los tallos de ajonjolí y otros vestimentos» (*PG* LXXXVIII, c. 445 Bss.). Según Tennent, seguido por Hermann (*RE* s. u. 'Taprobana', c. 2270, 37ss.), este jacinto, guardado en la colina de Mihintala, era probablemente una amatista o un carbunclo: se trata a todas luces del mismo rubí que tanto pondera Marco Polo. El nombre Sielediba corresponde al pali *Sïhala-dïpa* (sánscrito *Sinhala-Dvîpa*), 'isla de los leones': de ahí procede el moderno Ceilán.

[57] Cf. Plinio, *Hist. nat.*, VI 169, XXXVII 107 y 108, San Isidoro, *Etimologías*, XVI 7, 9.

[58] XVI 4, 19 (f. 140v de la edición citada de la traducción de Guarino).

un falso entendimiento de una frase de Plinio [59]. Tampoco el apasionado fervor nacionalista que campea en el escrito corresponde a la realidad. En efecto, para mayores detalles sobre sus proyectos, el sevillano se remite al «jurado Damián, criado de Vuestras Altezas», jurado que sería tentador identificar con el genovés Damián de Negrón; el hijo de Damián, Luis de Negrón, llegó a invertir 14.000 mrs. en la armazón de las naves de Bastidas en 1500, prueba al menos especiosa de que el interés por las islas del poniente se iba transmitiendo de padres a hijos. Por primera vez entonces se apreciaría una ligera fisura entre el círculo genovés y el almirante de unas Indias cuya identidad se discute. El uso lingüístico, no obstante, excluye tan atractiva posibilidad: debe tratarse del jurado Juan Damián, que aparece en los libros de cuentas del mayordomo de Sevilla en 1494 por haber estado en la alhóndiga durante todo el mes de agosto, repartiendo con Ruy Díaz Melgarejo trigo y cebada entre los menesterosos, y que en los protocolos sevillanos se intitula criado de los reyes.

En último término, Cisneros no se anda con rodeos: «navegaré los mares para ir allá si fuera menester». ¿Cuál es la ruta que proponía el activo doctor? Desde luego, no la que bordea el cabo de Buena Esperanza, ruta todavía no transitada y que va a estar vedada a los reyes desde el tratado de Tordesillas. La propia dinámica de los descubrimientos es la que nos va a dar, según creo, cumplida información sobre la consistencia de los ensueños índicos de Cisneros, que merecieron muy atenta consideración de los soberanos. «Es de ber», se escribió al margen del memorial, y a fe que se vio muy despacio. No en vano iba a repetir Rodrigo de Santaella [60] en su *Cosmographia* que la Tapróbana era la isla «más noble del mundo». ¿Cómo no prestar atención a su descubrimiento?

Este escrito de Cisneros no hubo de ser el único en incidir sobre la inviabilidad de la cosmografía colombina. Los informes de Colón en 1493 habían sido lo suficientemente ambiguos como para mantener la ficción de haber descubierto la India descrita por los antiguos. Pues bien, el 16 de agosto de 1494 le escribieron los reyes para preguntarle si era verdad que «en un año ay allá dos invierno e dos veranos» [61]: es que esa diferencia de los tiempos era consustancial a la idea de la India clásica [62], por lo

---

[59] Se trata de *Hist. nat.*, VI 200, texto repetido por Solino (*Coll*, 56, 12): *penetrauit in eas Hanno Poenorum imperator prodiditque hirta feminarum corpora, uiros pernicitate euasisse*; Cisneros toma *hirta* como nombre propio.

[60] En la introducción a su versión de Marco Polo (Sevilla, 1518, sin foliar).

[61] A.G.I., Patron. 9, 1 f. 66v (editada por M. Fernández de Navarrete, *Colección*, II, p. 175).

[62] Ctesias F Gr Hist 688 F 1, 16 3 Jacoby, cf. Strab. *Geogr.* XVI 1, 20 [693 C], Plin. *Hist. nat.*, VI 58, Marciano Capela VI 694 [p. 345, 3ss. Dick], Isid. *Etym.* XIV 3, 6, Brunetto Latini, *Li livres dou tresor*, I 122, 19 (p. 113 Carmody). Sobre la fertilidad de la

que la curiosidad real tuvo que ser inspirada y estimulada por algún inquieto humanista, que quería información más precisa que las vagas relaciones del almirante para poder contrastarla con las fuentes clásicas. Y es posible que este erudito no fuera otro que Cisneros, pues entre las características de la Tapróbana cuenta San Isidoro que «hay dos veranos y dos inviernos al año y el suelo verdea dos veces al año con flores» [63], afirmación tajante que fue pronto incorporada a la cartografía medieval, como lo demuestra el hecho de que en el mapa catalán de 1375 se lea: «In aquesta illa ha cascun any .ii. estius e .iii. [*léase* .ii.] iverns, e dues vegades l'ayn hi florexen les arbres e les herbes». La cuestión planteada por los monarcas, tan inocente en apariencia, encierra por tanto mucha más miga de lo que parece, sobre todo teniendo en cuenta que la Tapróbana «es la derera illa de les Indies», como seguía diciendo el letrero del mapa atribuido a Cresques. Si Colón no había llegado a esa isla postrera de la India, por fuerza había de concluir que el doctor Cisneros tenía razón en sus críticas al almirante. Y por eso el almirante, reseñando de paso otras maravillas de la tierra, se apresuró a contestar el 26 de febrero de 1495: «Provado avemos que esta tierra da dos vezes al año fruto» (nuevo texto, carta IV, p. 24). Ahí quedaba eso.

8. *Juan Caboto en Sevilla*

Hace tiempo que M. Ballesteros [64] descubrió que el navegante italiano, antes de pasar a servicio del rey de Inglaterra, había permanecido por lo menos desde 1490 en Valencia, donde se empeñó en hacer un puerto en la playa del Grao, trazando a tal efecto una serie de pinturas y planos

Española cf. sobre todo Pedro Mártir, *Décades,* I 3 (f. 7v = *Cartas,* p. 65) y su afirmación: «legumina quaeque quotannis maturescunt bis», cf. A. Bernal, *Memorias,* CXXIV (p. 310 Gómez Moreno-Carriazo). En una descripción de la ciudad de Tamalameque, hecha en 1579 (A.G.I., Patron. 27, 20 f. 7v), se lee: «ay en el año dos veranos y dos inviernos». Antes escribía Juan López de Velasco en su *Descripción universal de las Indias* (*BAE* 248, p. 7 b): «En las provincias del Nuevo Reino y Popayán hay dos veranos y dos inviernos». No sin cierta práctica ingenuidad piensa P. E. Taviani (*I viaggi di Colombo,* Novara, 1984, II, p. 161) que la pregunta sobre el clima obedece al deseo de atender a los intereses más perentorios de los futuros colonos.

Como no puede ser menos, también en la isla de los Hiperbóreos, según Hecateo de Abdera (F Gr Hist 264 F 7 Jacoby, Diodor. II 47, 1), el campo da dos cosechas al año. En esta fertilidad ártica puede apreciarse mejor la fuerza del tópico literario.

[63] *Etimologías.* XIV 6, 12.

[64] «Juan Caboto en España» en *Revista de Indias,* IV (1943) 607ss., descubrimiento muy celebrado por S. Conti (*Un secolo di Bibliografía colombina [1880-1985],* Génova, 1986, p. 20). Los documentos que aduzco despejan cualquier duda sobre la identidad del personaje en cuestión, a veces discutida por puro afán de polémica.

que fueron muy del agrado de D. Fernando en 1492. A petición del
monarca, el batlle general hizo una serie de pruebas que resultaron positi-
vas para la realización del proyecto, por lo menos en lo referente al fondo
del puerto y a la piedra de construcción. El 26 de febrero de 1493 partió
de Barcelona Jaime de Santángel para procurar dinero para la fábrica,
pero algún inconveniente surgió que dio al traste con la idea acariciada
por «Johan Caboto Montecalunya venesia». Desde entonces se pierde el
rastro del italiano en la Península, aunque una carta del embajador español en Londres, Pedro de Ayala, indica que todavía intentó buscar acomodo en Sevilla y más tarde en Lisboa.

Pues bien, investigando en el Archivo Municipal de Sevilla he topado
con tres documentos que enlazan directamente con la estancia del veneciano en Valencia. No es raro encontrar mercaderes venecianos en la
capital andaluza en esta época; por otra parte, el tráfico marítimo entre
los dos puertos peninsulares era muy intenso, de suerte que nada más
lógico que Caboto llegara por mar a Sevilla a finales de 1493 o a principios de 1494. Su fértil imaginación le hizo concebir al punto otro proyecto semejante al diseñado en Valencia: Sevilla disponía sólo de un puente
de barcas, de muy costoso mantenimiento; entonces, ¿por qué no hacer
otro nuevo de piedra? La propuesta del veneciano causó sensación. Una
carta de pago muy gastada y rota da noticias preciosas sobre el nuevo
parto intelectual de Caboto, que antes que descubridor se sentía arquitecto, pero siempre de obras acuáticas. Nada menos que 14.136 mrs. se
le libraron el 15 de setiembre de 1494 con destino a la erección del
puente:

[Nos, los alcaldes e el alguaz]il e el asistente e los veinte e [cuatro cavalleros regido-
res] de la muy noble e muy leal çibdad [de Sevilla, mandamos a vos,] Alonso Gonçá-
lez de la Taça, mayordomo d' [esta çibdad este presente año] que començó a primero
día de enero [que agora pasó d'este dicho] año de la fecha d'esta carta, que, de
cuales[quier mrs. que cogedes e r]ecabdades por Sevilla de las rentas [e propios d'ella
este] año de vuestro mayordomadgo, dedes [ende luego a miçer Johan Cab]oto,
veneçiano, estante que esta çibdad, de oy [en adelante por tiempo de çinco meses] siguientes por cada un día tres reales [de a treinta] e tres mrs. cada día, los cuales acor[da-
mos e ordenamos] en el nuestro cabildo de le mandar dar e li[brar***s]u costa
porque, entretanto que se comiença la o[bra *** de al]bañería en el río d'esta çibdad,
tenga [*** don]de aya cantería e madera e ofiçiales [***e] otras cosas que son menester para la dicha obra; e dád[gelos e pagádgelos de oy en adelante por dicho tienpo
de los dichos [çinco] meses en fin de cada mes lo que montare, e tomad su carta [de
pa]go, con la cual e con esta nuestra carta firmada de algunos de nos, los dichos
regidores, e sellada con el sello del conçejo de la dicha çibdad, mandamos a los
contadores de Sevilla que vos reçiban en cuenta los mrs. que en ello montaren e así
paresçieren [po]r los alvaláes del dicho miçer Johan Caboto que así oviere reçe[bido]
de lo sobredicho. Fecha quinze días de setienbre, año [del nas]çimiento del nuestro
Salvador Jhesu Christo de mill e cuatroçientos e noventa [e cuatro] años. Don Alonso

de Guzmán. Conde alférez. Don Alonso [de Gu]zmán. Don Alvar Pérez. Tello. El mariscal. Gonçalo Fernández. [Gonçal]o (?) de Santil[l]án. Guillén de Casas. Alonso de Medina. [***] Juan de Ayala. Alonso de Santillán. Gonçalo Vázquez, escrivano] [65].

Otro libramiento del mismo año, mes y día, no menos destrozado y dificultoso de leer, conserva el finiquito que le hizo la ciudad por los servicios prestados hasta entonces: 50 doblas castellanas percibió Caboto por este concepto, suma que induce a pensar que llevaba más de tres meses trabajando para el cabildo. A partir de entonces había de cobrar los tres reales diarios susodichos, probablemente la cantidad sobre la que se calculó la liquidación. A pesar del mal estado actual de la carta de pago, el estilo formulario de tales documentos permite su casi total reconstrucción:

[Nos, los alcaldes e el alguazil] e el asistente e los veinte e [cuatro cavalleros regidores de la m]uy noble e muy leal çibdad [de Sevilla, mandamos a vos, Alonso G]onçález de la Taça, mayordo[mo de esta çibdad este presente añ]o, que començó a primero día de [enero que agora pasó d'este dicho] año de la fecha d'esta carta, que, de cual[esquier mrs. que cogedes e rec]abdades por Sevilla de las [rentas e propios d'ella este] año de vuestro mayordomadgo, [dedes ende luego a miçer] Juan Caboto, veneçiano, estante en es[ta çibdad, çincuenta] doblas castellanas, que montan siete [mill e trezientos mrs.,] que nos acordamos e ordenamos en el [nuestro cabildo de le mandar] dar e librar para ayuda de costa, [que son las] doblas que le ovimos mandado dar e le [librar po]r el tiempo que aquí a estado por nuestro mandado [*** de ayu]da para fazer la puente d'esta çibdad de [albañería ***] ya está dada, porque de aquí adelante le man[damos dar çierta] contía de mrs. por cada día porque entien[da en la dicha o]bra; e tomad su carta de pago, con la cual e con es[ta nuestra carta] firmada de algunos de nos, los dichos regidores, e sellada [con el sello] del conçejo de la dicha çibdad, mandamos a los conta[dores de] Sevilla que vos reçiban en cuenta los dichos siete [mill e] trezientos mrs. Fecha quinze días de setienbre, año [del nasçi]miento del Nuestro Salvador Jhesu Christo de mill cuatroçientos e no[venta e] cuatro años. Don Alvaro de Guzmán. Conde alférez. Gundisaluus bachalarius. [Melchio]r Maldonado. Tello. El mariscal. Gonçalo Fernández. [Don Alv]ar Pérez. Diego de Guzmán. Pedro de Hurrea. Alonso de San[tillán. *** Medina. [Gonçalo] Díaz Marmolejo. Gonçalo Vázquez, escrivano.

El paso del tiempo trajo el desengaño: la obra no prosperaba ni Caboto cumplía sus promesas. El 24 de diciembre del mismo año tuvo lugar una tempestuosa sesión del cabildo en la que intervinieron el alcalde mayor, Alonso de Guzmán, el teniente de asistente Lorenzo Zomeno, los veinticuatros Fernando Ruiz Cabeza de Vaca, Lope de Agreda y los jurados el licenciado Romero y Juan García de Laredo:

[65] A.M.S., Papeles de Mayordomazgo, años de 1493-1494.

En este cabildo fue dicho al dicho teniente e regidores por Luis Méndez Portocarrero que ya saben cómo han mandado dar e se han dado a Johan Caboto, veneçiano, çincuenta doblas castellanas del propio de la çibdad e más tres reales cada día por çinco meses porque estoviese en esta çibdad, para que se diese orden de hazer la puente d'este río de albañería, e que, pues que no se da orden en ello, que requería e requirió a los dichos regidores manden que no se le dé más dinero, o escriva la çibdad a Sus Altezas suplicándole manden dar liçençia para que se faga como está acordado, e que se consultase con el señor conde. Lo cual visto por el dicho teniente e regidores fue dicho lo que se sigue:
Por don Alonso de Guzmán, alcalde mayor, e Fernando Ruiz Cabeça de Vaca e Lope d'Agreda fue dicho que se conformavan e conformaron con el dicho requerimiento fecho por el dicho Luis Méndez.
Por Fernando d'Esquivel fue dicho que sienpre ha sido en que a este veneçiano se le pagase lo que se le devía e le mandase despedir la çibdad e la puente no se faga; e que esto requiere e pidiólo por testimonio. E por el dicho teniente fue dicho que se faga saber al señor conde, para que lo provea como la çibdad no reçiba daño. E el dicho teniente e regidores, eçebto el dicho Fernando d'Esquivel, deputaron para que lo vaya a hablar al señor conde al dicho Lope d'Agreda [66].

No se necesita ser un zahorí para deducir que el conde de Cifuentes se mostró partidario de abandonar la obra y retirarle el sueldo al cabizbajo veneciano. Ya sabemos, en consecuencia, la actividad que desarrolló Caboto en Sevilla y la razón de su partida, a raíz del desaire sufrido. Su sino en España es presentar proyectos grandiosos que entusiasman a todo el mundo y que después, a los pocos meses, resultan al parecer impracticables; en cambio, en Inglaterra le sonrió la suerte y Enrique VII prestó oídos a sus fantásticos planes, que esta vez habían de hacerse realidad, según veremos.

[66] A.M.S., Actas capitulares, años de 1492-1499. Por una curiosa casualidad veinte años después otro Caboto, hijo de Juan, volvió a residir en Sevilla. El 20 de octubre de 1512 se nombró piloto a Sebastián, pero la cédula fue asentada en el libro de mercedes de oficios de la Casa de la Contratación de Sevilla, en el folio 20, el 2 de marzo de 1514 (A.P.S., I 1514, 1 f. 384v). Pues bien, «Sevastián Cavoto, inglés..., marido de Juana Cavoto..., difunta..., vezina que fue de la çibdad de Londres en la perrochia de San Gil, qu'es en los arrabales de la çibdad de Londres», avecindado en la collación hispalense de San Salvador, dio poder el 14 de septiembre del mismo año a Francisco Fernández, criado del embajador en Londres, don Luis Carros, y al mercader inglés Jaimes Halle para reclamar todas las deudas y cobrar los dineros que se le pudieren haber quedado en Inglaterra (A.P.S., I 1514, 2 f. 253r); al año siguiente, al apoderar el 9 de enero al piloto Andrés de San Martín para cobrar todos los mrs. que le fueren debidos en aquel año en la Casa de la Contratación, se intituló también el presumido cosmógrafo «capitán del rey nuestro señor» (A.P.S., I 1515, 1 f. 13r); sin embargo, seguía llamándose «mercader inglés estante en Sevilla» cuando el 24 de abril de 1514 el dorador Juan Ponce y el espadero Juan de Vargas, vecinos del Salvador, le arrendaron una casa en dicha collación «en la cal de la Sierpe» desde el primero de mayo hasta un año cumplido por precio de 8.000 mrs. (A.P.S., IV 1514, 2 f. 286v).

En cualquier caso, lo que nos interesa ahora muy en especial es la estancia de Caboto en Sevilla justamente en 1494, el año en que considero escrito el memorial del doctor Cisneros. Un proyectista como él debió de interesarse de manera muy viva no sólo por todo lo concerniente a Indias, sino también por las nuevas quimeras que se presentaban a los reyes, y el plan de alcanzar la Tapróbana debió de penetrar muy hondo en su alma, pues a su sencillez unía lógica impecable y fácil realización. Desde entonces, incubó la idea de alguna vez llevarlo a cabo él en persona; y si en España había fracasado, en Lisboa o en Londres encontraría interlocutores más sensatos que sabrían apreciar su valía. Así pues, lió su hato y marchó a Portugal a enseñar, no ya planos de obras monumentales, sino el mapa de un descubrimiento muy concreto. Mas tampoco allí le fue propicia la fortuna, de modo que hasta el 1497 no va a bullir su nombre, unido esta vez a los marineros de Brístol.

9. *La Antilla*

La solución clásica propugnada por Cisneros, identificando las islas del Océano con las Hespérides, no encontró gran aceptación entre el vulgo. Sí estuvo más en boga, por el contrario, la opinión que hemos visto ya proponer a Pedro Mártir, que hacía de la Española la isla *Antiglia* que los portulanos dibujaban en el Atlántico, al poniente [67]; de tal parecer se hacen eco algunos instrumentos notariales de la Sevilla del momento, indicando que no todos ni mucho menos creían a pie juntillas en las palabras del almirante y en sus ínfulas indianas:

2-IX-1493 (A.P.S., Legajo 26, signatura 54, f. 315v). El escribano Luis García de Celada escribe al margen una apostilla hoy cercenada: «[En es]te día partieron veinte / [e çin]co velas de armada / [que el Re]y, nuestro señor, fizo para [*** ir] / a las Yndas (sic) / [de la] Antilla». El testimonio, cuyo conocimiento debo a D. José Bono, resulta dudoso a primera vista por su estado fragmentario y la expresión chocante, que sin embargo corrobora el siguiente testimonio.
22-XI-1497 (A.P.S., Oficio III, legajo 20, signatura 44, f. 548v ss.). Juan de Guarzanazo, «estando enfermo de bubas e queriendo ir sobre mar a las Yndias de Antilla», otorga testamento. El ambiente en que se desarrolló la vida de este mercader, que no documento en el rol que publiqué en *Historiografía y Bibliografía americanistas*, XXIX (1985) 83ss., es totalmente canario: se declara natural de Fuerteventura, y vecinos de

---

[67] Sobre la significación de las islas de Antilia existe abundante bibliografía. Un buen resumen de la cuestión presenta S. E. Morison, *The European Discovery of America. The Northern Voyages*, Nueva York, 1971, p. 97ss. Cf. asimismo L. A. Vigneras, *La búsqueda del Paraíso y las legendarias islas del Atlántico*, Valladolid, 1976. Cerca de la Antilla creyó pasar Colón el 25 de septiembre de 1492 (p. 24).

esta isla fueron sus padres, ya difuntos entonces, Juan de Guarzanazo y Catalina de Jerez; su tía, Beatriz de Párraga, casada con Lope de Salazar, vivía en Gran Canaria, y el matrimonio quedó encargado de cumplir los deberes del albaceazgo. El personaje merece atención detenida que ahora, por razones obvias, no le puedo prestar: en cualquier caso, está muy lejos de la corte e incluso de la propia Sevilla.

27-IV-1497. Iñigo de Baruta, marinero vizcaíno vecino de Trápana en Sicilia, estante en Sevilla, dio poder al mercader Juan de Paredes, vecino de Sevilla, para cobrar el sueldo de 4.500 mrs. que ganó como marinero en «las islas de Antilla» (A.P.S., Oficio III, legajo 20, f.105v). El documento es tanto más interesante por cuanto en el mismo legajo se habla de Indias y sobre todo de indios: así, p. e., el 15 de marzo de ese año, Cristóbal Quintero, vecino de Palos, da poder a Antón Martín de Huévar, tonelero, vecino de Sevilla (collación de Santa María en la Carretería), para cobrar de Alfonso de la Fuente, vecino de Palos, preso en Triana, o de Diego de Medina, receptor por los reyes de los bienes confiscados por razón del delito de la herética pravedad, ya que fue Medina quien le tomó y embargó todos los bienes a Fuente, 6.500 mrs. que le debía por «una esclava india» que le vendió, de que tenía un albalá. Fuente, sin duda un converso, era pues de los que se lucraban con el tráfico de esclavos «indios», es decir, naturales de la Española (*ibidem,* f. 47r).

1501. Pedro López Gavilán, curtidor, había comprado de Rodrigo de Lepe, sillero, vecino de Sevilla, un esclavo «de los de Antilla» que se llamaba Alonso Pérez, de 25 años de edad, por 6.000 mrs.; al enfermar éste de fiebre y calenturas, reclamó devolución de su dinero (A.P.S., IV 1501, 1 f. 447r: requerimiento original).

13-X-1503. Doña Juana de Cárdenas, mujer de D. Pedro de Portocarrero, otorgó poder a Alonso Pardo y a Rodrigo de Sanlúcar, vecinos de Moguer, ausentes, estantes en «las islas de Antilla», para presentar ciertos testigos que iban nombrados en una carta de receptoria enviada a las justicias de la isla (A.P.S., V 1502-1503, f. 388r). En ese mismo día el marinero Juan de Jerez otorgó haber recibido, en nombre de D. Pedro Portocarrero y de doña Juana de Cárdenas, presente, una carta de receptoria dirigida a los jueces de «los reinos de Nápoles e de Portogal e de las islas de Antilla» para tomar los dichos a ciertos testigos en el pleito que doña Juana tenía con Juan del Castillo, vecino de Medina del Campo (*ibidem,* f. 388v).

El término seguía en uso en 1520, cuando Francisco Vara, señor y maestre de la nao «Santa María de la Merced», recibió varios documentos de Francisco Fernández de Herrera, fraile del monasterio de Santiago de la Espada en Sevilla, «para tomar çierta provança en las islas de Antilla» [68]. Con el correr del tiempo, no obstante, cayó en la bruma del olvido, acabando por convertirse en un vago arcaísmo. En una probanza de 1552, Juan de Aragón rememoró el tiempo en que Colón se hallaba presto «para ir a descubrir las Yndias que entonces nonbraban Antilla» [69]; ese adverbio capital, «entonces», indica que a mediados del siglo XVI la

---

[68] *Catálogo de los fondos americanos del Archivo de Protocolos de Sevilla,* Madrid, IV, 1935, p. 167 (n.º 646).

[69] Testimonio de Juan de Aragón en 1552, cuarta pregunta (*apud* A. Ortega, *La Rábida,* II, Sevilla, 1925, p. 199).

Antilla era una antigualla que sólo se exhumaba al recordar el pasado, y muy especialmente los primeros años del descubrimiento, cuando las Indias no eran todavía Indias de manera tajante y definitiva y el problema geográfico del Nuevo Mundo era solucionado de muy diferentes maneras, según los diversos enfoques de los cosmógrafos. Y si se apura la documentación, se deduce asimismo que el topónimo fabuloso sonaba a rancio incluso en las postrimerías del siglo XV, pues no lo emplean hombres avezados al comercio atlántico, sino que aparece en las «áreas laterales», más apegadas al término primitivo, puesto en boca de un canario, de una mujer noble, de un curtidor y de un marinero, sí, pero avecindado en Sicilia, sin que esté vigente ni en la cancillería regia ni en los documentos mandados escribir por sevillanos de pura cepa. El maestro Rodrigo de Santaella es el único que en 1503 propugna esta denominación, pero más para dar en los nudillos a Colón que por propio convencimiento: «Esto parece que quiso dezir el nonbre primero que o tenía o le fue puesto, llamándola Antilla, que parece que (= ¿qu'es?) por corrompimiento del vulgo diziendo de Antindia, que quiere dezir contra India», luego a la Española no se le puede dar este nombre sino por antífrasis [70]. Más adelante trataremos de la polémica de Santaella; ahora interesa resaltar que asimismo para el arcediano Antilla es como se llamaban en principio las islas del Océano, luego incluso para él tiene tal apelación un sabor añejo, pues si tal era el «nonbre primero», es evidente que en su tiempo, cuando él traduce el libro de Marco Polo, no se llamaban ya de esa manera.

Los mercaderes y cartógrafos italianos siguieron fieles a la identificación refrendada por Pedro Mártir, como indican los siguientes ejemplos:

19-III-1494. Giambattista Strozzi, desde Cádiz, da cuenta del retorno de Torres de las «isole d'Anteglia» (*Raccolta*, III I, p. 166, 8).

17-X-1501. A. Cantino, desde Lisboa, menciona las «Antile» (*Raccolta*, III 1, p. 152, 26).

18-X-1501. Pietro Pasqualigo, también desde Lisboa, hace alusión a las «Andilie» (*Raccolta*, III 1, p. 87, 17 ss.).

¿4-IX-1504? Vespuche, en su segundo viaje según la carta a Soderini, dice haber llegado a la «Antiglia» con Hojeda (*Raccolta*, III 2, p. 160, 10).

1514. Giovanni da Empoli, navegando con portugueses, alude a «l'Antiglie» (*Raccolta*, III 2, p. 182, 12).

A ellos han de unirse los diversos rótulos de los portulanos: en el de Nicolás Canerio una leyenda compuesta en castellano aportuguesado señala «has Antilhas del rey de Castella descoberta per Collonbo ienoeixe»,

---

[70] En su *Cosmographia breve* introductoria a la traducción de Marco Polo.

así como el de Cantino indica «has Antilhas del rey de Castellae». Semeja que a los intereses lusos convino, por razones claras, la aceptación de esta denominación, que les dejaba las manos libres para descubrir su India, la verdadera India de Marco Polo. La mapamundi de J. Ruysch, por el contrario, distingue la Española de la *Antilia*, que está acompañada del siguiente letrero: «Esta isla de *Antilia* fue descubierta antaño por los portugueses; ahora cuando se la busca no se encuentra. Se hallan en ella pueblos que hablan la lengua española, los cuales, en tiempo del rey Rodrigo, que fue el último gobernante en tiempo de los godos, huyeron a ella escapando de los sarracenos, que a la sazón habían invadido Hispania. Tiene esta isla arzobispo con otros seis obispos, cada uno de los cuales cuenta con su sede. Por eso, muchos la llaman "isla de las 7 ciudades". Este pueblo vive muy cristianamente, colmado de todas las riquezas de este siglo». Esta isla de las Siete Ciudades es la que creyó encontrar en 1497 J. Caboto [71]; la precisión de Ruysch se debe, según creo, a instancias de los Colones, estantes en Roma a la sazón.

10. *Colón en el Cibao; el delirio apostólico*

Si hinchados y grandilocuentes habían sido los informes de Hojeda y Gorvalán, no menos maravillas refirió el almirante cuando se internó él a su vez en la región aurífera del Cibao/Cipango el 12 de mayo de 1494. Pedro Mártir [72], su fiel turiferario y no menos fiel traductor, se asombra del grosor de las pepitas que les traían los indígenas, ésta igual a una nuez, aquélla del tamaño de una naranja, sin que faltaran algunas que eran parejas a la cabeza de un niño, según afirmaba el verbo fácil de los naturales y, sobre todo, la credulidad del almirante y sus leales. En la relación de Cúneo [73] se respira menos entusiasmo: se halló algún oro, pero no se logró dar con la mina ni con los tesoros esperados. La expedición no se había visto culminada con un éxito espectacular. Así y todo, para la vigilancia y protección del territorio del Cibao, el virrey levantó un fuerte que hizo llamar, con nombre significativo, de «Santo Tomás». Los cronistas de Indias [74], que no aciertan a calar los recovecos del alma

[71] Cf. *Cartas*, p. 267ss.
[72] *Décades*, I 3 (f. 8r = *Cartas*, p. 66), cf. A. Bernal, *Memorias*, CXXII (p. 305 Gómez Moreno-Carriazo).
[73] *Cartas*, pp. 244-45.
[74] G. Fernández de Oviedo, *Historia general y natural de las Indias*, II 12 (*BAE* 117, p. 47 a), Las Casas, *Historia de las Indias*, I 89 (*BAE* 95, p. 256 b) y I 91 (p. 261 a) y, siguiéndolos, J. Pérez de Tudela, *Las armadas de Indias y los orígenes de la política de colonización (1492-1505)*. Madrid, 1956, p. 55 y 59.

colombina, afirman que con tal designación el almirante quiso dar a entender a los incrédulos que bastaba palpar la tierra para percatarse de la existencia del oro, como el apóstol para vencer su dificencia había tocado las llagas de Cristo. Hay algo de verdad en sus palabras. No obstante, lo principal era que a cargo de Santo Tomás había estado la evangelización de la India; por tanto, bajo sus auspicios se había de encontrar la Ofir salomónica cuyo oro iba a revolucionar el curso de la historia. El simbolismo estaba muy claro para quien tuviese el más mínimo olfato. Y aun Jaime Ferrer de Blanes no sentía reparo alguno en comparar a Cristóbal Colón con Santo Tomás, viendo en la exploración de la India los designios de «la divina e infallible providencia» [75], pues tanto el «portador de Cristo» como Santo Tomás eran apóstoles y embajadores de Dios en las partes de Oriente. No cabe duda de que el cosmógrafo está expresando ideas afectas al círculo colombino: lo menos que cabía esperar era que ese nuevo Santo Tomás fundase en la provincia del oro una fortaleza bajo la advocación del apóstol con quien gustaba compararse para ponerse a salvo de las suspicacias que levantaba su estirpe judaica.

Los años de 1493 y 1494 marcan el cenit de las quimeras del almirante, que gusta de costear las bíblicas «islas del mar». Cumpliendo órdenes de los reyes, Colón ha de hacerse todavía a la vela para tomar información sobre esa Juana (= Cuba), que él quizá en un principio identificó con Jana la Grande, y asimismo sobre Yamaye, Jamaica, que con el tiempo se convirtió en Jana la Chica [76], esto es, Janahica, como afirma en diversos

---

[75] M. Fernández de Navarrete, *Colección*, II, p. 119 = *Cartas*, p. 233.

[76] Jana (sánscrito *Yavadvîpa*, 'rica en cebada', la *Yabadiu* de Ptolemeo) es simple errata del texto latino de Marco Polo (III 10) por Jaua, que aprovecha Colón para hacer averiguaciones en las Indias por él descubiertas (cf. mi comentario en el Prólogo de *Textos*, p. XLII y *Cartas*, p. 29). Describe también la región Odorico de Pordenone (13 1 [van Wyngaert, *Sinica Franciscana*, I, p. 446]): «Tiene de boj muy bien tres mil millas. El rey de Java tiene bajo su dominio a siete reyes. Está muy poblada, pero es la mejor isla que habita el hombre, pues nace en ella el alcanfor, la cubeba, la malagueta, la nuez moscada y otras especias preciosas». Cf. asimismo Ibn Battuta (*Viaje*, p. 713ss.), el *Rotero portugués* (p. 169ss.) y el *Islario* de A. de Santa Cruz (p. 412ss.).

En cuanto a Jana la China, la *Yawa* de Ibn Battuta (p. 709ss.), es la «grande e fermosa e rica isla» de Sumatra (*Rotero portugués*, p. 168ss.; de Marco Polo (III 13ss.) toma las noticias A. de Santa Cruz, *Islario*, p. 417ss.). Con Sumatra identificó la cartografía medieval y renacentista la Tapróbana clásica (= Ceilán): así Nicolò de' Conti (p. 130), fra Mauro, Johannes Ruysch (Ptolemeo de 1508), Lopo Homem (Atlas de 1509), Martín Waldseemüller (1513), Miguel Servet (Ptolemeo de 1535), G. Mercator (1538), Apiano (1548), y entre los cronistas A. Pigafetta (*Viaje*, p. 184), G. Fernández de Oviedo, *Historia general y natural de las Indias*, XX 35 (*BAE* 118, p. 301 b) y F. López de Gómara, *Historia de las Indias* (*BAE*) 22, p. 158 a-b). Una pequeña variante introdujeron en esta teoría los cosmógrafos españoles reunidos en Elvas en 1524: «viene luego el Aurea Chersonesus, que es agora

memoriales y relaciones. Su ferviente imaginación pronto lo convence de que aquella Juana o Jana no era isla, sino continente; así, aunque bordea la costa de Mangi, el Magón de Andrés Bernal [77], y oye hablar de gente vestida tierra adentro, sin duda ya los súbditos del Gran Kan, Colón sólo tiene ojos para sus islas. De ahí el sorprendente desinterés que muestra por el continente y la farsa que se consuma el 12 de junio de 1494, cuando obliga a declarar a sus maestres y pilotos en documento público que Cuba era tierra firme [78]. Es lógico: si Ofir (y Tarsis y Ofaz y Quetim) se encuentran en la Española, a ella ha de consagrar su atención principal, mientras que cada día quedan más lejos aquellos rimbombantes nombres que antes habían servido de excusa para adobar el descubrimiento. Catayo y el Gran Kan pasan muy pronto, como es natural, a un segundo plano, y después al olvido absoluto. Sus anhelos se plasman de manera paladina en la divisa que elige y que queda ligeramente falseada en la descripción de Gonzalo Fernández de Oviedo [79], pues el cronista, tan apasionado siempre por la heráldica, afirma que el cuarto derecho del escudo de armas lo ocupa una figura «de la manera que se pueden significar estas Indias», con la tierra firme tomando «cuasi la circunferencia d'este cuarto, dejando la parte superior e alta d'él abierta». Mis escasos conocimientos me impiden saber si así eran las insignias que llevaba D. Diego Colón; mas el escudo de armas que le dieron los reyes al almirante en Barcelona, el 20 de mayo de 1493, no representaba en modo alguno el continente, sino que destacaba por su diáfano simbolismo, que se distribuía así:

El castillo de color dorado en canpo verde en el cuarto del escudo de vuestras armas en lo alto a la mano derecha, e en el otro cuarto alto a la mano izquierda un león de púrpura en canpo blanco ranpando de verde, e en el otro cuarto baxo a la mano derecha unas islas doradas en ondas de mar, e en el otro cuarto baxo a la mano izquierda las armas vuestras que solíades aver [80].

A los castillos y leones del pendón castellano se venía a unir el emblema de esa ilustre familia que nunca existió, pero y sobre todo «las islas

dicha Zamatara» (*BAE* 76, p. 623 b = A.G.I., Patron. 48, 13 f. 6r). No otra fue la opinión de un agustino viajero como J. González de Mendoza (*Historia de la China* I, 1, 1 [p. 21]; II 3, 23 [p. 381]). Nicolò de' Conti (p. 130) localiza en *Sciamuthera* la Tapróbana, mientras que duda Vespuche (*Lettere familiari,* II [p. 19, 19 y 25 ss. Formisano]).

[77] *Memorias,* CXXVII [p. 318 Gómez Moreno-Carriazo], CXXX [p. 328].

[78] *Cartas,* p. 217ss.

[79] *Historia general,* II 7 (*BAE* 117, p. 32 a); cf. Las Casas, *Historia de las Indias,* I 80 (*BAE* 95, p. 239 a con dibujo de la divisa, cf. BN Madrid, ms. Res. 21 f. 224v) y Francisco López de Gómara, *Historia de las Indias* (*BAE* 22, p. 167 b).

[80] A.G.I., Patron. 9, 1 f. 30v (publicada sobre el original de Veragua por M. Fernández de Navarrete, *Colección,* II, pp. 44-45).

doradas», esto es, Tarsis y Ofir, la meta fundamental de Colón y de los monarcas. La tierra firme hubo de ser adición posterior, cuando convenía hcer valer los derechos sobre el Darién; en 1493 y 1494 importaban sólo las islas del oro en medio del Océano. Y hay que observar que la adopción de este escudo supone un corte radical con el reino de Aragón, cuyos súbditos habían sido en buena medida responsables de su triunfo. El almirante, tras sincerarse con la reina en Barcelona de no sabemos qué recónditos secretos, torna su mirada a Castilla, quizá previendo oportunista que allí se encuentra su base de operaciones en el futuro, en esa Andalucía donde puede encontrar el concurso de otros genoveses.

En 1494 vio la luz en Basilea la edición príncipe del «Navío de los necios», la *Narrenschiff* de Sebastián Brandt. Entre sus versos figura por acaso una fugaz alusión a los espectaculares descubrimientos de portugueses y españoles:

> Ouch hat man sydt in Portigall
> Und in Hyspanyen uberall
> Golt-inseln funden und nåket lût [81].

La mención de las riquezas y del pueblo desnudo se refiere claramente a la Española; las quimeras del almirante se habían esparcido por todo el mundo, dando a conocer esas tierras que antes eran ignoradas de todos. Y no deja de ser sorprendente la perfecta correspondencia entre las «islas de oro» (*Goltinseln*) de Brandt y las «islas doradas» del escudo de armas colombino: la tradición oral transmitía noticias que se rehuía entregar a la imprenta, por recelo o pudor muy comprensible. ¿Dónde habla la carta de 1493 de una isla de oro? Pues a pesar de tan prudente silencio, el hallazgo de Ofir llegó a oídos de Brandt inmediatamente después del tornaviaje, y eso que la traducción alemana, el folleto interpolado *Eyn schön hübsch lesen von etlichen insslen, die do in kurtzen zyten funden synd durch den künig von Hispania,* todavía no había sido impresa y habían de transcurrir tres años más antes de que apareciese en Estrasburgo. Claro es que la curiosidad humana está siempre ávida de escuchar tales novedades, incluso a costa de deformar la realidad, como sucedió en 1520, cuando salió en italiano «lo itinerario del isola de Iuchatan»: la versión alemana, en efecto, convirtió este descubrimiento en algo más bello, «Die schiffung mitt dem Lannt der gulden insel» [82]; el *Iuchatan* se transformaba, por la varita mágica de la imaginación, en *gulden,* así que otra vez tornaban a aparecer islas de oro que satisfacían viejísimas aspiraciones del hombre, siempre deseoso de encontrar Paraísos terrenales.

[81] H. Harrisse, *Bibliotheca Americana Vetustissima, Additions,* pp. 3-4 (n.º 2).
[82] H. Harrisse, *Bibliotheca Americana Vetustissima,* I, p. 169 (n.º 98), p. 177 (n.º 102).

III. CRISIS DEL PRESTIGIO COLOMBINO

1. El enigma de una denominación:
el cabo de Alfa et O

Un pasaje de Pedro Mártir [1], que encierra no pocas dificultades de interpretación, reviste cierto interés por cuanto nos permite asomarnos al complejo y vacilante mundo de las concepciones geográficas de Cristóbal Colón, cuando el 24 de abril de 1494 zarpó de la Isabela para reconocer la costa meridional de Cuba; así suenan las palabras del cronista milanés en la traducción de Torres Asensio [2]:

> Saliendo, pues con tres navíos, en breve tiempo llegó a la provincia que en la primera navegación, pensando que era isla, la llamó *Juana*, y al principio de ella le puso el nombre de *Alpha* y *Omega* porque juzgaba que en ella estaba el fin de nuestro Oriente, poniéndose allí el sol, y el de Occidente, saliendo. Pues consta que el principio de la India ultra-gangética está por el Occidente y su término último por Levante.

La identificación del cabo de Alfa et O, como lo llama entre otros Andrés Bernal, no plantea problemas: se trata de la punta Maicí de Cuba, enfrentada al saliente de la Española que Colón denominó de la Estrella [3]. Por el contrario, sí resulta chocante la doble explicación que da

---

[1] *Decades,* I 3, Compluti, 1530.
[2] *Fuentes históricas sobre Colón y América. Pedro Mártir de Anglería,* Madrid, 1892, I, p. 175.
[3] Es de advertir que la causa e incluso la existencia del nombre se le escapó a G. Fernández de Oviedo (*Historia,* I [*BAE* 117, p. 47 b]; II (p. 11 b)): «esta isla [Cuba] creo yo que es la que el cronista Pedro Mártir quiso intitular Alfa, e otras veces la llama Juana; pero de tales nombres no hay en estas partes e Indias isla alguna». El nombre se perdió,

Pedro Mártir al origen del nombre. Colón, convencido de que la punta
Maicí era el extremo del continente asiático, estaba en su perfecto derecho al establecer que, viniendo desde España en barco por poniente, este
cabo constituía el principio, el Alfa, de la India, al mismo tiempo que era
su final, el O (que O y no Omega se decía en Hispania desde tiempos
visigodos), para los que marcharan a pie desde España por levante: así lo
afirmó el propio almirante en su estupefaciente declaración de la continentalidad de Cuba el 14 de enero de 1495. En cambio, la primera
exegesis se me antoja sumamente confusa, y ello por dos razones de peso:

a) Colón, cuando usa la expresión «fin de Oriente», lo hace siempre
en el sentido ptolemaico, refiriéndose al extremo de la India allende el
Ganges, y ello tanto en su propia explicación del nombre que acabamos
de mencionar como en otros pasajes muy diáfanos y expresivos: en el
Diario del Primer Viaje (14 nov. [p. 58]: «estas islas son aquéllas innumerables que en los mapamundos en fin de Oriente se ponen»; 21 feb.
[p. 132]: «aquellas tierras que agora él avía descubierto... es el fin del
Oriente») y en la *Relación del Tercer Viaje* (p. 213: «llamo yo fin de
Oriente adonde acaba toda la tierra e islas»). Ahora bien, lo que aquí se
afirma es que en el fin de Oriente se pone el sol, cuando, en buena lógica,
sería de esperar justamente lo contrario: la en apariencia flagrante contradicción evidencia un manifiesto error cosmográfico.

b) El almirante busca un simbolismo antitético a la hora de llamar al

según Alonso de Santa Cruz (*Islario general*, ed. Blázquez, Madrid, 1920, p. 482) «por su
afectación».

Una apostilla al margen del ejemplar del Marco Polo colombino, escrita en hermosa
letra redonda, dice así: *Portus Zaizen, i. c. de alpha et o.* Debo confesar que por algún
tiempo estuve tentado de imbricar con esta explicación un topónimo clásico, *Aphetorium,
hoc est, dimissorium ad Auream nauigantium in ipsa India,* como dice el *Compendium Geo-
graphie* de Pedro d'Ailly (f. 74r del ejemplar colombino); en efecto, Afeterio es, según
Ptolemeo (VII 1, 15), el puerto del que zarpaban los navíos con destino a la Aurea: si la
Aurea es la Española, nada más lógico que identificar a Afeterio en Cuba= Continente.
Para ello, claro es, hay que suponer que Colón interpretó mal —o reinterpretó, según se
mire— el correcto *Afeto(rium)* en Alfaeto. Preciso es observar, por otra parte, que Hernando Colón llama a este promontorio *Capoforte (Historie* 53 [I, p. 303 Caddeo]), en
vez de ser un error, podría conservar algún vestigio de la designación primitiva (= Capo
ferto). En la Carta X de Asia del mapa del Ptolemeo de Servet se divisa muy claramente el
cabo *Afertu:* pues bien, de este Aferto se puede pasar muy fácilmente a un Arfeto, que, a
oídos de un andaluz, tendería a ser interpretado como Alfeto (= Alfa et o), con lo que a la
postre coincidiría una y otra explicación. Sea como fuere, hay que añadir que en el mapa
de Cantino (1502), que describe la costa de Cuba, aparece un *C. do fim do abrill,* que G. E.
Nunn (*The Geographical Conceptions of Columbus. A Critical Consideration of Four Pro-
blems,* Nueva York, 1924, p. 124) explica por haber cruzado el Almirante el estrecho
medianero entre la Española y Cuba el 30 de abril. La Cosa lo llama *Punta de Cuba,* sin
más.

cabo «Alfa et O», cabo que, como su propio nombre expresa en eco neotestamentario, ha de ser comienzo y fin de algo; en este lugar, por el contrario, sólo se indica que es fin, pero no que sea principio. Al error cosmográfico se une, en consecuencia, una quiebra en la ilación conceptual; la consecuencia a extraer no puede ser más que una: el texto de Pedro Mártir está viciado.

Ahora bien, Las Casas [4] trae a colación para explicar este nombre una razón al parecer contundente: «Aquel cabo era el fin de la tierra firme yendo hacia Oriente, y el principio hacía el almirante el cabo de Sant Vicente, que es en Portogal». Como siempre, la información del dominico es de primerísima mano, pues el esbozo cartográfico dibujado por Colón que se conserva en el ejemplar de la *Historia rerum* de la Biblioteca de D. Hernando [5] apunta precisamente: *Occidens rectum, ubi Spania* y *Occidens obliqum ubi sinum Sinarum* (B 859)). Sin embargo, es justamente esta esfera la que muestra que la explicación de Las Casas raya en lo imposible: el golfo de los Sinas es de manera paladina perieco de España. Por lo tanto, puede hablarse, sí, de que el Occidente recto sea el Alfa y el Occidente oblicuo el O, pero lo que de ninguna manera cabe decir es que uno de estos dos Occidentes sea al mismo tiempo Alfa y O, principio y fin, causa última de la apelación colombina, por el sencillo motivo de que los polos opuestos no pueden dejar de ser opuestos y venir complacientemente a ocupar un mismo sitio. En consecuencia, tampoco Las Casas atina, aunque demuestra conocimiento exacto de algunas de las ideas básicas de la geografía del almirante.

El repaso de las ediciones de las *Decades* no arroja ninguna luz sobre esta curiosa aporía. La edición príncipe (Sevilla, 1511), así como la cuidada por Lebrija y el propio Pedro Mártir (Alcalá, 1516, fol. b ii vuelto), trae ya el texto corrompido, sin que merezca nota ni aclaración alguna en el ejemplar del hijo del Descubridor; el error se perpetúa, por citar los ejemplares que he visto, en la edición de Alcalá de 1530 (fol. 8v), de Colonia de 1574 (p. 34), de Hakluyt de 1587 (p. 28) y hasta en el texto impreso por el gran De Lollis [6]. Tampoco las traducciones antiguas nos son de utilidad: A. Trevisan, al trasladar en 1501 al italiano parte de las *Decades*, omitió precisamente este pasaje litigioso [7]; otro tanto hizo el

---

[4] *Historia de las Indias,* I 50 (*BAE* 95, p. 176).

[5] Reproducido, por ejemplo, en J. B. Thacher, *Christopher Columbus. His Life, His Works, His Remains* [reimpresión Nueva York], 1967, III, p. 478.

[6] *Raccolta,* I 1, p. 238, 26ss. Como la edición de De Lollis para las apostillas colombinas es aún hoy indispensable, se me permitirá que haga una pequeña rectificación a C 482 (f. 41v. de la *Imago mundi* de Pedro d'Ailly): *ante climata est magna habitacio: experiencia* (*experica* De Lollis, Buron) *de Guinea, ubi est maximam habitacionem.*

[7] *Raccolta,* III 1, Roma, 1893, p. 65, n. 5.

Libretto de tutta la nauigatione del Re de Espagna, que salió de los tórculos de Albertino de Vercelli en Venecia en 1504, y con más razón aún esquivó el problema el manualito, impreso en Milán en 1508, sobre los *Paesi nuouamente retrouati et Nouo Mondo da Alberico Vespucio intitulato* (libro IV, capítulo XCVIII). Las versiones modernas y contemporáneas [8], como la de Torres Asensio citada más ariba, procuran por lo general ceñirse al texto para evitarse complicaciones, si bien P. Gaffarel [9], en un rapto de lírico entusiasmo, anota: «Telle était, en effet, l'opinion des savants de l'époque». El único que introduce una modificación sustancial es A. Millares Carló [10], que deja sin traducir *finem nostri Orientis* sin dar cuenta de los motivos de su omisión, probablemente involuntaria.

En este desamparo total, parece evidente que sólo un análisis interno nos puede sacar del atolladero. Pues bien, a poco que se reflexione sobre el texto, pronto se echa de ver que la adición de una simple palabra, exigida por el sentido, endereza el entuerto. Hay que leer, en efecto, *eo quod ibi finem esse nostri Orientis, cum in ea sol occidat, Occidentis autem <principium>, cum oriatur, arbitretur.* La situación cambia ahora diametralmente y se hace la luz: claro es que *Oriens* y *Occidens* tienen un significado más vago y etéreo, que engloba asimismo a los dos hemisferios del globo terráqueo. No sin cierta complacencia en el oximoro, Colón entiende que en la India se encuentra el fin del hemisferio oriental, al ponerse el sol en ella, y el principio del hemisferio occidental, al salir. El pasaje de Pedro Mártir debe traducirse, en consecuencia, de la siguiente manera:

llegó en breve a la región que, juzgando isla, había llamado Juana en la primera navegación, y dio a su cabo el nombre de Alfa O, por pensar que allí estaba el fin de nuestro Oriente, al ponerse el sol en ella, y el <principio> de nuestro Occidente, al salir; pues insiste en que por el Occidente es el principio de la India más allá del Ganges y por el Oriente el último confín de la misma.

[8] R. Eden, por ejemplo, traduce así: «He supposed that there had loyn the end of owre Easte, bycause the sonne fauleth there, and of the Weste, bycause it synsheth there» (en *The First English Books on America.* (1551?-1555 A. D.) edited by E. Barber, Birmingham, 1885 (Kraus Reprints, 1971). Muy modernamente vierte así el texto latino H. Klingelhöfer (*Peter Martyr von Anghiera. Acht Dekaden über die Neue Welt,* Darmastadt, 1972): «er glaubte, dort sei die Grenze zwischen unseren Osten und unserem Westen, weil die Sonne dort unterginge und weil Sie da aufginge»; curiosamente es la traducción más infiel, pero la que mejor refleja la idea original.

[9] *De Orbe Nouo de Pierre Martyr D'Anghiera,* París, 1907, p. 43. Su traducción en el pasaje que nos interesa es como sigue: «Attendu qu'il pensait que là finissait nôtre orient quand le soleit se couchait dans cette île, et aussi nôtre occident, quand il s'y levait».

[10] *Décadas del Nuevo Mundo por Pedro Mártir de Anglería,* México, 1964, I, p. 153: «dio a la parte en que comienza el nombre de 'Alfa y Omega', por creer que en ella se pone el sol, y ser el fin de nuestro occidente, ya que por ellas sale».

Como se ve, a la hora de bautizar lo descubierto privan los conceptos grandilocuentes, forjados para ganarse el ánimo del auditorio, al que hay que dejar boquiabierto con un derroche de gárrula palabrería. Pero el caso es que, como en tantas otras ocasiones, Colón supo muy bien tocar fibras sensibles a nombres tan rimbombantes. Y así acontece que, con el correr de los años, las mismas ideas que había manejado Colón para magnificar la punta de Cuba se volvieron a barajar en 1514 a la hora de situar el mágico estrecho de tierra que separaba la Mar del Sur y la Mar del Norte, si bien a Pedro Mártir le parecía que era «gran cosa que, al irse a dormir, los habitantes tuvieran a la derecha el Océano donde se pone el sol, y a la izquierda otro Océano por donde sale y quizá no menor, ya que piensan que mezcla sus aguas con el Indico» [11]. Un análisis incluso superficial de estas palabras muestra que se está utilizando el mismo pensamiento, pero expresado ahora de manera más llana: para Pedro Mártir el Atlántico es el océano del sol poniente y el Pacífico el océano del sol oriente, luego bien se puede decir que la estrecha franja de tierra que los divide es el final de Oriente y el principio de Occidente, o, si queremos apurar aún más la concepción colombina, es el fin de Oriente dado que allí se pone el sol por cuanto comienza el Occidente, y es principio de Occidente, puesto que por allí sale el sol marcando —valga la redundancia— el límite más occidental del Occidente.

La importancia de esta corrección estriba en que nos deja ver cómo interpretaba Colón el eco de las fuentes clásicas. En efecto, Plinio [12] y su compilador Solino[13] refieren, entre otras mil maravillas de los Hiperbóreos, que moran en la tierra que media entre uno y otro sol, el de los antípodes, que se pone, y el de nuestro hemisferio, que se levanta, ello siempre en opinión de algunos geógrafos que sin duda los localizaban en el casquete polar. De la misma manera, la Tapróbana está situada entre el orto y el ocaso, debajo ahora del Ecuador, y tiene a su izquierda el sol cuando sale y a su derecha cuando muere. Esta es exactamente la idea que quiere expresar Colón de manera un tanto tosca y la idea que vierte más torpemente aún Pedro Mártir. El almirante, en efecto, está convencido de haber surcado las aguas de los antípodes, como se afirma taxativamente en la relación de Coma traducida por Esquilache, o incluso en varios pasajes de las *Decades* de Pedro Mártir, entre ellos uno no siempre bien entendido: aquél en el que habla del *subnauigabilis orbis* [14], esto es,

---

[11] *Décades*, II 9 (f. 34v).
[12] *Historia natural*, IV 90.
[13] *Colectáneas*, 16, 2.
[14] *Décades*, I 1 (f. 4r).

de la navegación por el hemisferio inferior, la navegación por los antíctones que, de hecho, no son antípodes, sino periecos.

Gracias a la geografía clásica, pues, sabemos dónde barrunta Colón
que se encuentran esas Indias por él descubiertas. Pero hay más. Colón,
al sustituir ecuador (o polo en su caso) por meridiano, está efectuando
una evidente extrapolación no carente de cierto fundamento según los
criterios de la analogía. En efecto, en el camino a las Indias se atravesaba
un meridiano trascendental, aquel en que las agujas comenzaban a no-
ruestear. El almirante señaló el fenómeno en su *Diario* el 13 de septiembre (p. 20); pero ya el 16 de septiembre encontró en su derrota «aires
temperantíssimos» (p. 21): es que siempre, a partir de aquella línea, que
da comienzo a los Sargazos, la mar es «muy suave y llana» y «la tempe-
rançia del cielo muy suave», como remacha en el *Diario del tercer viaje*
(p. 212), y todo ello «al poniente de las islas de los Açores cient leguas»
(p. 206). Con razón, pues, puede equipararse este meridiano con el ecuador a todos los efectos: una y otra línea separan dos hemisferios diferentes [15], y la bondad del opuesto es tal que incluso desaparecen los piojos
por clemente disposición de la madre naturaleza. Ahora bien, este abuso
comprensible de identificar ecuador y meridiano tiene además radicales
consecuencias a la hora de interpretar el Nuevo Mundo. En efecto, entre
el orto y el ocaso se extienden siempre zonas incógnitas y mágicas, el
ecuador y el polo: en el primero moran los enigmáticos Etíopes y los
felices Macrobios; en el segundo residen los Hiperbóreos, otro pueblo
mítico amante de la paz y de la justicia, que vive luengos años en dichosa
paz y tranquilidad; en estas nuevas Indias, situadas también entre el orto
y el ocaso, habitan unos hombres que, como no se cansa de repetir Pedro
Mártir, se encuentran en la Edad de Oro, y no sólo eso, sino que, como
indica Coma (Esquilache), alcanzan una edad muy avanzada, siendo raro
que los viejos achacosos tengan canas. *Decrepitis rara canicies*: ¿no nos
parece estar escuchando una relación, no sobre las Indias, sino sobre los
Hiperbóreos o los Macrobios?

[15] Tal hace, por ejemplo, G. Fernández de Oviedo, *Historia*, II 11 (BAE 117, pp.
44-45): «Créese que el diámetro o mitad del mundo o línea que atraviesa de polo a polo,
cruzando la equinoccial, pasa por las islas de los Azores, porque nunca las agujas están
derechamente e de todo punto fijas en perfición de medio a medio del polo ártico, sino
cuando las naos e carabelas están en aquel paraje y altura».

Tanto se habló de la dichosa línea que por fuerza tuvo que salir a relucir en ese
archivo de disparates que son los pleitos colombinos; y así vemos que en una petición de
D. Diego se suplica que se le haga virrey y gobernador perpetuo de todo lo habido y por
haber «al poniente de *una raya que passa sobre las islas de Cabo Verde y de los Açores cien
leguas*, segund paresce pertenescerle por el segundo capítulo de la capitulación e asiento
que con el Almirante su padre se tomó año de XCII» (*C.D.I.U.*, VII, Madrid, 1892, p. 2;
cf. asimismo p. 52), precisión que, por cierto, falta en las capitulaciones de Santa Fe.

Al cruzar el meridiano, por ende, hay que suponer en principio que se pierde la vista la polar, tal como ocurre al traspasar el ecuador. Se impone esta deducción, en realidad, desde el momento en que se pretende haber llegado a la tierra medianera entre Oriente y Occidente, ya que también la región equinoccial, como la Tapróbana, se encuentra situada entre el orto y el ocaso. Pero todavía se puede afinar más: entre este orto y ocaso, en esta fantasmagórica franja, por el hecho mismo de ocupar precisamente una estrecha línea intermedia que no pertenece a ninguno de los dos hemisferios, es lícito concluir que no se puede ver en realidad el firmamento habitual y conocido, ni el que se divisa en el hemisferio norte, ni el que se contempla en el hemisferio sur. Ahora es llegado el momento de traer a colación otro testimonio fundamental que sólo cobra pleno valor en este contexto: una afirmación que se hace nada menos que el 23 de abril de 1493, cuando el arquitecto Lucas Fancelli, dando cuenta desde Florencia del descubrimiento de las Indias, ponderaba el hallazgo de una isla grandísima con ríos caudalosísimos, espantables montañas, muy fertilísimo suelo y abundantísima en oro; y además de estas y otras maravillas siempre superlativas —refería— se contaba también que allí «no se ve ni el polo ártico y el antártico» [16]. En estas palabras se refleja de manera muy fiel la prístina concepción del almirante: entre el orto y el ocaso, traspuesta la montaña del meridiano, no se divisa ni la Polar ni la Cruz del Sur, sino un firmamento diferente, bajo el cual existe una admirable

[16] *Raccolta*, III 2, p. 165, 16. Es de advertir que Berchet, ingenuamente, anota que tal aserto es erróneo, porque «las Lucayas, situadas entre el 15° y el 30° de latitud boreal, tienen sobre el horizonte el polo ártico».

Del cielo antártico tuvo ocasión de hablar ya Marco Polo con el médico Pedro de Abano, que, en su *Liber conciliator differentiarum philosophorum et medicorum*, Florencia, 1520, f. 94r se refirió al gran viajero, «que vio la misma estrella bajo el polo antártico; está provista de una gran cola y la forma que tiene la diseñó de la siguiente manera *[dibujo]*. Relató también que vio la polar antártica elevada sobre el horizonte como una lanza jineta larga, mientras se ocultaba la ártica, y nos contó que de allí se nos traía el alcanfor, el lináloe y el brasil; su testimonio indica que allí el calor es intenso y pocos los poblados. Y todo esto lo contempló en una isla a la que llegó por mar [= Sumatra]. Dice asimismo que hay allí hombres y carneros muy grandes, cubiertos de lana gruesa y dura, como las cerdas de nuestros puercos; y afirma asimismo que a estos lugares no hay acceso sino por mar» (se trata de la *Differentia* LXVII, en la que se discute la posibilidad de que el ecuador y la zona antártica sea habitable). Juan de Montecorvino creyó vislumbrar «l'altra Tramontana», deducida simplemente por lógica (van Wyngaert, *Sinica Franciscana*, I, p. 341). En Ceilán observó Juan de Marignolli (van Wyngaert, *Sinica Franciscana*, I, p. 584) la mutación de la sombra: «el sol nace de manera inversa a la nuestra, y al mediodía pasa la sombra del hombre a la derecha, como entre nosotros a la izquierda, y se oculta allí la polar en seis grados y se alza la estrella de la que hablamos en otros tantos, como micer Lemon de Génova, astrólogo famoso, nos explicó». Como en el caso de Marco Polo, sorprende la relación inmediata del viajero y del sabio, que intercambian experiencias y conocimientos, preparando la época de los grandes descubrimientos.

templanza de aire que se mantiene igual en todo el año, en perpetua primavera o en perpetuo otoño, y una bonanza incomparable del Océano. La realidad implacable se encargó muy pronto de desmentir esta ingenua teoría, forjada en el gabinete de estudio o, mejor, producto de una mente muy lógica, pero febril.

2. *Deserción en Indias*

Mientras el almirante se encontraba explorando la costa sur de Cuba, un grupo de principales, entre los que figuraban fray Bernardo Buil y Pedro Margarite, decidió abandonar la Española aprovechando la partida de los navíos que habían traído a Bartolomé Colón en junio. Las quejas de que fueron portadores se plasman de fijo en el seguro que tuvieron que conceder los reyes el 5 de mayo de 1495 a sus súbditos, que se resistían a acudir a las islas «creyendo que allá serán maltratados o detenidos más tienpo de lo que ellos quisieran estar, o que les serán tomadas algunas cosas de los ganados e indios e aves e otras cosas que allá llevaren, o que no les será pagado el sueldo que ovieren de aver» [17]. Otro cargo más nos indica el propio almirante, cuando hizo que el tesorero Sebastián de Olano, antes de partir para Castilla con Torres, extendiera el 14 de febrero de 1495 un escrito certificando que, a la hora de dar o recibir oro u otras cosas, había estado presente siempre el teniente de los contadores reales [18]: existía, en consecuencia, un severo control, y no la alegre trapisonda que denunciaban sus contrincantes, entre ellos, sin duda, Bernal Díaz de Pisa.

Pero no interesan ahora los cargos hechos al almirante, sino la réplica de sus allegados. En esas mismas naves tan henchidas de furia anticolombina hicieron embarcar D. Bartolomé y D. Diego a su fiel servidor y contino de los reyes Alonso Sánchez de Carvajal, a fin de presentar la otra cara de la moneda. Para dorar la píldora, se pensó que nada sería mejor que el oro. Oro, pues, llevó Carvajal, sin duda de la expedición al Cibao emprendida el 12 de marzo de 1494, y en la que, al decir de Miguel de Cuneo [19], no se descubrió mina ninguna, pero se obtuvieron por trueque 2.000 castellanos, amén de otros 1.000 conseguidos de tapadillo. No semeja que de esta cantidad, por más que se arañara de otras partes, se pudiera conseguir una renta aceptable a ojos de los reyes, aunque siempre cabía excusar su cortedad con la ausencia del virrey. Sí consta, en cambio,

[17] A.G.I., Patron. 9, 1 f. 87r.
[18] Cf. *Cartas*, p. 224ss.
[19] *Cartas*, p. 245.

el oro que entregaron los Colones a su testaferro para costear el viaje, que ascendió a marco y medio y una ochava, es decir, 348,60 gramos de oro, unos 72,6 pesos, o sea alrededor de 42.400 maravedíes. De esta no desdeñable suma (50.000 mrs. al año ganaba el doctor Chanca [20]) los monarcas, siempre generosos, hicieron merced a Carvajal, que, a pesar de estar obligado a declararlo ante los oficiales reales en España, lo entregó sólo a los soberanos [21]. De nuevo, en definitiva, aparece oro, poco o mucho, cuando se cierne la tormenta, pues ese santo metal es el único argumento contundente para callar la boca de todos y demostrar, de paso, que el suelo de la Española pertenece a la aurífera India. Entre tanto, tampoco tenían pelos en la lengua los adversarios de Colón, «publicando que no había oro... y que todo era burla cuanto el almirante decía» [22]. ¿Cuál de las dos partes tenía razón? Bien se comprende el desconcierto de los reyes y de sus consejeros.

3. *El monopolio colombino, amenazado*

De resultas de ésta y otras presiones, da la engañosa impresión de que el virreinato indiano estuvo a punto de saltar partido en mil pedazos en fecha tan temprana como el 9 de abril de 1495, en que los reyes, en vista de que algunos naturales de sus reinos «querrían ir a descobrir otras islas e tierra firme a la parte de las Yndias en el mar Oçéano», sin entrar en lo ya hallado por Colón, concedieron licencia a tal efecto [23], imponiendo

---

[20] A título comparativo ofrezco otros sueldos menores; al mes ganaba un maestre de nao, 2.000 mrs.; un piloto, 2.000 mrs.; un contramaestre, 1.500 mrs; un marinero, 1.000 mrs.; un grumete, 666 mrs.; un paje, 233 mrs. (cf. A.G.I., Patron. 9, 1 f. 59v: se trata de la armada proyectada en 1494).

[21] De todo ello tenemos noticia gracias a estas dos cédulas:
El Rey e la Reina. Por la presente damos por libre e quito a vos, Alonso de Caravajal, del oro que distes al obispo que agora es de Badajoz que tragistes de las Yndias, segund se contiene en el conosçimiento que d'él reçebistes, e asimismo de un marco e medio de oro e una ochava en granos que nos distes e entregastes; de lo cual vos mandamos dar la presente firmada de nuestros nonbres. Fecha en Madrid, ix días de abril de xcv años (A.G.I., Patron. 9, 1 f. 79v).
El Rey e la Reina. Por la presente fazemos merçed a vos, Alonso de Caravajal, contino de nuestra Casa, de un marco e medio de oro que vos dieron en las Yndias sus hermanos del Almirante don Chistóval Colón para vuestra costa de la venida acá, e vos damos por libre e quito d'ello, de lo cual vos mandamos dar la presente firmada de nuestros señores (*sic por* nombres). Fecha en Madrid a nueve días de abril de xcv años (*ibidem*, f. 80v).
También ordenaron los reyes a Fonseca el 9 de abril de 1495 que pagara a Carvajal su capitanía y el salario de sus dos criados (*ibidem*, f. 80r).

[22] Las Casas, *Historia de las Indias*, I 100 (*BAE* 95, p. 279 b).

[23] De esta provisión interesa ante todo el capítulo cuarto: «Yten que cualesquier personas nuestros súbditos e naturales que quisieren puedan ir de aquí adelante (a desco-

una serie vaga de obligaciones, pero respetando el derecho colombino a la ochava de las mercaderías [24]. La ambigüedad del término «a la parte de las Indias», el correspondiente castellano del *uersus Indos* empleado por

brir *tachado),* cuando nuestra merçed e voluntad (fuere *tachado)* fuere, a descobrir islas e tierra firme en la dicha parte de las Yndias, así a las que están descubiertas fasta aquí como a otras cualesquier, e rescatar en ellas, tanto que no sea en la dicha isla Española, pero que puedan conprar de los christianos que en ella están o estovieren cualesquier cosas e mercadurías que tovieren con tanto que no sea oro; lo cual puedan fazer e fagan con cualesquier navíos que quisieren con tanto que, al tienpo que partieren de nuestros reinos, partan desde la dicha çidad de Cáliz e allí se presenten ante nuestros ofiçiales; e porque desde allí se an de llevar en cada uno de los tales navíos una o dos personas, que se <r>án nonbradas por los dichos nuestros ofiçiales ante quien así se presentaren; e más han de llevar la (mitad de las *tachado)* déçima parte de las toneladas del porte de los tales navíos de cargazón nuestra, sin que por ello les aya de ser pagado flete alguno; e lo que así llevaren nuestro, lo descarguen en la dicha isla Española e lo entreguen a la persona o personas que allá tovieren cargo de resçebir por nuestro mandado lo que de acá se enbía, tomado conosçimiento suyo de cómo lo resçibe, e queremos e es nuestra merçed que de lo que las dichas personas fallaren en las dichas islas e tierra firme, ayan para sí las nueve partes e la otra déçima parte sea para nos, con la cual nos ayan de recudir al tienpo que bolvieren a estos nuestros reinos en la dicha çibdad de Cáliz, donde han de bolver primeramente a lo pagar a la persona que allí toviere cargo por nos de lo resçebir; e después de así pagado se puedan ir a sus casas o donde quisieren con lo que así truxieren; e al tiempo que partieren de la dicha çibdad de Cáliz ayan de dar seguridad que lo conplirán así» (A.G.I., Patron. 9, 1 f. 77r-77v; publicada en *C.D.I.A.,* XXI, p. 564ss.: XXX, p. 317ss.: XXXVI, p. 87ss.).

La redacción no fue del agrado de Fonseca, que expuso a los reyes sus inconvenientes. Su crítica fue aceptada por los monarcas, que le devolvieron la provisión enmendada y con orden de hacerla publicar (Arévalo, 1 de junio de 1495: A.G.I., Patron. 9, 1 f. 91r). En su forma definitiva cambió tan sólo de manera sustancial el tenor de una cláusula, que quedó así: «e rescatar en ellas e en las que nuevamente fallaren se puedan aprovechar de cualesquier cosas, así oro como mercadurías, pagando del oro la quinta parte e de las otras mercadurías la déçima parte; pero que esto no se pueda fazer en la dicha isla Española» (A.G.I., Patron. 9, 1 ff. 88v-89r). Si en este punto se establecía un control más riguroso, la cédula del 30 de mayo (editada en *C.D.I.A.,* XXIV, p. 30ss.) quitó la obligación de llevar la décima parte del cargamento con mercancía regia. En esta última forma oyó pregonar el bando Miguel de Cúneo, que hace referencia al quinto del oro, y tal es la licencia que resume Las Casas *(Historia de las Indias,* I 107 [*BAE* 95, p. 296 b]), datándola el 10 de abril. El dominico considera, pues, que una y otra cédula es la misma, no sin razón, pues se trata de una provisión enmendada. Por ello hace quizá distingos demasiado sutiles J. Pérez de Tudela en su libro *Las armadas de Indias y los orígenes de la política de colonización (1492-1505),* Madrid, 1956, p. 132.

[24] Es el capítulo sexto, que dice así: «Otrosí, por quanto nos ovimos fecho merçed a don Christóval (nuestro *tachado)* Colón, nuestro almirante de las dichas islas, qu'él pudiese cargar en cada uno de los navíos que fuesen a las dichas Yndias la ochava parte del porte d'ellos, es nuestra merçed que en cada siete navíos que fueren a las dichas Yndias pueda el dicho Almirante cargar uno o quien su poder oviere para fazer el dicho resgate» A.G.I., Patron. 9, 1 f. 77v; la misma redacción en la provisión final *(ibidem,* f. 89v).

Del escrúpulo con que guardaban los reyes la capitulación hecha con Colón y su derecho a la ochava da muestra esta otra cédula:

Carvajal en 1493, parecía salvaguardar los compromisos contraídos por la Corona con Colón sin por ello privarla de emprender otros descubrimientos paralelos. Tal provisión, que no semeja haber encontrado mayor oposición por parte del hermano del almirante, D. Diego [23], llegado a la sazón con Torres, fue ratificada en Arévalo el 30 de mayo de 1495 por los monarcas, que introdujeron en ella nuevos matices y mayores precisiones. Este es el bando que Miguel de Cúneo, a su retorno de la Española, oyó pregonar en Sevilla, señal inequívoca a su juicio de la «escasa reputación» de que gozaban las Indias de D. Cristóbal [26].

La realidad, no obstante, era mucho más compleja, y conviene analizarla atendiendo a los diversos puntos de vista de las partes en conflicto, tanto de los defensores como de los adversarios de Colón. En primer lugar, hay que sentar que esta activación de la empresa descubridora no se pensó en principio como recorte ni mucho menos de los privilegios del almirante. Muy al contrario, el mismo 9 de abril de 1495 los reyes llegaron a un acuerdo con el apoderado de Colón en España, el acaudalado mercader florentino Juanoto Berardi, con el fin de establecer por fin un envío regular de armadas a Indias [27]. En virtud de este asiento se compro-

---

El Rey e la Reina. Reverendo in Christo padre obispo de Badajoz, de nuestro Consejo. Nos ovimos mandado e declarado por nuestra carta de instrución fecha en Barcelona que don Christóval Colón, nuestro Almirante de las Yndias, oviese la ochava parte de lo que de las dichas Yndias se truxese por vía de rescate, poniendo él la ochava parte del rescate, como se contiene en la dicha nuestra carta e instrución; por ende nos vos mandamos que la veáis e guardéis e cunpláis segund en ella se contiene así en lo que ha traído por rescate de las Yndias fasta aquí como en lo que se truxere de aquí adelante, cunpliendo el dicho Almirante lo qu'es obligado de cunplir para aver la dicha ochava parte de lo que de allá se truxere. De Madrid a xiii de abril de xcv años (A.G.I., Patron. 9, 1 f. 83v).

[25] También a D. Diego concedieron los reyes licencia para conservar el oro que había traído de las Indias (carta a Fonseca desde Madrid, 5 de mayo de 1495: A.G.I., Patron., 9, 1 f. 86r). Insistieron sobre el particular desde Arévalo el 1 de junio del mismo año (*ibid.*, f. 92r); esta última carta nos informa de que D. Diego tenía intención en principio de marchar a Italia, si bien lo disuadieron los acontecimientos que allá sucedían, de suerte que los monarcas dejaron a su elección quedarse en la Corte, permanecer en Sevilla o «irse a su hermano el Almirante».

[26] *Cartas*, p. 258.

[27] A.G.I., Contrat. 3249, f. 60v-61v. Ya Berardi había intervenido en el despacho del segundo viaje: el 23 de mayo de 1493 le encargaron los reyes la compra de un navío de 150 a 200 toneles (A.G.I., Patron. 9, 1 f. 5r); el 1 de junio de 1493 le confiaron la provisión de bizcocho (*ibidem*, f. 4lr); el 4 de agosto del mismo año lo estimularon a seguir sirviéndoles tan bien como había hecho hasta entonces «en las cosas neçesarias a la partida del armada» (*ibidem*, f. 5lr).

J. Manzano (*Cristóbal Colón, 7 años decisivos de su vida. 1485-1492*, Madrid, 1964, p. 325ss.) ha supuesto, quizá con razón, que fue Berardi quien prestó dinero a Colón en 1492 para preparar el primer viaje, poniendo de relieve la similitud de las capitulaciones (y presumiblemente de la financiación) que hicieron los reyes con Colón y Lugo en Santa Fe.

metía Berardi a despachar un total de doce navíos a la Española con un porte de 900 toneladas de mercancía, que el florentino se obligaba a fletar a 2.000 mrs. la tonelada o, en caso de que alguien rebajara el precio de los 3.000 mrs. usuales por tonelada, siempre a 1.000 mrs. menos que la oferta más baja. Se pensaba que las naos fueran en conserva de cuatro en cuatro y a un ritmo de expedición muy vivo, al término nada menos que de cada dos meses: la escritura especificaba que la primera armada ha de partir en abril, la segunda en junio y la tercera en diciembre. Llegados a Indias, dos de los cuatro navíos han de volver a los quince días de estancia como máximo cargados de cosas de los reyes, mientras que «los otros dos han de quedar a descobrir segund la forma de la provisión de Sus Altezas». La nueva política, pues, recibe todos los beneplácitos del banquero que, además de servir a su socio, piensa de paso enriquecerse con este incesante tráfico oceánico. En cuanto a los nuevos descubrimientos, en nada perjudican al almirante, pues cuentan con su aprobación o con el consentimiento de un hombre de su confianza; al revés, cuantas más tierras se descubran, más se ampliarán los dominios del virreinato y más provecho se sacará de las riquezas indianas, sometidas siempre —así se lo había de imaginar Berardi— a la gobernación de Colón y sus descendientes. Los reyes, pues, tornaban a forjar planes grandiosos, pero respetando muy escrupulosamente todos y cada uno de los capítulos firmados en 1492 y ratificados en Barcelona. La documentación del momento indica el enorme impulso que se pensaba dar por aquel entonces a la política indiana. Una carta de los monarcas a Fonseca, escrita en Madrid a 7 de abril del mismo año, permite pergeñar las directrices básicas de la futura organización. El puerto de las Indias, según se había decidido desde el 23 de agosto de 1494 [28], iba a ser Cádiz, de donde habían de partir tanto las naves «regulares», aprestadas por Juanoto Berardi, como las flotas de descubrimiento; por tanto, convenía que Fonseca y Jimeno de Briviesca nombraran oficiales y hombres de confianza en Cádiz, para controlar la presentación de carabelas, mientras que, en las naos que fueren a descubrir, Fonseca quedaba a cargo de enviar a «una o dos personas de recabdo» para «traher la razón de dónde fueren las dichas caravelas... e de lo que rescataren e descobrieren» [29]. Esta empresa exploradora se pensaba que la llevaran a cabo los marinos andaluces: no sólo recordaban los reyes a Fonseca que hiciera pregonar la provisión «en esa comarca [Sevilla] e dar traslado d'ella a quien lo quisiere», sino que en la

---

Cf. asimismo C. Varela, «El entorno florentino de Cristóbal Colón» en *La presenza italiana in Andalusia nel Basso Medioevo,* Bolonia, 1986, pp. 152-27.

[28] A.G.I., Patron. 9, 1 f. 70r-70v.

[29] A.G.I., Patron. 9, 1 f. 75v-76r.

propia cédula del 9 de abril se ordenaba su publicación en «todas las çibdades e villas e logares e puertos del Andaluzía e otras partes de nuestros reinos donde conviniere» [30]. Salta a la vista que en la mente de los soberanos pesaba el reconocimiento a la experiencia náutica de Vicente Yáñez Pinzón y de los demás pilotos paleños, que bien podía aprovecharse en la realización de otras empresas ultramarinas. Al menos, en su concurso pensaron cuando, previendo que en el mes de septiembre se iba a hacer junta de astrólogos en Elvas para discutir la manera de trazar la línea de demarcación entre España y Portugal, apuntaron a Fonseca que hiciera venir, si le parecía bien, a «Pinçón, el que fue la primera vez» [31].

En este punto hay que contemplar el envés de la cuestión. Por esos meses Vicente Yáñez andaba discutiendo con Fonseca un proyecto descubridor que atrajo la atención de los monarcas, que contestaron a las demandas del paleño al margen de su memorial, como solían, sin que por desgracia este documento de capital importancia se encuentre hoy en paradero conocido [32]. No obstante, el celo de A. Muro [33] dio a conocer hace ya tiempo el texto de la capitulación concedida a Pinzón el 5 de agosto de 1499, que hemos de suponer reproducía en algunos extremos el proyecto acariciado en 1495, no sólo por el típico estilo formulario de tales asientos, sino también por la fijación en los objetivos que sufren por lo general los grandes exploradores. Pues bien, hay un capítulo sorprendente en la seca prosa oficial, por virtud del cual Vicente Yáñez menciona su derecho sobre las «piedras preçiosas así como carbuncos, diamantes, rubíes e esmeraldas e balaxes... perlas o aljófar» que se iban a hallar en el curso de su viaje. Este aluvión de pedrería y perlas recuerda de inmediato la deslumbrante descripción que hace Cisneros de los «diamantes e carbúnculos... esmeraldas... çafiros... berilos... topaçios... jaspes e jaçintos e calçedonias e margaritas» en los que abundaba su fabulosa Tapróbana. Todas estas refulgentes joyas, que Colón no conseguía hallar en su isla, eran el objetivo tanto de Cisneros como de Pinzón, indicio evidente, a mi entender, de que el navegante pretendía alcanzar también él la Tapróbana.

Ahora bien, si el paleño estaba dispuesto a capitular con los reyes un nuevo descubrimiento, parece claro que no le satisfacía ni poco ni mucho la idea de realizar el viaje en interés del flamante virrey, así que su meta

[30] A.G.I., Patron. 9, 1 f. 77v.
[31] A.G.I., Patron. 9, 1 f. 95v (no tiene fecha).
[32] A.G.I., Patron. 9, 1 f. 91r. En compensación a esta capitulación fallida recibió, según creo, el asiento para ir con dos carabelas a Levante, tomado en Sevilla en diciembre de 1495, también a iniciativa de Fonseca (cf. A. Ortega, *La Rábida*, Sevilla, 1926, III, p. 113ss).
[33] *Anuario de Estudios Americanos*, IV (1947) 743 ss. y sobre todo 747.

primera hubo de ser cortar todas las ataduras que ligaban a Colón con unas Indias que, a su juicio, no estaban todavía descubiertas; por tanto, al tratarse de empresas diferentes, no le competían las exigencias económicas y jurídicas del almirante. Se trataba de una postura razonable que, a no dudar, contaba con el apoyo de algunos círculos intelectuales sevillanos y, desde luego, de Fonseca y sus acólitos, acostumbrados a bregar de continuo con los correosos mercaderes italianos y deseosos de cortar las altanerías de D. Cristóbal en sus tierras, de ese gobernador que permitía que un personajillo de tres al cuarto, como Miguel de Cúneo [34], tomara posesión de una isla en nombre de Sus Altezas. No obstante, acceder a la petición de Vicente Yáñez hubiera supuesto una ruptura de las capitulaciones, algo que los reyes ni pretendían ni deseaban; así, se pospuso para mejor ocasión un proyecto que en principio seducía a la Corona. Por primera vez, sin embargo, comenzaron a actuar sobre el virreinato índico las fuerzas centrípetas que habían de acabar por disgregarlo en 1500.

Si los monarcas no se enfrentan con su almirante, a pesar de los memoriales de agravios recibidos, sí siguen ya una política más decidida, que no viene dictada por la azarosa circunstancia de que por aquellos meses no se sabía a ciencia cierta si Colón había muerto o no en su navegación a Cuba, «pues que ha tanto tienpo que d'él no sabemos», como recelan con vivo temor en carta a Fonseca del 9 de abril [35]. Tampoco obedece a un capricho pasajero su propósito de enviar a la Española «al comendador Diego Carrillo o a otra persona prinçipal», pues su cometido ha de ser proveer y remediar todas las necesidades de la isla «en absençia del almirante... *e aun en su presençia...*, segund la informaçión que ovimos de los que allá vinieron», y que no debió de ser muy halagüeña. La prisa sentida por los monarcas en poner orden en el caos indiano los mueve a indicar a Fonseca que, dada la imposibilidad de que Carrillo se incorporara de inmediato a su puesto en Indias, buscara él persona de confianza que en el ínterin repartiese los mantenimientos llevados a la Isabela y se enterara bien del estado de la isla y de su gobernación. El 12 de abril la elección real recayó en la persona de Juan Aguado [36], y ello a pesar de que ya entonces era conocido el retorno de Colón a salvamento a la Española [37]. Las cédulas no se mecen al vaivén de las noticias que llegan de tierras remontísimas, sino que siguen una lógica implacable, guiadas siempre por el deseo de imponer justicia en un dominio lejano en

---

[34] Cf. *Cartas*, p. 256.

[35] A.G.I., Patron. 9, 1 f. 78r.

[36] A.G.I., Patron. 9, 1 f. 84r: en ese día comunican su decisión a Fonseca.

[37] El 12 de abril notifican los reyes haber recibido carta de Fonseca anunciando la llegada de Torres (A.G.I., Patron. 9, 1 f. 83r).

exceso y del que los reyes no pueden formar juicio propio, viéndose en la triste necesidad de tener que fiarse siempre del criterio de terceros. Así y todo, en el transcurso de un año ha habido un cambio de criterio radical: mientras que en 1494 se pensaba que poblara las Indias un millar de hombres [38], en 1495 se rebaja esta cifra a la mitad, y se encarece a Fonseca la pronta retirada de inútiles y maleantes [39]. Los monarcas saben ya que algunos colonos, como el gallego Loazes, han muerto de hambre por la «mala orden» en el reparto de los mantenimientos [40].

4. Las nuevas riquezas de la Española

También por estas fechas toma un nuevo rumbo la gobernación colombina, cada vez más puesta en entredicho y forzada, por ende, a aplicar medidas de excepción. Urge hallar cuanto antes un medio de salir al paso de críticas e insultos. Colón, quizá inspirado por Berardi, cree haberlo hallado cuando despacha el 25 de febrero de 1495 a Antonio de Torres al frente de cuatro navíos, en los cuales marchaba por si acaso su hermano D. Diego, como queda dicho. En efecto, las bodegas de las naves van abarrotadas de esclavos indios: más de 500 infelices son cargados en los barcos con destino a Cádiz [41]. De esta suerte, el porvenir económico de la Española parece orientarse a corto plazo a la explotación humana, como se hacía por aquel entonces en las Canarias, islas bien conocidas por el almirante y su entorno genovés. Tan excelente le parecía el negocio a D. Cristóbal, que no dudó en participar del mismo en busca de una pingüe ganancia, no sin exigir al tiempo de los reyes el cobro inmediato de la ochava parte que le correspondía por la venta de tal mercancía [42], adjuntando sin duda los recibos de haber pagado su cuota. Por primera vez se sorprende un titubeo por parte de Colón, indeciso y agobiado: si había todo el oro que proclamaba, ¿a qué venía sacar un beneficio mísero de hombres más míseros todavía? De existir las minas fabulosas, sería poca

---

[38] Cf. el memorial hecho en Arévalo para el mantenimiento de 1.000 personas en A.G.I., Patron. 9, 1 f. 58r.

[39] Así lo comunican a Fonseca el 1 de junio de 1495 (A.G.I., Patron. 9, 1 f. 90r).

[40] Así lo declaran en la Instrucción dada a Juan Aguado y publicada por la duquesa de Berwick y de Alba (*Autógrafos de Cristóbal Colón y Papeles de América,* Madrid, 1892, p. 1). De «mala orden» en el suministro habla la cédula citada del 1 de junio de 1495 (cf. A.G.I., Patron. 9, 1 f. 90r).

[41] Cf. el espeluznante relato de Cúneo en *Cartas,* p. 257, al que se han de añadir las noticas de D. Hernando, *Historie,* LX (II, p. 21 Caddeo) y Las Casas, *Historia de las Indias,* I 102 (*BAE* 95, p. 283 b).

[42] A.G.I., Patron. 9, 1 f. 91r (carta de los reyes de 1 de junio a Fonseca).

toda la mano de obra de la Española para su laboreo: entonces, ¿por qué semejante esquilmo humano? En realidad, en esta remesa de esclavos se cifra todo el fracaso de un sueño, se adivina el derrumbamiento de un ideal mítico.

Por otra parte, la llegada de un número tan abultado de esclavos provocó una honda conmoción en la conciencia de los monarcas, que comenzaron a sentir viva inquietud sobre la legitimidad moral y ética de proceder tan inhumano con quienes se decía que eran sus súbitos. Las dudas que los corroían, fomentadas sin duda por Cisneros, tomaron tal cuerpo que se confió la solución del espinoso problema al dictamen de maestros en Teología y Cánones. En tanto no se conociese su fallo, convenía guardar silencio sin provocar escándalo. Así, el 1 de julio de 1495 escribieron desde Arévalo una larga carta a Fonseca, encargándole la peliaguda misión de sobreseer el asunto, porque debía «dezir a Juanot < o > muy secretamente, para que a ninguno lo diga, la cabsa por que no respondemos con más determinaçión en esto que pide de los esclavos, que procurarse ha cómo muy presto determinen los letrados la justiçia d'esto» [43].

La explotación esclavista había sido, pues, un paso en falso que Colón iba a pagar después muy caro. Claro es que no era ésta la única riqueza que se anunciaba a los reyes desde las Indias. Berardi, en nombre de Colón, les comunicó —noticia de que holgaron mucho— que se había hallado «brasil e fustete e cobre» [44] en lo traído de la Española, abriendo así nuevas expectativas industriales. El mercader florentino adjuntó a esta buena nueva una larga serie de peticiones económicas del almirante, dando una de cal y otra de arena, solicitudes que recibieron una tajante contestación de los monarcas en la misma carta a Fonseca del 1 de junio de 1495:

e cuanto a la ochava parte qu'el dicho Juanoto demanda en nonbre del almirante del oro que se truxo de las Yndias así del otro camino como d'éste, cuanto a lo del otro camino, como Torres sabe, mucho más mandamos (al *tachado*) dar al almirante en dineros de lo que montó aquel ochavo, e por esto no es menester que se lo dedes; e cuanto a la ochava parte d'esto que agora vino, fazégela dar, que después se fará cuenta de lo que le pertenesçiere e se verá la razón de todo; e cuanto al diezmo que pertenesçe al dicho almirante que de allá a venido, pues dize que en aquello no quiere fablar agora, quédese para después, pues, como sabéis, las costas son tantas que, si oviese de pagar el VIII° d'ellas, como es obligado, montaría mucha contía con ello [45].

[43] A.G.I., Patron. 9, 1 f. 90v.

[44] A.G.I., Patron. 9, 1 f. 93r: carta de los reyes al florentino de 2 de junio de 1495.

[45] A.G.I., Patron. 9, 1 f. 90v (cf. la carta a Berardi de 2 de junio de 1495, *ibidem*, f. 93r). Solamente acceden a una petición: «E çerca de lo que dezís que demanda Juanoto en

Bien claramente se percibe la amarga decepción que habían recibido los monarcas de las riquezas indianas: en el tornaviaje de Torres en 1494 los costos habían sido superiores a los ingresos, si era verdad que la ochava del oro no bastaba para sufragar el dinero enviado al almirante, quizá los 100.000 mrs. gastados en su avío; en el de 1495 era razón abonar la ochava, para ajustar después las cuentas; en cuanto al diezmo, ya que Colón no quería hablar del tema, tampoco entraban en él los reyes por el momento, si bien la mente más ciega podía prever que poco o ningún provecho cabía por este concepto al virrey. Por si esto fuera poco, en la flota de Torres llegaron viajeros muy entusiastas de Colón, pero también muy críticos, como Miguel de Cúneo. Gracias al saonés nos enteramos de que no todos creían en la Española en la continentalidad de Cuba; mas a los disidentes los aguardaba, no el castigo corporal amenazado por Colón, pero sí el confinamiento y el destierro, como a ese docto abad de Lucerna (sobre cuya identidad volveremos) a quien el almirante no dejaba salir de la isla para no enturbiar su reputación [46]. El virrey parece haber perdido el tino y la autoridad en medio de este torbellino de pasiones desatadas, en el que cada cual iba a su medro personal.

5. El control del oro y la prospección minera

La proliferación de noticias adversas al almirante enfriaron no poco los ánimos, ya poco propensos al entusiasmo. El 5 de agosto de 1495 partieron cuatro carabelas rumbo a las Indias bajo el mando del repostero real Juan Aguado, en el primer intento serio de fiscalizar la actuación colombina. No es éste el momento de historiar algo tan sabido como los choques y encontranazos que tuvieron lugar entre el orgulloso virrey de las Indias y el capitán de la armada. Sí, en cambio, conviene poner de relieve que en esa flotilla iba un tal maestre Pablo Belvís, un valenciano lavador de oro, con el que poco antes, el 12 de marzo, se había hecho un asiento [47] por dos años para buscar, catar y lavar oro en la Española con cuatro hombres (Diego de Ayala, Leonardo Ferrero, Nicolao Bretón y Francisco de Arévalo) a los que se podrían añadir los que fueren menester al respecto; por su parte, los que regían la isla en nombre de los monarcas habían de mostrar sin tapujos «la parte e logar donde se dize qu'está el

nonbre del almirante del flete de la mitad de la caravela qu'es del Almirante e está en las Yndias, nos paresçe que le devéis socorrer con 1 o 1xU mrs.» (carta a Fonseca de 16 de julio de 1495 en A.G.I., Patron. 9, 1 f. 95r).
[46] *Cartas*, p. 259.
[47] Se conserva en A.G.I., Contrat. 3249, f. 8r y Patron. 9, 1 f. 71r ss.

oro», cuya décima parte, siempre que no sobrepasara la cantidad de 1.000 ducados anuales, había de ser para Belvís y sus compañeros. Esta capitulación constituye de manera implícita el establecimiento de un claro control sobre Colón y sus lugartenientes, acusados de no enseñar las tierras auríferas más que a sus amigos y servidores[48], y que ahora se veían obligados a dar toda suerte de facilidades a los expertos, aunque también hay que reconocer, en descargo del almirante, que éste había pedido «maestros de minas» en 1494 (nuevo texto, carta IV, III, p. 19), petición que no parece que fuera atendida hasta este momento.

Pero el caso es que Belvís no tenía muchas ganas de emprender una larga navegación a tierras desconocidas y empezó a acumular inconvenientes y excusas. Para vencer su resistencia se vio obligada a intervenir la autoridad real, que tuvo que condescender a que se le diesen al maestre Pablo los mantenimientos, seguramente abusivos, que pedía[49]. He aquí, pues, que todo un perito en minas auríferas remoloneaba ante la idea de embarcarse para la Española, cuyo oro, que antes refulgía con destellos salomónicos, seducía ya a muy pocos y amenazaba con convertirse en punto menos que en pacotilla. Belvís volvió el 11 de junio de 1496 con Colón y Aguado al término de su contrato[50], sin que por desgracia sepamos qué referencias dio a los reyes de lo que había visto y examinado.

En cualquier caso, el asiento con Belvís indica hasta qué punto la aureola de las islas del mar Océano había decrecido. En realidad, de la Ofir colombina los reyes pensaban que no se iba a sacar más de 10.000 ducados anuales, cantidad en verdad irrisoria y que no animaba mucho a proseguir la empresa ultramarina. A mayor abundamiento, en 1494 era un minero cabalmente el que encontraba grandes trabas por parte de Colón para salir de la Española: la abierta oposición del maestre sevillano

---

[48] Cf. Pedro Mártir, *Décades*, I 7 (= *Cartas*, p. 105), Las Casas, *Historia de las Indias*, I 179 (*BAE* 95, p. 479 a).

[49] El 1 de junio de 1495 escriben los reyes a Fonseca: «E cuanto a lo que dezís < de > la ida de maestre Pablo, trabajad cómo en todo caso vaya, e si todavía insistiere en no ir, hazed cobrar d'él las çien doblas que le dieron, pues a su culpa dexa de ir; en todo caso procurad que vaya» (A.G.I., Patronato 9, 1 f. 90v). El 2 de junio dan instrucciones a Fonseca sobre los mantenimientos de Belvís, al que expiden cédula al respecto el mismo día (*ibidem*, f. 92v, 93r). Sus herramientas fueron en la carabela de Bartolomé Colín (A.G.I., Contrat. 3249, f. 34r y 35v, p.e.).

Da otra interpretación más benévola para Colón de este asiento con Belvís, que fecha el 22 de marzo como la copia de Patronato, J. Pérez de Tudela (*Las armadas de Indias*, pp. 93-94). Obsérvese cómo Rodrigo del Alcázar alcanzaba sólo la centena parte de la fundición del oro años después, merced que ya le parecía exorbitante a Las Casas, *Historia de las Indias*, II 42 (*BAE* 96, p. 104 a): ésta es la mejor prueba de cómo había cambiado la estimación de las Indias.

[50] A.G.I. Contrat. 3249, f. 10r.

Hormicedo había escarmentado al almirante, deseoso de que no trascendiesen de sus Indias informes contrarios a su áurea megalomanía. Y tuvo que despachar el rey una cédula desde Arévalo el 1 de junio de 1495 [51], poco después de llegar a un trato con Belvís, para que se dejara marchar de la isla al platero, además de a Fernando de Guevara, Bernaldo veneciano y Miguel Muliart, el propio concuñado de Colón, que antes de partir hubo de firmar un recibo de la cantidad que adeudaba a su señoría el virrey [52].

Después del arrebato inicial, se había convertido en difícil tarea el reclutamiento no ya de marineros, sino sobre todo de futuros colonos deseosos de avecindarse en el Nuevo Mundo. Toda la habilidad de Fonseca, que era mucha, se estrelló largo tiempo contra el miedo y el recelo general, y a la postre fue posible un concierto gracias a la concesión de una serie de cláusulas, que hemos de suponer que el obispo aceptó como mal menor. En ellas se estipulaba

que después de llegados en la isla Española, donde van las caravelas, ayan de servir e sirvan un año conplido e contado desd'el día que desenbarcaren, e que después de conplido el dicho año estén en su libertad e querer de se bolver a Castilla en las primeras caravelas que de las Yndias vinieren o quedar allá por el tienpo que más quisieren estar, e después se vengan cuando quisieren.

que d'esta mesma condición van los que han de servir por otros que se han de venir, que, como quiera que los otros en cuyo logar van se vengan, no sean obligados a servir más de un año por premia [53].

Se trata de condiciones correctas y razonables en apariencia; pero la comparación con contratos ulteriores, sobre todo a partir de 1502, cuando el comercio de Indias comienza a hacerse fluido tras el despacho de la armada de Ovando, muestra una diferencia clave, la duración del servicio, que en los inicios del siglo XVI viene a ser de dos, tres y hasta cuatro años; con un asalariado por doce meses se corre el albur de no obtener rendimiento, si hace presa en él alguna enfermedad de las que suelen cebarse en los chapetones. Así y todo, estas garantías no lograron inspirar confianza suficiente a todos: de los 16 hombres [54] que se alistaron a sueldo,

[51] A.G.I., Patron. 9, 1 f. 92r, así como la instrucción a Juan Aguado (duquesa de Alba, *Autógrafos de Colón*, p. 5). De Hormicedo habla también expresamente A. Bernal, *Memorias*, CXX (p. 303 Gómez Moreno-Carriazo).

[52] *Cartas*, p. 204. En las ediciones se lee «al capitán pues di», cuando lo que dice es «al capitán Torres di».

[53] A.G.I., Contrat. 3249, f. 11r.

[54] Sus nombres eran los siguientes: 1) Alfonso Martín, tonelero, vecino de Moguer, con sueldo de 1.000 mrs. al mes; 2) Pedro de Arze, criado del provisor don Iñigo de

tres al menos, Diego Fernández, tintorero, vecino de Sevilla, de quien habían salido fiadores Diego de Ayala y Juan de Paredes; Guirardo Margarito, asegurado por Diego Colón, que se embarcó sin sueldo con su criado Peti Juan; y por último Juan de la Plaza, por el que dio fianza el propio Juan Aguado, se ausentaron y no fueron al viaje, a pesar de haber cobrado ya de adelanto los cuatro primeros meses de salario, que subían a 2.400 mrs. en los tres casos. Como se ve, las Indias distaban mucho de ser la tierra de promisión soñada en un principio; a ellas iban dos italianos, Rafael Bresón genovés y Luis de Saona, amén de Juan del Castillo, criado de Alfonso Sánchez de Carvajal, el hombre de confianza del almirante y un par de criados más, con lo que todo el negocio parecía quedar en la familia o en sus amigos y servidores: mucho ruido y pocas nueces.

6. Un admirador del almirante: Jaime Ferrer de Blanes

En realidad, el único cosmógrafo a quien vemos mostrar auténtico entusiasmo por la empresa de Colón en el crítico año de 1495, después del regreso de Buil y Margarit, es precisamente otro catalán, Jaime Ferrer; es que al almirante «la Divina Providencia le tenía por electo por su grande misterio y servicio en este negocio» [55]. No nos puede extrañar, dada su exaltación imperialista y mesiánica, que Ferrer creyese que Colón había llegado a las extremas partes de la India Superior y que estaba a punto de arribar al *Sinus magnus* de Ptolemeo, si bien no podemos calibrar hasta qué punto la defensa del almirante lo pudo llevar a expresar conceptos que no sentía en su fuero interno. En efecto, al emitir su dictamen sobre la línea de demarcación, establece Ferrer que a la izquierda de ella quedará la parte de Guinea, señorío del rey de Portugal, y a su derecha, como dominio de España, el golfo Arábigo «por Occidente fasta tornar por Oriente», es decir, tanto el golfo Etiópico occidental como el golfo Etiópico oriental. Otra vez, pues, surgen términos y conceptos que

Mendoza (600 mrs.); 3) Rafael Bresón genovés (600 mrs.); 4) Luis de Saona (500 mrs.); 5) Cristóbal Caro, herrador, vecino de Sevilla (1.000 mrs.); 6) Gaspar de Uzeda (500 mrs.); 7) Luis Fernández, borceguinero, vecino de Sevilla (1.000 mrs.); 8) Fernando Carbonero, borceguinero, vecino de Sevilla (750 mrs.); 9) Diego de Cornejo (600 mrs.); 10) Santos de Corneja (600 mrs.); 11) Juan de Morales (600 mrs.); 12) Alfonso de Bustamante, criado de Francisco Melgarejo (600 mrs.); 13) Juan del Castillo, criado de Alfonso de Carvajal (600 mrs.); 14) Diego Fernández (entró en su lugar Alonso de Aracena en Sanlúcar de Barrameda, con 600 mrs.); 15) Guirardo Margarito (600 mrs.); 16) Juan de la Plaza (600 mrs.). Los reseña el segundo *Libro de armadas* (A.G.I., Contrat. 3249, f. 11r ss.).

[55] M. Fernández de Navarrete, *Colección*, II, p. 115.

aparecen en Coma y Cisneros, pero que también ha de usar poco después el mismísimo almirante de las Indias.

Ahora bien, este ardiente defensor del genovés, nuevo apóstol de Cristo, se permite darle una pequeña lección a su admirado amigo, aconsejándole también en 1495 que le es preciso descender al equinoccio, donde «son las cosas grandes y de precio» [56]. Tirios y troyanos, pues, están de acuerdo en que la meta ansiada todavía no ha sido alcanzada, y unos se sirven de este convencimiento para denostar al almirante, otros lo emplean como acicate para incitar a Colón a realizar nuevas y más grandes empresas.

7. El socorro de las Indias

Después de la partida de Aguado no se volvieron a recibir nuevas de la Española por largo tiempo. Mientras las tempestades destruían sus navíos en Indias [57], tampoco en España soplaban vientos favorables para la empresa tal como la entendía el almirante. La muerte de Juanoto Berardi en diciembre de 1495 supuso un rudo golpe para los intereses de Colón. A su fallecimiento estaba casi ultimado el envío de una flota de cuatro carabelas, aprestada a un ritmo mucho más lento de lo que el florentino había imaginado. Es de suponer que Fonseca había hecho todo lo posible para entorpecer la tarea del mercader, y ello no tanto por personales antipatías como por el deseo de ir despejando en lo posible de extranjeros el negocio de Indias, donde cualquier rebelión podía ser fatal para la Corona. En cualquier caso, Berardi se quejó poco antes de mo-

---

[56] *Ibidem* p. 120 (= *Cartas*, p. 234). Es de notar que se equivoca Ferrer al suponer que Colón daba al grado el valor ptolemaico de quince leguas y dos tercios (*ibid.*, p. 117), cuando es sabido que el almirante aceptaba la medición de Alfagrano: 56 millas y dos tercios.

[57] En 1986 escribí: descargó la tempestad «no, como dice el texto impreso de Pedro Mártir [*Décades*, I 4 = *Cartas*, p. 83, donde imprimí sin advertencia la conjetura «enero» en vez de «junio»], en junio, fecha imposible porque las carabelas llegaron a la isla en octubre, sino muy probablemente en enero de 1496, por fácil error en el texto latino entre *ian.* (enero) y *iun.* (junio)». Creía entonces que mi corrección salvaba todos los problemas con el menor costo posible y sobre una base razonable; pero el nuevo texto (carta V, p. 52) desmonta esta teoría tan lógica, pues dice claramente: «en el mes de jullio en un momento se engendró un viento con un terremoto y tanta tempestad del cielo... de parte de levante». Fue Juan Pérez de Tudela (*Las armadas de Indias*, p. 115, n. 100) quien se apercibió de la dificultad de la fecha, admitiendo que «en dos ocasiones, junio y otoño de 1495, naufragaron los navíos surtos en la Isabela»; la documentación actual le da la razón, pero con la complicación añadida de tener que salvar la confusión entre «junio» (Pedro Mártir) y «jullio» (nuevo texto).

rir [58] del tratamiento que le habían dispensado tirios y troyanos, y evocó las múltiples amarguras y malos tragos que le había hecho pasar su lealtad al almirante, razón la más principal de la pérdida.de su hacienda y de su salud. Sus albaceas, Amerigo Vespuche y Jerónimo Rufaldi [59], tomaron a

[58] Cf. la fe ante escribano publicada por la duquesa de Alba, *Autógrafos de Colón*, p. 7: Colón le debía unos 180.000 mrs.

[59] Así, p.e., fue Vespuche quien recibió ciertos esclavos indios «de los de Sus Altezas... que montaron treinta e ocho mill e seteçientos mrs., los cuales tomó el dicho Juanoto en su cuenta» (A.G.I., Contrat. 3249, f. 62r). Después se encargó de tener la cuenta con los cuatro maestres de las carabelas (*ibidem*, f. 63v), y con él se hizo iguala para dar mantenimientos a la gente que iba a las Indias (*ibidem*, f. 81r; cf. A. B. Gould, *Nueva lista documentada de los tripulantes de Colón en 1492*, Madrid, 1984, p. 316ss.). Hay que recordar que, «como subçesor de los bienes de Juanoto Veraldi», Vespuche tuvo que enzarzarse en un largo pleito para recuperar 62.370 mrs. adeudados por el mercader inglés Guillermo Asteloy y fiados por Pero Ortiz; el litigio fue sentenciado por Fonseca a favor de Vespuche, pero sólo en 1.500 se hizo efectivo el libramiento, gracias en parte a los buenos servicios de Fernando Cerezo, apoderado del florentino (cf. sobre todo esto los documentos conservados en A.P.S., IV 1500, 1 f. 120r ss. y 131r ss., publicados ahora por L. D'Arienzo, «Nuovi documenti su Amerigo Vespucci» en *Scritti in onore del Prof. Paolo Emilio Taviani*, Génova, 1986, III, p. 156 ss. con comentario p. 147ss., sólo precipitado, a mi juicio, en deducir de la ausencia de Vespuche de Sevilla que «il navigatore» no había tornado del viaje de Hojeda. En efecto, no se comprende bien que se satisficiera esa deuda largo tiempo impagada justo cuando Amerigo se encontraba corriendo el albur de una peligrosa navegación, y semeja más plausible que se atendiera su petición a su retorno, en el momento en que el florentino podía hacer valer en la Corte sus derechos; por otra parte, el fiador, Pero Ortiz de Jangur, difunto en 1500, ha de ser pariente por fuerza (¿padre?) del homónimo Pero Ortiz de Janguren, cuñado del mayordomo de Sevilla en 1505 Alonso Rodríguez, uno de los mercaderes que financiaron el viaje de Bastidas. Da la impresión de que este grupo de comerciantes sevillanos intentaron atraerse a Vespuche para despachar una armada a las Indias, como de hecho consiguieron enrolar a Juan de la Cosa, piloto con Hojeda; pero para congraciarse con él era preciso abonarle las cantidades que coleaban desde la muerte de Berardi. Tales esfuerzos no dieron resultado al prohibir los reyes la presencia de extranjeros en los viajes de descubrimiento a mediados de 1500, favoreciendo así la marcha de Vespuche a Portugal).

Mientras Vespuche se empeñó en este despacho, Rufaldi queda más en la sombra. Sólo lo encuentro el 1 de febrero, día en que se le libraron 4.000 mrs., pero para que hiciese entrega de ellos a Vespuche (A.G.I., Contrat. 3.249, f. 81r) y el 14 de febrero de 1496, fecha en que se dio a Rufaldi 1500 mrs. para las costas de Antonio de Torres durante el tiempo que estuvo en Jerez y Sanlúcar ocupándose en el despacho de las carabelas (*ibidem*, f. 94v). Los intereses de Rufaldi andan por otros derroteros.

Los herederos de Berardi no quedaron en buena posición económica, según demuestra el testamento de su viuda, Elvira Ramírez, otorgado el 26 de enero de 1507 (A.P.S., XV 1507, f. 149r). Sus deudas son mínimas: 1.000 mrs. a Beatriz de Frías, de crianza de un hijo, sin duda fallecido. A su vez un ducado de oro le debe Alonso Tamariz, vecino de Carmona, de un préstamo; 8.000 ducados Andrés de Córdoba, trapero, y Fernán Pacheco, que estaba en las Indias, 11 varas de hilado de a 10 mrs. la vara y 12 varas de hilado de a 100 mrs. la onza, que le dio la viuda para llevar a Indias a vender. Fue su heredera universal María Berardi; nombró albaceas a Cristóbal Pacheco, su hermano, y a Beatriz de

su cargo ciertos asuntos del despacho de la armada, si bien el protagonismo principal recayó como siempre en Fonseca; por último, el naufragio de los cuatro navíos en la costa de Cádiz el 8 de febrero de 1496 vino a suponer la liquidación del negocio y muy probablemente la quiebra de Vespuche.

Otra vez Fonseca tuvo que prometer a las personas asalariadas que la permanencia obligatoria en Indias no excedería el plazo de un año; asimismo se hizo constar que el mantenimiento corría a cargo del armador [60]: el fantasma del hambre impulsaba a exigir esta cláusula, pues la comida se rumoreaba escasa. De los 26 escuderos y hombres trabajadores [61] que se

Escobar, su sobrina. No deja de ser llamativo que Elvira Ramírez, medio arruinada, siguiera manteniendo interés por los negocios de la Española. Por lo demás, todavía el 29 de enero de 1512 confesó en su testamento Beatriz de Porras, mujer de Juan Fernández Cansino, vecina de Sevilla en la collación de San Vicente, que debía «a los herederos de Juannoto, florentín, que Dios aya, mill mrs. de resto del esclavo que de él compré», ordenando en sus mandas que, para satisfacer la deuda, se vendiera su hábito «e del dinero d'él se den mill mrs. a la fija del dicho Juanoto florentín, si fuera biva e, si no, a sus herederos» (A.P.S., IV 1512, 1, foliación apolillada).

[60] El asiento es de este tenor:

«Que los marineros e grumetes que son de las cuatro caravelas e ganan sueldo en ellas han de servir el viaje d'ellas al sueldo que Juanoto asentó con ellos de les dar por mes fasta ser llegados a la isla Española e aver descargado la carga que llevan e los navíos se partieren de buelta para acá o a descobrir o rescatar en otras islas; e desd'el día que los dichos navíos se partieren e las dichas personas que en ellos van por marineros e grumetes quedaren en las islas, comiençan a ganar sueldo cada uno la contía por que se igualó, e han de servir un año conplido; e después de conplido un año ha de estar a su libertad e voluntad de se bolver a Castilla en los primeros navíos que oviere, e hanlos de dexar venir libremente; e si su voluntad fuere de servir más tienpo, sea a su querer para se venir después cuando quisieren oviendo navíos; e han de ganar el sueldo desde que las dichas caravelas en que agora han de ir se partieren de las Yndias e ellos quedaren allá a servir fasta que buelvan en Castilla al puerto donde desenbarcaren.

Que los marineros e grumetes e escuderos e onbres del canpo que no son del número de los que van fletados para navegar las dichas cuatro caravelas han de servir en las Yndias un año, el cual año comiençe desd'el día que desenbarcaren e salieren en la isla Española en adelante; e después de conplido el dicho un año de serviçio quede a su voluntad de se venir e bolver en los primeros navíos que acá vinieren, como de suso dicho es; e si venir se quisieren, los dexen venir libremente; e si su voluntad fuere de estar más tienpo, sea a su voluntad para tener libertad de se venir cuando después quisieren, oviendo navíos; e que ganen el sueldo que con ellos se igualó desd'el día que partieren para las Yndias fasta que buelvan en Castilla al puerto donde desenbarcaren. Otrosí que sea dado mantenimiento a todos desd'el día e tienpo que comiençan a ganar sueldo así en las Yndias como en la ida e buelta» (A.G.I., Contrat. 3249, f. 67r).

[61] He aquí el rol: *Escuderos y hombres trabajadores:* 1) Alfonso de Espinosa y su mujer; 2) Gutierre Díaz de Ribadeneira; 3) Simón Pérez, herrero; 4) Juan de Carmona, albañil; 5) Francisco de Medina; 6) Rodrigo Izquierdo; 7) Martín Sánchez de Aguilera; 8) Juan Bravo de Baena; 9) Pedro de Torres de Plasencia; 10) Diego Benítez de Sevilla; 11) Cristóbal de Velasco, vecino de Salamanca; 12) Juan de Alba de Tormes; 13) Alfonso de Marchena; 14)

enrolaban en el viaje no forman la flor y nata los lavadores de oro, sino los dos aperadores, que contrató Fonseca hasta la Virgen de agosto de 1496 con un sustancioso sueldo de 15.000 mrs. al año, con objeto de preparar y desmontar la tierra para arar y sembrar trigo: la agricultura entonces tenía un interés mucho más perentorio que la minería. Por ello, tres de los cinco gañanes ganan 9.000 mrs. anuales, mientras que el sueldo de un herrero o un albañil no pasa de los 7.200 mrs. La Ofir colombina toma tintes ya más propios de un asentamiento agrario que de una factoría comercial.

Alfonso de Córdoba; 15) Juan de Medina del Campo; 16) Pedro de Pastrana, natural de Pastrana; 17) Francisco de Ecija, natural de Ecija; 18) Alfonso de Madrid; 19) Pedro de Soria. Los 13 primeros ganaban 600 mrs. al mes, el 14.º 350, el 15.º, 16.º y 17.º 375 mrs., el 18.º 420 mrs. y el 19.º 265 mrs. *Aperadores:* 20) Andrés de Quemada; 21) Juan de Cartaya, vecinos de Jerez, con 15.000 mrs. al año. *Gañanes:* 22) Alfonso Martín escudero, hijo de García Martín, con 9.000 mrs.; 23) Pedro Gómez, hijo de Mateo Sánchez, con 9.000 mrs.; 24) Juan de Grajales, hijo de Antonio de Medina, con 9.000 mrs.; 25) Juan de Castro con 7.000 mrs.; 26) Fernando García Barriga, hijo de Inés Barriga, con 6.500 mrs. *Marineros:* 27) Juan Rodríguez de Miñaca; 28) Juan Martínez de Orduña; 29) Alfonso Rodríguez de Palos; 30) Rodrigo de Moguer; 31) Juan de Zamora; 32) Martín Sánchez de Maya; 33)) Francisco Rodríguez Lavandero; 34) Alfonso de Plasencia; 35) Francisco Verduzco; 36) Cristóbal Sánchez de la Puebla, todos ellos con 1.000 mrs. al mes. *Grumetes:* 37) Juan Clemente, con 666 mrs.; 38) Pedro Camacho, con 450 mrs.; 39) Nicolás de Salinas, con 400 mrs.; 40) Juan Pastor, con 600 mrs.; 41) Pedro Canario, con 666 mrs. 42) Fernando de Betanzos con 450 mrs. *Escribano de rescate:* 43) Antón Vidal, con 600 mrs. Se encuentra en A.G.I. Contrat. 3249, f. 67v ss.

IV. COLON A LA DEFENSIVA

1. El segundo tornaviaje (1496).
Próes y contras de las Indias

La situación, cada vez más crítica tanto en la Española como en la Península, hizo ver al almirante la conveniencia de regresar a la Corte para defender él en persona sus derechos. No obstante, y antes de embarcar en marzo de 1496, recurrió a otro golpe de efecto: fue entonces, según Pedro Mártir [1], cuando envió a su hermano Bartolomé a unas minas que le indicaron los indígenas y que distaban 60 leguas de la Isabela, y allí —maravilla de las maravillas— se encontraron profundas galerías excavadas en la Antigüedad, que Colón identificó al punto con los tesoros salomónicos: los expertos que cribaron la tierra de la superficie de aquellas minas, de seis millas de extensión, llegaron a la conclusión de que yacía sepultado tanto oro que cualquier trabajador asalariado podría sacar al día una cantidad equivalente a tres dracmas, es decir, tres pesos de oro. Las Casas [2], que corre un tupido velo sobre las divagaciones arqueológicas de los Colones, especifica que se trataba de las minas llamadas de San Cristóbal «por una fortaleza que allí mandó hacer a su hermano cuando se partió para Castilla», investigadas a orillas del Haina por una pareja que luego se va a encumbrar con rapidez: Francisco de Garay, el futuro concuñado del almirante, y su socio Miguel Díaz, siempre hermanados por los intereses económicos que se esponjan a la sombra de D. Cristóbal. En consecuencia, Colón llegaba a España portador de nuevas sensacionales y con una baza suprema en la manga, pues para confusión y befa de sus adversarios acababa de encontrar ya la mismísima veta del oro

---

[1] Décades, I 4 (= Cartas, p. 84).
[2] Historia de las Indias, I 110 (BAE 95, p. 301 b).

de Salomón. Las argucias del almirante no hallaron esta vez tanta gracia en la Corte. En las dos carabelas que trajeron a Colón venía asimismo un memorial anónimo, de extrema sobriedad y sencillez, que, en contraste con los ditirámbicos elogios de Chanca y de Coma, tornaba a dar una visión de las riquezas de la Española más ajustada a la realidad [3]. En primer lugar, no había que depositar esperanza en la especiería, «porque no es nada para acá ni ella en sí no es fina». Respecto al cobre «se hallaron dos granos grandes que pesarían un quintal», pero no se supo dónde ni se volvió a coger más: otra esperanza fallida. En cuanto al oro, existía, sí, pero los españoles no habían cogido desde el 24 de junio de 1494 hasta entonces más de diez castellanos; el resto, en granos o menudo, lo habían conseguido de los indios a trueque o por regalo. Habían pasado ya tres tributos, esto es, nueve meses, y de los 60.000 pesos de oro que esperaba recaudar Colón en tres pagas, sólo se habían recogido 200 pesos, que era todo cuanto los indios poseían en la isla, puesto que para comprobar la verdad, se habían registrado sus casas. Este seco memorial constituía, a pesar de su laconismo, el mejor antídoto contra los delirios ofíricos del almirante y de su camarilla.

2. *Las rentas de la Española (10 de marzo de 1495 a 10 de marzo de 1496)*

Todavía más contundentes resultan las cuentas que enviaron a los monarcas los tesoreros que sustituyeron a Sebastián de Olano a su regreso con Torres a la Península, y que empiezan a correr desde el 10 de marzo de 1495 y terminan con la partida del almirante para España el 10 de marzo de 1496: un año justo y cabal. Se trata de un documento extraordinario, pero que, inexplicablemente, apenas ha recibido atención por parte de los estudiosos, dejación y olvido que me impelen a presentarlo íntegro después de una nueva lectura y cotejo con el original [4]. Al comenzar el informe, el cacique de la Maguana Caonabó había sido reducido ya por Hojeda, para perecer después en el huracán que azotó la isla. Tanto Pedro Mártir como Las Casas relatan que, a la prisión del cacique, los indios sus vasallos se rebelaron, alboroto que motivó la salida del almirante en pie de guerra de la Isabela el 24 de marzo de 1495, para aplastar

---

[3] Publicado en *Cartas*, p. 264 ss.

[4] A.G.I., Patron. 8, 12. Fue publicado en *C.D.I.A.*, X, pp. 5-9, sin que al parecer su importancia haya tenido eco. Lo citan, p.e., J. A. Perea y S. Perea en su *Glosario etimológico Taíno-Español histórico y etnográfico*, Mayagüez, Puerto Rico, 1941, pp. 97-98, pero parece desconocerlo Emiliano Tejera en su *Palabras indíjenas de la isla de Santo Domingo*, Ciudad Trujillo, República Dominicana, 1951.

durante nueve o diez meses de hostigamiento todos los focos de insurrección, haciendo cruda guerra a los alzados. El balance rectifica esta versión de los hechos, pues el 10 de marzo vemos a un hermano de Caonabó presentar al almirante máscaras, espejos y «torteruelos», es decir, canutos, con pintas de oro; por tanto, todavía no se había perdido la esperanza de llegar en esa fecha a un acuerdo pacífico, que debió de hacer imposible la prisa de D. Cristóbal por allegar esclavos. La expedición bélica la dirigió el almirante desde la fortaleza de la Concepción, construida a tal efecto y en la que residió un largo plazo, probablemente de mayo a octubre de 1495, en tanto sus capitanes hacían algaradas acá y acullá: en cualquier caso, la campaña contra los indios de Caonabó había concluido ya a principios de mayo de 1495, obteniéndose un magro botín que no logró enriquecer el posterior tributo de los indios en julio del mismo año. Mal podía, pues, continuar la guerra contra los hermanos del cacique en octubre de 1495, cuando llegó Juan Aguado, según anota Las Casas [5]. Mientras Colón, por fuerza o por maña, iba imponiendo pesadas cargas a los naturales, no se olvidaba el comercio marítimo, pues una fusta, al mando de Juan Vizcaíno, había zarpado a hacer trueques con los indios, volviendo a comienzos de abril: su destino era el reconocimiento de una isla cercana [6] así como también se procedía a explorar la costa de Xaraguá, de donde después vemos al maestresala del almirante, Cristóbal de Torres, traer cierto oro de Behechio, mucho antes de que Bartolomé Colón pusiera pie en aquella comarca. Ha comenzado, pues, la explotación de las Indias siguiendo el modelo que Colón había visto emplear a los portugueses en la Mina; hora es ya de ver el resultado:

Relación del oro e joyas e otras cosas que el señor almirante ha resçebido después que el reçebtor Sebastián d'Olano partió d'esta isla para Castilla desde x de março de xcv años.

En el dicho día diez de março resçebió tres carátulas con xix pieças de hoja de oro e dos espejos, las lunbres de hoja de oro, e dos torteruelos de hoja de oro que truxo un hermano de Cahonabó en el dicho día.

Más en xi del dicho mes una cara con diez ojas de oro que se ovo por resgate.

Más en el dicho día quedaron en su cámara dos hamacas e dos naguas e honze madexas de algodón que se ovo por resgate.

[5] *Historia de las Indias,* I 107 (*BAE* 95, p. 295 b), mal interpretando quizá la carta escrita por Colón en la vega de la Maguana el 15 de octubre de 1495.

[6] La navegación de la fusta queda ahora aclarada por el mismo Colón (nuevo texto, carta V, p. 53), «embié una fusta de remos a descubrir la isla de Babueca, que nos demora aquí al Norte; y la fallaron con otras veinte y dos o veinte y tres entre grandes y pequeñas... Bolvióse la fusta por falta de mantenimientos y después tornava a la empresa y el viento contrario la llevó a una isla en la comarca aquella de San Salvador..., y allí fallaron rastro de perlas».

En cuatro de abril quedaron en su cámara las cosas siguientes que se ovieron por resgate que truxo la fusta: xxv naguas, xv hamacas, vi tiraderas, i macana, ix hachuelas de indios, i bozina de palo, i ropa de plumas, seis esteras, xiiii° papagayos, iii arrovas xxi libras de algodón hilado.

En vi de mayo quedaron en la dicha cámara a su camarero lo siguiente que se ovo en el despojo de Cahonabó: xiiii° guaíças labradas de algodón e piedras, las tres con vii ojuelas de oro, e una hamaca toda texida, e otras sesenta e seis hamacas viejas e diez naguas e un çinto e una ropa de plumas.

Más se le cargan çinco onças e tres ochavas e tres tomines de oro que pesó la cadeneta que resçebió el Adelantado su hermano en iii de junio.

Más que resçebió çiento e çincuenta e dos piedras de colores que le llevó Juan Vizcaíno a la Conçebiçión que truxo la fusta.

Más {quedó} en ix de jullio quedó en poder del dicho su camarero cuatro guaíças, las dos con diez ogicas de oro, e un çinto con una cara verde que tiene dos ogicas de oro, e una hamaca e tres pares de naguas que truxeron unos indios de Cahonabó.

Más le quedó en su poder al dicho su camarero una guaíça con cuatro ojas de oro en vi de otubre.

Más le quedaron al dicho su camarero nueve hamacas e ocho naguas que se ovieron por resgate.

Más resçebió siete onças e una ochava de oro que resçebió en la Conçebiçión en xi de agosto para fazer una funda de oro a un grano grueso de oro.

Más resçebió en xviii° de dezienbre dos marcos (e dos onças *tachado*) e tres onças e siete ochavas e çinco tomines e nueve granos de oro, e un grano de oro fecho una rana [7], que podía pesar una onça e media, e un çinto con una cara con cuatro ojas de oro, que truxo un indio de Guacanarí.

Más resçebió dos marcos e seis onças e tres ochavas e seis granos de oro que truxeron en la Conçebiçión e en Santo Tomás çiertos caçiques del tributo.

Más resçebió dos tomines de oro que truxeron unos peones que fallaron en unos buhíos.

Más resçebió una onça e una ochava e un tomín e ix granos de oro que le enbiaron unos caçiques e asimismo tres espejos de oro.

Más resçebió çinco guaíças en xxi de enero con viii° ojas de oro.

Más en dos de febrero de xcvi tres guaíças con xi ogicas de oro que truxeron unos caçiques a esta çibdad.

Más se le faze cargo de çierto oro que mostró en (dos *tachado*) dos de febrero en çiertos enboltorios que le quedó en su poder segund primero estava, que dixo que le avían dado en presente los caçiques e indios d'esta isla, que monta todo siete marcos e tres ochavas e un tomín e çinco granos de oro, en que entra el grano de oro grueso, que pesa dos marcos e tres onças. E xvi espejos de oro e diez ojas de oro e dos cañutillos de oro e una cara con tres ojas de oro.

Más se le faze cargo del oro que asimismo mostró, que dixo que le dieron algunos caçiques e indios d'esta isla en comienço del dicho tributo que son obligados a dar, qu'es un marco e una onça e seis ochavas (dos *tachado*) tres tomines de oro.

Más resçebió en xvi de febrero seis onças e siete ochavas de oro e çinco guaíças con xv ojuelas de oro e una figura cubierta de hoja de oro que truxo Christóval de Torres, su maestresala, que dixo le dio Behechio.

---

[7] De figura de oro en forma de rana habla Las Casas (*Historia de las Indias,* I 170 [*BAE* 95, p. 451 b]).

Más resçebió que le entregaron los tenientes del reçebtor para levar a Sus Altezas en xix de febrero diez marcos e siete onças e çinco granos de oro e las joyas siguientes: un çinto con una cara que tiene xv ojuelas de oro e çinco caras de algodón con xxxvi ojas de oro e seis torteruelos, los suelos de hoja de oro, e dos çemís con x pintas de oro e una tiradera con ix pintas de oro e una carátula de algodón con nueve hojas de oro e tres espejos de algodón, las lunbres de hoja de oro, un çinto con dos caras e ocho cañutos de hoja de oro, cuatro guaíças con xxi ojas de oro, un tao e cuatro tabletas cubiertas de hoja de oro, un bonete de algodón cubierto de hoja de oro e cuatro perfumaderas de narizes con xi pintas de oro e un tao de guaní e una media luna de guaní e otra media luna de marcaxita e çiertos pedaçuelos de latón atados en uno e un çinto sin oro e dos torteruelos d'anbar e çinco cañutos d'anbar e cuatro pedaçuelos de marcaxita e dos guaíças, que son carátulas, con nueve ojas de oro que se desizieron, e pesó el oro d'ellas cuatro onças e una ochava e cinco tomines seis granos de oro.

Más resçebió cuatro ochavas e nueve granos de oro que (resçebió *tachado*) dio fray Alonso, que gelo dieron en confesión.

Dieron los tenientes del reçebtor por su mandado a Pedro de Salzedo (a su *tachado*) las cosas siguientes que se tomaron a Cahonabó e a sus hermanos cuando fueron presos para gelas bolver:

Çinco onças e dos ochavas e dos tomines e nueve granos de oro e una carátula con siete pieças de hoja de oro e tres espejos de algodón, las lunbres de hoja de oro, e dos cañutos de hoja de oro, e dos caras de algodón con xvii ojuelas de oro, tres tiraderas e una purgadera con xxix pintas de oro e çiento e una sartas de çibas e siete collares de piedra e un espejo de cobre, çinco taos e dos torteruelos de latón e un çemí de piedra.

Más que entregaron los dichos tenientes cuarenta e dos arrovas e tres libras de algodón e tres naguas en cuatro pipas e un tonel, lo cual resçebió Luis de Mayorga por mandado del almirante e señaló las dichas pipas.

Resçebió más el señor almirante de Molina, que le avía dado un caçique por çierto rescate un espejo grande de oro e más onze granos de oro, los cuales no se pesaron porque no quiso el señor almirante, e hera de peso de diez pesos de oro e otros más e otros menos.

Las cifras que arroja esta singular cuenta hablan por sí mismas. Aquellas fabulosas montañas de oro que prometía el almirante a un auditorio embelesado se achican a ojos vistas hasta convertirse en un minúsculo montoncillo: a lo largo de un año recibe Colón unos 28 marcos de oro, esto es, unos 6 kilos y medio en números redondos. La desproporción entre los sueños ofíricos y la contaduría llevada a cabo por los tesoreros suplentes resulta tan abultada que no puede por menos de parecer grotesca tanta vana palabrería. Del «despojo de Cahonabó» se obtienen más que nada piezas exóticas; la embarcación que capitanea Juan Vizcaíno, es decir, Juan de la Cosa, viene cargada de mil baratijas y de 152 «piedras de colores» que el marino confundió sin duda con gemas, pues se apresuró a tomar el camino de la Concepción para presentarlas al almirante. Los tributos exigidos por el virrey rinden ridículas menudencias: unos caciques le envían una onza y poco más de oro, Behechio, el hermano de la bella y coqueta Anacaona, el señor de Xaraguá, le presenta siete onzas, Guacanagarí alcanza a pagar dos marcos, el mismo impuesto pechan otros reyezuelos, todo rayano en la pobretería o en la miseria, sin que se vea de dónde, sino del magín calenturiento de Colón, pudo venir que «sólo el rey Manicaotex daba cada mes una media calabaza de oro llena, que pesaba tres marcos, que montan y valen ciento y cincuenta pesos de oro o castellanos»[8]. Más bien la recaudación comenzó a dar fruto en diciembre de 1495, y ateniéndose al documento antes transcrito ascendió a la cantidad de 4 marcos, 1 onza, 3 ochavas y 3 granos, haciendo caso omiso de presentes y obsequios. La vendimia del tesoro —el millón de ducados que prometía Colón (nuevo texto, carta V, p. 54)—, había producido un resultado poco superior a los 200 pesos reseñados en el memorial anónimo, pero tal suma era decepcionante; desde el punto de vista financiero, el negocio conducía de cabeza a la quiebra dado su elevado costo material y la sangría humana que entrañaba.

Si el oro brilla por su escasez, en cambio merece atención extrema el grado de adaptación al ambiente que demuestra el informe de los tesoreros. En cuatro folios de ceñida prosa hacendística el vocabulario se tiñe de exótico colorido: *bohío, cacique, cemí, ciba, guaíza, guaní, hamaca, macana, nagua* se emplean en 1496 como palabras de uso corriente, y tan sólo los oficiales se sienten obligados a glosar *guaíza* por 'carátula'. Las demás constituyen moneda común que no necesitan ya explicación alguna incluso para los destinatarios del informe, que viven en un mundo radicalmente diverso; tanto es así, que ahora andamos muy a oscuras sobre el significado de *tao*, vocablo que tiene todas las trazas de ser taíno. Las Indias han entrado ya en la vida cotidiana de los españoles a todos los efectos, para bien y para mal de unos y de otros.

3.   *Colón en Castilla. Mañas y argucias del «almirante de los mosquitos»*

Cuando, el 11 de junio, Colón desembarca en Cádiz, su atuendo es el más indicado para causar hondo efecto, pues cubre su cuerpo una especie de hábito al modo de los franciscanos de la observancia[9]. A no menor pasmo mueve su séquito: va acompañado del hermano del cacique Caonabó, a quien obliga a ponerse un collar de oro de 600 castellanos de peso[10] a la entrada de alguna ciudad o aldea; además, lleva consigo

[8] Las Casas, *Historia de las Indias,* I 105 (*BAE* 95, p. 291 b).
[9] Andrés Bernal, *Memorias,* CXXXI (p. 334 Gómez Moreno-Carriazo).
[10] No se puede comparar, sin embargo, con la cadena de cuarenta y dos eslabones,

diversas curiosidades indianas: «coronas, carátulas, cintos e otras muchas cosas entretexidas de algodón» y muy particularmente «una corona, que dezían que era del cacique Caonaboa... muy grande e alta, e tenía a los lados... unas alas como adargas e unos ojos de oro tamaños como taças de plata de medio marco cada uno». Colón, el traficante, sabe muy bien cuidar su imagen, alternando el oro con el pintoresquismo indiano; la corona, apenas hace falta decirlo, no es otra que la máscara «de siete pieças de hoja de oro» entregada por los tenientes de Olano.

Muy pronto se adivina cómo ha montado el almirante su propaganda, pues repite sin apartarse un ápice el esquema que tan óptimos frutos le había reportado en 1493: presentación de bujerías exóticas, alarde de objetos preciosos y derroche de labia, unida a la fe más ciega en su empresa, a la hora de defender su misión providencial ante los reyes: a veces la fantasía vale más que mil tesoros. Pero por si acaso, también trajo el almirante otras cosas de su isla, que fueron transportadas Guadalquivir arriba hasta Sevilla y guardadas en el alcázar: entre ellas «maderos e piedras de las Yndias e pipas de algodón hilado e una pipa de arena» [11]. Los «maderos» son muy probablemente palos de brasil; las piedras, blancas como indica otro asiento, quizá correspondan a las que le llevó Juan de la Cosa a la Concepción; el algodón hilado le fue entregado por los tesoreros en cuatro pipas y un tonel; en cuanto a la arena, es de suponer que fuera una muestra de la recogida en la superficie de las minas de Ofir: hay que recordar que también en el primer tornaviaje Colón había traído arena, de la cual Diego de Torres, baile de Valencia, lavador, había sacado oro después de haberla «ensayado» [12]: era lo menos que se podía obtener de Ofir, cuyas playas estaban tapizadas del dorado metal. El eco

---

hecha del oro de la isla de San Juan, de valor de 1.025 castellanos, que los oficiales de la Casa de la Contratación enviaron a D. Fernando por medio de Rodrigo Ortiz, sobrino del doctor Matienzo, el 28 de septiembre de 1509 (A.G.I., Contrat. 4674, Libro manual de Matienzo, II, f. 19r).

[11] A.G.I. Contrat. 3249, f. 103v y 104v. Curiosamente, tardó mucho en hacerse uso de las mercancías colombinas, según sabemos por un documento notarial. El 7 de abril de 1497 a hora de vísperas poco más o menos y estando dentro del Alcázar Viejo, en el cuarto «que dizen del Almirante», Francisco de Madrid, criado de Jimeno de Briviesca, contador de la armada de Indias y Bartolomé Díaz, cómitre del rey, vecino en San Lorenzo, dijeron que, por cuanto allí estaban «cuatro pipas e un tonel llenos de ovillos e madexas de algodón filado que se truxo de las Yndias, las cuales dichas pipas e tonel están cerrados fondados con sus fondos e porqu'ellos las querían abrir para las vender e saber lo que pesavan, que en presençia de mí, el dicho escrivano, las querían abrir a pesar a romana». El escribano dio fe de que las dichas pipas y tonel «pesavan [t]res quintales e una libra de algodón, que son cuarenta [ar]rovas e una libra» (A.P.S., Oficio V, legajo 36, signatura 80, ff. 50v-51r). Ignoro la causa de este retraso incomprensible.

[12] Así dicen los reyes en la instrucción a Aguado publicada por la duquesa de Alba (*Autógrafos de Colón*, p. 5).

de tales noticias llegó pronto a las diversas cortes europeas: Antonio
Costabili dio aviso a Milán de la llegada del almirante a Cádiz, portador
de «gran cantidad de oro, del cual ha encontrado una mina» [13]: tan gran
poder tiene siempre la palabra y la imaginación.

A fines de 1496 tuvo lugar por fin la esperada audiencia con los reyes.
El descubrimiento de las minas de Salomón quedó avalado por «un buen
presente de oro por fundir» [14], así como por el polvo aurífero; después
vino el despliegue de máscaras, papagayos y otras novedades ya no tan
nuevas ni tan excitantes. Aun así queda constancia del asombro de algún
cortesano, como Pedro Mártir, que manoseó estupefacto una pepita de
oro «más grande que un puño, de veinte onzas de peso» [15], en Medina del
Campo. Todos estos presentes causaron «mucha alegría a los reyes», según narra inocentemente Las Casas, que aprovecha la ocasión para despachar de un plumazo las informaciones adversas que Aguado trajo contra
el almirante; no cabe poner en tela de juicio el júbilo regio al volver a ver
a su virrey de las Indias, pero no parece que tal satisfacción la provocaran
las preseas que exhibía Colón, máxime cuando en la relación de los
tesoreros podían leer cómo ese grano de oro grueso, que pesaba la friole-
ra de dos marcos y tres onzas, algo más de medio kilo, constituía una
rareza única, que, precisamente por su singularidad, la había hecho engas-
tar en oro el 11 de agosto de 1495 su exuberante virrey, sin duda para
hacer ofrenda de pieza tan extremada a sus señores. A la perspicacia de
los reyes mal se les podía escapar la zalamería interesada de Colón, así
como tampoco se les ocultaba el pobre resultado económico de la aventura indiana, pues las cifras cantaban: en las islas había más cínifes que oro,
y de ahí que a su gobernador se le diera el remoquete afrentoso de
«almirante de los mosquitos» [16]. Cortésmente, pues, hicieron donación a
D. Cristóbal de aquella pepita desaforada, símbolo impar de las demás
grandezas que se mostraban remisas a aparecer. Quedóse muy gustoso el
genovés con este brillante cebo para engaño de incautos y postín y lustre
personal; sólo cuando el oro hubo cumplido su misión propagandística,
en vísperas del tercer viaje, Colón lo remitió el 29 de abril de 1498 a su
hijo D. Diego, estante en la Corte, para que lo entregara a la reina, pues
era «tal gioya... que era cargo de consçiençia a desfazele»; y aun aconsejaba a su primogénito que realizase la ofrenda después de comer, aprove-

[13] *Raccolta,* III 1, p. 148, con data errónea de 23 de junio de 1496.
[14] Las Casas, *Historia de las Indias,* I 112 (*BAE* 95, p. 304 a); D. Hernando, *Historie,*
LXXV (11. p. 119 Caddeo).
[15] *Décades,* I 4 (= *Cartas,* p. 80). De su descubrimiento habla también Colón (nuevo
texto, carta V, pp. 47-48): en Cibao, cerca de la mina de cobre, «fallé otras muchas [minas]
de oro a las cuatro leguas, de adonde salió un grano que pesa veinte honzas».
[16] D. Hernando, *Historie,* LXXXV (II, p. 163 Caddeo).

chando los efluvios de euforia y alegría que siguen a la eutrapelia simpo-
síaca; bien sabía el almirante halagar la sensibilidad femenina de doña
Isabel, a quien él había abierto su corazón en Barcelona, en 1493, hacía
mucho tiempo (doc. XXI [p. 200]).

4. *La cosmografía colombina,*
   puesta en entredicho

Mas a Colón le aguarda todavía otra desagradable sorpresa: el recibi-
miento que se le hace en la Península puede ser más o menos cordial,
según las circunstancias, pero está marcado asimismo por la incredulidad
y el escepticismo. A poco de llegar sufre el primer sofocón serio por este
motivo. En efecto, el almirante, Fonseca y el hermano de Caonabó reciben hospedaje en casa de Andrés Bernal, cura de los Palacios, que pronto
congenia con el genovés. Su simpatía por él es transparente, y hubo de ser
mutua, ya que Colón le deja algunas escrituras suyas. No obstante, cuando llega la hora de hablar de cosmografía y D. Cristóbal se ufana de
haber llegado a las cercanías de Catayo, el curita, que no era un cualquiera —no lo podía ser nunca un amigo de Deza—, se atreve a discutir con
el navegante y, recordando sus viejas lecturas del libro de Juan de Mandevilla, le espeta que allí, donde él pensaba tocar casi esa provincia de
China, aún le faltaban más de 1.200 leguas por recorrer hasta alcanzar esa
pretendida longitud [17]: tan poca aceptación tenían en la Península las
ideas geográficas de Colón. Y éste, puesto en ridículo delante de su
enemigo Fonseca, tasca pacientemente el freno y soporta impertérrito esa
insospechada e impertinente lección que le imparte un lego en marinería,
que encima le hace saber que buscaba el Catayo por una banda errónea,
esto es, por un paralelo equivocado. Así es como el gran mareante, el que
presumía de cartear y echar puntos mejor que cualquier piloto andaluz,
queda corrido como si fuese un absoluto ignorante de la más elemental
ciencia astrológica. En verdad los tiempos habían cambiado mucho; entonces tocaba la hora de la humildad.

Más ardua empresa esperaba a Colón en la Corte. Si, por un lado,
tenía que excusarse contrito por haberse tal vez excedido en el uso de sus
atribuciones (así p. e., en haber nombrado adelantado a su hermano D.
Bartolomé), por otro debía manifestar su asombro, su dolor y su más
enérgica protesta por haber visto conculcados los derechos que la capitulación real le concedía, además de responder a los cargos, algunos de ellos
muy duros, que le formulaban sus adversarios. A pesar de todo, en las

---

[17] Cf. sus *Memorias,* CXXIII (p. 308ss. Gómez Moreno-Carriazo).

intrigas cortesanas brilla de manera esplendorosa la maestría del almirante. Desconfiando de la eficacia del oro, que aparecía a cuentagotas, Colón trajo bajo el brazo un curiosísimo tratado sobre los indios de la Española del ermitaño fray Ramón Pané, en el que se afirmaba sin rodeos que los naturales que habían recibido el bautismo eran cristianos por obra del virrey de las Indias [18]. Semejante aserto había de causar profunda mella en el espíritu de reyes tan Católicos como Fernando e Isabel: no se podía permitir que millones de almas rindieran culto al diablo y sufrieran por ende condenación eterna, tostándose a perpetuidad en las llamas del infierno. Por otra parte, seducía a los monarcas, y no en último extremo a D. Fernando, la mágica aureola del imperio ultramarino, que podía augurar el inicio de su dominio universal, que también le prometían los humanistas áulicos al excogitar como emblema regio el yugo con los flecos del nudo gordiano deshecho, símbolo del señorío de Asia y por ende, implícitamente, de la soñada reconquista de Jerusalén. No, los soberanos no pueden abandonar la empresa indiana, y Colón lo sabe muy bien y los tiene prendidos de sus palabras, que fluyen apasionadas y vehementes de su boca con la convicción del profeta enviado por Dios para cumplir una misión trascendental sobre la tierra. Así, pronto consigue de nuevo la confirmación de sus privilegios el 23 de abril de 1497, amén de otras mercedes y preeminencias a lo largo de ese mes decisivo en el que se gestó el despacho del tercer viaje. Todo ello es suficientemente conocido para ser glosado de nuevo [19]. En cambio, muy pocos recuerdan que, entre los reproches que se dirigían a Colón, se encontraba una descalificación tajante de su descubrimiento, y ello no por su «tiranía» o sus delirios imaginativos, sino por no haber dado con las Indias que había prometido descubrir. A un memorial como el del doctor Cisneros no cabe responder con textos legales y proposiciones muy jurídicas, sino con argumentos científicos de la más variada índole: en suma, Colón ha de cargarse de razón también aquí, acumulando todos los indicios y pruebas que conduzcan a demostrar su verdad. En este momento se pone otra vez de manifiesto la genialidad del genovés, que no desmaya ni por asomo incluso en una cuestión que parece por encima de sus entendederas, y no vacila en enzarzarse en una discusión de orden geográfico en la que nadie de veras entendía.

---

[18] D. Hernando, *Historie,* LXI (II, p. 50 Caddeo; cap. XXIII de la relación de Pané).

[19] Cf. mi artículo sobre «Los primeros memoriales de agravios colombinos», *Historiografía y Bibliografía americanista,* XXXI (1987) 3ss.

5. *Los libros del almirante*

Entonces, en 1497, es cuando Colón hizo acopio de material bibliográfico para refutar a sus contrincantes. A tal efecto están destinadas las compras de libros que todavía hoy se conservan en la Biblioteca Colombina de Sevilla: obras como la *Imago mundi* y otros tratados de Pedro d'Ailly, la *Historia rerum* de Eneas Silvio Piccolómini, el tratado de Marco Polo o la *Historia natural* de Plinio, que presentan en sus márgenes abundantes apostillas, algunas de ellas autógrafas del almirante. Cuando en el siglo pasado se redescubrieron estos volúmenes, los estudiosos de Colón pensaron que formaban parte de la biblioteca que allegó el genovés para convencer a los reyes a realizar el descubrimiento. Fomentó este espejismo el hecho de que muchas apostillas, datadas, remontan a años anteriores a 1492, tanto en la *Imago mundi* como en la *Historia rerum*. En cuanto a las anotaciones a Marco Polo, la presencia en ellas de claras referencias a las Indias (puerto de Alfa et o [III 8]; hutías [III 7]) aconsejaba al menos prudencia; sin embargo, autores de prestigio las han utilizado para ilustrar el proceso mental de Colón en vísperas del magno viaje. También vino a enturbiar el panorama la diversidad de manos que escribieron tales notas, pues una descuidada afirmación de Las Casas hizo creer a muchos que, además de D. Cristóbal, también había intervenido en su redacción D. Bartolomé.

Bien es verdad que en el *Diario de la navegación de Cuba* (texto nuevo, carta IV, p. 38), se encuentran unos pasajes que podrían ser tomados como una referencia al libro poliano:

Bien podría ser que, fuera de la ribera de la mar, que abrá otro regimiento, como avemos leido y se deve creer la mayor parte.
Verdad <es> que si yo fuera de la parte del setentrión, como yo fue del austro, fazia el Cataye, que trovara províncias fermosas. Yo gastaré algún tiempo en enbiar gente la tierra adentro, [e] si en la costa no fallara lo que se escrive en las istorias d'esta província <de> hedifíçios reales y de fertilidad de la tierra, que yo agora e comprendido harto, y sobre todo por qué dizen que los antecesores d'este emperador embiaron a Roma que les embiasen doctores que les enseñasen nuestra sancta fe, porque se querían fazer christianos con su gente.

Pero es preciso volver a recalcar que reina en estas dos citas vaguedad suma; a la famosa embajada de Cublay al Papa se alude ya en la correspondencia con Toscanelli, así como el prólogo al *Diario del primer viaje*; el resto son lugares comunes. Su testimonio, a fin de cuentas, nada prueba: Colón se sigue moviendo en la misma nebulosa que en 1492.

En la actualidad, ningún estudioso serio de las apostillas admite que la adquisición del tratado de Marco Polo date de fecha anterior a 1497 [20]. A mayor abundamiento, una nota de la *Historia rerum* indica de manera evidente que también fue escrita después de 1492; escribe Colón, en

[20] En efecto, fecha la llegada a manos de Colón del ejemplar de Marco Polo una misiva del mercader inglés John Day a Colón. Desconocía esta carta de Day, al redactar las páginas dedicadas a las apostillas, S. de Madariaga, *Vida de muy magnífico señor don Cristóbal Colón*, Buenos Aires, 1973 (reimpr.), p. 133ss y en especial 135. Como es sabido, Humboldt llegó a dudar de que Colón hubiese leído a Marco Polo; fue O. Peschel (*Geschichte der Erdkunde*, reimpr. Amsterdam, 1961, p. 245 nota 1) quien adujo en contra la cita del *Diario del tercer viaje*.

En este punto ha quedado anticuado el estudio de A. Cioranescu, *Colón humanista*, Madrid, 1967, p.11 ss., que sigue admitiendo el influjo ejercido por el libro de Marco Polo (y de Ptolemeo y d'Ailly) en la gestación del Descubrimiento. Asimismo se equivoca el benemérito colombista P. E. Taviani, «Ancora sulle vicende di Colombo in Castiglia en *Presencia italiana en Andalucía. Siglos XIV-XVII*, Sevilla, 1985, p. 234ss. (en p. 237 afirma que el libro de Marco Polo lo poseía Colón antes de 1492; es claro que no logré convencerlo en mi intervención en el coloquio que tuvo lugar tras su ponencia).

Las apostillas al Marco Polo fueron escritas necesariamente después del 1496 ó 1497; puede ponerse en tela de juicio la fecha de la serie B y C de De Lollis. En cuanto al Plutarco, M. Conti («Le postille di Cristoforo Colombo alla *"Naturalis Historia"*» en *Scritti in onore del Prof. Paolo Emilio Taviani*, Génova, 1986, III, p. 75ss. y sobre todo 91), partiendo de criterios diferentes a los míos, señala que la razón última de las notas E 1-5 estriba en la localización de la Ofir bíblica, indicando que la lectura de Plinio puede preceder a la partida para el tercer viaje. Es evidente que la apostilla E 23 hubo de ser redactada por fuerza después de 1492, dado que se cita en ella de manera expresa la isla Española; pero me congratula ver que la estudiosa italiana se inclina a fechar la nota colombina en 1496-98 (para mí es más tardía, según he intentado demostrar), los años decisivos en la formación de la biblioteca del Almirante, y no en 1495, como había supuesto O. Chiareno («Recenti studi sulla lingua scritta di Colombo» en *Atti I Convegno Internazionale di Studi Americani (Genova-Rapallo, 1974)*, Génova, 1976, p. 110).

No existe bibliografía abundante sobre las apostillas. Todavía merecen leerse las páginas que dedicó al estudio de los volúmenes colombinos Simón de la Rosa y López (*Libros y autógrafos de D. Cristóbal Colón. Discursos leídos ante la Real Academia Sevillana de Buenas Letras en la recepción pública del Dr. Simón de la Rosa y López el 29 de junio de 1891*, Sevilla 1891, parcialmente reproducidas en *Biblioteca Colombina. Catálogo de sus libros impresos, publicado... bajo la inmediata dirección de... D. Servando Arbolí y Faraudo..., con notas bibliográficas del Dr. D. Simón de la Rosa y López*, Sevilla, 1891, I, VIIss). La mayor parte de los colombistas aborda el tema desde un punto de vista parcial, sobre todo con vistas a negar o afirmar la estancia de los Colones en Lisboa a la llegada de Bartolomé Dias en 1485 (cf. mi Prólogo a *Textos*, p. LVIII, nota 186). Sobre la letra del almirante el único estudio serio y completo dentro de un orden se debe a F. Streicher, «Die Kolumbus-Originale, eine paläographische Studie» en *Spanische Forschungen der Görresgesellschaft*, I (1928) 196ss., a pesar de todas sus imperfecciones y aventuradas teorías. En Italia la crítica de las apostillas parece reservada a la familia Caraci: cf. G. Caraci, «Quando cominciò Colombo a scrivere le sue postille?» en *Scritti geografici in onore di Carmelo Colamonico*, Nápoles, 1963 y sus dos artículos «Il presunto 'lusismo castiglianizzante' della lingua di Colombo» y «Un elemento di base per la determinazione delle postille colombiane» en *Tra scopritori e critici*, Roma 1963-1964, p. 147ss y 112ss. respectivamente; I. L. Caraci, «La postilla colombiana B 858 e il suo significato cronologico» en *Atti del II Convegno*

efecto, al discutir las diversas opiniones sobre el curso del ecuador, unas palabras reveladoras: «El círculo equinoccial va fuera de toda tierra a través del Océano a las espaldas de África más allá del Occidente [o quizá del Océano: trans. o. *el texto latino*]. Esto encontramos que era verdad de acuerdo con Macrobio» (B 23). Tan extraña teoría, que confunde el ecuador con un hipotético meridiano principal, la he ilustrado con otros textos del almirante [21]; pero salta a los ojos que Colón no podía dar la razón a Macrobio por experiencia propia antes de efectuar su primera travesía ultramarina, es decir, antes de 1492, porque sólo entonces halló que «en passando çient leguas a Poniente de los Açores» (es decir, del Occidente) había una línea «de Septentrión en Abstro», la cual se transponía como una cuesta (doc. XXIV [pp. 211-212]), la misma que había servido a Alejandro VI para trazar la raya de demarcación en 1493 a indicación del propio D. Cristóbal.

Por ende, si los libros de Marco Polo, de Plinio y de Pío II fueron anotados después de 1493, la lógica más elemental invita a deducir que otro tanto ocurrió con los demás volúmenes. Hace tiempo que vengo insistiendo en que, a la hora de valorar las apostillas marginales, es preciso emitir un juicio de conjunto, sin limitarse a desplegar razones de carácter meramente paleográfico en pro o en contra de una determinada hipótesis [22]. Las anotaciones colombinas constituyen un todo que es insensato, en principio, deshacer en mil pedazos, sobre todo cuando presentan una misma factura e idéntica horma, cortadas como están por el mismo patrón tanto desde el punto de vista lingüístico como ideológico. La limpieza en la ejecución de las notas, la claridad con que están dispuestas, su propio contenido e intereses revelan en un examen atento que se trata de libros de aparato, de las autoridades con las que Colón apunta-

---

internazionale di studi colombiani, Génova, 1977, p. 199ss. (la fecha 1481, considerada como el más antiguo autógrafo colombino, pertenece en realidad a la cuenta de los años del mundo, de raigambre judía y muy especialmente influida por el *Seder Olam Rabba*) y «La cultura di Colombo», *Atti del IV Convegno internazionale di Studi colombiani, Genova 21-23 ottobre 1985,* Génova, 1987, II, p. 211ss. Una visión de conjunto ofrece R. Contreras Miguel, «Conocimientos técnicos y científicos del descubridor del Nuevo Mundo», en *Revista de Indias,* XXXIX (1979) 89ss., con estudio especial del Ptolemeo conservado en la Academia de la Historia de Madrid. D. Ramón Menéndez Pidal sólo tangencialmente abordó el problema de las anotaciones marginales; pero a él se debe la demostración de que las apostillas a las *Vidas* de Plutarco, editadas por De Lollis como escritas por D. Cristóbal, se deben en realidad a la pluma de su hijo D. Hernando (cf. «Nota adicional sobre el lenguaje de don Fernando Colón» en *La lengua de Cristóbal Colón,* Buenos Aires-México, 1944, p. 30ss.).

[21] «Pedro Mártir de Angleria, intérprete de la Cosmografía colombina», en *Anuario de Estudios Americanos,* XXXIX (1982) 487ss.

[22] En el prólogo a *Textos,* p. LXII y en *Cartas,* p. 133.

la su doctrina, tan criticada y con razón. De buenas a primeras, el almirante ha de convertirse en humanista, para disputar de Catígara, del Gran golfo, de la Tapróbana, para saber si hay que quitar la razón a Ptolemeo y dársela a Marino de Tiro. Asombra en verdad que este hombre, autor de memoriales sin cuento, enfrascado ya en los preparativos del tercer viaje, dispusiese encima de tiempo libre para salir al paso de las objeciones de sus enemigos y engolfarse en cominerías eruditas. Pero su capacidad de trabajo y su tenacidad no tienen límite, y así, aunque ayudado por un puñado de leales, escribe frenético mil notas y establece en su morada, itinerante las más de las veces, una especie de escritorio medieval, en el que él sienta la pauta y da las directrices oportunas. En consecuencia, las apostillas ponen de manifiesto en más de una ocasión las preocupaciones que embargaban al genovés en los meses febriles de aquel año exultante de 1497; pero hay un caso muy claro que merece especial atención por su relevancia.

6. *Colón y la Tapróbana*

Como es fácilmente comprensible, el almirante tuvo que informarse muy en serio sobre esa isla cuyo descubrimiento proponía el doctor Cisneros en 1494. Todavía hoy podemos seguir la pista a su afanoso estudio y atisbar los diversos estadios de su investigación. Al leer en la *Imago mundi* que, según Albategni, la Tapróbana se encontraba enfrente de la India, o su Oriente, anotó Colón:

Observa que si la Tapróbana está como dicho queda, distaría del verdadero Occidente [Canarias] 58 grados al Zéfiro [el Oeste]. Por lo tanto, decimos bien que entre España y la India media un mar pequeño (C 36-37).

Parece sentirse todavía la íntima convicción y la enorme alegría con que el almirante escribió estas palabras: sus detractores, los que le negaban haber llegado a la India, estaban equivocados, y no era él quien lo afirmaba, sino todo un cardenal de la Iglesia católica, una lumbrera de la ciencia cosmográfica. Todo un capítulo, el XLII, dedicó d'Ailly a la famosa isla, llena de perlas y gemas, cuyos habitantes, en vez de tener trato hablado con ningún pueblo, se limitaban a exponer sus mercancías a la ribera del río; también anotó d'Ailly que las naves romanas habían llegado a ella tras una navegación de siete días. Tales noticias intrigaron esta vez a Colón, que, un tanto escandalizado por el aserto del cardenal, escribió en un primer momento:

Observa que Ptolomeo coloca esta isla debajo de la línea equinoccial y no lejana, sino próxima a la tierra firme; por lo cual conviene saber desde qué lugar zarparon las naves de los romanos (C 322).

Parecía imposible, en efecto, que para llegar a una isla tan pegada a la tierra firme como la pintaba Ptolemeo se hubiese requerido un viaje tan largo. Muy pronto, sin embargo, el propio Colón se respondió a sí mismo en la apostilla siguiente:

Al estar las naves de los romanos en la costa del mar Rojo, a la custodia de las mercancías de la India, hicieron la navegación a la Tapróbana en 15 días a causa de los vientos contrarios. Por lo tanto, zarparon de la costa del mar Rojo y del litoral de Arabia. Consulta a Plinio, libro 6, capítulo 22 (C 323).

El enigma queda ya desvelado: la flota romana había partido de muy remotas tierras, y no del puerto más cercano del continente asiático. Todas estas apostillas están escritas una detrás de otra en la misma página de mano del almirante: de hecho, la C 323 es de las poquísimas que Streicher [23] considera auténticas entre toda la copiosa anotación de la *Imago mundi*. Esta afortunada circunstancia permite establecer de manera indubitable los pasos dados por el almirante en su investigación y fijar el orden por el que fue conociendo las diversas autoridades que maneja. Es palmario, en efecto, que el uso de la *Geografía* de Ptolomeo, la más inteligible y más útil por sus tablas, precedió en el tiempo al manejo de la *Imago mundi*: de otra manera no se explica tamaño sobresalto, manifestado con toda franqueza, al leer la afirmación de d'Ailly antes comentada. Por último, Colón tuvo acceso a la *Historia natural* de Plinio, que resolvía el problema, en la traducción de Cristóforo Landino; y no es ninguna casualidad que en este ejemplar, casi limpio de apostillas, los dos capítulos referentes a la Tapróbana hayan sido señalados con una amplia raya vertical al margen. Para colmo, la anotación E 4 se refiere a Crise y Argire y la E 5 a la Tapróbana. Colón sabe muy bien lo que hace y por qué lo hace. En este caso concreto, se puede seguir muy bien su proceso inquisitivo y la lógica de su argumentación.

Si el almirante conocía de antes el libro de Ptolomeo, por fuerza había de saber que existía la Tapróbana, isla riquísima y pareja en la Antigüedad a la Cipango del Medievo, y su imaginación, tan proclive a sistematizar todo, no podía dejar de asociarlas. Tengo el convencimiento, en efecto, de que para Colón la isla de Cipango no sólo era Ofir y Tarsis, sino también la Tapróbana clásica. Así recibe la explicación un suceso

[23] «Die Kolumbus-Originale, eine paläographische Studie», *Spanische Forschungen der Görresgesellschaft*, 1 (1928) 230.

enigmático del segundo viaje. Durante la travesía, en efecto, el genovés dejó estupefactos a todos anunciándoles la existencia de una isla, Saba, al Este de la Española [24]; al menos, Miguel de Cúneo [25] quedó sobremanera admirado de la sapiencia de su compatriota, el más grande marino del mundo. La razón de esta suprema clarividencia se esclarece cuando, al contemplar el mapa de la Tapróbana ptolemaica, vemos que a su Este se encuentra una isla llamada Zaba, nombre que corrompen normalmente los cosmógrafos en Saba. No es ésta la única estupenda coincidencia: al Occidente de la Tapróbana coloca el mapa catalán de 1375 la Jana maior; al Occidente de la Española se encuentra la Juana (Jana) y la Janahica. Todos los indicios convergen, pues, para indicar que, en algún momento anterior a 1496, Colón creyó ya en la identidad de la Española y la Tapróbana. No hay que olvidar que para Jacobo Pérez de Valencia [26] y también para Las Casas [27], Ofir era la Tapróbana; y ¿no decía Colón haber descubierto Ofir? Ahora quizá comprendamos algunas afirmaciones colombinas y algunas réplicas veladas de Cisneros. La Española es tan grande como España desde Fuenterrabía a La Coruña, había asegurado el almirante (doc. V [p. 143]); la Tapróbana es más grande que España, corrige Cisneros, pues tiene 7.000 estadios. A su vez, tanto revuelo en torno al ecuador acabó por soliviantar a Colón, que al leer en la *Historia rerum* de Eneas Silvio (cap. XX-XIII) que entre los Soanos corrían torrentes auríferos, exhaló un hondo suspiro de satisfacción mientras escribía: «Entonces, no todo el oro del mundo se encuentra en la línea equi-

[24] Como es sabido, existe entre las islas antillanas una Saba, cuya relación con esta otra intuida por Colón ignoro. He aquí la relación que da de ella el *Derrotero de Isidro de la Puebla desde Sanlúcar a San Juan de Ulúa*: «La isla de Saba está en altura de .17. grados y un cuarto. Es una isla pequeña y alta, y haze una quebrada ençima no grande. Tiene a la banda del oeste un farallón; y esta isla está tajada a la mar por todas las partes. Tiene un plaçel de la banda del Sudueste. Está el prinçipio del plaçel media legua de la isla y de allí corre dos o tres leguas la buelta del Sudueste. Tiene de fondo ençima desde .18. braças» (BN Madrid, ms. 4541 f. 11r [sobre las circunstancias de la copia cf. f. 81v: «aquí aze fin el derrotero que izo el dicho Ysidro de la Puebla, que Dios tenga en la gloria. Trasladélo en el nombre de Dios yo, Pedro de Mendieta, del original qu'el dicho me dio en veinte y cinco de henero del año de 1573»]; casi igual en BN Madrid, ms. 7119, f. 14r, 55r). En el *Derroterillo* (BN Madrid, ms. 4541 [cf. f. 94v: «derroterillo no bueno qu'es a modo de preguntas, que lo uve de Salvago en la Nueba España»] se dice: «Zaba, que está en altura de 17 gtrados y medio».

[25] *Cartas*, p. 260.

[26] *Expositiones in CL Psalmos*, Lugduni, 1531, f. 194r. Allí se dice bien a las claras que a Tapróbana «la llama la Sagrada Escritura Ofir», y que «después de Tapróbana en el mismo mar Indico se encuentran las 1775 islas que Ptolemeo llama Cohortes». El Ptolemeo impreso en Ulm en 1482, además de tener Saba por Zaba, corrompe también las *Cohortes* en *Chortes*: ¿interpretó Colón estas *chortes* como 'patio', 'huerto'? Así se explicaría la designación «Jardín de la Reina»; pero otros Jardines aparecen en el Pacífico.

[27] *Historia de las Indias*, I 128 (BAE 95, p. 341 b).

noccial» (B 258). ¡Ya estaba bien de recibir lecciones de todos, incluso de su amigo Ferrer! También a él le asistía la razón, como demostraba el pasaje de Pío II.

Las tablas ptolemaicas debieron de ser conocidas y utilizadas por Colón muy pronto. No podía ser de otro modo. Una alusión expresa al geógrafo alejandrino se encuentra en el *Diario del segundo viaje* (nuevo texto, carta II, p. 9), cuando, al anunciar el almirante el envío de una carta de marear a los reyes, les indica que está hecha al modo ptolemaico, haciendo mención del paralelo de Rodas, que es «el que dista de la línea equinoccial treinta y seis grados» (I 11, p. 27 Müller):

Las rayas que ban en largo amuestran la <d>istancia de oriente a oçidente, las otras qu'están de través amuestran la <d>istancia de setentrión en ahustro. Los espaçios de cada raya significan un grado, que e contado çincuenta y seis millas y dos terçios, que responden d'estas nuestras leguas de la mar catorze leguas e un sesto; y ansí pueden contar de oçidente a oriente como de setentrión en ahustro el dicho número de leguas, y contar con el cuento del Tolomeo, que aporçionó los grados de la longuitud con los del equinoçial, diziendo que tanto responde cuatro grados equinoçiales como çinco por paralelo [pañuelo *ms.*] de Rodas los treinta y seis grados; ansí que cada grado qu'está en esta dicha carta responde catorze leguas y un sesto ansí de setentrión en ahustro como de oriente en oçidente.

Hay, por otra parte, otro testimonio documental de que en 1494 el almirante conocía la *Geografía* de Ptolemeo. Narra Cúneo [28], en efecto, que Colón aseguraba que el oro abundaba sobremanera en los ríos del Cibao, fundándose en la autoridad del cosmógrafo griego. Todo hace suponer que este rotundo juicio se debe a una falsa identificación de algún topónimo ptolemaico con un nombre de lugar indígena; confieso, no obstante, que no he hallado todavía una solución satisfactoria a esta pequeña aporía, porque ninguna de las posibilidades teóricas tienen a mi juicio viabilidad; hay, sí, la factoría Sabana o el río Sobano en la *India extra Gangem*, o quizá mejor, el río Soana en la Tapróbana, pero estos nombres no están cargados de reminiscencias auríferas. Del influjo de Ptolemeo en lo que se ha dado en llamar «génesis del descubrimiento» habla Andrés Bernal [29], sin que de esta referencia se desprenda otra cosa que Colón conocía en 1496 la *Geografía*, así como quizá el libro del fabuloso Juan de Mandevilla. Por último, es forzoso hacer alusión al ejemplar de Ptolemeo que guarda entre sus múltiples tesoros la biblioteca de la Academia de la Historia de Madrid como perteneciente al almirante; pero la apostilla colombina [30] data en cualquier caso de una fecha

---

[28] *Cartas*, p. 244.
[29] *Memorias.* CXVIII (p. 270 Gómez Moreno-Carrizo).
[30] Hay facsímile en J. B. Thacher, *Christopher Columbus. His Life, his Work, his Re-*

posterior a 1501 (antes, en efecto, Colón no firma con el famoso *Christo-ferens*), año demasiado tardío para adquirir un Ptolemeo, y algunos rasgos paleográficos, sobre todo el nexo de la *X* con la tilde de abreviatura en la palabra *Xpo*, indican que se trata de una falsificación o cuando menos, de una copia, pero no de un original, como ya señaló Streicher [31]. Ninguna pista, en consecuencia, arroja este incunable supervalorado sobre la cultura humanística del almirante.

7. *La meta de la navegación de 1498*

En su tercer viaje, en 1498, sigue Colón un rumbo extraño. Su derrota, como él mismo indica [32], es descender a la línea equinoccial y una vez en ella poner proa a poniente para investigar cuanto descubriese dejando la isla Española al Norte, a su mano derecha. Para la historiografía portuguesa [33], que enlaza esta noticia con otras afirmaciones del propio Colón, no cabe apenas duda de que la razón secreta de este cambio del rumbo seguido en los dos primeros viajes se debe a que el almirante quería hacer «una verificación experimental de los objetivos de D. Juan II», cuyas naos por aquel entonces ya habrían alcanzado las costas del Brasil. Haciendo abstracción de la peligrosa tesis de predescubrimientos no documentados, ¿cómo iba Colón a realizar una jornada de la que sólo había de sacar partido Portugal sin que le revirtiese provecho alguno a España? Evidentemente existen unas tierras, y así lo piensa el rey de Portugal, pero fuera de la línea de la demarcación española. Rumores semejantes habían inquietado a los monarcas españoles en septiembre de 1493, antes de la firma del tratado de Tordesillas; se trataba de la eterna canción de las «islas e aun tierra firme que, segund en la parte del sol en que están, se cree que serán muy provechosas e más ricas que todas las otras» [34]. No deja de ser significativo que Alonso de Hojeda se jactase en 1512 de haber sido él el responsable de haber inducido al almirante a tomar esa derrota más al mediodía, «creyendo hallar unas islas que este testigo le había dicho que havía, por información que tenía de un indio» [35]. Está

---

mains, Nueva York, 1967 (Kraus reprints), III, pp. 406-07 (= H XI del tomo I 3 de la *Raccolta*).

[31] *Die Kolumbus-Originale,* p. 214.

[32] Cf. el *Diario del tercer viaje* (doc. XXIV, pp. 205-06) y Pedro Mártir, *Décades,* I 6 (f. 22r = *Cartas,* p. 97).

[33] Así, p.e., A. Cortesão, *Brasil,* Barcelona, 1956, p. 133 (la discusión comienza en p. 129ss.).

[34] A.G.I., Patron. 9, 1 f. 56r (publicada la cédula por Navarrete, *Colección,* II, p. 124).

[35] *Pleitos colombinos,* I, p. 204 (*C.D.I.U.,* VII).

claro, pues, que el objetivo era una isla o quizá tierra firme en la zona equinoccial: nada más ni nada menos [36].

Pues bien, todo el mundo conocía la latitud de la Tapróbana [36]: la equinoccial en la tabla de Ptolemeo dividía en dos la isla. Da la impresión, pues, de que Colón ejecuta sin más en el tercer viaje el descubrimiento que proponía el doctor Cisneros, que deseaba llevar a cabo Pinzón y que le brindaba hacer al almirante Jaime Ferrer, entre otros muchos que rumiaron la misma idea, incluido el rey de Portugal: bajar hasta la línea y enderezar entonces el rumbo a Poniente hasta topar por fuerza con las costas de la Tapróbana. En refuerzo de esta interpretación quiero llamar la atención sobre un hecho lingüístico significativo. Plinio [38], al referirse a la Tapróbana, indica que «durante mucho tiempo se pensó que era otro mundo, con el nombre de antíctones». En efecto, Pomponio Mela [39] había expresado grandes dudas sobre si la Tapróbana era «una isla muy grande o la primera parte de otro mundo». Pues bien, en la relación del tercer viaje, Colón comienza a emplear precisamente esta expresión: «esta [tierra] de acá es *otro mundo*» (doc. XXIV [p. 205]); «Vuestras Altezas tienen acá *otro mundo*» (doc. XXIV [p. 218]). Más adelante su espíritu profético lo impele a alterar la expresión adecuándola a locuciones bíblicas sobre cuyo significado hemos de volver: «del *nuevo cielo e tierra* me hizo mensajero» (doc. XLI [p. 264]), si bien alternando siempre con la terminología clásica: «e puesto so el señorío del Rey e la

[36] Los investigadores modernos no se ponen de acuerdo sobre la meta del tercer viaje. A. Ballesteros (*Cristóbal Colón*, Barcelona, 1945, II, p. 364) piensa que Colón «quería corroborar por sí mismo la posibilidad de trazar esa línea ideal de demarcación que Portugal y España acordaron»; según De Lollis (*Cristoforo Colombo nella Leggenda e nella Storia*, Milán-Roma, 1931, p. 205), su propósito era «explorar especialmente el gran continente que suponía se extendía al otro lado del ecuador»; lo mismo viene a repetir S. E. Morison (*El Almirante de la mar Océano*, Buenos Aires, 1945, pp. 639-40), si bien la idea se encuentra ya en C. R. Markham (*Life of Christopher Columbus*, Londres, 1892, p. 187). Charcot (*Christophe Colomb vu par un marin*, París, 1928, p. 241) se limita a decir vagamente que el Almirante «estaba convencido de descubrir tierras nuevas». A influjo de J. Ferrer atribuye la idea del rumbo equinoccial P. E. Taviani (*I viaggi di Colombo*, Novara, 1984, II, p. 181), recogiendo una vieja hipótesis que remonta ya a O. Peschel, *Geschichte der Erdkunde*, reimpr. Amsterdam, 1961, p. 252.

[37] La recoge hasta Pío II en su *Historia rerum ubique gestarum* (cap. VIII). La isla en el Medievo se transforma en un lugar mítico: en la Tapróbana habita el rey de reyes de la India, y sus habitantes, los bienaventurados, viven hasta los 150 años, como asegura la *Relatio cuiusdam de Indie regione et de Bragmanis eorumque conuersatione* publicada por T. González Rolán y Pilar Saquero en *Cuad. Filol. Clás.*, XVI (1979-80) 80.

[38] *Hist. nat.*, VI 81. Las muy exageradas medidas de la isla que dan los geógrafos clásicos se suelen explicar por una falsa interpretación de la medida de longitud indiana *yojana*, que puede ser la *yojana* larga (14,5 metros) o la *yojana* pequeña (4 metros): se habría tomado la pequeña por la grande (así Herrmann, *RE*, s.u. 'Taprobana', c. 2264-65).

[39] *Corogr.*, III 70 (cf. Solin, *Colect.*, 53 1).

Reina... *otro mundo»* (*ibidem, p. 270*). Y aun este *«nuevo cielo,* por muy bíblico que sea, recuerda el «nuevo cielo» que tanto admiraban los habitantes de la Tapróbana al contemplar las estrellas de nuestro hemisferio. Es el caso, pues, que los monarcas impusieron a Colón el rumbo a tomar en el tercer viaje, cuyo objetivo fue alcanzar la mítica isla. Tras su fracaso, un verdadero enjambre de exploradores se va a lanzar tras la estela de sus naos y manteniendo el mismo rumbo: Vicente Yáñez Pinzón (1499-1500), que sigue sin desviarse un ápice la línea equinoccial al poniente, haciendo así realidad su viejo proyecto de 1495; Diego de Lepe (1499-1500) y Alonso Vélez de Mendoza (1500-1501) [40]. El 18 de julio de 1500 escribía Amerigo Vespuche: «Spero trar nuove grandissime e discoprire l'isola Trapobana, che è infra il mare Indico e il mare Gangetico» [41], mientras que en su carta a Soderini indicaba que durante todo el tercer viaje no se había apartado de la línea equinoccial [42]. Una y otra vez se repite el mismo esquema descubridor, y una y otra vez las costas del Brasil cierran el paso a las naos que van a golfo lanzado hacia la Tapróbana. Quizá en este vano empeño es donde mejor se muestra el enorme influjo y prestigio de la geografía clásica: en definitiva, son los humanistas quienes marcan el rumbo de las flotas descubridoras, aunque en el hervidero de ideas que entonces bullían resulte difícil atribuir a una persona en concreto la sencilla idea de alcanzar la Tapróbana por el poniente. Y todavía hay que advertir que la expresión *otro mundo* alcanzó cierta boga en aquellos años: en 1499 el monje de San Bernardo fray Gauberte Fabricio de Vagad [43], al componer su *Corónica de Aragón,* no dejó de hacer referencia a las proezas de los españoles, ante cuyo labor «fasta el mundo del *otro mundo* queda vencido y maravillado». Hasta tal punto el intento de alcanzar la Tapróbana, el *alter orbis,* marcó la terminología a emplear, acuñando esta nueva expresión, que con un pequeño retoque estaba llamada a gozar de fortuna extraordinaria: el Nuevo Mundo se hallaba ya en

---

[40] Sobre el viaje de Vélez de Mendoza disponemos de un amplio estudio de L. A. Vigneras en *Anuario de Estudios Americanos,* XIV (1957) 333ss. y *The Discovery of South America and the Andalusian Voyages,* Chicago-Londres, 1976, p. 83ss. Cf. ahora mi artículo sobre «Marinos y mercaderes en Indias (1499-1504)», *Anuario de estudios americanos,* XIII (1985) 332ss., 375ss.

[41] Carta del 18 de julio de 1500 a Lorenzo de Pierfrancesco de Medici, que tomo de R. Leviller (*América la bien llamada,* Buenos Aires, 1948, I, pp. 265-66), y que corrijo según su propio facsímile (=I, p. 13, 24 de *Amerigo Vespucci. Lettere di viaggio,* Florencia, 1985, edición de L Formisano).

[42] *Raccolta,* III 2, p. 162, 3 (= p. 59, 11 ss. Formisano). No se trata, pues, de «un verdadero viaje de circumnavegación» (L. Hugues, *Raccolta,* V 2, p. 122). Gómara insiste una y otra vez en su *Historia general de las Indias* (cap. 88, 89 y 103 [*BAE* 22, p. 211 a b, 221 b]) en que Vespuche fue a buscar las Malucas por el cabo de San Agustín.

[43] H. Harrisse, *Bibliotheca Americana Vetustissima, Additions,* pp. 10-11, n.° 9.

cierne. Y el mismo éxito encontró el término en Portugal: el 20 de mayo de 1503 Valentim Fernandes [44] se refiere a que Cabral «descobriu aquem do Ganges, num mar desconhecido, sob a linha equinocial, um *outro mundo* pela divina Providencia ignorado da todas as outras autoridades».

8. Un proyecto contemporáneo de Juan Caboto

Los descubrimientos ingleses revolucionaban por aquel entonces a cuantos estaban interesados por la expansión atlántica. No sin cierto orgullo relata el 23 de agosto de 1497 Lorenzo Pasqualigo [45], en carta a sus hermanos Alvise y Francisco, que había regresado «Zuam Talbot», es decir, Juan Caboto, el veneciano que con un navío de Brístol había ido a descubrir tierras nuevas, encontrando a 700 leguas de navegación un continente, sin duda el país del Gran Kan, cuya costa bordeó a lo largo de 300 leguas y en la que plantó una bandera de Inglaterra y otra de San Marco o quizá, como otros decían, del Papa. Para no ser menos que Colón, Caboto se hizo llamar gran almirante, y muy honrado por el monarca inglés se paseaba vestido de seda llamando la atención de todos con su empaque. Pero más interés ofrece la misiva enviada por Raimundo de Raimondi [46] al duque de Milán desde Londres el 18 de diciembre de 1497, pues no sólo vuelve a referir la hazaña del veneciano, sino que se extiende en detalles sobre sus proyectos ulteriores. Caboto, en efecto, tiene el propósito de seguir la costa hasta colocarse enfrente de la isla de Cipango «situada en la región equinoccial, donde se cree que nacen todas las especias del mundo y también las joyas»; el veneciano, por consiguiente, que no conoce o no cree en las teorías colombinas, se basa para elaborar su plan en una hipótesis sencilla: él, que ha estado varias veces en la Meca, sabe que las especias se crían en partes muy remotas; ahora bien, «si los orientales aseguran a los meridionales [árabes] que estas cosas proceden de lejos de su tierra y que así vienen de mano en mano, sentada la redondez de la tierra es necesario que los últimos las cojan al septentrión, hacia el occidente». Este elemental razonamiento convenció

---

[44] Tomo la referencia de R. A. Laguarda Trías, *El predescubrimiento del río de la Plata por la expedición portuguesa de 1511-12,* Lisboa, 1973, pp. 1213. Es de notar que Schedel había usado también la expresión «otro mundo» para designar a los antípodes africanos descubiertos, una vez pasada la línea equinoccial, por Diogo Cão y Martín Behaim en 1493 (*Liber chronicarum,* f. 290).

[45] *Raccolta,* III 2, p. 109.

[46] *Raccolta,* III 1, p. 197.

a Raimondi y al parecer también al soberano inglés, que preparaba una armada para realizar el descubrimiento. Como se ve, Caboto parece identificar Cipango con la Tapróbana, la isla cortada en dos por el ecuador y cuna de todas las riquezas del mundo; por tanto, su expedición futura pretende también llegar a esa isla, o quizá mejor asentarse en tierra firme, enfrente de la isla, en el hemisferio norte. Ahora bien, hemos visto cómo Caboto, antes de navegar bajo bandera inglesa, había ofrecido sus servicios a los reyes de España [47]; es de suponer, por consiguiente, que el plan acariciado por el veneciano correspondía en esencia al proyecto esbozado en el memorial de Cisneros años antes. El objetivo, en uno y otro caso, no varía: la isla situada en el ecuador es la meta a alcanzar.

Todos estos sucesos y preparativos no escaparon ni a Colón ni a la Corte. El mercader inglés John Day tuvo al corriente al almirante de este viaje, y otras relaciones hubieron de venir a manos de los reyes. Era preciso obrar con rapidez, atajando los planes de Caboto, que venían a resaltar la importancia del descubrimiento cuyo valor había encarecido ya el doctor Cisneros. El tercer viaje viene, pues, a insertarse en el puesto que le corresponde dentro del complicado tablero en el que iban moviendo sus piezas las diversas potencias marítimas de Europa, dado que el cariz que presentaban los acontecimientos no ofrecía otra opción, mal le pesara al almirante. A su vez, la malhadada navegación emprendida en mayo de 1498 por Caboto indica que el monarca inglés no renunciaba a poner en ejecución su empresa, aunque ya Colón se le había adelantado en tomar posesión de la tierra firme en nombre de la Corona de España, y tras él se había de precipitar la avalancha de marinos castellanos y portugueses.

Estas relaciones referentes a Caboto nos ayudan sobremanera a comprender los problemas, a veces trágicos, que embargaban al almirante de las Indias. El veneciano, como Colón, llega a tierra del Gran Kan; menos mal, sin embargo, que todos los miembros de su exigua tripulación eran ingleses, pues, de no ser así, nadie hubiese dado crédito a sus palabras, que ahora podían ser contrastadas con el testimonio de sus hombres: prueba irrefutable de la mala fama que tenían las fanfarronadas de los navegantes italianos, pedigüeños, gárrulos y omnipresentes. Los lobos de mar de Brístol aseguraban que, una vez encontrado el camino, no se tardaría en volver más de 15 días, y asimismo referían que por aquellos parajes no soplaban las tempestades que sufrían cuando dejaban Irlanda;

---

[47] Sobre la figura de Juan Caboto (p. 77ss.), además del libro fundamental de J. A. Williamson, *The Cabot Voyages and Bristol Discovery under Henry VII*, Londres, 1962, cf. el excelente resumen de S. E. Morison, *The European Discovery of America. The Northern Voyages*, Nueva York, 1971, p. 157ss.

la misma maravillosa templanza de aire encuentra Colón cuando traspasa la «raya» situada a cien leguas del Occidente, como es de esperar en el camino hacia el Levante, donde se alza el Paraíso Terrenal. Logrado el éxito, se desboca la fantasía tanto de Caboto como de Colón. El veneciano comienza a repartir entre sus amigos gracias y mercedes a troche y moche: a un borgoñón, a un genovés «da Catione», a otros más les concede el gobierno de ínsulas, de suerte que ya se consideran punto menos que condes; a unos «pobres frailes italianos», sin duda franciscos, les promete obispados que también encandilan a Raimondi. La alegría y el optimismo reina en el entorno de Caboto; los ingleses, por el contrario, se muestran recelosos, así que los colonos han de ser reclutados entre «todos los malhechores», excepción hecha de los reos de traición, como precisa Pasqualigo. Este contraste me parece fundamental: Colón y Caboto no dejan nunca de ser «extranjeros», por mucho que presuman de almirantes, de modo que no logran despejar el nubarrón de suspicacias que pesa en todo momento sobre ellos; es inevitable, entonces, que el grupo de hombres de confianza lo integren italianos, camarilla forastera que automáticamente aviva las sospechas y los odios, sin que se vea manera de salir de este círculo vicioso. También indicativo es el bajo estrato social del que se nutre la población de las futuras colonias: «malhechores» en la empresa de Caboto, «conversos» en la colonización portuguesa de África y del Brasil. Los mismos individuos marginados de la sociedad, más enmascarados esta vez, fueron los que hicieron posible el asentamiento español en el Nuevo Mundo.

9. *El viaje de Duarte Pacheco Pereira*

Por estas mismas fechas se sitúa un viaje muy discutido, cuyo único testimonio se encuentra en un pasaje del *Esmeraldo* de Duarte Pacheco, donde se habla que, frente a la «parte d'aquem» formada por Europa, Asia y África, se encuentra una «terra d'alem» enorme, que se prolonga desde los 70 grados de latitud Norte hasta los 28 grados y medio de latitud Sur, dilatándose con tanta grandeza que por ninguna de las dos partes se ha hallado su término, de suerte que el Océano viene a ser una especie de mar Mediterráneo cercado de continentes. La terminología recuerda muy claramente expresiones de Colón: la «tierra de acá» y «la tierra de allá» corresponden al «aquem» y «alem» del *Esmeraldo* (I 2 [pp. 20-21 Peres]), si bien el Nuevo Mundo está ya mucho más perfilado, como corresponde a un tratado escrito en 1505, pero siempre más por el hemisferio Norte, gracias a Barcelos, Lavrador y los Corte-Real, que por el Sur, donde, a pesar de las pretendidas exploraciones de Vespuche, no

se ha rebasado todavía la barrera de los 28 grados. Pues bien, afirma
Pacheco que en el año de 1498 D. Manuel «nos... mandou descobrir a
parte oucidental, pasando alem a grandeza do mar oceano», afirmación
imprecisa que ha provocado ríos de tinta justamente por su extrema
vaguedad. ¿Cuál fue la meta de tal viaje, si es que tuvo lugar en realidad?
Unos sostienen que Pacheco se dirigió al Brasil, otros se acuestan a la
idea de que descubrió la zona boreal o Florida, sin que se haya conseguido un acuerdo unánime en torno a esta navegación enigmática [48]. A mi
entender, las circunstancias del momento fijan de manera inequívoca el
objetivo de los portugueses, que ha de ser el mismo que por mandato de
los reyes Católicos persigue Colón: el descubrimiento de la Tapróbana por
la línea equinoccial. Ese proyecto traía en vilo, pues, nada menos que a
tres Coronas al tiempo: así lo exigía la lógica, la emulación mutua y el
propio prestigio político.

10. *El aparato erudito de la*
     «Relación del tercer viaje»

Una prueba evidente de que a partir de 1497 Colón se dedicó a
recopilar textos de autores sobre la India la ofrece el hecho singularísimo
de que la *Relación del tercer viaje* esté cuajada de citas, en un verdadero
alarde de aplastante erudición. El contraste con el *Diario* de 1492 no
puede ser mayor ni más significativo. En la primera navegación habla la
voz de la experiencia, no aprendida en trabajosas lecturas ni a costa de
largas vigilias, pues el almirante no es aquel «hombre tan leído y prudente» que nos quiere hacer creer su hijo D. Hernando y, en pos suyo, Las
Casas [49], ni el «sabio e docto e osado varón» que pretende mostrarnos
Oviedo [50]. A lo largo de sus páginas sólo una vez se permite el lujo de
corroborar su propia ciencia con el testimonio de un clásico: el 12 de
noviembre describe árboles que «tienen la hoja como lentisco e el fruto...,
como dize Plinio e yo e visto en la isla d'Exío» (p. 55). La vaguísima
referencia parece hacer alusión al pasaje de la *Historia natural* (XII 72)
que, hablando de la almástica, dice: «La de Quío se cuenta que nace del

---

[48] Cf. p.e. D. Peres, *História dos descobrimentos portugueses*, Porto, 1943, p. 360 ss., o
su prólogo a la edición del *Esmeraldo* (Lisboa, 1954, pp. XVII-XX). Muy contrario a este
supuesto viaje al Brasil de Duarte Pacheco se muestra R. Levillier (*América la bien llamada*,
Buenos Aires, 1948, I. p. 148ss., libro brillantísimo del que siento profundamente discre-
par).
[49] *Historia de las Indias*, I 7 (*BAE* 95, p. 35 b).
[50] *Historia general y natural de las Indias*, II 3 (*BAE* 117, p. 17 a).

lentisco a modo de goma». Como se ve, sobra la inoportuna mención de
un autor que no aporta nada nuevo, y aún cabe sospechar que esta pedantería absurda se deba a una interpolación tardía, cuando Colón había
manejado ya el Plinio de Landino.

En cambio, esta manera llana y simple de exponer los hechos se ve
sustituida en 1498 por un torrente caudaloso de citas a veces interminal-
bles. Claro es que algunas veces se le ve el plumero. Ya queda descrito el
interés con que Colón estudió todo lo referente a la Tapróbana, con
objeto de refutar a Cisneros; ahora, la lectura de los dos capítulos de
Plinio le sirve para dárselas de gran sabio, y poder espetar a los reyes que
«Alexandre... enbió a ver el regimiento de la isla de Taprobana en India» [51]. Plinio, en efecto, no fue uno de los autores más manoseados por
Colón, que sin tapujos lo cita de segunda mano en la misma relación,
remitiéndose en un caso a Pedro de Aliaco (doc. XXIV [p. 217]) y en el
otro aludiendo, sí, a la *Historia natural* (IX 107), pero también al «Vocabulario que se llama *Catholicon* (doc. XXIV [p. 236]), y que, cuando se
atreve a hacer pinitos por su cuenta, fracasa de manera estrepitosa al no
entender bien el texto [52]. Por el contrario, la gran cantidad de apostillas
que cubren los márgenes de la *Historia rerum* indica hasta qué punto se
interesó el almirante por el libro de Eneas Silvio. Gracias a él puede
mencionar ahora la exploración de las fuentes del Nilo intentada por
orden de Nerón [53], así como en la carta de Jamaica se permite asegurar
que ha hallado «la gente de que escrive Papa Pío» [54].

En dos puntos principales convenía hacer hincapié para despejar las
dudas de los reyes: la proximidad de la India y la naturaleza de las tierras
descubiertas. Pues bien, es ahora, en 1498, y no en 1492, como hubiese
sido de esperar, cuando se intercala sin venir a cuento una larga digresión
para fundamentar su tesis que «fácilmente se puede passar de España a
las Yndias» (doc. XXIV [p. 217]), y en la que desfilan autores de tanta
nombradía como Plinio, Pedro Coméstor (cf. C 287), Aristóteles, Averroes, Pedro d'Ailly y el libro III de Esdrás, cuya autenticidad es confir-
mada, por si acaso, con el testimonio de San Ambrosio y San Agustín.
Bien se ve que el almirante tiene bien aprendida la lección, si es que no la
lleva ya escrita desde España. Aun así, falta un último toque para acabar
de rematar su teoría con un argumento irrefutable, y hay que confesar
que Colón borda su demostración. Ya en el primer viaje había aludido el

[51] Doc. XXIV (p. 204) = *Historia natural,* VI 81ss.
[52] Doc. XXIV (p. 217) = *Historia natural,* II 161-66.
[53] Doc. XXIV (p. 204) = *Historia,* cap. V (B 27).
[54] Doc. LXVI (p. 325) = *Historia,* cap. XII, f. 8v (B 82).

21 de febrero (p. 132) a que la gran temperancia del aire que había encontrado en las islas del poniente se debía a que se hallaban en el fin de Oriente, donde estaba el Paraíso Terrenal. La confirmación le viene ahora, al ver la impetuosa corriente del delta del Orinoco, río parangonable a los del Paraíso. El júbilo del almirante estalla sin límites, pues ya concuerdan y se van ensamblando los datos de los antiguos; y como la doctrina secular enseñaba que el Paraíso formaba la cima de una elevadísima montaña, que no habían podido cubrir por su altura las aguas del Diluvio, Colón, situado en la meta del levante y oliendo a Paraíso, concluye que el mundo no es redondo, sino que por fuerza ha de tener forma de pecho de mujer en el hemisferio por él encontrado, de suerte que el Edén, inaccesible, corona el pezón del mismo. La lógica del almirante es impecable; en cambio, atenta contra toda razón el aluvión de autores citados (San Isidoro, Beda, Estrabón [es decir, la Glosa ordinaria], Pedro Coméstor, San Ambrosio, Escoto «y todos los sacros theólogos» [doc. XXIV (p. 215)]), pues salta a la vista que Colón no dispone de ellos en el barco, a no ser que lleve preparada su artillería erudita para dispararla a las primeras de cambio, es decir, que vaya dispuesto a sentir los efluvios embriagadores del Paraíso con independencia de encontrar o no un mar de agua dulce, partiendo de España con ideas fijas y preconcebidas, o mejor todavía, escritas de antemano. Y aún nos ronda por la cabeza la sospecha de que tantas citas y autoridades procedan de segunda mano. El dominico Juan Balbo, en su *Catholicon*, recoge la opinión de Beda, según la cual el Paraíso está «apartado de las tierras que habitan los hombres y situado en alto»; y antes afirma:

se cree que es un lugar terrestre y corporal en una determinada parte del orbe, templado en extremo y de tal suerte placentero, que el hombre, no perturbado por preocupación alguna, goza en paz de las delicias espirituales. Piensan que este lugar se encuentra *en el ecuador hacia Oriente*, ya que algunos filósofos aseguran que es el sitio más templado del mundo, del que según parece fluye el Nilo, uno de los cuatro ríos del Paraíso.

Según se ve, Colón podía acoplar la realidad a lo leído en el diccionario de moda: ¿no había descendido a la equinoccial? ¿no había hallado un río tan grande como el Nilo o como el Ganges? Pero conviene olvidarse de los delirios paradisíacos para seguir hojeando las páginas de este *Catholicon*, pues no se suele citar entre los libros de cabecera del almirante, quien sin embargo lo utilizó con frecuencia a partir de 1497. Entre las autoridades invocadas en el *Diario del tercer viaje* con motivo de las perlas figura Plinio y «el Vocabulario que se llama *Catholicon* (doc. XXIV [p. 236]); y allí de hecho bajo el lema *margarita* se lee:

Margarita es una piedra preciosa blanca que trae el nombre del mar, por lo que dice Isidoro, *Etimologías*, XVI [10, 1]: «Margarita es la primera de las gemas blancas, la cual dicen que se llama margarita porque este tipo de piedra se halla en las conchas del mar; en efecto, en la carne de la ostra se encuentra la piedra, que nace como la piedrecilla en el cerebro del pez. La engendra el rocío celestial que en determinada época del año sorben las ostras [55].

No es ésta la única vez que el vocabulario saca a Colón de un apuro: la apostilla C 658 a d'Ailly hace un erudito comentario a la palabra *metropolis*, que remata con una alusión al Diccionario: *Vide Catholicon*, donde efectivamente se encuentra s.u. *metropolis* idéntica definición, formulada con las mismas palabras por el almirante, que entra a saco en la ciencia del dominico, omitiendo por cierto un *nil* en la frase *sine quibus nil aliis episcopis agere licet*, que deja cojo el sentido general, señal de que a menudo no hace revisión de lo copiado. Hay más: las anotaciones C 653, 654 y 655 de d'Ailly se extienden en muy certeras etimologías griegas, si bien es evidente que una corta estancia en Quío no le bastó al nauta para entender de helenismos; de nuevo, la inspiración colombina se nutre de los artículos correspondientes de la gran enciclopedia consagrados a la exegesis de *cosmographos, geographus, geomancia, geometria, polis, pentapolis*, entresacando racimos conceptuales: *cosmographus* lo lleva a buscar *geographus*, y este lema le abre el sentido de *geomancia* y de *geometria*; a su vez, *metropolis* es la clave para desentrañar el valor de *polis* y *pentapolis*. Otras veces es el propio texto quien invita al comentario, y el almirante aprovecha la ocasión para lucir orgulloso sus plumas prestadas. En el primer capítulo de la *Imago mundi* se dice que el mundo tiene forma esférica o redonda, y una larguísima apostilla nos da a conocer todos los sentidos posibles de *spera*, hasta su prosodia, con una alusión a Prudens Maior (C 5); pues bien, el texto está tomado de arriba a abajo de Juan de Janua (s.u. *spera*), no sin incurrir en algunos dislates de copia que señalé debidamente en el prólogo a *Textos* (p. LXI), y que ahora reciben comprobación documental, al haberlos encontrado tal cual S. Pittaluga [56]

[55] Esta curiosa tradición acerca del origen de las perlas se encuentra también en Solino, *Collect.* 53 23ss., Amiano Marcelino, *Historia*, XXXIII 6, 85ss. y todavía en G. Fernández de Oviedo, *Historia,* XIX 8 (*BAE* 118, p. 203 a; cf. en general Rommel, *RE* s.u. 'margaritae', c. 1689ss.).

[56] Contemporáneamente a la aparición de estas páginas mías apareció un artículo del mismo S. Pittaluga («Il "vocabulario" usato de Cristoforo Colombo», *Columbeis,* I [1986] 107ss.), señalando la procedencia del *Catolicon* para una serie de apostillas (no todas las aquí reseñadas, si bien tomo ahora de él C 659 *mechia*). Más tarde («Cristoforo Colombo amanuense e il suo incunabulo del *«Catholicon»* di Giovanni Balbi», *Columbeis,* II [1987] 137ss.) identificó el ejemplar colombino con el impreso en Venecia en 1487. Por cierto que en el segundo artículo me acusa de andar en el latín de las apostillas a la caza del error, cuando es precisamente la constatación del error evidente que advertí en C 5 lo que le

en el incunable impreso en Venecia en 1487. Del *Catholicon* (s.u. *Canopus*) procede asimismo esa referencia a Juvenal (*sat.* XV 46) que nos sorprende en C 320. No otra es la fuente que ilustra con copiosa documentación la palabra *sinus* 'ensenada' 'golfo' en C 661, así como la que suministra los curiosos étimos de Hibernia (pero no Albión), Hispania, Galia y Germania (C 666, 667, 668), o el significado de *hermenia* (C 669) y *mechia* (C 659) s.uu. *Hibernus, Hispanus, Gallus, Germania* y *hermeno*. Como es previsible, este uso del *Catholicon* no queda restringido al volumen de d'Ailly; también en la *Historia rerum* la explicación inoportuna de *iugerum* (B 457) deriva del mismo arsenal de datos y curiosidades, que, según se ve, hubo de acompañar largo tiempo al almirante en sus vigilias eruditas. Lástima grande que la edición del *Catholicon* conservada en la Biblioteca de D. Hernando (15-5-41) sea la impresa en Venecia el 6 de octubre de 1506, posterior por ende a la muerte del genovés, por más que la nota final indique de manera ambigua: «Este libro es de Colón. Este libro costó .365 . mrs. en Sevilla. Está registrado 3.308»; pero la verdad es que el *Abecedarium B* de D. Hernando (f. 218v) no señala existencia de ningún otro ejemplar en sus anaqueles, por lo que es de suponer que se perdió por incuria el volumen de 1487 manejado por D. Cristóbal. En cualquier caso, éste fue su Diccionario de batalla y no el *Universal vocabulario en latín y en romance* de Alfonso de Palencia, impreso en Sevilla en 1490, y que sólo mereció ser citado una vez en el *Libro de las Profecías* (f. 78v) para procurar información sobre Tarsis [57].

La atención sorprendente por parte de Colón a la significación cabal del término *metropolis* arroja alguna luz, según creo, sobre la fecha de la composición de la apostilla respectiva. En efecto, el 15 de noviembre de 1504, Julio II creó en Roma, a petición de los habitantes de la Española —en realidad a instancias de los reyes— una serie de sedes episcopales en las Indias lejanas: la sede metropolitana de Yaqué, confiada al clérigo zamorano Pedro Suárez de Deza, y las dos sedes catedralicias de la Maguana, encomendada al dominico Alfonso Manso, y de Bayajá (?), entre-

permitió a Pittaluga identificar el incunable utilizado y proponer más adelante una lectura más conforme con el texto del diccionario. Choca, en consecuencia, que al parecer me atribuya la «conclusione affrettata che i suoi testi [de Colón] siano sempre errati e il suo latino sempre incerto» —frase por cierto que yo jamás he escrito—, y más cuando de los tres casos propuestos en uno me asistía la razón, al menos en último extremo; además quedan por refutar otros ejemplos de copia distraída, sobre los que Pittaluga hace bien en correr un tupido velo, dado que él mismo ha expresado ya sobre alguno de ellos idéntica opinión (así sobre C 655). Diríase más bien que el joven erudito italiano va a la caza de los gazapos de Gil, sin impugnar el planteamiento general, que es el que de veras interesa.

[57] S. v. *Tarsum* (f. 489r de la edición príncipe, que compró D. Hernando Colón en Medina del Campo en julio de 1518 [n.º 2.685 del *Registro B*]).

gada a García de Padilla [58]. Todos estos ordenamientos crearon honda inquietud en Colón, que ya el 1 de diciembre —de nuevo vuelan las noticias— tenía vaga referencia de que el Papa había instituido tres o cuatro obispados en la Española [59]; el poder espiritual venía a interferir de alguna manera con el poder temporal, dado que el virrey se sentía sin duda competente para proponer los nombres de los futuros prelados, y debía de haber hecho más de una promesa a sus monjes amigos animándolos, como Caboto en 1497 a los franciscanos, con el señuelo de medrar en el Nuevo Mundo. En este preciso momento, y sólo entonces, es cuando pudo preocupar a Colón el sentido de *metropolis* usado en la bula pontificia; por tanto, la nota C 658 ha de datar de diciembre de 1504 como pronto.

Esta datación abre nuevas posibilidades, y despunta una alternativa más incómoda, a saber, que toda la fanfarria científica desplegada en el *Diario del tercer viaje* provenga de una interpolación tardía, posterior incluso a la cuarta navegación. La lógica semeja auspiciar esta hipótesis: el almirante busca entonces apoyo para sus morrocotudas conclusiones después, y no antes, de realizar sus exploraciones sensacionales. Obsérvese además que asimismo en el tratado de d'Ailly (C 23) se encuentran las largas apostillas con el texto de San Ambrosio y San Agustín a favor de la autenticidad del libro III de Esdrás, texto citado de refilón en el *Diario*, o la mención del monte Sofora (C 303-304). De la *Ciudad de Dios* agustiniana (XVII 24) se toma, además de la sanción de Esdrás (B 856), una alusión a la fecha del diluvio de Deucalión [60] y otra referencia a Gog y Magog [61]; ahora bien, esta preocupación por la apocalíptica parece encajar mejor con el período de composición del *Libro de las profecías*, en el que se recurre con frecuencia a la doctrina de San Agustín, que Gorricio debía de conocer bien; antes el almirante, un «lego marinero», no disponía de tiempo ni posibilidades para profundizar en la lectura del santo de Hipón. A Gorricio asimismo parece deberse el conocimiento de un comentarista sacro, Francisco de Mairones, del que se conservan hoy en la

---

[58] Los nombres de los obispados en los documentos pontificios varían de manera considerable, por lo que ofrezco el careo de la forma en que aparecen el 15 de noviembre de 1504 y el 8 de agosto de 1511, siguiendo la edición de la *Raccolta,* III 1:

Hijaguadensis (19, 12)	Yaquensis (27, 8)
Baijunensis (19, 19)	Baionensis (27, 8)
Maguense (19, 15)	Maguariensis (27, 9-10).

Esta toponimia confusa creó perplejidad a Las Casas (*Historia de las Indias,* III 1 [*BAE* 96, p. 170 b]). La bula (*Raccolta,* III 1, p. 228, 7) trae Hyaguata, Magua, Bayuna.

[59] Cf. doc. LXXV (p. 340), doc. LXXXVII (p. 343) y doc. LXXXIV (p. 352).

[60] XVIII 8; 10 = C 286-287.

[61] XX 11 = C 388-389.

Biblioteca Colombina varios manuscritos e impresos, ninguno de ellos, por desgracia, anotado por D. Cristóbal.

Otra razón más abona la composición tardía de las apostillas: el uso del italiano en dos de ellas [62], y eso que Colón no escribe jamás ni en el dulce toscano ni en el dialectal genovisco, ni siquiera cuando se desahoga con sus compatriotas ni cuando se dirige a la Banca de San Jorge de Génova; tampoco utiliza el italiano con él su concuñado, el florentino Francisco de Bardi, al enviarle una carta tan íntima como la de 1505, plagada de incorrecciones y de groseros atentados contra la norma castellana. Este cambio radical y poco duradero, pues viene a ser flor de un día, responde a un ferviente deseo de congraciarse con sus compatriotas, de demostrarles que él, el virrey de las Indias que pertenecen al rey de España, es en realidad un italiano, a quien por tanto deben apoyar en la reclamación de sus mercedes y privilegios. Este efímero retorno al itálico modo puede ser fechado con más o menos seguridad. En efecto, el *Libro de las Profecías* data de 1501 y 1502, y hacia esa misma época fue redactada la apostilla a la traducción de Plinio, pues el almirante expresa en ella idénticos conceptos a los que vierte en la carta escrita al Papa Alejandro VI en 1502, insistiendo con machaconería en los temas propagandísticos de siempre, según indica un simple confrontamiento:

E 23	doc. LXI (p. 311)
la isola de Feyti uel de Ofir uel de Cipango, a la quale habio posto nome Spagnola.	Esta isla es Tharsis, es Cethia (= Cethim), es Ophir e Ophaz e Cipanga, e nos le havemos llamado Española.

La epístola al Sumo Pontífice rebosa de ecos bíblicos, como corresponde, y prescinde del colorido local suprimiendo el topónimo indígena, pero por lo demás la estructura es paralela: Colón ha descrito los dos textos con una mínima diferencia de tiempo, en cualquier caso después de 1501. Otra vez la sabiduría del almirante ha de ser retrotraída a su vejez, de acuerdo con sus propias declaraciones.

Ahora bien, este tono doctoral que se respira en el *Diario del tercer viaje* proviene en buena parte, sí, de interpolaciones y añadidos posteriores, pero en alguna medida remonta ya a 1498. Los escritos colombinos, en realidad, no llegan a cristalizar en un texto definitivo, sino que están siempre sometidos a constantes manipulaciones y refundiciones; es el propio almirante quien, para dar a conocer sus descubrimientos, prepara «ediciones de bolsillo» de sus *Diarios* y encima las hace traducir al latín,

---

[62] E 23 y *Libro de las profecías* f. 58r, que edité en *Textos,* pp. 13-14.

además de repartirlas por toda la geografía europea; es también él quien introduce en el momento oportuno referencias a temas de candente actualidad. Si bien se piensa, no podía ser de otro modo, sobre todo cuando estaba en juego la conservación de unos derechos tan desmedidos como inaudito había sido su servicio a los reyes.

El hecho de que Colón siente cátedra en la relación del tercer viaje muestra de manera paladina los tártagos que hubo de sufrir en 1496, cuando al poner pie en la Península descubrió para gran sorpresa suya que no había apenas nadie que diese crédito a sus teorías. Su enorme inteligencia natural le permitió ponerse al día en bibliografía, y los resultados de su aprovechamiento quedan patentes en su escrito, que muestra la pedantería propia del principiante: el marino se ha convertido en un sabio.

En lo que este erudito de relumbrón no sintió nunca mareos ni desvanecimientos fue en la empecinada defensa de sus privilegios, expuesta con una vehemencia asombrosa y arropada también con otros pareceres similares. En julio de 1497 los reyes Católicos residieron en el monasterio de la Mejorada; sus claustros resonaron entonces con las voces de quienes discutían el apremiante problema de trazar la línea de demarcación entre los dominios a descubrir por España y Portugal. El almirante no sólo declaró su opinión, según dice, sino que la entregó por escrito a los monarcas; en el texto interpolado que nos transmite esta noticia se expresa que Colón daba a los soberanos «la negoçiaçión del Arabia Feliz fasta la Meca» [63], esto es, que incluía en su demarcación todas las tierras de la India sin olvidar tampoco la Península Arábiga. Tal pretensión parece ahora dislocada y rayana en lo absurdo: medio mundo pertenece, de ser ello así, a la gobernación de los reyes, que se alzan con todo lo habido y por haber en un alucinante delirio de grandeza. Sin embargo, esta misma opinión mantenía dos años antes, como bien se recordará, el cosmógrafo Jaime Ferrer, que asignaba a España el dominio sobre el golfo Arábigo, en perfecta consonancia con las ideas propugnadas por el almirante, que quizá se las hizo llegar a través de Antonio de Torres en 1495. Bien mirado, no podía ser de otro modo. Tamaña partición beneficiaba sin duda a los monarcas españoles, pero no menor provecho reportaba a Colón, que entonces estaba en su derecho de reclamar para su virreinato toda la India aquende y allende el Ganges, sin ceder sus derechos sobre ese mar Etiópico en el que bien cabía la Arabia Feliz en una apreciación benévola. En definitiva, se trata de una teoría que se ajusta a una lógica y

---

[63] *Raccolta*, I 2, p. 73, 13ss. Se trata de la carta al ama, editada por De Lollis sobre el manuscrito parisino de los Privilegios.

que va a ser defendida más tarde en otra serie de memoriales anónimos, que impugnan la expansión de Portugal por Arabia, Persia y las islas de aquellos mares y fijan como límite de su jurisdicción el Cabo de Buena Esperanza. En este punto, pues, el almirante tenía ideas muy claras; lástima que todo el resto de su argumentación índica no contara con tanta aquiescencia, y ello hasta cuando era público y notorio que las naves de Vasco da Gama habían zarpado de Lisboa el 8 de julio de 1497 para llegar al Oriente, a aquella India donde presuntamente había puesto pie el magnífico señor D. Cristóbal Colón.

Todavía cabe hacer más precisiones cronológicas. Por una apostilla al libro de Marco Polo (III 31) referida al reino de Coilum (D 319: *vide Colocut*) se desprende que Colón identificó Coilum con Calicut, si bien en el *Libro de las Profecías* (f. 35r) vuelve a aparecer *Colocuti* en otro contexto, unido a Medián, Efa y Sabá. La geografía colombina fluctúa, aunque Calicut era conocida desde antiguo: sin ir más lejos, desde el viaje de Nicolò de' Conti [64]. Favorecía la nueva exegesis no sólo la asonancia Coilum/Colocut, sino asimismo las noticias que sobre la «gran ciudad» india había dado el genovés Jerónimo de Santisteban, socio de Jerónimo Adorno (muerto este último en Pegú el 25 de diciembre de 1496), en su carta escrita en Trípoli el primero de septiembre de 1499 y publicada por Valentim Fernandes en 1502; en ella se hablaba de la pimienta y el jengibre de Calicut, pimienta que el almirante puso en relación con la mencionada en el texto poliano. Parece más que probable, por otra parte, que este Santisteban/Santo Stefano no sea otro que el que aparece en el entorno colombino justamente a partir de 1502 (*Textos*, doc. LXII [p. 313]); he aquí una razón más, en consecuencia, para que el almirante se interesara por las andanzas de su compatriota en el Occidente de esa India que pertenecía a su virreinato. Así se explica también que D. Cristóbal volviera a hablar de *Colocuti* en la versión interpolada de la carta al ama; pero bien se ve ahora que esta coletilla hubo de ser compuesta a raíz del cuarto viaje, cuando se había reforzado su concepción geográfica del Asia después de haber llegado a nueve jornadas de Ciguare/Catígara, o en

---

[64] P. 138. Sobre el «muy buen puerto de mar que se llama Coylan», el *Polumbo* de Odorico de Pordenone (10 1ss. [van Wyngaert, *Sinica Franciscana*, I, p. 440]), el *Colombo* de Juan de Marignolli (*ibid.* p. 530), el *Kawlam* de Ibn Battuta (*Viaje*, p. 657) y el *Coloen* de Nicolò de' Conti (p. 136), véase las noticias del *Rotero Português* (p. 137ss): es el Quilon de hoy. Se trata de una de las pocas ocasiones en que Colón reduce las denominaciones antiguas a su nombre actual: otro tanto hace con la *Gorgodum insule, nunc de Capite Viride uel Antoni* (C 315), con *Abides insula, nunc Negroponte* (C 332), con *Coos insula, nunc Lango* (C 33 = B 768), y con *Fortunate insule, nunc dicitur Canarie* (C 314). El almirante de la mar Océano no se siente a sus anchas a la hora de interpretar la Geografía de la Antigüedad.

todo caso, después de conocer a Santisteban, hacia 1502. La noticia de que la conversación con los reyes sobre Calicut tuvo lugar en el monasterio de la Mejorada, plática que únicamente pudo tener lugar en 1497 [65], se debe entonces a un fallo de memoria más o menos interesado: Colón sabe al anotar a Marco Polo que Calicut (como Quilon) se encuentra en la costa de Malabar, detalle que ignoraba cuando escribió (¿en 1501?) la apostilla, autógrafa por más señas, al *Libro de las Profecías*, y eso que también entonces andaba obsesionado con la Arabia Feliz, otro de los topónimos que aparecen en la carta al ama. Queda muy clara en este caso la manipulación a que fueron sometidos los textos, sirviendo a baladronadas interesadas.

---

[65] Cf. A. Rumeu de Armas, *Un escrito desconocido de Colón. El memorial de la Mejorada*, Madrid, 1972, p. 20ss.

V. MAS CENSURAS ERUDITAS.
DEPOSICION DEL ALMIRANTE

1. La edición de los clásicos:
Núñez de la Yerba

El mismo año en que emprendió Colón su tercer viaje vio la luz en Salamanca —¡por fin!— el texto de un geógrafo clásico. Se trata de la *Corografía* de Pomponio Mela, editada por el profesor salmantino Francisco Núñez de la Yerba [1], confundido algunas veces con el Pinciano. Núñez de la Yerba es médico, otro más que viene a unirse a la ya larga serie de galenos interesados por la Cosmografía. Sin embargo, las navegaciones de Colón no son mencionadas para nada en la descripción sumaria del mundo que precede a la obra, descripción que Núñez tiene que copiar, a veces al pie de la letra, de Ptolemeo y de Plinio; de Ptolemeo deriva también la curiosa y burda mapamundi que hermosea el librito, que presenta por lo demás un texto de Mela pasable para su época. En el prefacio, en cambio, sí hay una velada alusión a las concepciones del almirante: «Hacia Occidente los serenísimos reyes de España, Fernando e Isabel, encontraron tierra habitada distante del Occidente [Canarias] 45 grados, que de manera abusiva algunos llaman India» [2]. Tampoco Núñez acepta, por tanto, las ideas de Colón, en el momento justo en que éste creía haber rebatido con sus descubrimientos, ignorados por el médico, las censuras de sus adversarios. Y es más: cuando el catedrático delimita el espacio ocupado por la ecúmene clásica en el globo terráqueo señala que al Occidente linda con el Océano occidental y con la tierra descono-

---

[1] *Cosmographia Pomponii cum figuris.* Véase sobre la edición a M. Menéndez Pelayo, *Bibliografía Hispano-latina clásica*, Madrid, 1951, VII, pp. 162-63. Manejo el ejemplar de BU Sevilla, 335/22.
[2] A ii vuelto.

cida que ciñe el golfo Etiópico de Africa. Esta *terra incognita* no es otra
que el Nuevo Mundo, y vuelve a ser situada justamente donde la veían en
1494 Coma y Cisneros: en el Océano Etiópico. Es de notar también la
tácita rectificación de Núñez a las fantasiosas longitudes del navegante
genovés: las islas se encuentran a 45 grados de Canarias, sin que entonces
se pueda pensar ni por asomo que se hayan descubierto nada menos que
nueve o diez horas del hemisferio incógnito para Ptolemeo, es decir, 135
ó 150 grados terrestres. De nuevo, pues, existe un divorcio radical entre
la geografía colombina y la cosmografía de los humanistas, si bien el
misterio se acrecienta en la medición de la longitud porque el almirante
ofrece variantes totalmente diversas: mientras que en el *Diario de la navegación a Cuba* [3] sitúa su cabo occidental a 10 horas de Cádiz, en un apunte
autógrafo al *Libro de las Profecías* señala que la isla Saona dista del cabo
de San Vicente 5 horas y media (doc. LII [p. 287]), y todo ello en virtud
del mismo cálculo, efectuado en el eclipse de luna del 14 de septiembre
de 1494. Puede que la primera alternativa no exista sino gracias a un
malentendido, si bien es el propio Colón quien vuelve a insistir en haber
navegado 9 horas al poniente (doc. LXVI [p. 319]) e incluso en la carta
al Papa Alejandro VI emplea idéntica expresión con el mismo yerro aparente que presenta el texto lascasiano, y que para mayor inteligencia del
problema doy aquí careados:

Carta al Papa (doc. LXI [p. 311])	Las Casas
naveguéé tanto al Occidente, que cuando en la noche se me ponía el sol le cobravan los de Cáliz en España dende a dos horas por Oriente, en manera que yo anduve diez lineas del otro emisperio; e no pudo haver hierro, porque hubo entonces eclipsis de la luna en catorze de setienbre	navegó hacia el poniente,... hasta haber pasado el término de diez horas en la esfera en manera que..., cuando se le ponía el sol a él, se lavantaba a los que vivían en Cáliz, en España, dende (desde *los impresos*) a dos horas; y dice que no pudo haber yerro alguno, porque hobo entonces eclipsi de la luna a 14 de setienbre

Es evidente que el genovés nunca pudo cometer el error groserísimo
de decir que el sol despuntaba en Cádiz dos horas antes que en la Saona o
la costa de Cuba; escribió, sí, o mejor dicho quiso expresar, de manera un

---

[3] Reproducido parcialmente por Las Casas, *Historia de las Indias,* I 96 (*BAE* 95, p. 273
a). He aquí las palabras del almirante (texto nuevo, carta IV, p. 45): «Más de diez oras de
distançia tenía yo de Cáliz, cuando en la mar Blanca navegando, salía el sol en Sevilla
después de dos oras, cuando yo sentía noche y la vista del sol me dexava».

tanto elíptica y sibilina, que alboreaba en Cádiz dos horas después que él se encontrara ya en tinieblas, esto es, diez horas más tarde. Puesto a exagerar, Colón no cede a nadie, y me parece probable que diera, como propia de la isla, la longitud más occidental alcanzada en ese viaje y que hubo de ser estimada «por fantasía», según se decía a la sazón. Más gravedad reviste el hecho de que, en sus notas personales, tampoco la medida corresponda a la realidad, error que se ha intentado explicar de mil maneras, suponiendo desde que manejó las *Ephemerides* de Regiomontano [4], con tablas adecuadas a la longitud de Nüremberg, hasta que a propósito confundió los cálculos para quedarse él solo con el secreto de sus navegaciones [5]. De estar esta última hipótesis en lo cierto, muy equivocado andaba el genovés al apreciar la ciencia astronómica de sus pilotos, los responsables últimos de la longitud más exacta que figura en el tratadito de Núñez, basada quizá en los datos del eclipse de marras, al que asistieron con sus instrumentos en la mano navegantes tan avezados como Francisco Niño, el piloto de la «Niña», o Juan de la Cosa «maestro de hazer cartas», marinero entonces de la «Niña», y otros más, cuya experiencia pondera el propio almirante al decir que eran «los más famosos que'él supo escoger en la armada grande qu'él traxo de Castilla» [6]. Pero hay que recordar que al regreso de Torres en 1494 se barajaron mediciones para todos los gustos, también más certeras que estas elucubraciones colombinas, pues situaban la Española a 49 grados de Cádiz, según atestigua Pedro Mártir [7] en su *Occeanea Decas* de 1511. De tratar de engañar a alguien, en consecuencia, era Colón el que intentaba embarullarse a sí mismo; y la verdad es que no semeja que el almirante se sintiera muy a gusto con el astrolabio, pues al fin de su vida, tal vez con datos nuevos y que le inspiraron más confianza, hizo llegar a su amigo Antonio Gallo, quizá en 1502, una rectificación más: no 5,5 sino 4 habían sido las horas de diferencia horaria con Cádiz [8]. El buen Colón nos aturde con sus líos.

[4] Así S. E. Morison, *El Almirante de la mar Océano*, Buenos Aires, 1945, pp. 570-71.

[5] Tal es la conocida tesis de Magnaghi (cf. nota 186 de mi prólogo a *Textos*), aceptada por S. G. Franco (*Revista de Indias*, IV [1943] 93ss.) y P. E. Taviani (*I viaggi di Colombo*, Novara, 1984, I, p. 151). Por motivos obvios me parece poco probable la hipótesis de I. Luzzana Caraci, «Colombo e le longitudini» en *Belletino della Società Geografica Italiana*, IX (1980) 517ss. y sobre todo 521-22, que resta a las cinco horas y media calculadas por Colón (en realidad 5° 55', según el nuevo texto, carta IV, p. 44) la hora en que se habría observado el eclipse en la Península, obteniendo la hora señalada por los relojes de a bordo en el momento del fenómeno: medianoche y 25 minutos.

[6] *Cartas*, p. 218.

[7] *Décades*, I 3 (f. 7v = *Cartas*, p. 64).

[8] *Raccolta*, III 2, pp. 190-91 (y mi nota a *Textos*, p. 287).

Todavía nos causa más turbación el hecho de que la doctrina del almirante venga a coincidir de manera sorprendente con los cálculos astronómicos de Amerigo Vespuche. Indica en efecto el florentino, en su carta a Lorenzo de Pierfrancesco de Medici del 18 de julio de 1500 [9], que logró medir la longitud en que se hallaba en su navegación con Hojeda el 23 de agosto de 1499 gracias a la conjunción de la Luna con Marte, observada con el *Almanaque* de Regiomontano y comprobada después con las *Tablas alfonsíes*; el resultado fue que se encontraba a cinco horas y media, es decir, a 82 grados y medio, de Cádiz, lo cual, traducido en términos náuticos, equivalía a 1.366 leguas y dos tercios y 5.466 millas y dos tercios; de hecho, añadía, «según Tolomeo y Alfagrano la tierra tiene de boj 24.000 (millas), que valen 6.000 leguas, partidas las cuales por 360 grados corresponde a cada grado 16 leguas y dos tercios» [10]. Pues bien, ésta es en esencia la teoría de Colón, expuesta de manera reiterada en sus apostillas a los tratados de d'Ailly (C 30, 31, 481, 490, 491, etc.), con la única diferencia de hacer igual el grado terrestre a 56 millas y media, por lo que el circuito de la tierra en el ecuador es de 20.400 millas y no de 24.000, cifra esta última que parece ser el resultado de una banal simplificación para obtener números redondos. Resulta, en consecuencia, que Vespuche aceptaba en 1499 las hipótesis adelantadas por Colón en 1497 y 1498, conformidad que nada tiene de extraño y que convida a pensar que también el florentino colaboró a forjar las elucubraciones cosmográficas del almirante; sí choca sobremanera, en cambio, que el resultado de las observaciones de Vespuche en 1499 confirme la medición alcanzada por D. Cristóbal en 1494 en la Saona, con la menuda discrepancia de tomar el primero como punto de referencia la ciudad de Cádiz y el segundo el cabo de San Vicente. Tamaña exactitud no semeja casual; excluida la intervención de algún duende travieso, sólo cabe deducir que hubo un traspaso de datos y que o bien Colón copió a Vespuche o bien

---

[9] Facsímile en R. Levillier, *América la bien llamada*, Buenos Aires, 1948, I, después de la p. 254. Cf. la excelente edición de L. Formisano, *Amerigo Vespucci. Lettere di viaggio*, Milán, 1985, *Lettere Familiari*, I, p. 7, 1 ss. Me ha sido inaccesible el artículo de J. W. Stein (*Memorie della Società Astronomica Italiana*, XXI [1950] 345-53), cuya conclusión conozco gracias a Formisano (*Note*, p. 72): derivación directa del cálculo de una experiencia colombiana precedente. Me alegro de haber llegado independientemente a idénticos resultados. Otra solución para salir del atolladero sugiere F. J. Pohl en un libro tan ameno como repleto de curiosas inexactitudes y de arraigados prejuicios (*Américo Vespucio, piloto mayor*, Buenos Aires, 1947, p. 98ss. y 131ss.), recurriendo al cómodo artilugio de suponer que 5° 30' es error del copista por el más correcto 3° 30'; pero más adelante admite que los 82° 30' de longitud de Cádiz se refieren a la longitud del punto más occidental alcanzado en el viaje, calculada erróneamente según las *Ephemerides* de Regiomontano. Entonces ¿cómo conjugar ambas explicaciones?

[10] *Ibidem*, p. 7, 13ss. (ed. Formisano).

Vespuche se apropió de longitudes ajenas. Con ello se entra en el marasmo que rodea la figura del florentino españolado, en el que la decisión final parece depender de las filias o fobias de cada uno. Otros pasajes, no obstante, permiten salvar estos trampantojos, despejando cualquier duda sobre la honorabilidad de Colón; oigamos lo que nos dice Vespuche en la misma carta:

Dipoi d'aver navicato al pie di 400 leghe di continuo per questa chosta, concludemmo che questa era terra ferma che la dico e confini dell' Asia per la parte orientale e el principio per la parte d'occidente [11].

Deducción mayúscula sin duda, si bien para llegar a ella no se requería esa extenuante navegación de 400 leguas, dado que la misma idea bullía en la mente del almirante cuando puso al extremo occidental de Cuba el extraño nombre de Cabo de Alfa et O, según hemos visto. Nada nuevo, pues, había descubierto Vespuche, y sin embargo brinda al Medici la noticia como si se tratara de un hallazgo sensacional. Pero en otro punto más su insolente vanagloria no responde a la realidad:

Parmi, magnifico Lorenzo, † che la maggor parte de' philosophi in questo mio viaggio sia reprobata, che dicono che dentro della torrida zona non si puo habitare a causa del gran calor [12].

Verdaderamente turulato hubo de quedarse el magnífico Lorenzo con semejante jactancia, cuando era público y notorio que hacía muchos años que los portugueses habían cruzado el ecuador. Vespuche, sin embargo, no se sonroja de apropiarse de inventos ajenos para hacer un descarado elogio de sus propios e inexistentes méritos, y si unas veces entra a saco en las anotaciones náuticas de Colón, a las que pudo tener acceso fácilmente durante los meses anteriores al tercer viaje, en otras ocasiones echa mano de conocimientos archisabidos, todo *ad maiorem sui gloriam*, en un patético esfuerzo de alcanzar con la pluma los honores que la esquiva fortuna le había negado hasta entonces.

2. *Lebrija y el metro*

Al tiempo que Núñez divulgaba su libro publicó Antonio de Lebrija un breve tratadillo geográfico, su *In Cosmographiae libros Introducto-*

---

[11] *Ibidem*, p. 9, 17ss. (ed. Formisano). No me parece acertada la lectura *ai' confini* allí escogida: más bien habría que corregir *fine*.

[12] *Lettere familiari*, I, p. 7, 17 (ed. Formisano).

rium [13], dividido en once capítulos, y que viene a ser, como ha señalado certeramente F. Rico [14], la puesta al día de un manual compuesto entre 1487 y 1490 para el gran maestre de la Orden de Alcántara, Juan de Zúñiga, con el título de *Isagogicon Cosmographiae*. De la relación anterior del humanista con Colón, muy posible, sólo cabe por ahora emitir conjeturas que, por desgracia, carecen de base documental; por ende, tanto mayor interés y expectación despierta en nosotros esta publicación inesperada de una obra de juventud, máxime cuando a nadie se le oculta que Lebrija posee una mente mucho más despierta y sagaz que su colega Núñez. No falta, en efecto, en el *Introductorium* una referencia, si bien levísima, a los descubrimientos contemporáneos: por un lado, a las navegaciones portuguesas en torno al Africa hasta llegar a Persia; por otro, a la exploración del hemisferio de los antíctones, palabra que parece eco de la terminología de Plinio al hablar de la Tapróbana. Lebrija espera que, en breve, se tenga una descripción tanto de las islas como del continente, de cuya costa marítima en gran parte les han hecho relación los mareantes, «sobre todo de la que se encuentra enfrente de las islas recién descubiertas: me refiero a la Hispana, la Isabela y las demás adyacentes» [15]. Esta tierra firme ha de ser Cuba, según el conocido error colombino; parece, pues, que a manos del humanista ha llegado en 1496 ó 1497 alguna copia del periplo del almirante por el litoral de la Juana en 1494. En cambio, las denominaciones de las islas semejan tomadas del grabado que acompaña la edición latina de la *Carta* anunciando el Descubrimiento: ¿qué importancia tiene en 1498 la Isabela, salvo su nombre adulatorio? Ninguna, a no ser que despiste a Lebrija la existencia de una ciudad llamada Isabela, confundida a veces con la isla. Resulta, pues, que este

[13] Utilizo el ejemplar de la Biblioteca Colombina (4-1-18). Pasó desapercibida esta mención del Nuevo Mundo a H. Harrisse (en parte) y a sus epígonos, pero no a la penetrante erudición de L. Thorndike, *Science and Thought in the Fifteenth Century*, Nueva York, 1929, p. 216.

[14] «Il Nuovo Mondo di Nebrija e Colombo. Note sulla Geografia umanistica in Spagna e sul contesto intellectuale della scoperta dell'America» en *Vestigia. Studi in onore di Giuseppe Billanovich*, Roma, 1984, p. 575ss. y sobre todo 591ss. (editado también en español en *Nebrija y la introducción del Renacimiento en España*, Salamanca, 1983, p. 157ss., volumen que forma parte de las *Actas de la III Academia literaria renacentista*, publicadas por V. García de la Concha).

[15] Cf. a ii recto (sobre la «Lusitanorum nauigatio») y a ii verso (sobre ese continente descubierto «cuius magnam partem orae maritimae nautae nobis tradiderunt, illam maxime quae ex aduerso insularum nuper inuentarum (Hispanam dico, Isabelam reliquasque adiacentes) posita est». Es de notar que Lebrija, mejor humanista que Pedro Mártir, dice *Hispana* y no *Hispaniola*, que suena a latín macarrónico; y sin embargo es probable que el prestigio de esta Española latinizada diese nombre a la curiosísima comedia de Juan de Maldonado llamada precisamente *Hispaniola* (es decir, «Española», como «Samia», etc.).

barbariae debellator habla con cierta premura de la magna epopeya contemporánea, cuya trascendencia vislumbra de fijo, pero sin que su importancia lo espolee al estudio científico del Nuevo Mundo. Cuando espera-
ríamos, en efecto, que Lebrija nos hablara, para bien o para mal, de las
revolucionarias teorías geográficas de Colón, que sentenciaban al olvido
la cosmografía antigua, he aquí que nos aguarda un chasco inmenso, pues
el humanista hace un quiebro y se reserva para mejor ocasión, cediendo
muy pronto los trastos y aun la faena entera a su amigo Pedro Mártir.
Pero el cronista milanés o Andrés Bernal expresan su opinión, acertada o
no; Lebrija es demasiado cauto para pontificar en materia tan resbaladiza,
pues entonces quedaría de manifiesto su supina ignorancia respecto a la
situación en el orbe clásico de las tierras halladas por el almirante, y su
orgullo le impide exponerse al ridículo.

   ¿Para qué, entonces, publica Lebrija un opúsculo un tanto envejeci-
do? El fin es obvio y demuestra la agudeza del humanista, que, si no
aporta conocimientos nuevos ni se siente llamado a dar a luz ediciones
depuradas de los geógrafos clásicos, intuye que hay una manera de que su
nombre quede inmortalizado para siempre. A mi juicio, la máxima genialidad de Lebrija estriba en ese obsesivo empeño en dictar leyes por las
que se ha de regir el pueblo rector del universo. El, que sienta las normas
del castellano, el idioma del futuro imperio, se apercibe con genial astucia
de que, en esta era de increíbles descubrimientos, falta una unidad de
medida universal. Pues bien, ni corto ni perezoso Lebrija inventa el metro, y ese metro resulta que no es ni más ni menos que el pie de... Lebrija:
«Ya que también el pie es variable, afirmo que mi pie desnudo descalzo...
es el pie verdadero para medir las longitudes, al cual, como a medida más
cierta, debe ser ajustado el propio paso» [16]. Enorme conclusión, se mire
por donde se mire: Lebrija, un hombre de estatura mediana, deja entre-
ver, como otros hombres más bien pequeños, un espíritu dictatorial; todo
ha de plegarse a su voluntad, a la ley de Lebrija, que así domina a los
dominadores del Universo. Un imperio, una lengua y un metro: el del
Antonio.

---

[16] Cf. b i recto. Cada uno de los miliarios que se encuentran en la vía de la Plata
corresponden a 5.000 pies de Lebrija, de suerte que, habiendo hecho éste una medida con
una cuerda invariable que llama de manera un tanto pedante *centumpeda,* el miliario
corresponde a 500 *centumpedae* y cada *centumpeda* a 100 pies de Lebrija. Por su cómica
solemnidad, merece la pena reproducir el texto latino en que Lebrija anuncia su gran
hallazgo: «Quoniam uero et ipse pes uariabilis est, dico pedem meum nudum excalceatum,
qui sum mediocri statura, esse uerum pedem ad demetiendas magnitudines».

3. *Colón, de nuevo en las Indias*

Estas ligeras censuras, algunas apenas esbozadas, hubieron de hacer muy poca mella en Colón, exultante de júbilo por hallarse de nuevo en sus Indias y sentirse protegido por el respaldo pleno de los reyes. El amotinamiento de Francisco Roldán, que halló alzado a su llegada a Santo Domingo el 31 de agosto de 1498, le aguó la fiesta, pero no frenó su fantasía. Al menos en el *Diario del tercer viaje* se jactó de llevar a los monarcas «grano de cobre de nasçimiento de seis arrobas, azul, lácar, ámbar, algodón, pimienta, canela, brasil infinito, estoraque, sándalos blancos e çetrinos, lino áloes, gengibre, inçiensio, mirabolanos de toda espeçie, perlas finísimas e perlas bermejas» (doc. XXIV [p. 241]). De nuevo Colón mezcla dos planos, confundiendo adrede el presente y el pretérito: el cobre se había hallado antes de 1496, de la existencia de canela y de áloe habían corrido halagüeños rumores ya en 1492; las posibilidades del brasil de la Española las comienza a sopesar ahora, y en ellas ha de insistir en 1501; del azul se habló mucho, y aún en 1503 envió Ovando a los oficiales de la Casa de la Contratación «catorze libras de azul en polvo, lo cual aún no estaba afinado, salvo como se cojó en las Yndias» [17], si bien las esperanzas se frustraron y el negocio paró en nada. Es comprensible, pues, la estupefacción con que acoge Las Casas [18] estas rotundas afirmaciones que llenan la boca de Colón, pues él nunca vio canela, áloe, jengibre, incienso, mirabolano ni sándalo, así como tampoco olió estoraque sino en Cuba ni supo nunca que en las islas se diese incienso, y encima, aturdido por el frenesí verbal colombino, se equivocó al cortar en dos palabras el compuesto «lino áloes», juzgando que quizá por «lino» entendiese el almirante la cabuya o el nequén.

Por si fuera poco, a la confusión temporal se une la estudiada ambigüedad local, pues todos estos tesoros no los ha descubierto Colón en el tercer viaje, sino mucho antes en la Española. En realidad, las perlas, las anheladas perlas, constituyen la única novedad económica, pero de trascendental importancia, que aporta la tercera navegación colombina. Y sin embargo, en vez de insistir en este punto y ponderar y encarecer su precio, las relega al último puesto del elenco, casi en plano de igualdad con otras riquezas más soñadas que reales. Sólo en 1515, en pleno hervor de los pleitos, se pone interés en señalar que el virrey, descubierta Paria, envió en 1498 «muestras de las dichas perlas» mediante un Cañizares, vecino entonces de Málaga, a Ocaña, donde estaban los soberanos en el monasterio de Esperanza, y se recalca que, al ver las cartas y muestras, la

---

[17] A.G.I., Contrat. 4674, Libro manual de Matienzo, I, f. 37r.
[18] *Historia de las Indias*, I 148 (*BAE* 95, pp. 393-94).

reina «de gloriosa memoria dixo ante muchas personas qu'el dicho almirante avía cumplido lo que prometió»[19]. En realidad, la única mercancía que sigue arribando con escalofriante puntualidad a la bahía de Cádiz son los esclavos: henchidos de indios llegaron los tres navíos capitaneados por Peralonso Niño el 29 de octubre de 1496[20]; unas 300 piezas trajeron las cinco carabelas que fondearon en su puerto el 10 de diciembre de 1498[21]. Cumpliendo las directrices colombinas, el nuevo virreinato produce, ante todo y sobre todo, mano de obra barata para consumo europeo.

Como siempre, es el almirante el mayor pregonero de las excelencias de la Española, isla ubérrima en donde sólo falta «vino e vestuario», pues en lo demás es abundosa a maravilla, hasta en guapas mujeres (doc. XXIX [p. 244]). ¿Qué más se puede pedir? Lástima que los pérfidos españoles hayan destruido con su desenfrenada codicia los deleites de este paraíso terrenal: a ellos, y no a Colón, es a quienes tienen que pedir cuentas los reyes, mandando en el entretanto no sólo a jueces y pesquisidores, sino a religiosos de buena vida. Tal petición puesta en boca del almirante deja estupefactos a quienes conocen su desinterés por la evangelización de los indios y la edificación de sus hombres. Pero tampoco es este lugar oportuno para ahondar en las causas de la rebelión de Roldán, acérrimo enemigo de la política colombina, pero su más eficaz aliado cuando un tercero, Hojeda, ronda en 1499 por las costas de Xaraguá, quizá por aquello de que más vale malo conocido que bueno por conocer.

En estos momentos de amargura y tristeza otro fantasma, al parecer olvidado, vuelve a torturar el corazón del genovés: él ha descubierto la Española, que tiene 700 leguas de perímetro, Jamaica y setecientas islas más, así como la tierra firme, tierra, por cierto, que fue «de los antiguos muy cognosçida e no ignota, como quieren dezir los enbidiosos o ignorantes» (doc. XXX [p. 245]). He aquí cómo, cuando menos se espera, surge el agravio y el rencor: todavía no ha cicatrizado la herida de haberse visto escarnecido como descubridor de Dios sabe qué islas carentes de oro y pedrería. Muy al contrario, aquel continente era Asia, y quien dijera lo contrario se movía a impulsos de la envidia y de la ignorancia. Los sustantivos elegidos son todo un acierto, pues es la envidia, la gran cizaña, la que procura entorpecer las nobles empresas y las hazañas ultra-

---

[19] Es la pregunta X y XI del interrogatorio de D. Diego en 1515 (*Pleitos de Colón*, en *C.D.I.U.*, Madrid, 1984, VIII, p. 15). Sobre el debatido problema de la ocultación de las perlas cf. A. B. Gould, *Nueva lista documentada de los tripulantes de Colón en 1492*, Madrid 1984, p. 332ss.

[20] Cf. Las Casas, *Historia de las Indias*, I 123 (BAE 95, p. 328 a).

[21] Cf. el fragmento de informe de Simón Verde en *Cartas*, p. 283.

marinas; en caso contrario, hay que achacar a ignorancia el desdén de los que se burlaban de la ciencia del almirante, que eran sin duda los mismos que se habían mofado de su primera propuesta a los reyes, en ciega y dañosa oposición. Ahora bien, si la experiencia había venido a dar la razón al navegante, no había motivo para poner en duda su cosmografía, por fantástica que pareciese y por mucho que atentara contra los principios de los grandes geógrafos de la Antigüedad. Como suele, Colón se debate en el angustioso dilema de enfrentarse a los clásicos, con todas sus terribles consecuencias, o intentar adaptar conocimientos trasnochados a una nueva realidad.

La actitud mental de Colón toma perfiles más nítidos si se la compara con la postura de Duarte Pacheco Pereira, en cuyo *Esmeraldo* vibra el justo entusiasmo de los portugueses de su tiempo. Mientras que el genovés insiste terco en pisar tierra conocida, el cronista luso no tiene empacho en admitir que sus reyes han descubierto un mundo nuevo, como esa Etiopía «dantes a nos... de todo incognita» (II 9 [p. 156 Peres]). Este milagro ha acontecido, como en el caso de Colón, «por divinal misterio» (*Prólogo* [p. 10]), ya que la luz del Señor se ha derramado sobre sus elegidos, los príncipes de Portugal. Ahora bien, el hecho de haber acometido y dado fin a una empresa nunca vista se convierte en un blasón más de gloria, pues triunfan las armas de la Cruz donde habían fracasado las águilas de las legiones romanas, de suerte que D. Manuel «por una virtud divina y especial gracia manda todo», llegando sus caballeros tan lejos como el magno Alejandro, cuyas hazañas quedan pequeñas ante la grandeza lusitana, que guiada por el Señor acaba de descubrir también ella las minas de Ofir en Sofala y la tumba del apóstol Tomás en Maliapur (*Prólogo* [p. 13]). He aquí un motivo de orgullo inesperado, el haber surcado aguas cuya navegación los antiguos consideraban imposible (III 5 [p. 178]), superando por consiguiente todos los hechos memorables de griegos y romanos. La ciencia de Ptolomeo, Pomponio Mela y Juan de Sacrobosco está ya sobrepasada (IV 1 [p. 196]): es que, como dice en frase memorable, «a experiencia, que e madre das cousas, nos desengana e de toda duvida nos tira» (I 2 [p. 20]). Era éste un lenguaje en el que nadie había osado hablar hacía siglos, sin abrigar miedo a aceptar la novedad de los acontecimientos, antes bien, haciendo gala de abrir caminos no hollados por el hombre. Colón, podía, sí, sentirse emisario de Dios, mas era impensable que tales palabras salieran de su boca, pues de inmediato hubiera decaído en sus propias fantasías, despertando de su ensueño índico. La visión que tiene del mundo, su propia cosmografía, le impide al almirante librarse de las cadenas de la Antigüedad, así que su empresa resulta mucho más medieval que las navegaciones contemporáneas de los portugueses, que —justo es reconocerlo— se ven arropados por muchos años de tanteos y aprendizaje. A esta loca aventura colombina hace alusión clara Duarte Pacheco, exonerando de paso a sus monarcas de toda culpa por no haber aceptado los planes del genovés:

Muchas opiniones hubo en estos reinos de Portugal, en los tiempos pasados, entre algunos letrados acerca del descubrimiento de las Etiopías, de Guinea y de las Indias, porque algunos decían que no se preocupasen en descubrir a lo largo de la costa del mar, y que sería mejor ir por el piélago, atravesando el golfo, hasta topar con alguna tierra de la India o vecina a ella, y que por esta vía se acortaría el camino; otros argüían que era mejor descubrir por la costa de la tierra, recorriendo poco a poco lo que había en ella..., para saber con certeza el lugar en que estaban, por lo que podrían estar seguros de la tierra que iban a buscar, pues de otra guisa no podrían saber la región en que estaban. Y a mí me parece que la segunda opinión fue más acertada; y así se hizo (III 4 [pp. 175-76]).

La crítica a D. Cristóbal, al que se deja en un despiadado anonimato, no puede ser más clara y evidente: más vale ir descubriendo paso a paso, tanteando y reconociendo el camino para saber si se ha llegado a la meta deseada, que no lanzarse a mar tendido en una navegación que nadie conoce y que sólo Dios sabe adónde conduce, provocando el consiguiente desconcierto y desasosiego. Esta argumentación acerada tiene el enorme inconveniente de haber sido formulada *a posteriori*, con unos resultados palpables a la vista y no sin mala conciencia y cierta envidia; pero también en el reino de Castilla y Aragón había quien pensaba así. Y todos estos dimes y diretes no conseguían otra cosa sino afianzar más y más a Colón en sus disparatadas teorías, en obligado contrapeso a unos reproches inesperados. En cualquier caso, la dura censura portuguesa escoció mucho al círculo del genovés y de sus allegados, que pasó de inmediato al contraataque, redactado en este punto no por el almirante, sino por Vespuche, quien, en su carta a Lorenzo di Pierfrancesco de Medici del 18 de julio de 1500, dando cuenta a su protector del asombroso periplo de Vasco da Gama, escribió en tono despectivo: «a tal viaje como éste no lo llamo yo a descubrir, sino andar por lo descubierto, ya que... su navegación no pierde nunca de vista la tierra y rodean toda la tierra de Africa por la parte del austro, que es la comarca de la que hablan todos los autores de cosmografía» (I [p. 14, 7ss. Formisano]). A desprecio, desprecio y medio; así se las gastaban los grandes marinos de entonces, muy reacios a reconocer las hazañas de sus rivales.

4. *Las señas de la Tapróbana*

Como queda indicado, el tercer viaje de Colón marcó el rumbo que podían seguir los futuros descubridores de la Tapróbana. Entre ellos, especialísimo interés tiene la jornada de Vicente Yáñez Pinzón (1499-1500); de la expectación que suscitó su empresa sólo podemos hacernos una idea muy somera por la relación un tanto burlona de Pedro Mártir [22], que no cesa de advertirnos de la rusticidad de los marineros y nos pone en guardia ante sus afirmaciones, dado que «son Davos y no Edipos», es decir, mentes toscas y plebeyas y no nobles ni elevadas. Dejando a un lado sus zumbonas afirmaciones, típicas del viajero de salón, resulta que Pinzón creía haber sobrepasado, en su navegación al Oriente desde el cabo de San Agustín, la ciudad del Catayo y la India allende el Ganges ptolemaica, identificando la costa de Paria con la India gangética. Colón no había encontrado hombres «monstruos»; por el contrario, nada más llegar al continente, Pinzón topó con hombres de rostro torvo y amenazador, más altos que alemanes, cuyas huellas sobrepasaban casi en el doble las de un hombre de tamaño normal. Una sencilla reacción psicológica puede propiciar esta desenfocada apreciación de la realidad: «acudieron otros cien indios flecheros, que agora ellos fuesen grandes o no, nuestro miedo les hacía parecer gigantes», escribe en una ocasión Alvar Núñez [23]; de la misma manera, los chancos se le antojan «pequeños gigantes» a Cieza de León [24]. Pero, en este caso, el hallazgo de seres descomunales es obligado, como confirma a su vez otra narración contemporánea, anterior en pocos meses.

En las *Nauigationes* de Vespuche [25] se hace mención asimismo de una isla en la que, nada más desembarcar, se halló rastro en la arena de pisadas humanas gigantescas; un sendero condujo a los navegantes a una aldea, en la que encontraron primero a dos ancianas y tres muchachas de elevada estatura, a las que después se unieron 36 hombres y mujeres todavía más altos «y tan bien proporcionados que daba gusto verlos». El miedo pudo más que la admiración, de modo que los marinos a toda prisa volvieron sobre sus pasos a las naves y largaron velas, bautizando la isla con el nombre de Gigantes, por el tamaño desaforado de sus naturales. Cerca de esta isla —sigue narrando Vespuche— habitaba un pueblo que recibió hospitalariamente a los españoles y que tenía abundancia maravi-

---

[22] *Décades*, I 9, f. 18v de la edición alcalaína de 1530. En este mismo capítulo se encuentran las referencias siguientes.

[23] *Naufragios*, 11 (*BAE*, 22, p. 256 a); cf. 7 (p. 522 a).

[24] *Crónica del Perú*, 26 (*BAE* 26, p. 378 a).

[25] *Nauigatio secunda*. Este episodio lo relata también en su carta a Lorenzo di Pier Francesco de Medici del 18 de julio de 1500, de vuelta de la expedición; allí precisa que los hombres parecían Anteos y las mujeres Pentesileas; y a diez leguas de los Gigantes había otra isla con una grandísima población que tenía las casas como Venecia, hechas «con mucho artificio», en la que encontraron gran cantidad de algodón y brasil (= I, p. 10 ss. edición L. Formisano, Florencia, 1985).

llosa de perlas; durante su estancia allí, que se prolongó durante 47 días, se obtuvo nada menos que 119 marcos de perlas, a trueque de baratijas que no valían 40 ducados. Otra vez la aparición de gigantes va unida a la existencia de una riquísima pesquería perlífera. Ahora bien, si el libro de Vespuche contiene algún viaje identificable es precisamente éste, que se ajusta a la perfección con el emprendido por el conquense Alonso de Hojeda el 18 de mayo de 1499. El florentino, por consiguiente, nos transmite las vivencias de los marineros que, bordeando la costa de Paria, llegaron a las islas de los Gigantes y al golfo de Venecia y a la que llamaron isla de Coquibacoa, la actual península de la Goajira. La locuacidad de Vespuche resulta tanto más preciosa por cuanto el resto de los demás mareantes que fueron con Hojeda se muestra muy parco en palabras: en los pleitos colombinos sale a colación una y otra vez la isla de los Gigantes, sin que se expliquen las causas de tal denominación, y Juan Velázquez, en la pesquisa realizada contra Hojeda [26], se limitó a manifestar que en su suelo había gran abundancia de palo de brasil, del que aconsejó al capitán hacer cargamento.

No es casual que los gigantes entren en danza en lugares tan dispares como el río de las Amazonas y la isla de Bonaire, porque los expedicionarios parten con el propósito fijo de dar con ellos, prueba de haber alcanzado su objetivo. Nada más natural que esta idea preconcebida pueble las Indias de gigantazos, pues, en realidad, tan temibles huéspedes habitaban en la isla Tapróbana, según rezaba la leyenda del mapa catalán de 1375, siguiendo la añeja tradición y transmitiéndola a su vez a las generaciones venideras. En esta isla, tan abundante en oro, plata y piedras preciosas, la lógica exige que proliferen perlas sin cuento, que son las encontradas por Hojeda. A su vez, el doctor Cisneros había destacado entre las gemas de la Tapróbana los topacios; cabalmente los marinos de Pinzón tornan cargados de piedras que el médico Juan Bautista Elisio consideró verdaderos topacios [27]. También el encuentro con una nueva Venecia puede remontar a tradición libresca y no al hallazgo de una población palafítica,

---

[26] La publicó la duquesa de Alba en *Autógrafos de Cristóbal Colón y papeles de América*, Madrid, 1892, p. 25ss. Sobre este primer viaje de Hojeda cf. C. Seco, «Algunos datos definitivos sobre el viaje Hojeda-Vespucio» en *Revista de Indias*, XV (1955) 89ss. y G. Anderson, «Alonso de Ojeda: su primer viaje de exploración», en *Revista de Indias*, XX (1960) p. 13ss. Conviene advertir que R. Levillier (*América la bien llamada*, Buenos Aires, 1948, I, p. 87ss. y 133) cree en la existencia del viaje de 1497, en el que Vespuche habría llegado a tierra firme y del que conservaría un eco el mapa de Juan de la Cosa en sus datos continentales; pero no parece que esta teoría haya tenido muchos seguidores, a excepción de G. Arciniegas (*Amerigo y el Nuevo Mundo*, México-Buenos Aires, 1955, p. 185ss.).

[27] Cf. Pedro Mártir, *Décades*, I 9, f. 19r.

como se dice normalmente; en efecto, Marco Polo [28] había comparado la ciudad de Quinsay con Venecia, por estar también asentada en una laguna y disponer de un sinfín de puentes que unían los distintos barrios. Es natural que se pretendiera ver Venecias por doquier, hasta que el majestuoso espectáculo de la ciudad de México vino a colmar en parte las esperanzas frustradas de los europeos [29].

Urgía topar con los monstruos cuanto antes. En 1502 informaba Piero Rondinelli [30] de la vuelta de Bastiano (= Bastidas), que había ido a descubrir donde el almirante. En aquella tierra se escondía «grandísima suma de oro», y eso que Bastidas no se había atrevido a descender a tierra por no sentirse con fuerza suficiente para efectuar una entrada en condiciones: el temor a los caníbales o, más bien, a los endriagos esperados junto al tesoro, había hecho muy cautos a los navegantes. En las capitulaciones que se toman con los capitanes de la época, es muy común ver citado, entre las riquezas que se espera obtener, un botín muy singular: «oro e plata... e aljófar e perlas e piedras preçiosas... e monstruos e serpientes» se le permite coger a Bastidas el 5 de junio de 1500 [31]; también los «monstruos e serpientes» aparecen en el asiento con Vélez de Mendoza leído el 20 de julio del 1500 por Fonseca [32]; el 12 de julio de 1503 se da licencia a Guerra para que pueda «tomar monstruos e animales de cualquier natura e calidad que sean e todas e cualesquier serpientes e pescados que quisieren» [33]; a Juan de la Cosa se le faculta el 14 de febrero de 1504 para coger el «oro e plata e guanines e otros metales e aljófar e perlas e piedras preçiosas e monstruos e serpientes e animales e pescados e aves e espeçería e droguería» [34]. En este país maravilloso que es la India abunda todo en copia infinita, pero entre su fauna no pueden faltar los ofidios. Ahora veremos el porqué.

Una carta muy curiosa del veneciano Jerónimo Vianello [35], escrita en Burgos el 23 de diciembre de 1506, arroja mucha luz sobre los misterios que se estaban desvelando entonces gracias a Juan de la Cosa. La armada, según refiere Vianello, había ido 800 leguas más allá de la Española —las 800 leguas que decía haber recorrido Bartolomé Colón en el cuarto via-

---

[28] II 64 de la versión latina. Dice asimismo fray Odorico de Pordenone: «Esta ciudad está emplazada en las aguas de una laguna, que se mantiene y está como la ciudad de Venecia» (23 1 [van Wyngaert, *Sinica Franciscana*, I, p. 464]).

[29] Cf. por ejemplo, Bernal Díaz del Castillo, *Verdadera historia de los sucesos de la conquista de la Nueva España*, 13 (*BAE* 26, p. 11 a), 95 (p. 96 b).

[30] *Raccolta*, III 2, p. 120, 15 ss. (la carta, escrita en Sevilla, es del 3 de octubre).

[31] *Apud* M. Fernández de Navarrete, *Colección*, II, (Madrid, 1859), p. 272.

[32] *Apud* M. Fernández de Navarrete, *Colección*, II, p. 277.

[33] A.G.I., Indif. 418, vol. I, f. 111r.

[34] A.G.I., Indif. 418, vol. I, f. 124r.

[35] *Raccolta*, III 2, p. 185ss.

je—, descubriendo un río inmenso de 40 leguas de anchura en su boca (el río Grande de la Magdalena o quizá el Atrato) y tocando en una isla caribe que estaba sólo habitada en el septentrión, ya que su mitad meridional, separada por una cordillera, se hallaba infestada de serpientes, culebras y dragones, que atronaban el aire con sus silbidos, siendo algunos de estos dragones de grosor como una tinaja de aceite («capo d'oglio»). Después de recalar en tierra firme en un lugar llamado Alsechii, prosiguió la navegación 400 leguas en dirección entre poniente y garbino, hasta que los marinos dieron con muchas aldeas, donde les dijeron que ya sabían por una profecía que habían de venir navíos de parte de un gran rey, que los había de someter a todos a su dominio, y les iba a dar la vida eterna; y también les contaron los indios que, al otro lado de una altísima montaña había un río de cuyo fondo, por poco que lavasen, podría sacar cada uno 10 marcos de oro diarios. La importancia extrema de esta carta estriba en el marcado sabor mítico de sus noticias, muy a tenor de la información dada por Juan de la Cosa. Se ha llegado ya al continente índico, luego han de surgir los tópicos consabidos, como la mina de oro y la profecía presaga; también se presenta dócil otra leyenda que dentro de poco va a trastornar los ánimos de los españoles, porque efectivamente los indios van a recibir de los cristianos la vida eterna al ser iluminados por la luz del bautismo, pero es más probable que en un principio se pensase, invirtiendo los términos, que en realidad eran los indios los que gozaban de una perenne juventud. No deja de ser curioso que semejantes fantasías provengan de un lobo de mar como Juan de la Cosa; pero en más de una ocasión veremos a otros «vizcaínos» propensos a la andaluzada. En cualquier caso, ahora nos interesa de modo muy especial esa isla poblada a medias en extraño concierto por caribes y ofidios, discorde armonía que parece puede transportarse asimismo a esa tierra firme donde se elevaban también grandísimas cordilleras. En efecto, esta curiosa partición entre lo poblado y lo desértico, habitado sólo por serpientes, es uno de los rasgos típicos de la Tapróbana. Solino [36] se limita sólo a afirmar, siguiendo quizá a Megástenes, que la isla «está cortada por un río que la divide en dos, pues una parte está llena de bestias y elefantes mucho mayores que los que cría la India, a la otra parte la habitan los hombres». Esta doctrina es la recogida por Marciano Capela [37], San Isidoro [38] o Brunetto Latini [39]; no obstante, era inevitable

---

[36] *Collectanea*, 53, 3. L. A. Vigneras (*The Discovery of South America and the Andalusian Voyages*, Chicago-Londres, 1976, p. 125) identifica la isla con la Trinidad.
[37] *Sobre las nupcias de la Filología y Mercurio*, VI 696 (p. 346, 8ss. Dick).
[38] *Etimologías*, XIV 6, 12.
[39] *Li livres dou Tresor*, I 122, 22 (pp. 113-14 Carmody).

que la imaginación medieval asociara la región pródiga en piedras preciosas con las comarcas cercadas de montañas de las que hablan los geógrafos antiguos y el propio Marco Polo. Así se llega a la síntesis que presenta
el mapa catalán de 1375; en él, parte de la Tapróbana está figurada como
una región cerrada por cordilleras, señalada con el letrero: «aquesta ciu-
tat es deserta per serpentes». Al mito, por fin, arriba Juan de la Cosa en
1504; pero su búsqueda remonta al último decenio del Cuatrocientos,
cuando todos los afanes se cifraban en alcanzar la Tapróbana; indicio de
haberla tocado era escuchar el estruendo tremendo y espantable de las
serpientes cercadas, como los pueblos inmundos, por sierras altísimas y
escarpadas. Por esta razón, a Juan de la Cosa le traía mucha cuenta
convertirse en un fanático aficionado a ver grandísimos culebrones, regis-
trados con amoroso celo en las capitulaciones de la época; de aquí viene
la delectación con que describe Amerigo Vespuche la visión de una «sierpe o serpiente que tenía de largo obra de ocho brazas y era de grosor
como yo en la cintura; tuvimos gran miedo de ella, y a causa de su vista
volvimos al mar» [40]. El miedo, en definitiva, puede convertirse en un
buen síntoma, al ser señal indubitable de que se ha llegado donde se
quería, así que remacha el espabilado florentino: «Muchas veces me sucedió divisar animales ferocísimos y grandes sierpes», dado que la mons-
truosidad de la fauna está en razón directamente proporcional con la
bondad de la tierra. Comarca de tales características no puede estar poblada de hombres normales; ésta es la causa que induce a Hojeda y
Pinzón a descubrir gigantes de cuidado, acomodándose a la vieja tradición literaria. La Tapróbana, en suma, es un país de fábula, pero también
una comarca tétrica y pavorosa donde no se puede coger tesoros alegremente, pues junto al oro acecha la muerte.

5. Colón, caído en desgracia

El 10 de diciembre de 1498 rindieron viaje en Cádiz las cinco carabelas fletadas para el tercer viaje, portadoras de muy alarmantes nuevas
sobre el motín de Roldán y sus secuaces, así como anunciando el descubrimiento de Paria y de las perlas. Tan grande fue el revuelo que produjo
la situación del virreinato indiano que los monarcas tardaron más de un
año en tomar una decisión, de suerte que la llegada del comendador
Francisco de Bobadilla a la Española se produjo el 23 de agosto de 1500.
Hacía muchos meses que no anclaba en Santo Domingo una flota oficial,

---

[40] En R. Levillier, *América la bien llamada,* Buenos Aires, 1948, I, p. 264 (= I, p. 9,
23ss. edición de L. Formisano, Florencia, 1985).

y encima con este despacho se inauguraba una nueva política en Indias, que ponía fin a la gobernación de Colón, considerada dañosa para los intereses de la Corona: la «tiranía» del «Faraón» genovés había concluido para siempre, si bien la destitución se efectuó de manera brutal, que podían justificar quizá las circunstancias y que, en todo caso, recibió la aprobación de los franciscanos enviados por Cisneros para organizar la evangelización de los indios [41], libres ya en teoría del yugo de la esclavitud a que los había condenado el almirante.

Como es de esperar, toda la actividad de Colón en los meses siguientes se vuelca febril en la tarea de rehabilitar su fama y lograr la reposición de sus derechos. El año entero de 1501 y los primeros meses de 1502 transcurren en redacción de memoriales de agravios, en consultas a juristas, en súplicas a los reyes; pero este hombre genial no descuida ningún aspecto que pueda favorecer su imagen y hace que Pedro Mártir de Anglería escriba en latín su biografía, sobre los datos que él mismo le proporciona; eleva a Alejandro VI una instancia proponiendo una alternativa a la política misionera propugnada por Cisneros; redacta con su amigo fray Gaspar Gorricio, cartujo en el monasterio sevillano de las Cuevas, una justificación bíblica a su misión descubridora, de suerte que él, Cristóbal, pasa a convertirse en un hombre providencial, en un *Christoferens*, como firma desde entonces en demostración de ser un elegido de Dios; procura interesar a la Banca de San Jorge en la defensa de sus rentas, haciéndola partícipe del diezmo; bulle, en fin, predica, ruega, amenaza, truena y llora. Entre tanto ajetreo sus ínfulas no decaen: al Papa le asegura que la Española «es Tharsis, es Cethia [= Cethim], es Ophir e Ophaz e Çipanga [= Çipangu]» (doc. LXI [p. 311]). A su vez, en su carta a la Banca de San Jorge se intitula no sólo Almirante Mayor del mar Océano, sino «Visorey e Governador general de las islas e tierra firme de Asia e Yndias del Rey e de la Reina» (doc. LXII [pp. 314-15]); la ambición le juega trastadas a D. Cristóbal, que no vacila ya en proclamarse virrey de «Asia», de todo un continente, de la tercera parte del mundo, sin que ningún derecho le asista en esta estupefaciente pretensión, que —por si acaso— sólo exhibe cuando escribe a sus coterráneos, quizá para darse importancia y lavar su humilde cuna, su descendencia de los *uiles parentes* de que habla Giustiniani [42]; el testimonio, único, merece ser estu-

[41] Cf. lo que dije al respecto en «Los franciscanos y Colón», en *Actas del I Congreso internacional sobre los franciscanos y el Nuevo Mundo,* Madrid, 1987, 93ss.

[42] *Raccolta,* III 2, p. 245, 10. Ultimamente A. Agosto se ha ocupado de establecer la genealogía colombina en un eruditísimo estudio («Nuovi reperti archivistici sui parenti di Colombo», *Atti del IV Convegno internazionale di Studi Colombiani, Genova, 21-23 ottobre 1985,* Génova, 1987, p. 11ss.). No deja de producir cierto embarazo que los datos genoveses (o su interpretación) no siempre correspondan con los españoles. Así, p.e., Gioanetto

diado de nuevo, así como reclaman reiterada atención las relaciones del almirante con el genovés Antonio Gallo.

Por los mares del Nuevo Mundo habían navegado las naves de Hojeda, Guerra, Pinzón, Lepe, Vélez de Mendoza, redondeando el conocimiento de la costa continental. A Colón se le atraganta cada uno de estos viajes, que juzga, probablemente con razón, que violan la capitulación hecha con los reyes; pero se trata de empresas menores, que sin dificultad pueden retornar a su virreinato, enriqueciéndolo encima, no bien consiga convencer a los monarcas de sus razones; y en persuadir a los reyes, sobre todo a la reina, Colón es consciente de que no tiene rival: es simple problema de tiempo.

Por muy enojoso que le resulte el hecho de que el rey hubiese armado caballero a Vicente Yáñez en Granada, el viernes 8 de octubre de 1501 [43], otorgando franquicias y mercedes a un advenedizo que había logrado la fama gracias a él, tamaño desaguisado tiene a la postre fácil arreglo. Más lo solivantan las inquietantes nuevas que vienen de Portugal: en 1499 se entera Europa estupefacta de la llegada de Vasco da Gama a Calicut, celebrada jubilosamente en la Corte; D. Manuel concedió el honor del Don al capitán mayor de la armada, así como escudo de armas y título de almirante del mar Indico con toda su jurisdicción, amén de tres mil cruzados de oro de renta [44]. Pero todos estos nombramientos y perifollos creaban gravísimos problemas de competencia: ¿no había ya un almirante de la mar Océano y un virrey en la India? Girolamo Sernigi [45]

(pp. 19-20), hijo de Antonino Colombo, no puede ser otro que el Juan Antonio Colombo de las fuentes castellanas (cf. C. Varela, *Cartas*, p. 319); pero resulta que este personaje de «vida... no ejemplar» aparece en un documento notarial de Génova en febrero de 1500 (p. 25), con cronología quizá un tanto apretada. Agosto (p. 22) identifica a Andrea Colombo con un Andrea hijo de Gioanetto de Mocónesi, hipótesis más que improbable por el testimonio del propio Cristóbal Colón, que declara que Andrea es «hermano» de Juan Antonio (cf. C. Varela, *ibidem*, y *Textos*, doc. LXXXIII [p. 351]), como confirma el Libro manual del tesorero Matienzo, I, f. 104v (A.G.I., Contrat. 4674). Tampoco cuadran las noticias que los historiadores portugueses dan sobre la familia Moniz con los datos que ofrecen los archivos españoles, punto éste cuyo estudio me tienta.

[43] Publicó los documentos pertinentes la benemérita A. B. Gould en *BRAH*, XCI (1927) p. 326ss.

[44] Cf. Duarte Pacheco Pereira, *Esmeraldo*, IV 2 (pp. 198-99 Peres).

[45] *Raccolta*, III 2, p. 113. Cf. asimismo el *Diario* de Girolamo Priuli (*ibidem*, p. 114) y la *Crónica de Venetia* (*ibidem*, p. 115) sobre la llegada a Calicut, mencionado también por Vespuche en la segunda de sus cartas a Lorenzo di Pierfrancesco de Medici (Cabo Verde, 4 de junio de 1501; II, p. 15, 22ss. edición L. Formisano, cf. I, p. 14, 15), cuando con su acostumbrada y fatua arrogancia corrige la relación portuguesa del viaje de Cabral con la *Cosmografía* de Ptolemeo: el colmo de los desatinos, y encima para reprochar a los lusos su ignorancia náutica. A esta arrogancia, que responde quizá a las críticas de Pacheco, me he referido antes.

calcula la distancia recorrida por el gran navegante en nada menos que 3.800 leguas; pero el mismo Sernigi, escribiendo desde Lisboa el 10 de julio de 1499, anuncia que después se extiende un gran golfo, cuajado de islas en número de 11.000, que «deben de ser las que han sido descubiertas por el rey de Castilla». Los límites comienzan a confundirse y hacerse borrosos, y más todavía cuando Cabral toca en el Brasil, en la tierra que se llamó entonces de los Papagayos, dado que para muchos, como para Pietro Pasqualigo [46], informante desde Lisboa el 18 de octubre de 1501, esa tierra se unía con las Antillas, dominio de la Corona española. A mayor abundamiento, en una carta escrita en Santarén en 29 de julio de 1501 [47], D. Manuel comunicaba a los soberanos españoles el éxito obteni-

---

[46] *Raccolta*, III 1, p. 87.

[47] M. Fernández de Navarrete, *Colección*, en *BAE* 76, p. 66 ss., carta que podemos cotejar con una narración contemporánea nestoriana (*apud* J. S. Assemanus, *Bibliotheca Orientalis Clementino-Vaticana*, Romae, 1725, III 1, p. 595ss.). La arribada a Calicut provocó una verdadera revolución en el mundo de las finanzas, y los ojos de los banqueros genoveses se volvieron codiciosos al Extremo Oriente. La excitación llegó a afectar también a los italianos residentes o estantes en Sevilla, ciudad que, como Lisboa, se había convertido en un centro comercial de primer orden. Por una serie de curiosos documentos, los banqueros Bernaldo de Grimaldo, Lucas Batista Adorno, Otavián Calvo y un Cataño (el nombre resulta imposible de precisar por rotura del documento) convinieron en dar diferentes cantidades a Martín Centurión, hijo de Telmo de Centurión, con tal que fuera en persona a Calicut o a las partes de donde se traía la pimienta, a realizar sin duda negocios en su nombre; Grimaldo y Cataño se obligaron en 100 ducados, Adorno en 200 y Calvo en 50 (A.P.S., XV 1509, 1 f. 122r, y 353r-355v). Por su carácter excepcional, ofrezco el texto de uno de estos contratos, todos iguales y firmados el 12 de abril de 1509 en Sevilla, prescindiendo de las coletillas jurídicas finales:

«Sepan cuantos esta carta de publico instrumento vieren cómo yo, Bernaldo de Grimaldo, mercader ginovés estante al presente que estoy en esta çibdad de Sevilla, hijo de miçer Lucas de Grimaldo que Dios aya, otorgo e conozco por esta dicha carta e digo que, por cuanto yo quedé con vos, Martín Çinturión, mercader ginovés, hijo de miçer Téramo Çinturión, de vos dar e pagar çien ducados de oro en oro largos e de justo peso, por razón de çierta contrataçión que entre vos e mí pasó debaxo de una condiçión, si fuésedes personalmente a las partes de Calicut o de las Yndias adonde suelen ir e navegar el armada o harmadas del serenísimo Rey de Portugal e de donde suelen cargar la pimienta, e fuésedes tornado de las dichas parte o partes a cualquiera parte de la Christiandad de tierra firme, por ende digo que me obligo de llano en llano e sin pleito ni contienda de juizio que, cada e cuando e en cualquiera tienpo que vos fuéredes a las sobredichas partes de Calicud o Yndias e bolviéredes a cualesquier de las dichas partes de la Christiandad, de vos dar e pagar a vos, el dicho Martín Çinturión, o a quien por vos los oviere de aver o vuestro poder oviere, luego sin dilaçión alguna los dichos çien ducados de oro, esto por razón de la dicha contrataçión e de la dicha ida e tornada e por çiertas cuantías de mrs. por las cuales vos quedé de dar los dichos çien ducados de oro; de los cuales me doy por contento e pagado a toda mi voluntad, e renunçio la esençión de la pecunia no contada ni vista ni reçebida ni pagada, e quiero que contra este dicho instrumento e obligaçión no pueda alegar ningún defeto de cabsa, porqu'esto desde agora yo lo renunçio, e mi voluntad es de vos hazer donaçión de los dichos çien ducados de oro por cabsa de la dicha ida e tornada,

do por Pedro Alvares Cabral que, pasando de Melinde, había llegado a Calicut, haciendo escarmentar por su traición al señor de la tierra, y después a Cochín, donde había firmado paces con los reyes de Cananor y Coilum. De manera oficial, en consecuencia, las armadas lusas surcaban aguas de la India; ahora bien, ¿no era él precisamente virrey de la India? Gran maravilla era que unos intrusos se hubiesen colado de rondón en su dominio, y rematada su desvergüenza el reconocimiento regio, aceptando con enorme desenfado los hechos consumados: era el colmo del cinismo, que encima encontraba indignado rechazo no ya en el almirante, sino en otros cortesanos, escandalizados por la supuesta transgresión del tratado de Tordesillas. Colón, pues, no se encontraba solo en su repulsa, compartida por quienes soñaban con el dominio universal de Castilla y Aragón, que eran muchos y además exaltados. La baza a jugar estaba muy clara: por todos los medios había que frenar la expansión portuguesa, que había invadido tierras que no pertenecían a su demarcación; convenía, en consecuencia, enviar cuanto antes una expedición a la India, y no dirigida por un marino cualquiera, sino por el propio almirante de la mar Océano. En este punto convergían los intereses de la mayoría: de los reyes, de la Corte y del propio Colón. Así comenzaron los preparativos del «viaje más

lo cual me es a mí de tanto interese e provecho e más como dar los dichos çien ducados de oro; e para provança de la dicha ida e tornada digo que basta testimonio de capitán del harmada del dicho serenísimo Rey de Portugal por su carta patente sellada con su sello, con vuestro juramento que fagáis luego que viniéredes a la Christiandad ante cualquier escrivano público; con el cual dicho juramento que hiziéredes cómo avéis venido de las dichas partes de Calicud o Yndias e sois tornado a cualquier parte de la Christiandad; e con la dicha carta patente, jurada por vos en mi absençia o presençia qu'es del dicho capitán, sin otra diligençia alguna me obligo de vos dar e pagar luego a vos o a quien el dicho vuestro poder oviere los dichos çien ducados; para lo cual así thener e guardar e cunplir obligo a mi persona e bienes muebles e raízes doquier que los yo aya e tenga e oviere e tuviere de aquí adelante...».

Así se comprende que acto seguido, el 26 de abril, diera poder Martín Centurión a su hermano Esteban para cobrar sus deudas (*ibidem,* sin foliar, cf. f. 481r) o que el 24 de abril otorgase facultad a Gonzalo de Belvas, «hazedor» de Gaspar Centurión, para cobrar de Francisco Calderón 200 ducados (*ibidem,* f. 460r). El genovés, antes de partir, quería asegurarse sus dineros.

Este interés por Calicut tiene curiosas consecuencias: el 10 de febrero de 1513 Vicente Yáñez Pinzón, avecindado ya en la sevillana collación de Santa María, vendió a Alfonso de Escobar, canónigo de la iglesia colegial de San Salvador, un esclavo de color loro llamado Loarte de unos 9 años de edad, «natural de Calicud», por 9.000 mrs. (A.P.S., XV 1513, 1 f. 136r). El capitán, en consecuencia, soñaba también con los encantos de la India, e intentaba familiarizarse con la tierra mediante el trato con naturales cautivos. Poco después es el conocido mercader Cristóbal de Haro quien presta a su esclavo chino Tristán —bautizado también con nombre caballeresco— a los armadores de la expedición de Loaísa.

bello y de mayor utilidad que cualquier otro que hubiese hecho» [48], que no sólo se dirigía a buscar un estrecho [49], según veremos. No todos, sin embargo, estaban conformes con los proyectos de Colón, y la disidencia se hizo pública esta vez con cierto estruendo.

[48] Es la expresión de Angelo Trevisan en diciembre de 1501 (*Raccolta*, III 1, p. 71, 10).

[49] La demanda del estrecho la atestigua un marinero del cuarto viaje, Martín de Riera: «fueron en busca de un estrecho donde dezía el dicho don Christóval Colón que avía el especería» (*Pleitos colombinos*, en *C.D.I.U.*, VII, p. 259). El tonelero, no obstante, oye campanas: la especería se encuentra después, y no en el estrecho.

VI. NUEVA CRITICA Y ULTIMO VIAJE. LA AUREA SALOMONICA

1. Rodrigo Fernández de Santaella y su ataque a Colón

El 11 de mayo de 1502 se hacía a la vela de Cádiz el almirante, dando comienzo a su cuarta y azarosa singladura. El 28 de mayo de 1503 [1] salió de la imprenta de Polono y Cromberger una traducción del libro de Marco Polo efectuada por el arcediano de Reina y canónigo de Sevilla D. Rodrigo Fernández de Santaella, fundador del Colegio hispalense de Santa María de Jesús. La coincidencia semeja casual y apenas merecía reseñarse la noticia si no fuera porque el arcediano añadió a su versión una «Cosmographia breve», en la que, sin citar nombres, llevó a cabo una crítica feroz y despiadada de las teorías colombinas, tan virulenta que asombra. Comienza Santaella aludiendo a la identificación insensata de las Indias con la tierra salomónica poblada de riquezas: «porque en la Española se falla oro, algunos han osado dezir que es Tharsis e Ophin e Cethin, donde en tiempos de Salomón se traía oro a Jerusalem». Tamaño dislate saca de quicio a este hombre ilustrado, que rechaza la inducción colombina invocando cinco argumentos: a) la Española se encuentra al Occidente y la India al Oriente, luego no son la misma región del mundo. b) De Tarsis y Ofir se traía además de oro madera thuina, es decir, aromática, colmillos de elefante, pavos y monas, productos y animales de los que carecía la Española. c) En esta isla, sí, reinaba la idolatría, pero el hecho es que el orbe terráqueo estaba todo él cuajado de islas gentílicas:

---

[1] Así lo fecha F. J. Norton, *A Descriptive Catalogue of Printing in Spain and Portugal, 1501-1520,* Cambridge, 1978, p. 280 (n.º 743 A). En cambio, J. Hazañas (*Maese Rodrigo, 1444-1509,* Sevilla, 1909, p. 198) menciona una edición de 28 de mayo de 1502, basado en el *Registrum B* de D. Hernando Colón, muy probablemente equivocado.

sin ir más lejos, la Tapróbana (¡otra vez la reminiscencia clásica!) o el
Cipango. d) Ofir se halla cercano a Evilat y Evilat está en la India, razón
que explica que las naves de Salomón tuvieran que emplear tres años en
realizar la travesía. e) El anuncio de la buena nueva a las «generaciones
lejanas» de que habla Isaías (52, 15ss.) son explicadas por el Espíritu
Santo por boca de San Pablo, pero con la sutil y radical diferencia de
aplicar «aquella prophecía con sus semejantes a su obra» (Rom. 15,
20ss.), es decir, de entenderla como referida a la predicación apostólica y
no a la empresa colombina. A Santaella le sulfura oir el nombre de la
India extendido al Nuevo Mundo, despropósito que sólo se le pudo
ocurrir a «quien quiso dar a entender yendo a Occidente que iva a Oriente e aun llegava al Paraíso Terrenal». Demasiada pasión pone el canónigo
en estas páginas, que sólo se explican si medió alguna rencilla entre él y
D. Cristóbal, sobre todo teniendo en cuenta que alguno de sus argumentos, el primero y principal, por ejemplo, no resiste una crítica severa.
Sorprende, en efecto, que Santaella no tuviera intereses en la empresa
ultramarina, y ello cuando otros dos canónigos de Sevilla, Luis Fernández
de Soria y Sancho de Matienzo, iban a volcarse en los negocios indianos,
el primero como apoderado del almirante, el segundo como tesorero de la
Casa de la Contratación, creada precisamente en 1503. No cabe tampoco
achacar a mojigatería este desafecto por las islas del Océano, ya que
Santaella, hombre de acción y no sólo de pensamiento, no se escandaliza-
ba por las posibles tropelías que podía cometer Colón en la Española: el
18 de junio de 1504, por poner un ejemplo, el mercader portugués,
Tristán de Olivera, vecino de Lisboa, vendió a su mayordomo Lope Suárez una esclava negra bozal llamada Penda, de edad de 18 años, por la
suma de 7.000 mrs. [2], y su caso no constituía una desagradable excepción,
pues otros hombres de la Iglesia traficaban asimismo con esclavos de
color. Por otra parte, y precisamente por sus continuas peticiones a la
Curia romana, el maestro Rodrigo andaba muy a bien con los comerciantes italianos: el 28 de abril de 1505 reconoció una deuda de 350 ducados
de oro a Bernardo de Grimaldo, que respondían a un crédito que éste le
había dado en el banco de los Sauli en Roma para pagar unos procuradores suyos estantes en la Ciudad Eterna para el despacho de ciertos negocios; y de paso, además de solucionar sus asuntos, intervenía el arcediano
en los de los demás: dos días antes, el 26 de abril, el clérigo Bartolomé
Martínez otorgó deber a D. Rodrigo de Santaella y en su ausencia a su
apoderado, el clérigo Fernando Ruiz de Hojeda, 34.000 mrs. por unas

---

[2] A.P.S., VII 1504-1505, f. 332v ss. Sobre los esclavos de Matienzo y de L. Fernández
de Soria cf. p.e. N. P. Lansley, «La esclavitud negra en la Parroquia de Santa María la
Mayor» en *Archivo hispalense*, LXVI (1983) 55-56.

bulas apostólicas expedidas en la Curia romana a favor suyo, y que había pagado el dignatario [3]. Por tanto, la razón de la enemistad de Santaella y Colón ha de tener raíces más profundas, máxime si se recuerda que el canónigo figura entre las pocas personas que D. Hernando Colón [4] juzgó oportuno poner en la picota por escrito, apuntando su desacierto y el de sus seguidores al rechazar la denominación de India propugnada por el almirante. Santaella, pues, es acusado de encabezar la oposición hispalense a la cosmografía colombina, rechazo que hemos visto asomar sin tapujos en el también sevillano Cisneros, y que ahora el canónigo explicita y apoya en mejores argumentos. La traducción del Marco Polo se vio espoleada, sin duda, por la aparición de la versión portuguesa de Valentim Fernandes el 4 de febrero de 1502, pero resulta casi imposible que en poco más de un año Santaella realizara su traslado y el editor acabara la impresión. El interés del humanista por el viajero data de más antiguo, y el acicate máximo para culminar su obra lo recibió sin duda Santaella al percatarse de que su adversario, el almirante, andaba en tratos con los reyes para capitular un nuevo viaje de descubrimiento. Tal noticia actuó en él como un revulsivo, incitándolo a pregonar a los cuatro vientos el gran fraude de Colón por medio de los tórculos hispalenses, pensando razonablemente que todo el que leyera la obra original de Marco Polo podría, al contrastar lo descrito en el libro con la realidad de la Española, desengañarse por sí mismo de las fantasías colombinas.

Considerada bajo este prisma, la traducción de Santaella se convierte en un arrebato apasionado, en la expresión visceral de la más acerada polémica, que la «Cosmographia» introductoria acaba de explayar y pulir. En vísperas del cuarto viaje no cabe duda de que las opiniones del canónigo, expresadas sin recato, causaron hondo malestar y escozor en el corazón no muy indulgente de D. Cristóbal, que prefirió humillar a su adversario con el desprecio de su silencio: él, que ya se carteaba con Pontífices, no podía caer en el desdoro de discutir con pobres arcedianos. Sigue escapándosenos la causa última de odios tan desmedidos entre dos hombres condenados en teoría a entenderse; sin querer nos vienen a la mente otras escenas tan edificantes como la pelamesa del almirante con otro converso, Jimeno de Briviesca, o el motín de Roldán y sus compinches, tildados también de marranos por la cáustica pluma colombina. ¿Acaso ha traicionado Colón las esperanzas en él depositadas por algunos de los cristianos nuevos? La pregunta ha de quedar sin respuesta a falta de documentos precisos y contundentes.

---

[3] A.P.S., III 1505, f. 556v ss. y 546r ss.
[4] *Historie,* VI (I, pp. 45-46 Caddeo), Las Casas, *Historia de las Indias,* I 5 (*BAE* 95, p. 28).

Desde Nicolás Antonio [5] se viene atribuyendo al maestro Rodrigo un tratado *De uariis arborum et animantium generibus nobis inuissis quae in India reperiuntur, insuper de Indorum moribus de aliisque mirabilibus et scitu dignis,* cuyo paradero desconoció todavía el benemérito Hazañas. El manuscrito reseñado por Antonio como existente en la biblioteca de Lorenzo Ramírez de Prado, raro y dislocado ingenio, es a no dudar el que en la actualidad guarda la Biblioteca Real de Madrid bajo el número 1.922, con la nota de ser su autor el ilustrísimo varón don Rodrigo Fernández de Santaella, arcediano de Reina, confesor de los reyes Católicos, arzobispo electo de Tarragona y creador del Colegio mayor de Sevilla. Por desgracia, su contenido no responde a las esperanzas que suscitó en Hazañas [6], muy quejoso de la pérdida de una obra que podía encerrar valiosísima información sobre el Nuevo Mundo; se trata, en realidad, de una copia del tratado de Poggio sobre la India inserto en el cuarto libro de su *De uarietate fortunae,* y tomado de la relación oral de Nicolò de' Conti. Valentim Fernandes había traducido esta narración como apéndice del Marco Polo, y Santaella siguió su pauta; así se explica, en definitiva, que en su poder figurara este opúsculo latino, que, privado de nombre de autor, fue adjudicado sin más indagación en el siglo XVII, quizá por el propio Ramírez de Prado, a la pluma del arcediano por su renombre como humanista.

La doctrina de Santaella encontró gran eco en el *Phisices compendium* del teólogo Pedro Margallo, publicado en Salamanca en 1520, f. 4v, que, traduciendo casi al arcediano, considera puro desatino (*deliramentum*) la idea de llamar India a América (el influjo de Waldseemüller es evidente) o a la Antilla. Sí, en cambio, resulta sorprendente que la autoridad de Margallo fuera aireada por D. Hernando Colón en la junta de cosmógrafos de Elvas, celebrada cuatro años después [7].

2. Sevilla y Colón. El oro de las Indias

A lo largo de su vida, Colón encontró en Sevilla amigos entrañables, sí, pero también los más acérrimos detractores. Era normal que así sucediera, pues por Sevilla tenían que pasar todos los hombres que regresaban

[5] *Bibliotheca Hispana Nova,* Matriti, 1788, II, p. 266 b, remitiendo a León Pinelo (cf. su *Epitome de la Bibliotheca Oriental y Occidental, Náutica y Geográfica, añadido y enmendado por el marqués de Torre-Nueva,* Madrid, 1738, II, título XXV, c. 865). Cf. M. de la Puente y Olea, *Los trabajos geográficos de la Casa de la Contratación,* Sevilla, 1900, p. 211.

[6] *Maese Rodrigo, 1444-1509,* Sevilla, 1909, pp. 55-56.

[7] A.G.I., Patron. 48, 13 f. 4v (en realidad 7v); publicado en *BAE* 76, p. 620 b.

de Indias, y aun muchos de ellos procedían de la ciudad, empezando por Melchor Maldonado, el caballero veinticuatro. Juan Aguado, por ejemplo, el capitán de la armada de 1495, desempeñó a su vuelta un cargo público, el de escribano mayor de la justicia [8]. Otro vecino de Sevilla, Hormicedo, «maestro para conosçer e apurar el oro» [9], se había enfrentado agriamente al genovés incluso antes de la llegada de Aguado; no parece que sus disputas y altercados con el almirante repercutieran en menoscabo de su prestigio, pues pienso que ha de ser el Diego de Hormicedo que fue fiel del peso del contraste hasta el 15 de junio de 1501 [10], día en que pasó a ocuparse de tal responsabilidad el tallador Alonso Sánchez. Otros personajes menos conocidos residieron también en la capital andaluza: en 1500 moraba en ella un personaje inquietante, un tal maestre Jorge, lapidario húngaro, que había vivido la experiencia indiana [11]; ¿qué opiniones, qué comentarios vertería en sus conversaciones con unos y con otros? Sevillanos asimismo son los Porras, los dos hermanos que con su insolencia e insubordinación amargaron el último viaje del almirante. No es maravilla, pues, que el máximo rechazo contra la cosmografía y la política de Colón proviniera cabalmente de las diversas camari-

[8] De Juan Aguado, ya asentado en Sevilla, dan noticias las escribanías hispalenses:
— 23 de enero de 1500 (V 1500, f. 42r): Juan Mosquera, repostero de camas, vecino de Granada, da poder a Juan Aguado, aposentador de Sus Altezas, escribano mayor de la justicia de la ciudad de Sevilla, para cobrar cien cahíces de saca de pan y trigo que tenía de merced de los reyes en Jerez de la Frontera y Cádiz con todo su obispado.
— 7 de marzo de 1500 (*ibidem,* f. 160v): Juan Aguado, repostero de los reyes, da poder a Rodrigo de Mayorga, escribano, para que pueda usar por él la escribanía de justicia, poder que ratifica el 27 de abril (*ibidem,* f. 247v).
También hubo quejas sobre la actuación de Juan Aguado: en 1502 protestaron de su modo de llevar la justicia Francisco Sánchez, Antonio de Vergara y Fernando Navarro (A.M.S., Actas capitulares, año de 1501-1506). Más información sobre Aguado contienen las actas de enero de 1507 (*ibidem,* año de 1507, mazo de enero, f. 96r). De su proceder como jurado hay abundante documentación en los protocolos sevillanos de los dos primeros decenios del s. XVI. El 16 de mayo de 1522, sintiéndose viejo y achacoso, renunció al alguacilazgo mayor y juradería, pidiendo al rey que se sirviese nombrar para estos cargos a su hijo Alonso de Aguado (A.P.S., XV 1522, f. 225r).
[9] Andrés Bernal, *Memorias del reinado de los Reyes Católicos,* cap. CXX (p. 303).
[10] En 1501 se le entregaron 11.875 mrs. de su salario desde el 1 de septiembre de 1500 hasta el 15 de junio de 1501 (A.M.S., Papeles de mayordomazgo, año de 1501). El 19 de noviembre de 1487 se discutió en cabildo sobre los 30.000 mrs. que debían Diego de Hormicedo y Luis Tenorio; se propuso a sus miembros que «devían mandar que los sobredichos luego diesen, para los llevar a echar en el arca de las tres llaves que está en el monasterio de Las Cuevas», que, como se ve, funcionaba como banco de depósitos (A.M.S., Actas capitulares, años de 1483-1489).
[11] Documenta la existencia de este maestre Jorge una escritura del 25 de junio de 1500 (A.P.S., IV 1500, 1 f. 520r), por la cual Diego Jaramillo, escudero, natural de Badajoz, otorgó poder a Inés de las Casas, vecina en San Vicente, para cobrar del lapidario, estante en Sevilla, 9.000 mrs. de cierta ropa que Jaramillo le dio en Indias.

llas hispalenses: canónigos, oficiales reales, eruditos, marineros, botica-
rios, todos porfían en contradecir al virrey de las Indias, como en 1494
rectificaba sus teorías un «abad de Lucerna» [12] que pienso no sea otro que
Bartolomé de Lucerna, vecino del Puerto de Santa María en 1504 [13] y
quizá antes asentado en Sevilla, ciudad con la que en todo caso tuvo por
fuerza muy estrecha relación. Sirve de contrapeso a estos círculos colom-
bófobos un núcleo poderoso de personas afectas al almirante, como su
cuñada y su sobrina, Briolanja y Ana, tan influyentes en la Corte gracias a
su valimiento ante D. Alvaro de Portugal, o el canónigo Luis Fernández
de Soria. En definitiva, en Sevilla corren vientos muy diversos, adversos
unos y favorables otros a Colón, como corresponde a una ciudad en la
que cohabitan personas muy antagónicas y con intereses fluctuantes: el
doctor Chanca, tan admirador de D. Cristóbal en 1494, no vuelve a
aparecer en relación con el genovés a partir de su retorno a Sevilla,
aunque envía a su esclavo negro, Juan de Zafra, a negociar a la Española;
es de suponer, por tanto, que la amistad se ha enfriado, si bien no ha
habido una ruptura total: todavía el 28 de julio de 1511 el físico otorga
poder cumplido a D. Bartolomé Colón para que tomara en la Española
las cuentas al moreno y reclamara las cantidades que podía haber cobrado
en su nombre Diego Sánchez Bravo [14].

Por una trágica ironía del destino, el oro reluce en Indias en el
preciso momento en que el almirante se vio desposeído de su gobernación. El 7 de junio de 1501, Alberto Cantino [15] escribía desde Orán a su
señor, Hércules de Este, notificándole que en la Española se acababa de
descubrir una mina de oro, del que había llegado a España cantidad por
valor de 14.000 ducados; este envío había provocado tal fiebre de riquezas, que unos particulares habían ofrecido al rey 100.000 ducados por
armar seis carabelas, propuesta que el monarca había desestimado. Los
rumores recogidos por Cantino tenían base muy real, pues el 12 de septiembre de 1502 Juan Sánchez de la Tesorería y Alonso Bravo hicieron
una capitulación con los soberanos para despachar a Santo Domingo una
armada de seis naves, con objeto de proveer al abastecimiento de los
colonos. Era asimismo verdad que la isla producía oro: en 1502 el naufragio de la capitana truncó las esperanzas de los reyes: en 1503 Ovando
remitió sólo 6.000 pesos, pero en 1504 arribaron al puerto de Sevilla las

---

[12] Lo conocemos gracias a Miguel de Cúneo (*Cartas,* p. 259).
[13] Cf. A.P.S., V 1504, 2 f. 430r (recibe el 14 de setiembre un poder de Isabel
Benítez), vecina de Sevilla, para arrendar unas casas en el Puerto de Santa María. El error
procede, a mí juicio, de una falsa interpretación de la abreviatura Bᵉ (= Bartolomé),
entendida como «abad».
[14] A.P.S., IV 1511, 4 f. 2465r de la foliación antigua.
[15] *Raccolta,* III 1, p. 150.

dos carabelas de Bermúdez y Nortes con un cargamento de 40.000 pesos [16]. El sueño del almirante se había hecho realidad cuando él, su descubridor, no podía ya disfrutar de sus beneficios. Urgía, pues, rehacer su buen nombre emprendiendo el «alto» viaje cuanto antes, aprovechando la buena disposición de la Corona, un tanto consternada ante el fracaso más o menos rotundo de las expediciones financiadas por particulares, que, además de no haber regresado con tesoros infinitos, habían soliviantado los ánimos de los indios y de los colonos.

3. *Las quimeras del cuarto viaje*

La cuarta navegación, en la que depositó el almirante tantas esperanzas, resultó un fracaso en el que el destino no le ahorró sinsabor alguno, empezando porque Ovando le prohibió desembarcar en la Española, la isla de su alma. En su largo periplo por las costas de Honduras y Nicaragua de nuevo volvieron a su mente recuerdos clásicos y polianos: le llegan noticias de las minas de oro de Ciamba (doc. LXVI [p. 318]) e identifica Ciguare con Catígara (*ibid.* [p. 319]), según se ve en el croquis de su hermano Bartolomé, puerto que sitúa ya sólo a diez jornadas de distancia del Ganges, al otro extremo del istmo; allí se encuentran según él navíos que «traen bonbardas, arcos e flechas, espadas e coraças e andan vestidos», el mundo descrito por Marco Polo y sólo entrevisto en brumas fantásticas, así como las alimañas que faltaban en las islas: «leones, cierbos, corços» (*ibid.* [p. 326]) y que, como se advierte a cada paso en el libro del veneciano, son «muy diversas de las muestras» (*ibid.* [p. 325]). Las reminiscencias de la China se agolpan. Colón no sólo trae a colación las sedas tejidas de oro del Cata_yo (*ibid.* [p. 326]), sino que, al describir las gallinas que tenían pluma como lana (*ibid.* [p. 326]), piensa evidentemente en las gallinas peludas de Quelinfu (II 68). La hermosa montería que tiene por protagonistas un «gato paulo» (*ibid.* [p. 326]) es eco indudable del aparato cinegético del Gran Kan, mezclado con el misterio de los grandes monos de Indonesia. La lectura poliana deja ya huellas bien perceptibles, al contrario de lo que sucede con lo escrito en 1492-93.

En el cuarto viaje, como en el primero, se hizo una luz del cielo en el arrebatado caletre del almirante. El y sólo él, el predestinado, había dado con el rumbo de Veragua, porque los desdichados pilotos, con su poca ciencia, no sabrían ni decir el camino de ida. Hay «una razón de astrología» pero Colón se la calla (*ibid.* [p. 325]), de suerte que todo su derrote-

[16] Cf. mi artículo «Las cuentas de Cristóbal Colón», en *Anuario de Estudios Americanos*, XLI (1984) 39.

ro se asemeja a «visión profética»: el propio Dios, el Yavéh de los patriar-
cas del Antiguo Testamento, se le ha aparecido para confortarlo en su
dolor y desesperación. De nuevo la mente colombina desbarra por sendas
que la razón no comprende y que únicamente quedan claras para el
iluminado, el escogido del Señor, que está por encima de los demás
mortales y que, por tanto, alcanza a vislumbrar cosas que al común de los
humanos se le escapan, tal y como ocurrió el 24 de diciembre de 1492.

En todo caso, Veragua rebosa de tesoros: «Yo vide en esta tierra de
Beragua mayor señal de oro en dos días primeros que en la Española en
cuatro años», afirma el propio almirante (*ibid.* [p. 326]). Pero antes también se habían producido alucinaciones en la isla de Guanaja, en Honduras, donde se vio tierra «llamada *cálcide*, con la cual se funde el cobre; y
algunos marineros, pensando que fuese oro, la llevaron largo tiempo a
hurtadillas» [17], ni más ni menos que como si hubiesen cogido arena de
Ofir, para fundirla después y obtener oro purísimo. Esta información de
D. Hernando la confirma su tío Bartolomé Colón [18], que precisa incluso
que algunos marineros guardaron la tierra durante ocho meses; sólo el
humanista frustrado que lleva dentro el segundón es capaz de identificar
esa arena con la *chalcitis* de Plinio [19], «de la que se cuece cobre» y entre la
que «descuella la de color de miel, con venas de fino recorrido, fácil de
desmenuzar y no pedregosa», probablemente una pirita cuprífera. Cerca
de Ofir no pueden faltar los grifos; y en efecto, rastros de grifos creen
encontrar en Huibá, en tierra firme. De tales indicios Colón guarda silencio, porque él, el elegido por Dios, sabe dónde se halla el oro, y no la
chusma inculta y grosera de sus marineros. Y en este momento trascendental la desesperación y el espíritu profético parece inducir al almirante
a negar la tesis que él antes había mantenido contra viento y marea,
proclamándola incluso ante el Papa; oigamos las palabras que pronuncia
al divagar con el corazón roto sobre sus obsesiones ofíricas y la construcción del Templo salomónico; «Josepho quiere que este oro se oviese en la
Aurea; si assí fuese, digo que aquellas minas de la Aurea son unas e se
contienen con éstas de Veragua» (doc. LXVI [p. 327]). Josefo, en sus
Antigüedades judaicas (VIII 164), se limita a recordar que Hiram le mandó
a Salomón pilotos y hombres entendidos en el mar, «a los que éste
ordenó que navegaran con sus propios despenseros a la tierra llamada
antes Sofira [la *Sophora* de d'Ailly y la Sopora de Colón] y ahora tierra
del oro [i. e. Chryse, Aurea], que forma parte de la India, para que le
trajesen oro». El pasaje, un tanto sibilino, puede ser entendido, y de
hecho así lo hizo el almirante, como una referencia a la Aurea Chersone-

---

[17] *Historie*, LXXXIX (II, p. 195 Caddeo).
[18] *Cartas*, p. 331.
[19] *Historia natural*, XXXIV 117ss.

sus, la Aurea por antonomasia, la península de Malaca. Pero esta identificación acarrea nuevas e incalculables consecuencias, pues resulta entonces
que el país del oro puede que no sea ya la Española, sino Veragua; es
decir, aunque Colón se empecina hasta el fin en descubrir las minas
salomónicas por razones obvias, ahora introduce un nuevo y fundamental
matiz, que va a tener consecuencias incalculables: el venero bíblico no se
encuentra ya en una isla, sino en el continente, en el Dorado Quersoneso,
que de manera simplificada puede pasar a llamarse el Dorado a secas.

Esta lectura de Josefo viene a ser el postrero y supremo estímulo que
recibió Colón de sus vigilias eruditas, y no se debe por tanto a simple
coincidencia que el texto citado se encuentre entre sus mimadas *carte a
papiri*, los últimos folios encuadernados con la *Historia rerum*, citados en
una apostilla (C 166) a la *Imago mundi* donde se establece que Tarsis «se
encuentra en el fin de Oriente al final de Catayo». Con el mapa de Ptolemeo en mano cualquiera podía acoplar las diversas noticias de modo más
o menos satisfactorio, a costa siempre de algún sacrificio y de algún
desaguisado geográfico: en el confín de Oriente, de hecho, se hallaba el
Aurea de Josefo, el Dorado Quersoneso. Pues bien, no parece desatinado
concluir que la meta de Colón en el último viaje era precisamente el
Quersoneso, donde él, traicionando ingenuamente su pensamiento, localiza Veragua; éste hubo de ser el señuelo con el que cebó a los reyes para
aderezar su última armada. En aras del proyecto se produjo una víctima
en el sistema ptolemaico: para llegar a la Aurea había que salvar otra
península, donde estaba plantada Catígara, el puerto de los chinos. Pero
Ptolemeo, hubo de pensar nuestro cosmógrafo aficionado, andaba muy
equivocado en sus cálculos, así que no era de extrañar que hubiese desdo-
blado en dos una misma península; tampoco cabía descartar que el nombre de Aurea correspondiese mejor a la punta de tierra que los griegos
habían dejado sin explorar. En cualquier caso, Colón había navegado por
aguas de la China, luego estaba más claro que la luz del día que el Aurea
se hallaba cercana, tanto que casi se podía asir con los dedos. Hubiese
sido una estúpida locura no acometer una empresa que por aquel entonces tentaba también a otros.

En efecto, al filo del Quinientos el objetivo de los navegantes lusitanos se cifraba en llegar a una isla, Malaca, de la que se tenía noticias de
que, además de muy rica, era el puerto donde fondeaban las flotas del
mar Gangético e Indico. En una armada de seis naves, enviada por el rey
de Portugal en demanda de esta isla, había participado ya en 1503 el
propio Vespuche, si se ha de dar crédito al testimonio de su última y
cuarta «jornada» [20]. Mas incluso si tal viaje existió sólo en la imaginación

---

[20] *Raccolta,* III 2, p. 167, 9 (= Lettera a Soderini, pp. 63-64 Formisano).

del florentino o de su corresponsal, queda fuera de toda duda el interés que en aquellos años espoleó a los marinos lusos a alcanzar Malaca, después de su triunfal llegada a Calicut. Ahora bien, esa Malaca con la que soñaban los portugueses no era otra que el Aurea, el Dorado Querso-neso de Ptolemeo, que emergía con perfiles cada vez más nítidos al comprobarse el crédito que merecía su tabla undécima, la relativa a la' *India extra Gangem*.

De todo ello tenía puntualísima noticia la Corte española gracias a su red de espías, al igual que el monarca portugués disponía de informes muy precisos acerca de las navegaciones de sus vecinos y rivales: por mucho que se extremara el sigilo, rozaba en lo imposible mantener el secreto. Pues bien, Colón, según creo, tuvo de nuevo la genial ocurrencia de invertir los términos del problema; si los lusitanos intentaban descu-brir Malaca, el Aurea, por la ruta del Cabo de Buena Esperanza, era evidente que se podía acortar el camino buscando de nuevo el Oriente por el poniente. Este plan sencillísimo pedía a gritos su ejecución inme-diata, y nadie mejor que el almirante de las Indias para realizarlo, pues siempre había salido certero en todas las cuestiones relativas a la navega-ción. Y quizá incluso se despeje ahora la incógnita que antes parecía insoluble sobre las vacilaciones colombinas en torno a Tarsis, pues ocurre pensar que el genovés diferenció a Ofir, la Española, de Tarsis, el Aurea, en sus últimos años, cuando el texto de Josefo comenzó a madurar en su cabeza. Un apoyo para este desciframiento lo ofrece Martín Fernández de Enciso, al hablar de las tierras de Salomón:

Assí se perdió la memoria de Tarsis y Ofir, y hasta oy no se sabe más d'ellas de cierto más de que son al oriente. Algunos tienen que son Ciampago y la isla que llaman del oro, que es acerca de Java, las cuales están apartadas de tierra mil y quinientas leguas hacia el Gatígara, porque en aquéllas ay noticia que ay mucho oro. Pero Hieremías dize que Tarsis no es isla y que Ofir es la isla [21].

Muchas conclusiones saca Enciso del profeta, que no puede ser más enigmático (10, 9: «plata laminada de Tarsis es traida, y oro de Ofaz»); justo lo contrario había deducido Colón en el *Libro de las profecías* (f. 77v). Mas también en otro pasaje el bachiller aventura hipótesis que, de manera paladina, no son ideas personales suyas:

A mi parescer, según lo que de Yocat se escrive, tengo que aquella es Ofir, la cual en la Sagrada Escriptura se dize Ofir, de donde el rey Salomón truxo el oro para el templo, que es la isla de Jocat, que es ochenta leguas más al oriente de Java..., y Tarsis tengo que es el puerto de Cipangu, que cae en el Aurea [22].

[21] *Suma de Geographía*, Sevilla, 1530, f. 45v.
[22] *Ibidem*, f. 8r.

Si bien se mira, esta misma teoría, salvando las comprensibles variantes, propugna Colón en 1503, y sin duda de ningún género los portugueses del momento. Tan hondo caló esta interpretación, que la identificación de Tarsis con Malaca persistió a lo largo de todo el siglo XVI y aún tuvo defensores en el siglo XVII, según veremos. Por otra parte, la carrera por alcanzar el Aurea continuó atosigando a españoles y portugueses, razón primordial que me confirma en la solución propuesta, pues los objetivos permanecen siempre los mismos, cambiando únicamente el decorado y la ambientación. Pues bien, Leonardo de Ca' Messer, en un informe enviado a Venecia desde Lisboa el 16 de abril de 1506 [23], dio cuenta de que el 1 de marzo de ese año habían zarpado cuatro naves del rey de Castilla con destino a Malaca bajo el mando de Francisco Amerigo, florentín. La noticia es errónea, pero refleja en definitiva el proyecto que desde comienzos de 1505 acariciaba la Corte [24], en el que iban a intervenir Amerigo Vespuche y Vicente Yáñez Pinzón, flamante capitán y corregidor de San Juan de Puerto Rico [25]. Se trataba de realizar un viaje incógnito para el que serían menester cuatro carabelas, una de 150 toneles, otra de 100, dos de 60 y dos barcas; como la navegación se suponía que iba a ser muy larga, se necesitaban abastecimientos para dos años. El 15 de junio de 1505 apremiaba el rey desde Segovia a los oficiales de la Casa de la Contratación para que Vespuche y Pinzón pudieran hacerse a la vela antes del invierno, y les recordaba los inconvenientes de la demora: «porque si oviesen de aguardar fasta pasado el invierno, avría mucho peligro en la tardança, por la voluntad que otros tienen de fazer este viaje, como sabéis» [26]. ¿Quiénes podían ser esos «otros» tan temidos, sino los portugueses? Tan entusiasmado traía el proyecto al rey que no vaciló en acceder a los elevados salarios que solicitaban los dos navegantes: 50.000 mrs. cada uno, amén de otros 12.000 mrs. anuales para gasto de sus casas respectivas [27].

---

[23] *Raccolta,* III 1, p. 92.

[24] Así lo indica la cédula real expedida en Toro el 13 de marzo de 1505 (A.G.I., Indif. 418, vol. I, ff. 152r = 166v).

[25] Paralelamente, en efecto, se hizo una capitulación con Vicente Yáñez Pinzón, nombrado capitán y corregidor de San Juan de Puerto Rico en Toro el 24 de abril de 1505 (A.G.I., Indif. 418, I, f. 161r), para construir en la isla una fortaleza, cuya tenencia y alcaidía le había de corresponder a él y al sucesor que designase, con un salario de 50.000 mrs. anuales (Toro, 24 abril de 1505: *ibidem,* f. 162v); ese mismo día se le otorgó siete caballerías de tierra en la isla (*ibidem,* f. 163v). También el 24 de abril de 1505 se dio una franquicia para poblar San Juan de Puerto Rico (*ibidem,* ff. 163v-164r); a Pinzón y a los futuros moradores se les concedía exención de derechos en los mantenimientos que compraran en la Española, con vistas a aumentar los alicientes de la colonización, que, como es sabido, sólo llevó a cabo mucho más tarde Juan Ponce de León (cf. infra cap. IX).

[26] A.G.I., Indif. 418, vol. I, f. 169v.

[27] El monarca, en carta a los oficiales de la Casa de la Contratación de 11 de agosto de

Este plan, de manera clarísima, enlazaba con la quimera de alcanzar Malaca, empresa en la que Colón había fallado. La intervención de Vespuche, que conocía los secretos de los portugueses al haber navegado con ellos, se confiaba que fuera decisiva para el buen éxito del viaje. Da pena ver cómo Colón, cuando envió el 5 de febrero de 1505 una carta a su hijo Diego por medio del florentino, estaba muy a oscuras sobre lo que se andaba tramando: Vespuche «va allá [a la Corte] llamado sobre cosas de nabigación», sin que sepa «qué sea lo que allá le queren», aunque de una cosa está seguro, de que «va determinado de hazer por mí todo lo que a él fuere posible» (doc. LXXXV [p. 353]). Buen chasco le aguardaba al almirante, ajeno a que otros se estaban repartiendo el mando de la exploración que él había iniciado y a que Vespuche, tan amigo suyo del alma, lo había de abandonar a las primeras de cambio.

No cuajó entonces la jornada, mas no otro era el fin que persiguió la expedición de Vicente Yáñez Pinzón y de Juan Díaz de Solís en 1508, enviada, como se dijo en 1506 [28], a «descubrir el naçimiento de la Espeçería», terminología ambigua que deja ver sin embargo el trasfondo del asunto. Mayor claridad arrojan las cartas del embajador veneciano en la Corte, Francisco Corner, que, aunque equivoca las personas, creyendo que la expedición estaba encomendada a Vespuche y a Juan Vizcaíno («Zuam Bistaim») [29], esto es, Juan de la Cosa, acierta plenamente sobre el proyecto acariciado: Almerico, escribe desde Burgos en 1508, se dispone a ir a proveerse de buenos navíos en Vizcaya, todos los cuales quiere «revestir de plomo y andar por la vía del poniente a encontrar las tierras que hallan los portugueses navegando por levante; y partirá *sin falta* en el marzo que viene» [30]. La impaciencia con que el rey aguardaba los resultados de la expedición de Pinzón y Solís se refleja en la carta que envió desde Valladolid el 12 de noviembre de 1509 a los oficiales de la Casa de la Contratación, recabando noticias sobre las diferencias surgidas en el viaje entre los dos capitanes [31]. Mas no era D. Fernando el único interesa-

---

1505, justificó su beneplácito diciendo «que es razón que así se haga, pues son buenas personas» (A.G.I., Indif. 418, vol. I, f. 172r).

[28] Instrucción para Amerigo Vespuche, publicada por M. Fernández de Navarrete, *Colección*, II, p. 352 (15 de septiembre de 1505).

[29] *Raccolta*, III 1, p. 94, 6.

[30] *Raccolta*, III 1, pp. 94-95, sin indicación de mes; Berchet supone erróneamente que sea julio.

[31] A.G.I., Indif. 418, vol. II, f. 63v. Mientras Solís cayó en desgracia pasajera (en 1510 todavía estaba preso en la cárcel de la Corte: *ibidem*, f. 104r), el prestigio de Vicente Yáñez fue en aumento: el propio rey recomendó a los oficiales de la Casa de la Contratación que aprovecharan los conocimientos de Pinzón como éste merecía, establecido tras casarse de nuevo en Sevilla (Hita, 9 de abril de 1510: *ibidem*, f. 123v); asimismo lo recompensó con

do en recibir informes de la larga navegación, sino que también estos planes y viajes tenían sobre ascuas al monarca luso. De hecho, en 1510 un portugués, Juan Alvares, vino a España a tantear los ánimos del piloto Juan Barbero, por otro nombre Juan Rodríguez de Mafra, con objeto de convencerlo de que se pasara a Portugal y fuera a descubrir a la tierra recién explorada por Juan Díaz de Solís. Las promesas de Alvares no sólo hicieron flaquear a Barbero, que por fin decidió no obrar en deservicio de su rey, sino que, después de la negativa de éste, tentaron a otros pilotos prácticos de la navegación de las Indias, hasta que tomó cartas en el asunto la Casa de la Contratación que zanjó la cuestión metiendo en la cárcel al espía [32]. Los pilotos convinieron en que, a juzgar por las preguntas que hacía Alvares, el monarca de Portugal se disponía a armar una flota con destino a la costa de Paria, Urabá y Veragua, haciendo la competencia a los españoles en la zona que caía fuera de la demarcación lusitana, en demanda sin duda de las mismas quimeras que animaban a los navegantes castellanos. La contraprueba, en efecto, la ofrece una carta inestimable de Giovanni da Empoli, que partió de Lisboa para Malaca el 16 de marzo de 1509 en una armada de que era capitán Diogo Mendes de Vasconcelos; en Portugal, según dice el mismo Empoli, «se juzga y se presume y se considera que las Antillas del rey de Castilla y la tierra de Corte Real son la misma cosa que la tierra de Malaca» [33], porque así parecían indicarlo la semejanza de pueblos, animales y demás cosas. En consecuencia, muchos piensan todavía en 1509 que las Indias, unas y anchurosas, se pueden alcanzar por Oriente, pero también por Occidente; de ahí la prisa y el sigilo con que son despachadas una tras otra las distintas naos de descubrimiento en búsqueda de un imposible geográfico.

Se hace así comprensible que toda esta estrepitosa serie de fracasos no indujera a abandonar la idea a D. Fernando, que tornó a encargar a Solís

una merced de cien indios y ocho caballerías de tierra en San Juan de Puerto Rico (Hita, 9 de abril de 1510: *ibidem*, f. 124r y 124v). También acogió con agrado las muestras de guanines que le había llevado a la Corte Lorenzo Pinelo (carta a los oficiales de la Casa desde Madrid, 14 de febrero de 1510: *ibidem*, f. 104r); la mayoría de ellos habían sido fundidos por la Casa de la Contratación: cf. la carta de Valladolid, 14 de noviembre de 1509; *ibidem*, f. 64v); antes había pedido a Miguel de Pasamonte explicación de las razones que habían asistido al comendador Ovando para retener las lenguas que había tomado Pinzón de la tierra que él y Solís habían ido a descubrir (Valladolid, 14 de noviembre de 1509: *ibidem*, f. 78v). Esta sutil manera de hacer esclavos la había descubierto el propio Colón; (cf. la carta de los reyes a Berardi de 2 de junio de 1495 sobre los nueve indios «lenguas» cautivados por el Almirante en A.G.I., Patron. 9, 1 f. 93r).

[32] Instrucción que el rey dio a su embajador Alonso de la Puente sobre lo que había de decir al rey de Portugal, dada en diciembre de 1510 (A.G.I., Indif. 418, vol. II, f. 155r ss.).

[33] *Raccolta*, III 2, p. 182, 12.

la preparación de otra armada para la vaga región de la Especiería, esta vez sin embargo con el muy concreto objetivo de alcanzar «las partes de Malaca»; con tal fin se compró la carabela «Santa María de la Merced» y se la proveyó de aparejos y de munición [34], si bien el propio D. Fernando mandó suspender el despacho y la nave acabó por ser entregada, el 11 de enero de 1513, a Vicente Yáñez Pinzón para marchar —ironías del destino— no al Aurea, pero sí a la Castilla Dorada.

No significa este desistimiento el total abandono de la empresa. Antes al contrario, en 1513-1514 dos navíos portugueses, en cuya armazón había participado el banquero burgalés Cristóbal de Haro, estante a la sazón en Lisboa, recorrían las costas del «Brasil» en un viaje cuya memoria nos ha conservado un pliego impreso en Augsburgo: *Copia der Newen Zeytung auss Presillg Landt* [35]. Las novedades contadas en esta relación anuncian el descubrimiento de un cabo situado a 40° de latitud Sur, llamado significativamente Cabo de Buena Esperanza, doblado el cual se entraba en un estrecho semejante al de Gibraltar que todos los autores modernos coinciden en identificar con el río de la Plata; ahora bien, ese cabo no distaba de Malaca más de 600 millas, por lo que la vía a la Especiería se hallaba expedita. Las demás maravillas y portentos vuelven a ser los mismos de siempre; salvo el extremo de haber hallado recuerdos evidentes de la predicación de Santo Tomás, se reducen al encuentro con un pueblo amable, rico en plata, oro y cobre (el capitán de una de las dos naves traía un hacha de plata, «como las suyas de piedra», apostilla el traductor), que vive, como toda gente bienaventurada, nada menos que 140 años; las carabelas vuelven cargadas de brasil, pero también de muchachos y doncellas compradas a muy poco precio, pues la mayoría se habían ido con ellos de propia voluntad. Las naves, empero, no se dirigían al «Brasil», sino a «Malaqua», como escribe el impreso con grafía portuguesa, y cuanto encontraban eran indicios de que se hallaban cerca de su objetivo, pues también Malaca abundaba en plata y cobre. «Gen Malaqua navigieren»: en esta divisa se cifraba todo el anhelo de españoles y portugueses, con la diferencia de que, mientras los primeros trataban de alcanzarla por el hemisferio norte, los segundos hacía tiempo que estaban

[34] A.G.I., Contrat. 3254.
[35] Cf. p.e. Rolando A. Laguarda Trías (*El predescubrimiento del río de la Plata por la expedición portuguesa de 1511-1512*, Lisboa, 1973), que propone la identificación de una de las naos dirigidas al río de la Plata con la carabela de Estéban Froes apresada por los españoles en Puerto Rico en 1513. Se trata de una hipótesis arriesgada, y más aún lo es su teoría de que la arribada de Juan de Lisboa a Cádiz en 1514 fuese intencionada, a fin de revelar supuestos «secretos» que perseguían la liberación de Froes y sus compañeros. Como siempre, merecen lectura las páginas sensatas que dedica D. Peres al asunto (*História dos descobrimentos portugueses*, pp. 429-30).

empeñados en llegar a ella por el hemisferio sur. Se trata de la navegación que, otra vez bajo los auspicios de Cristóbal de Haro, lleva a feliz término Magallanes, cuya meta también es la especiería; la isla, no obstante, en vez de llamarse Malaca, se ha convertido ya en Maluco, por cuya posesión van a disputar España y Portugal hasta 1529, año en que la venta del archipiélago a Portugal puso fin, al menos en el plano jurídico, a la lucha que inició el almirante en 1502, en esa jornada planeada inicialmente para veinte meses (doc. XLIV [p. 275]).

El tercer viaje de Colón se enderezaba a la Tapróbana, la isla riquísima en oro y pedrería; la cuarta navegación puso rumbo a la «isla» de Malaca. Las dos islas fueron perseguidas una y otra vez en vano, en ardua competición con los marinos portugueses. En ambos casos marcó la pauta la geografía ptolemaica; incluso se acercan más uno y otro objetivo si se tiene en cuenta que fueron muchos los cosmógrafos que identificaron el Aurea Quersoneso con Sumatra, isla, a su vez, en la que otros tantos quisieron ver la Tapróbana clásica. De esta suerte, en definitiva, parece que siempre se busca lo mismo que proponía ya en 1494 el doctor Cisneros, sólo que enmascarado con nombres distintos; al final, siempre queda fija la idea de Ofir y de Tarsis, que atrae a todos con su imán irresistible.

No existe, en suma, un radical descubrimiento de la idea de América, como han pretendido muchos y sobre todo O'Gorman en un libro admirable, sino un progresivo entendimiento y racionalización de los datos disponibles. Al propio Colón, tan aferrado a su utopía índica, se le ocurrió que podía hallarse ante un nuevo continente, pensamiento que luego rechazó obcecado; pero había muchos que no compartían su empecinamiento, que no subordinaban la realidad a la fantasía, antes y después de 1498, y su incredulidad fue la que marcó la derrota de los dos últimos viajes colombinos. ¿Tuvieron también ellos que esperar a que los iluminase Vespuche? Personalmente, al menos, no me parece probable. Aunque parezca paradójico, la interpretación del Nuevo Mundo es el resultado de una tarea anónima y colectiva en buena parte, como suelen serlo todas las empresas medievales. El Descubrimiento lo fue en grado superlativo; de ahí la enorme dificultad de deslindar los logros y los hallazgos personales, cuando hasta un Las Casas o un Oviedo no tienen empacho en copiar íntegras sus fuentes, para pasmo y escándalo de algún ingenuo crítico moderno, que se apresura a rasgarse las vestiduras ante el presunto plagio, sin saber que ésta era la pauta y la norma de la historiografía medieval. Este empeño común se traduce todavía con más nitidez en los avances geográficos, perceptibles en los diferentes mapas de las Indias, que se van perfeccionando gracias a la labor de todos, carentes de pretensiones personalistas en el terreno científico, por mucho genio individual que tuviesen en la convivencia comunitaria.

4. El mapa de Bartolomé Colón

No ha llegado a nosotros ninguna carta de marear hecha por el almirante, aunque consta que las guardaba celosamente y que encendió su cólera el hecho de que su camarero, Pedro de Arroyal, las hubiera enseñado a hurtadillas a Juan de la Cosa en el curso del segundo viaje [36]. Sí se conservan, en cambio, dos torpes dibujos cosmográficos cuya autoría puede atribuirse, si no en primera, al menos en última instancia a Bartolomé Colón, estante en Roma en 1507 para defender la causa de su sobrino Diego ante Julio II [37]. Uno de ellos representa la tierra conocida por la geografía ptolemaica, los 180° que se extienden desde su Occidente (las Canarias) hasta su Oriente (Catígara, fondeadero de los chinos). En el otro, el más novedoso, están diseñadas al Oriente la Península Ibérica y Africa y al Occidente las supuestas Indias, donde las costas descubiertas por Colón en su cuarto viaje, del cabo de Luna al puerto del Retrete, enlazan ya sin solución de continuidad con el litoral bordeado por Hojeda y éste se continúa a su vez hasta el «golfo Fermoso» y el «cabo de Santa Crose» (= San Agustín), abrazando la tierra firme llamada entonces «Mondo Novo» o *Terra Sanctae Crucis*.

Muy bien advirtió el almirante en 1503 que el continente de su Asia se iba adelgazando hasta formar un estrecho itsmo (hoy el de Panamá), razón por la que el fondeadero de Ciguare o Catígara, situado en la costa occidental, le había quedado a sólo nueve días de distancia. El croquis de su hermano Bartolomé refleja a la perfección tales ideas, que tienen ahora la gran ventaja de entrar por los ojos. En efecto, frente al puerto del Retrete y el de Bastimentos se encuentra emplazada Cattigra o Catticara, *Sinarum statio* «surgidero de los chinos», localización en realidad forzadísima, pues la cosmografía antigua le había dado una latitud austral de 8° 1/2. Pero además, y para que nadie se llame a engaño, el esforzado D. Bartolomé se cuida mucho de que todo el istmo esté cruzado por un letrero también él procedente de Ptolemeo: *Sinarum situs* «comarca de

[36] Así lo declaró el propio Arroyal en los pleitos colombinos (*C.D.I.U.*, VII, p. 149), claro que a instancias de los Colones y sin precisar la cronología. Otro tanto dijo Bernardo de Ibarra (*ibidem*, p. 140) y, lo que es más importante, otro criado del almirante, Pedro de Salcedo, que también se acusó de haber dado «un mapamundi e una esfera... e otras cartas de marear» a Juan de la Cosa (*ibidem*, p. 117).

De ello se lamenta Colón en el nuevo texto (carta IV, p. 39): «e fuera yo agora este viaje que vine con el armada grande la segunda <vez la primera> presona que vido la isla Dominica en el término de los caníbales, si <el> camarero no fuera causa de engaño, el cual, rogado de mi piloto que yo tenía, le amostrava mi carta de marear y cuántas leguas cada día yo apuntava».

[37] Sobre las causas de su viaje a Roma y la finalidad de este mapa hablé ya en *Cartas*, p. 322ss.

los chinos». A su vez, al fondo de «Cariai» y del «cabo della Serpe» se divisa la sierra de los llamados por el geógrafo griego *Semanthini montes*, que se prolongan hacia el Norte hasta formar ángulo recto con la cadena de los *Serici montes*, «las montañas de los Seres», cerrando unos y otros las llanuras de la actual costa de Mosquitos. El Mar del Sur, el Pacífico, resulta ser para Colón el Gran Golfo, el *sinus magnus* de las tablas latinas que ilustraban el texto del alejandrino y más en concreto de la undécima, la *India extra Gangem*. Con un poco de inventiva y buena voluntad, el Nuevo Mundo se acopla un tanto quejumbroso al canon del Asia de Ptolemeo, que sigue ganando imposibles batallas geográficas desde la tumba.

Si interesantísima es sin duda esta representación cartográfica de las Indias, no pequeño interés encierra asimismo otro punto sobre el que no se ha llamado suficientemente la atención, y es que los dos bocetos, unidos, forman una mapamundi: uno termina al Oriente, y otro empieza al Occidente, con el mismo punto de referencia, el misterioso puerto de Catígara. Ahora bien, pese a lo mucho que el almirante había alabado en 1503 a Marino de Tiro y despotricado en contra de Ptolemeo, D. Bartolomé, que no se fiaba ni de su hermano, seguía aceptando en 1507 la medición ptolemaica, según la cual corren 180° de las Canarias hasta Catígara. Entonces, por fuerza se desprende que de las Canarias a Catígara median otros 180°, correspondientes a aquel hemisferio oculto por el que había navegado D. Cristóbal, de suerte que, a fin de cuentas, la concepción del mapa supone un retorno a las antiguas teorías cosmográficas de 1494: si en el segundo viaje habían sido descubiertos 150°, ahora, en el cuarto, quedaba casi completada la exploración del mundo, a falta sólo de nueve jornadas hasta Catígara. Tal cálculo de longitud sólo era posible si se hinchaba desmesuradamente la magnitud del Nuevo Mundo; por esta causa, tanto en el mapa de Juan de la Cosa como en el de D. Bartolomé no hubo más remedio que aplicar escalas diferentes a lo conocido y a lo ignoto [38], de manera que se asignó a Africa una sonrojante pequeñez frente a las gigantescas proporciones de lo recién descubierto. Sin entrar en mayores problemas, esta misma repartición de grados vino asimismo a recibir implícita sanción por parte de las nuevas cartas universales de Contarini-Roselli (1506) y de Ruysch (1507). No era cuestión, pues, de innovar.

Como es sabido, los reyes recabaron de su almirante opinión de por dónde había de tirarse la raya de límites antes de que se ajustaran las cláusulas del tratado de Tordesillas. No me parece improbable que Co-

---

[38] Una útil revisión bibliográfica sobre la cuestión ofrece S. E. Morison, *The European Discovery of America. The Northern Voyages*, Nueva York, 1971, p. 239.

lón, si lo hizo, presentara un mapa semejante, *mutatis mutandis*, al croquis
de 1507. Ahora bien, a nadie se le escapa que, con los datos disponibles
entonces, es decir, *Geografía* de Ptolemeo en mano, los 180° de la demarcación portuguesa llegaban, de contarse desde Canarias, hasta Catígara,
comprendiendo entonces las islas de las especias y la Aurea Quersoneso,
con lo que las mayores riquezas de la India habrían pasado sin remisión a
poder de Portugal; por esta razón, según creo, a los reyes Católicos les
interesó tanto que la línea se trazara cuanto más al Poniente mejor, pues
así les pareció que caían en sus manos los tesoros de aquel Oriente al que
su almirante decía haber llegado. Ignoro si tal política se debió a una
advertencia colombina. En cualquier caso, ésta fue la postura oficial de la
diplomacia y de la cosmografía española, como bien lo demuestra el
hecho de que, cada vez que se discutió sobre la demarcación, se volvieran
a esgrimir los mismos argumentos basados en la mapamundi ptolemaica,
pues nada hay más reiterativo y machacón que las reclamaciones interna-
cionales. Sobre Ptolemeo se fundó la defensa de los derechos españoles
en la junta de Badajoz en 1524; a la medición ptolemaica se ajustó en
1527 el mapa de Roberto Thorne, derivado, según creo, de un original de
Sebastián Caboto que esclarecía didácticamente las posturas de unos y
otros; a Ptolemeo recurrieron en 1566 los cosmógrafos españoles que
propugnaron la pertenencia a Felipe II tanto del Maluco como de las
Filipinas; Ptolemeo, en fin, inspiró todavía en 1611 el más fervoroso que
inspirado memorial del doctor Arias de Loyola a favor de la españolía del
Maluco. Durante más de un siglo, pues, duró la disputa fraterna y durante
más de un siglo salió a relucir la doctrina ptolemaica, incluso cuando
hacía mucho tiempo que había pasado a la historia. Esta secular tradición
si indica por un lado la vivacidad de la querella, revela por otro la
desesperante monotonía de las pruebas y contrapruebas, cuya pauta fue
sentada en 1494 por la junta de Tordesillas.

5. *La herencia mítica*

Hasta ahora hemos procedido en el análisis de la percepción colombina prescindiendo de cualquier elemento extraño, como si constituyera un
todo aislado y ajeno a influjos foráneos y en la mente de D. Cristóbal
hubieran brotado por generación espontánea conceptos tan peregrinos
como los del Paraíso, la fuente del oro o la suprema templanza de sus
islas. Hora es ya de insertarla en su contexto, trayendo a colación las
ideas motrices de todos los descubridores del siglo XV. La navegación a la
India, el supremo acierto del almirante, no supuso en principio novedad
alguna, máxime cuando hacía mucho tiempo que los portugueses estaban

empeñados en alcanzarla por el Oriente. Por tanto, las vivencias y las sensaciones colombinas se mueven al compás de la experiencia lusa, cuyo son ha llegado hasta nosotros amortiguado en exceso, a pesar de que se pueda sentir su pulso si se leen con atención los escasos documentos de la época. El alcance, nunca suficientemente investigado, de la repercusión en Colón de los sueños y anhelos portugueses merece ser el colofón que cierre este capítulo. Cuando los nautas europeos llegaron al río del Senegal, por ejemplo, debieron de quedar asombrados a la vista del caudal impetuoso de sus aguas; pero el buen infante don Enrique, sin perder la compostura, pronto dio con una explicación adecuada a la magnitud de semejante corriente, afirmando, según indica Duarte Pacheco Pereira [39], que era «el brazo del Nilo que corre por Etiopía hacia Occidente»; «dijo verdad», concluye el cronista, y tan certera era considerada tal identificación que la admite Cadamosto [40], la *Crónica* de Azurara [41] e incluso Pedro Mártir [42]. Tampoco el infante se había quebrado la cabeza para llegar a esa conclusión, porque ya en el *Libro del conosçimiento de todos los reynos e tierras e señoríos que son por el mundo*, fantástico tratado geográfico atribuido a un franciscano, se lee que el Nilo se divide en dos brazos: «la una d'ellas, la mayor, viene contra el poniente que dizen el Río del oro, ribera del cual son los reinados de Guinoa, e la otra parte va por los desiertos de Egipto e entra en el mar Medioterreno» [43]. Ahora bien, haber alcanzado una de las dos desembocaduras del Nilo no constituía un hecho baladí, ya que el Nilo, desde tiempo inmemorial, era considerado por todos los Padres de la Iglesia como el Geón, uno de los cuatro ríos del Paraíso. Por tanto, el acercamiento a la fuente incógnita del río, aunque sea de soslayo, supone en realidad una aproximación al Paraíso Terrenal. De hecho, el *Libro del conosçimiento* afirma que el Nilo «nasçe de las altas sierras del polo Antártico, do diz que es el Paraíso Terrenal» [44]. Así se explica un acontecimiento extraordinario, el hecho de que en la Etiopía baja occidental nadie muera de pestilencia, como se dice en el *Esmeraldo* [45]; y no podía ser de otra manera, ya que en las vecindades del Edén el aire, por fuerza más puro, no puede exhalar ningún vaho maligno. Esta

---

[39] *Esmeraldo*, I 26 (p. 95 edición Peres). Como se recordará, también Alejandro creyó poder encontrar las fuentes del Nilo al contemplar el Indo (Arriano, *Anábasis*, VI 1ss.).

[40] *As viagems de Luis de Cadamosto*, edición de Peres, p. 27.

[41] Cap. 32 y 52 en *O manuscrito Valentim Fernandes*, edición de A. Baião, Lisboa, 1940, p. 47 y 65.

[42] *Décades*, II 9, Compluti, 1530, f. 34r.

[43] Utilizo la edición de M. Jiménez de la Españada, Madrid, 1877, p. 56. En el mismo error cae Ibn Battuta (*A través del Islam*, Madrid, 1981, p. 773ss.).

[44] P. 57 edición de Jiménez de la Espada.

[45] I 27 (95-96 edición de Peres).

es, precisamente, una de las observaciones de Colón (y después de Vespuche), que transplanta a sus islas ideas y sentimientos de los exploradores portugueses, tan convencidos de respirar perfumes sobrenaturales que no dudaron en dar a un producto que obtenían por trueque en el litoral, la malagueta, el característico nombre de *grana Paradisi*, «granos del Paraíso». Otros detalles muy significativos vinieron a corroborar esta primera impresión, envolviendo la costa africana en un embrujo mítico. De la legendaria Tapróbana se había loado sobremanera su fertilidad maravillosa, capaz de dar dos cosechas al año; pues bien, el mismo fenómeno agrícola anotan puntualmente los roteros portugueses: «Desde Cabo Verde para acá hay dos inviernos y dos veranos cada año, y siembran dos veces y otras dos recogen, a saber, arroz, mijo, ñames, y una vez cosechan en abril y otra en setiembre» [46]. Las viejas fábulas parecían hacerse realidad; y no todo paraba ahí.

La búsqueda afanosa de la India no obedecía sólo a una urgente necesidad de especiería; en ella abundaban, según hemos dicho, otras cosas aún más preciadas, entre ellas pedrería infinita y sobre todo y ante todo la famosísima mina de oro de donde el rey Salomón obtenía sus tesoros. Pues bien, todavía en 1566 el cosmógrafo Alonso de Santa Cruz se acordaba de que entre castellanos y portugueses habían surgido disputas y diferencias «por pretender derecho a una mina de oro muy fino, que llamavan de Tibar, que se avía descubierto en Africa cerca de las islas de Cabo Verde» [47]. Para colmo, poco antes de la llegada de Colón a Lisboa los nautas lusos habían encontrado lo que llamaron la Mina por antonomasia, sin duda en la confianza de haber dado por fin con la fuente del oro.

Por consiguiente, cuando Colón identifica la Española con Ofir no hace sino recoger en memorable eco las quimeras de los portugueses, que estaban acostumbrados a ver dibujada en los mapas de Africa una enigmática montaña de la Luna [48], de donde se extraía el *aurum de paxolla*, esto es, el oro en pajuelas, el *aurum de paiolo* mencionado por la versión latina dè Marco Polo. En el reino de Gotonie, según el *Libro del conosçimiento de todos los reynos*, se alzan los montes más altos del mundo, «e dízenles los montes de la Luna; otros les dizen los montes del Oro. E nasçen d'estos montes çinco ríos, los mayores del mundo, e van todos caer en el

---

[46] *O Codice Valentim Fernandes*, p. 82 edición Baião.

[47] A.G.I., Patron. 49, 12 n.º 2 (8 de octubre de 1566).

[48] Cf. Th. Fischer, *Sammlung mittelalterlichen Welt- und Seekarten*, reimpresión de Amsterdam, 1961, pp. 164-65, que recoge la sugerencia de Kiepert de que esta montaña de la Luna, *Selénes óros, Djibâl-al-qamar*, sea una mala comprensión de *Djibâl-qomr*, 'montañas azules', esto es el Kilimanjaro.

río del Oro, e fázese y un lago tan grande... e faze enmedio una grand isla que dizen Palola» ⁴⁹, esto es, Paiola, de donde es de presumir que se saque el oro de su nombre. Como se ve, los montes del Oro y el río del Oro se engarzan en un mismo sistema mítico, todo ello abonado por la cercanía del Paraíso. Reflejando concepciones cosmográficas portuguesas, un curioso planisferio en cobre del siglo XV dibuja en Africa, no en Asia, los *montes aurei* de Ofir, cerca de los cuales hacen su morada los tremendos grifos ⁵⁰. Para rematar el paisaje salomónico no pueden faltar las hormigas que Heródoto situaba en la India, y que ahora el poder de la imaginación transporta a Africa, a las costas del mar de Etiopía, jugando con la ambigüedad geográfica del término tal como hemos visto hacer a Colón; en efecto, a las orillas del río del Oro los naturales no sólo se lucran con marfil, sino que «cogen oro en los formigueros que fazen las formigas ribera del río, e las formigas son grandes como gatos e sacan mucha tierra», según afirma el *Libro del conosçimiento de todos los reynos* ⁵¹. He aquí, pues, la última pirueta que hacen las hormigas auríferas en la vieja ecúmene, antes de emigrar a otros pagos o desaparecer por completo de la escena. Otros significativos detalles coinciden con la geografía mítica: uno de los rasgos que caracterizaba a los hombres de la Tapróbana era que efectuaban sus trueques sin que mediara palabra alguna entre las partes; pues bien, el mismo tipo de contratación silenciosa tenían los hombres monstruosos de Toom, de los que habla Pacheco Pereira ⁵², y aún hay que recordar que el rito de la negociación tácita se

⁴⁹ Pp. 59-60 edición de Jiménez de la Espada.

⁵⁰ Al Oriente del Nilo están pintados montes con grifos, con la siguiente leyenda: *Hic sunt montes aurei, in quibus sunt deserta maxima et ab infinitis serpentibus habitata* y más allá se lee *Offir prouincia*.

⁵¹ P. 54 de la edición de Jiménez de la Espada (cf. p. 61), quien anota el pasaje con cierta ingenuidad en pp. 143-45, pensando que efectivamente «el trabajo natural de ciertos animales... podía facilitar la busca y hallazgo de los depósitos de oro».
A decir verdad, la traslación de las hormigas a Africa había acontecido ya en la Antigüedad: Filóstrato (*Vida de Apolonio de Tiana,* VI 1) señala que los grifos de la India y las hormigas de Etiopía cumplen la misma función de guardar el oro, por aquel conocido principio de que los extremos se tocan. En este continente las sitúa también Solino y San Isidoro (cf. nota 99 del cap. I).

⁵² *Esmeraldo,* I 29 (p. 107 Peres). Claro es que en este caso la interpretación portuguesa podía tener un asidero no sólo en la realidad, sino también en la tradición clásica, pues ya Heródoto (IV 196) relataba que, más allá de las estelas de Hércules, moraban unos hombres con los que los mercaderes hacían trueques con señales de humo, a las que respondían ellos colocando oro en la playa en vez de las cosas cogidas. Un tipo similar de contratación tenía el rey de Axum con el pueblo de Sasu, también para obtener oro, según Cosme Indicopleusta (*Topografía cristiana,* II 51 ss. ed. Wolska-Conus y *PG* LXXXVIIII, c. 100 B ss.). También se atribuye el comercio silencioso a los habitantes del reino de Mombara, que «são muito negros e tem rabos como de carneiro», reino que distaba siete

atribuye asimismo a los míticos Seres [53]. Se trata de un tráfico conocido hoy y documentado en diversos pueblos, pero ajeno en principio a la mentalidad europea; por ende, encontrar tan insólita costumbre suponía hallarse ya cerca del objetivo, si no en la mismísima mina. Para cerrar el círculo, el oro se encontraba después de traspuesta la equinoccial, cuando de verdad se abría ante los ojos atónitos de los nautas un nuevo cielo y se descubría una nueva tierra, en la que todo crecía en grado superlativo. Ahora se comprende la razón que movió a Hernando del Pulgar [54] a escribir: «No sabemos si esta tierra donde este oro se traía fuese la tierra de Tarsis o la tierra de Ofir». Los portugueses, como Colón, creyeron haber encontrado los mineros salomónicos, que fueron retrocediendo paulatinamente hacia Oriente, primero a Sofala, después a Malaca, al compás marcado por sus descubrimientos.

Mas no es sólo el ansia del oro lo que impulsa a Enrique el Navegante a despachar armadas a descubrir cosas ignotas. El oro, en efecto, se encuentra en la mejor tierra del mundo, y esa tierra por fuerza ha de ser, si no el propio Edén, sí al menos una comarca paradisíaca, cuyos moradores disfrutan de salud a raudales y prolongan su juventud a lo largo de centurias. El móvil económico de la empresa se imbrica así con el acicate religioso, mezcla muy de esperar en la contextura vital de un hombre como el príncipe, un casto anacoreta que consagra su existencia a la consecución de un ideal casi místico. La búsqueda de la India se convierte, pues, en un objetivo trascendente, de la misma manera que los legendarios viajes de Guilgamés o de los Argonautas tienen, como se advirtió hace ya mucho tiempo, un marcado carácter de rito iniciático: el héroe sólo puede poner feliz fin a sus peregrinajes después de superar una serie de largos y difíciles lances que dan fe de su acerada virtud, y en los que, antes de llegar al oro mágico, ha de vencer, como Hércules en el Jardín de las Hespérides o Jasón en la floresta donde pende el vellocino, el descomunal dragón que custodia el tesoro [55]. Gracias a haber sufrido mil penalidades se alcanza a la postre la suspirada meta, que abre las puertas de un poder y de una dicha sin par en el mundo [56]. La mentalidad burgue-

jornadas de Monomotapa (cf. la carta de G. Veloso al rey, de 1515-1516, en *A empresa da conquista do senhorio do Monomotapa,* edición de João C. Reis, Lisboa, 1984, p. 34). Los viajeros del siglo XIX notaron esta costumbre tanto en Guinea como en el Asia Central.

[53] Así lo atestigua Pomponio Mela (III 60); cf. asimismo el *Rotero del Mar Rojo,* 65 (p. 304, 10ss. Müller) y Amiano Marcelino, *Historia,* XXIII 6, 68, que depende de Solino, *Collect.* 50 4, fuente también de Marciano Capela V 683 (p. 344, 14ss. Dick).

[54] *Crónica de Don Fernando y doña Isabel,* cap. LXII (*BAE* 70, p. 315 b).

[55] Del dragón, hijo de Ceto y de Fórcide, que en las entrañas de la tierra vela las manzanas de oro, habla ya Hesíodo en su *Teogonía* 333ss.

[56] Cf. M. Eliade, *Tratado de Historia de las religiones,* Madrid, 1954, p. 402ss. y sobre todo 407-08.

sa del hombre helenístico convirtió los relatos de estas navegaciones, en esencia religiosas —Guilgamés, en definitiva, no se embarca en un crucero de recreo, sino que parte nada menos que en busca de la inmortalidad—, en simples cuentos de evasión y esparcimiento cuya sátira más acabada la constituye en época más tardía la *Historia verdadera* de Luciano. Pero esta desacralización no duró mucho tiempo, y el Cristianismo volvió a inyectar nueva vida en esos antiquísimos ideales del hombre, siempre empeñado en recuperar la Edad de Oro perdida por la estulticia de sus antepasados. Enrique el Navegante sueña con alcanzar el dominio universal, ese señorío prometido al Emperador de los últimos días. No otra es la meta que persiguen los reyes Católicos, los émulos de Alejandro de Macedonia, el conquistador de Oriente. Es la perpetua cantilena que suena a lo largo de toda la Edad Media; como dice el ayo a Pero Niño, «si bien paras mientes, como biene rey nuevo, luego fazen Merlín nuevo: dizen que aquel rey a de pasar la mar e destruir toda la morisma e ganar la Casa Santa e de ser emperador; e luego veemos que se faze como a Dios plaze» [57]. A las promesas y profecías, sí, se las lleva el viento; pero tanto portugueses como castellanos pasan la mar a batallar contra el Islam, y tanto unos como otros van más allá, en demanda de tierras nuevas, preludio de su supremo poderío.

Cuando descubre nuevas estrellas, islas paradisíacas, oro a espuertas, Colón se mueve, en consecuencia, dentro de las coordenadas mentales de los nautas portugueses, y en este sentido es un epígono de la tradición que se esponja a mediados del siglo XIV, si bien hunde sus raíces en tiempos mucho más remotos, en la Antigüedad greco-latina, tamizada después por el Cristianismo. En este sentido, el genovés no descubre nada; antes bien, rememora vivencias ya sentidas por otros y que por ello todo el mundo puede comprender y hacer suyas, vibrando con él al unísono. Todo su pensamiento se ajusta a la norma y dictados de una doctrina plurisecular; por este motivo Colón se ufana exultante de haber encontrado una explicación racional, religiosa en definitiva, a un fenómeno geográfico, mientras que cuanto supone desviarse de la regla antañona le produce hondo desasosiego y embarazo. Pero también en esta actitud dejaron huella indeleble los años de aprendizaje marino en Portugal, años en verdad trascendentales y pronto trascordados una vez llegó el triunfo en España, años cuya memoria es de justicia rescatar del olvido.

[57] Gutierre Díez de Games, *El Victorial,* edición de J. de M. Carriazo, Madrid, 1940, cap. XIX, p. 68, 14ss.

VII. LA RELIGIOSIDAD DE CRISTOBAL COLON

El hombre temeroso de Dios, y Colón lo es en grado sumo, da una explicación transcendente no sólo al devenir cotidiano de su vida personal, a sus pequeñas amarguras y alegrías, sino a los grandes acontecimientos que sacuden la conciencia de sus contemporáneos. De ahí que para comprender al almirante, protagonista él mismo de sucesos capitales, sea preciso conocer como requisito previo sus más íntimos sentimientos religiosos. Una vez examinados sus logros a la luz de sus propias convicciones, parece llegado el momento de abordar esta última y definitiva cuestión, espinosa siempre y en este caso todavía más intrincada, pues sobre el particular se han vertido opiniones muy variadas y aun contradictorias: que si unos no ponen en tela de juicio su ferviente catolicismo [1], otros matizan y aun dudan [2].

Desde hace mucho tiempo se viene insistiendo, con mayor o menor fundamento, en la ascendencia judía de Colón. El hermoso libro de Madariaga reúne a este respecto una serie de argumentos nada despreciables. Todavía, sin embargo, creo que se pueden añadir o perfilar razones en defensa de tal hipótesis. Es notable por ejemplo la conducta religiosa del

---

[1] Entre las interpretaciones del misticismo de Colón desde un punto de vista cristiano, por lo general muy exaltadas e intrascendentes, destaca la contribución del jesuita Pedro de Leturia, «Ideales político-religiosos de Colón en su carta institucional del "Mayorazgo": 1498», *Studi colombiani*. Génova, 1952, II, p. 249ss. Cf. asimismo P. Moffitt Watts, «Prophecy and Discovery: On the Spirituals Origins of Christopher Columbus's "Enterprise of the Indies"», *American Historical Review*, XC (1985) 73ss. que considera a d'Ailly como una de las fuentes principales de la vena apocalíptica colombina.

[2] Desde el punto de vista judío cf. p.e. S. Wiesenthal, *Operación Nuevo Mundo. La misión secreta de Cristóbal Colón*, Barcelona, 1973 y Sarah Leibovich, *Christophe Colomb juif. Défense et illustrations*, París, 1986. Ninguno de los dos libros ofrece pruebas concluyentes.

almirante. En los momentos de congoja o peligro, cuando el alma huma-'
na se presenta más al desnudo, no acuden a la boca de Colón invocacio-
nes a Jesucristo o a la Virgen; el Dios a quien ora es el Yavéh del Antiguo
Testamento: «espero en aquel alto Dios, en cuyas manos están todas las
victorias» (doc. II [p. 22]); «o estulto y tardo a creer y a servir a tu Dios,
Dios de todos, ¿qué hizo El más por Moisés o por David, tu siervo?»
(LXVI [p. 322]); «allí está Nuestro Señor, que escapó a Daniel y a los
tres muchachos» (doc. XLI [p. 267]). Es más: en un momento crítico el
propio Dios se aparece al almirante y, reprochándole su desesperación, le
recuerda los dones que le ha otorgado en su bondad infinita, para concluir imperioso: «¿Qué hizo él más al to pueblo de Israel, cuando le sacó
de Egipto?» (doc. LXVI [p. 323]). Normalmente los editores interpretan
«el más Alto», construcción muy poco común si alguna vez usada en
vez de «el Altísimo», que encima deja coja la frase; pero hace algún
tiempo que propuse esta evidente separación de palabras [3], rescatando
una expresión «el tu [o to] pueblo de Israel» que evoca una sensibilidad
judía, tan judía, que el copista del nuevo manuscrito no toleró el pronom-
bre y suprimió sin más una prueba tan impertinente como inoportuna de
posesión.

El muy religioso Colón, cuando se refiere a la divinidad, normalmente se escuda en un ambiguo «Nuestro Señor», que se pliega por igual a las
plegarias de un cristiano o de un judío. Pero cuando voces malevolentes
esparcen rumores alusivos a su casta hebraica [4], el almirante a partir de
1498 comienza a usar una y otra vez en sus documentos la expresión «en
nombre de la Santa Trinidad» [5]; esta obsesiva muletilla, que intenta ahuyentar el sambenito que le cuelgan sus enemigos, resulta ser una óptima

---

[3] *Textos*, prólogo, p. XXII.

[4] Así lo refiere Colón en carta de mayo de 1499, refiriéndose a los improperios que
contra él lanzaban Roldán y sus partidarios: «De todo esto me acusaban contra toda
justiçia, como yo dixe; y todo esto era porque Vuestras Altezas me aborreçiesen a mí y al
negoçio; mas no fuera así si el autor del descubrir d'ello [i.e. Colón] fuera converso,
porque conversos enemigos son de la prosperidad de Vuestras Altezas y de los christianos.
Mas echaron esta fama y tuvieron forma que llegase a se perder del todo. Y éstos que son
con este Roldán que agora me da guerra, dizen que los más son d'ellos» (doc. XXXVII
[p. 258]). Colón, como suele ser norma en estos casos, pasa de acusado a acusador.

[5] *Raccolta*, I 1, p. 304, 3; I 2, p. 27, 8; 28, 24; 42, 5; 165, 19; 167, 14; 171, 8-9; 172,
10; 173, 8. Lo mismo observa Bartolomé de las Casas: (*Historia de las Indias...*, I, 2 [p. 22
a]): «En las cosas de la religión cristiana, sin duda [luego había quien lo dudaba] era
católico y de mucha devoción: cuasi en cada cosa que hacía y decía o quería comenzar a
hazer, siempre anteponía: 'En el nombre de la Santa Trinidad haré esto' o 'verná ésto' o
'espero que será ésto'». Otras alusiones a la Trinidad en *Raccolta*, I 1, p. 133, 7 (es notable
que no haya sido traducida en la versión latina), I 2, p. 26, 10; 40, 36; 163, 31; 171, 19; 205,
23. En el tercer viaje (1498) Colón —¡cómo no!— bautiza una isla con el nombre de la
Trinidad.

piedra de toque para revelar su condición de converso, como ocurre en tantas otras ocasiones. Mas dejemos de exponer impresiones más o menos subjetivas para aducir pruebas más convincentes.

1.   «*Nueva tierra y nuevo cielo*»

Muchas veces arroja luz sobre el proceso mental del descubridor el nombre dado a lo descubierto. Es mi intención desentrañar la razón de ser de una expresión ampulosa, que se suele exhumar sin percatarse claramente de su significado: «nueva tierra y nuevo cielo»; mas para ello es preciso recorrer un largo camino no exento de sorpresas. Cuando Colón se refiere por primera vez a las tierras del Poniente no les da una denominación nueva; se conforma con indicar —ya es suficiente— que los habitantes de las islas son «indios», cuyo paradero cree poder fijar con cierta precisión. Después, como hemos visto, al arreciar las críticas comienza a aparecer en sus escritos una nueva expresión: *alter orbis*, «otro mundo» [6]. La lectura de los clásicos proporciona a Colón este primer y elemental asidero para designar las tierras descubiertas en sus viajes portentosos, en los que asegura haber navegado casi la mitad del hemisferio desconocido por Ptolemeo, es decir, unos 150 grados terrestres. A esta fantasía desbocada corresponde un término imaginario, ya que ni que decir tiene que este «otro mundo» designa al otro hemisferio terráqueo, a los antíctones o antípodes, como especifica Plinio, a ese hemisferio en el que el almirante jamás había puesto pie. Esta contradicción flagrante no importa en exceso a Colón, cuyo único objetivo había sido encontrar un punto de referencia para explicar su periplo, ya que resultaba un tanto angustioso no poder fijar con exactitud su situación en la carta de marear.

Colón sabe, pues, en 1498 que está surcando en su tercer viaje las aguas de «otro mundo». Sin embargo, Colón no es un humanista, por lo que no le puede satisfacer en absoluto este hallazgo léxico que sólo está destinado a acallar a los incrédulos y a los impertinentes. Muy pronto ese término hubo de parecerle poco significativo a su imaginación calenturienta; la lógica nos induce a pensar que fue entonces cuando su profunda religiosidad y su espíritu proclive a las quimeras proféticas lo impulsaron a buscar en el Antiguo Testamento pasajes que justificaran y, al mismo tiempo, aclararan su portentosa hazaña. De esta suerte escribe en su famosa carta a los reyes de 1501 una frase merecidamente famosa: «para

---

[6] No está de más advertir que «otro mundo» (*aliud seculum*) había llamado Guillermo de Rubruc (I 14 [van Wyngaert, *Sinica Franciscana,* I, p. 171], 9 1 [p. 187]) al imperio tártaro).

la hesecución de la inpresa de las Indias no me aprovechó razón ni matemática ni mapamundos: llenamente se cunplio lo que dijo Isaías» [7]. El gran marino se niega a sí mismo para exaltar la grandeza de Dios, que lo ha elegido para llevar a cabo esta misión providencial. Esta es, en definitiva, su justificación máxima, ya que para nada le ha servido toda la ciencia de la Antigüedad a la hora de cruzar el Atlántico a golfo lanzado.

Ante tamaña afirmación se encabrita la historia positivista, que no presta la atención debida a la interpretación del pensamiento colombino. Uno de sus representantes más notables, A. Ballesteros [8], llega incluso a enfurruñarse con Colón por despeñarse en esas caliginosas simas y mantener semejantes dislates: «Lo insostenible es el hablar de cumplimiento de profecías tratándose del descubrimiento de América y hallar en Isaías concomitancias con la invención de un Nuevo Mundo». Ballesteros, pues, permite a Colón descubrir América, hecho perfectamente historiable; ahora bien, el puntilloso académico le retira la venia de explicar su propio descubrimiento, pues la aclaración de estas profecías abstrusas desborda su visión estrictamente historicista, que sale de su enfoque exclusivamente fáctico del devenir de la Humanidad. En otras palabras: nada se opone a que Colón sea un gran navegante; pero no tiene derecho —¡faltaría más!— a convertirse en teólogo, ya que entonces se le escurre de las manos al cazador de datos, que puede asir hechos, pero no ideas.

Frente a esta postura alicorta y miope, hemos de esforzarnos en captar el significado de estas palabras colombinas, a trueque si no de renunciar a entender su pensamiento. De entrada, conviene sacar a Colón de su aislamiento aparente: durante el siglo XVI no fueron pocos los escriturarios que columbraron en algunos versículos de Isaías alusiones al futuro descubrimiento de América. Arias Montano [9], por ejemplo, al explicar el sentido de 66, 19, donde se habla de las islas lejanas que no habían tenido noticia de Dios y que en un futuro habrían de ensalzar su gloria, anota: «De qué manera más clara y paladina pudo la palabra profética aludir al llamado hoy Nuevo Mundo no lo veo, ya que no era desconocido ni a Dios, su creador, ni a nuestro Profeta»; en cambio, aplica a la India Oriental un vaticinio, el famoso de la «tierra de las alas» de 18, 1ss. [10], que

---

[7] *Textos*, doc. XLV (p. 280).

[8] *Cristóbal Colón y el descubrimiento de América*, vol. V de la *Historia de América* por él dirigida, p. 694.

[9] *Commentarii in Isaiae prophetae sermones*, Antuerpiae, 1599, p. 1455. Para juzgar la exegesis bíblica de Arias Montano hay que tener muy presente la crítica de Juan de Pineda (*De rebus Salomonis libris octo*, p. 355): «Montani enim verba sensumque, plerumque ex Hebraecis acepta, non curo», que hay que poner en relación con el muy probable origen converso del grande pero plúmbeo escriturario.

[10] *Ibid.*, p. 383. A la región del Preste Juan lo refiere el dominico Francisco Forerio, *Iesaie prophetae vetus et nova ex Hebraico versio*, Venetiis, 1563, f. 64r.

otros biblistas refirieron también a América, entre ellos el flamenco Juan Federico Lumnio [11], que se jactó de ser el primero en haber propuesto semejante interpretación. Por tanto, no son locos de atar o visionarios alucinados los que intentan extraer de Isaías mensajes imposibles, sino teólogos muy respetables y encopetados, pero también —todo hay que decirlo— muy poco leídos en la actualidad, incluso por los historiadores positivistas.

A poco que se reflexione sobre ello, pronto se echa de ver que no pudo ser de otra manera. En efecto, «parece cosa muy razonable que de un negocio tan grande como es el descubrimiento y conversión a la fe de Cristo del Nuevo Mundo haya alguna mención en las Sagradas Escrituras». Esta observación del agudo J. Acosta [12] revela mejor que nada la mentalidad del hombre medieval, renacentista y aun barroco, mentalidad que se quiebra en el siglo de las luces. Para el cristiano —y claro está, también para el judío— en la Biblia se encierra la historia pasada y futura del mundo; dado que esa historia no es cíclica, sino rectilínea, y dado que todo el devenir cósmico discurre hacia un único magno acontecimiento, que es el Reino de Dios, por cuya venida se pide anhelantemente en el Padre Nuestro, nada más razonable, como señala Acosta, que Dios haya jalonado el camino de la historia con señales inequívocas y vaticinadas por los profetas y por el propio Jesús, sobre todo cuando, a partir de la venida del Mesías, se ha entrado ya en el período escatológico. Huelga decir que en la exegesis de estas señales se corre siempre el riesgo inevitable y peligroso de incurrir en desvaríos; pero es forzoso intentar la interpretación, porque, de hecho, los acontecimientos están ahí, y esos acontecimientos significan algo, no se deben a un azar ciego y caprichoso, sino que se engranan en un todo armónico [13] y se rigen por un superior destino que los encauza hacia ese final portentoso en que la historia se detiene para convertirse en Eternidad. Para interpretar los hechos trascendentales de la historia sólo ha habido una clave a lo largo de muchos siglos, y esa clave reside precisamente en la Biblia. De todo hecho histórico, en definitiva, se puede dar una explicación, explicación que por fuerza ha de ser religiosa. Ahora bien, si en una peste o en un terremoto cabe ver sin dificultad un indicio de la cólera de Dios, otros sucesos resultan más difíciles de encajar en el decurso del mundo esbozado por la Escritura.

---

[11] *De extremo Dei iudicio et Indorum vocatione libri II*, Antuerpiae, 1567, p. 143ss. y 149.

[12] *Historia natural y moral de las Indias,* I 15 (*BAE* 73, p. 25 b).

[13] Hasta un soldado como Bernal Díaz, desde luego no tan rudo como suele decirse, exclama: «Digo que nuestros hechos que no los hacíamos nosotros, sino que venían todos encaminados por Dios» (*Verdadera historia de los sucesos de la conquista de la Nueva España,* cap. XCV (*BAE* 26, c. 96 b]).

Como se ve, aquí radica una de las genialidades de Colón, que, además de lucir el gran mérito de haber descubierto América, tuvo encima la cortesía de ofrecer a sus contemporáneos una interpretación coherente —es decir, religiosa— de su descubrimiento. Podemos, en consecuencia, volver al venerable Isaías sin miedo a que nos aseste un palmetazo algún historiador cascarrabias de los que puedan quedar todavía en este, ya más que Viejo, achacoso Mundo.

¿A qué pasaje profético se refiere Colón? Aquí es cuando empiezan nuestras tribulaciones, sobre todo cuando leemos en la relación del segundo viaje que Dios «habló d'estas tierras por la boca de Isaías en tantos lugares de su Escriptura», prediciendo incluso que «de España les sería divulgado su santo nombre»[14]. Las Casas, gran conocedor de la obra escrita colombina, se planteó de manera frontal el problema, si bien, sintiendo cierto vértigo ante las afirmaciones del almirante y la extrema novedad de su revolucionaria exegesis, prefirió escurrir el bulto antes que opinar en materia doctrinal tan resbaladiza: «Hemos de creer que el Espíritu Santo, por boca de Isaías, habló que de España vernían los primeros que a esas gentes convertirían; pero que lo podamos señalar cierto lugar de su profecía, no pienso que sin presunción... hacerlo podríamos»[15]. Para el dominico está fuera de duda, en consecuencia, que en las profecías se halla una referencia expresa a las Indias occidentales; pero sólo un hombre inspirado por el Señor es capaz de escudriñar en los misterios escriturarios, y Las Casas no se atreve a considerarse en este punto concreto portavoz de la palabra divina: demasiado peligro corren los hebraístas españoles, acusados en su mayoría de conversos, para arrostrar azares innecesarios.

Tampoco nos saca del atolladero la nutrida selección bíblica que presenta el *Libro de las profecías*, pues de Isaías se reproducen múltiples versículos que, a falta de la explicación correspondiente, se resisten a entregarnos su secreto. Lo único que enseñan los escritos colombinos es que, por virtud de otro misterioso vaticinio de Joaquín de Fiore, correspondía a los españoles la futura conquista de Jerusalén[16], pero para nada especifican que también estuvieran predestinados a la jornada de las Indias.

Si en este punto concreto hemos de darnos por vencidos ante el amplio abanico de posibilidades hermenéuticas que se nos ofrece, en cambio se puede afinar más sobre la interpretación colombina de su

---

[14] *Historia*, I 127 (*BAE* 95, p. 338 b).
[15] *Historia*, I 127 (*BAE* 95, p. 340 b).
[16] Así en una carta a los reyes de 1501 (doc. XLV [p. 281]) y en la *Lettera rarissima* de 1503 (doc. LXVI [p. 327]).

descubrimiento en el marco veterotestamentario. En efecto, el pensamiento del almirante ofrece muchas aristas y recovecos, pero sus ideas angulares son de una solidez berroqueña, ideas que, para mayor claridad, gusta de repetir una y otra vez. Oigamos, pues, cómo precisa el genovés su propia intención en un momento trágico, cuando las palabras le salen del alma a borbotones, cuando retorna en suma cargado de cadenas a la España convulsa de 1500. De su pluma siempre pronta a la petición y a la queja salió entonces otra frase memorable: él, tan mal pagado por los reyes, había realizado «servicio de que jamás se oyó ni vido», ya que Dios lo había hecho mensajero «del nuevo cielo y tierra que dezía Nuestro Señor por San Juan en el Apocalipsis, después de dicho por boca de Isaías» [17]. La cita es puntual, luego no cabe pisar terreno más firme: sólo hay que abrir la Biblia para cotejar de cerca uno y otro pasaje.

Dice así Isaías en el versículo 65, 17ss.: «He aquí que yo crearé cielo nuevo y tierra nueva, y no se recordarán ya las cosas antiguas ni vendrán a la imaginación... Pues he aquí que daré a Jerusalén alegría y regocijo a su pueblo... Como la edad de los árboles serán los días de mi pueblo... No se esforzarán en vano ni parirán hijos para terrible ruina... Lobo y cordero a una pastarán y el león comerá paja con el buey, más la serpiente tendrá polvo por alimento».

A su vez, se expresa San Juan de la siguiente manera (21, 1ss.): «Y vi un nuevo cielo y una nueva tierra, pues el primer cielo y la primera tierra habían desaparecido, y el mar no existe ya; y la santa ciudad, la nueva Jerusalén, la vi cómo descendía del cielo..., preparada como desposada que se ha engalanado para su esposo».

Las dos citas, pues, se encuadran en un marco muy determinado y singular: el inicio del inefable júbilo que supone el advenimiento de la era mesiánica. No obstante, una radical diferencia separa una concepción de otra: la esperanza mesiánica de Isaías se traduce en un gozo terrenal, en el que será hombre maldito aquél que no muera centenario, en el que pacerán juntos el lobo y el cordero, el león y el buey. En cambio, la *Apocalipsis* se refiere a la aparición de la Jerusalén celeste que ha de surgir tras la consumación de este mundo. En suma, Isaías habla de la tierra presente, San Juan de la tierra por venir. Ambos pasajes son, en consecuencia, irreductibles, a no ser que entre ellos tienda un puente hermenéutico la alegoría. La explicación literal, la judaica, exige de la era mesiánica esa paz universal en la que han de convivir juntos los más irreconciliables enemigos. Los cristianos, que aplican el vaticinio de Isaías a la venida de Jesús, entienden que en tiempo de Augusto ha existido de hecho esa paz universal; para ellos carece de sentido detenerse a pensar

[17] Doc. XLI (p. 264).

en los posibles significados de esa «nueva tierra y nuevo cielo» vaticinado por Isaías, por la sencilla razón de que la profecía se ha cumplido ya con Jesús. En cambio, un judío sí para mientes en estas señales portentosas que anuncian la era mesiánica, porque su Cristo no ha llegado todavía, por lo que es preciso estar siempre alerta y en tensión. Y, efectivamente, de «nueva tierra y nuevo cielo» se habló mucho en toda la época colombina, en ese mundo crispado que asistió a expulsiones en masa de judíos y no sólo en España, sino en toda Europa.

En 1489, cuando Colón estaba ya asentado en Castilla, se publicó en Vicenza un voluminoso tratado antijudaico [18], escrito en parte, como es norma en la literatura apologética, en forma dialogada: hasta un rechoncho y maloliente sefardí aparece en estas páginas, cuyo núcleo fundamental nos muestra al obispo Pedro Bruto dando cumplida respuesta a las objeciones de los judíos Efraím y Rafael y mostrando de paso la estulticia y la perversidad del pueblo deicida. Como siempre, es mala señal que se hable demasiado de las minorías: cuando se escriben libros de polémica religiosa, es que alguna persecución se cierne o se ha abatido ya sobre el grupo discriminado por la comunidad. En este caso concreto, hacía algún tiempo que los hebreos habían sido expulsados de Vicenza [19], ciudad digna en verdad de llevar tal nombre por haber realizado semejante hazaña; ahora corrían rumores, ante los que se horripilaba el obispo, de que el oro judío iba a conseguir que se volviesen a abrir las puertas de la ciudad para acoger al pueblo pérfido, que había derramado sangre cristiana en Bassano y en Trento. Por tanto, la pugna dialéctica de este libro, enciclopedia de toda la propaganda antisemita, está de plena actualidad, y hemos de suponer que algunas de estas conversaciones tuvieron lugar en la realidad. Como es lógico, el argumento principal de los rabíes radica en demostrar que el Mesías todavía no ha venido, que las profecías aún no han tenido cumplimiento. Pues bien, entre las quince autoridades principalísimas elegidas por Efraím la objeción sexta, que alega el consabido pasaje de Isaías, reza así:

Consta más que de sobra que todo esto se dice de los judíos en el tiempo del Mesías. Sin embargo, no vemos todavía un cielo nuevo ni sabemos que haya sido creada recientemente una tierra nueva... Todavía no somos colmados de gozo o de júbilo, sino que nos aflige toda la tristeza y la pesadumbre y se alejó de nosotros toda la alegría... Por lo tanto, dado que lo que dijo el profeta ha de suceder en el tiempo del

---

[18] Pedro Bruto, *Victoria contra Iudaeos,* Vincentiae, 1489. Utilizo el ejemplar, foliado poco después, de la BU Sevilla (336/57; n.º 46 del *Catálogo de incunables de la Biblioteca universitaria de Sevilla* de Juan Tamayo y Julia Isasi-Ysasmendi).

[19] Cf. especialmente los f. 122v ss. La insidiosa afirmación de que los judíos están ansiosos de verter sangre cristiana se halla en f. 105r.

Mesías y no sucedió en el tiempo de Cristo, se deduce que éste no fue el verdadero Mesías [20].

Pedro, que escribe en 1488, arguye que no es de admirar que el llanto y el dolor del pueblo judío, prolongado durante 1415 años [21], no tengan todavía fin, ya que se niegan a recibir al único médico de su salvación, a Jesús, que es el verdadero Mesías; pero dejemos que sea él mismo quien nos explique el arcano de la profecía:

A la sexta autoridad de Isaías que con tanta vehemencia esgrimió contra nosotros Efraím, juzgamos que hemos de responder por fuerza, no sólo para enseñar la vía de la verdad y el puerto de la salvación a quienes lo deseen, sino también para reprimir la audacia de su ataque y la soberbia de su contumacia. No comete un pequeño error el que habla desconsideradamente y contra la verdad y cede ante cosas insólitas e imposibles como ante verdades, como se ve que hacen los judíos al pensar que se va a crear un nuevo cielo en el tiempo del Mesías. Leen sólo la letra, sin preocuparse del verdadero sentido de la letra. Dice Dios: «He aquí que antes les estaba cerrado a todos por el pecado original», según se ha dicho antes; mas por el derramamiento de la sangre de Cristo se manifestó entonces el cielo a todos los que siguieron a Cristo, y apareció una nueva tierra, es decir, una ciudad dichosa, que se afirma que Dios la creó nueva para los hombres, porque ningún difunto antes de la venida de Cristo podía entrar en ella en absoluto. Se dice, en efecto, que ha adquirido una nueva sede o una nueva magistratura quien, por razón de haber tomado nueva posesión de ella, recibe el nombre de dignidad nueva, aunque existiera mucho tiempo antes. Esta verdad se demuestra también por lo que se escribe en el capítulo 18 [31] de Ezequiel: «Haced en vosotros un corazón nuevo y un espíritu nuevo», dice Dios al pueblo judaico; en efecto, no ordena Dios que se haga otro corazón y otro espíritu, sino que abandonen el mal y abracen el bien, dejen las tinieblas y sigan la luz que es Cristo... Considerando estas cosas, por tanto, no se les escapa a los hombres entendidos en las Escrituras que alguna vez se dice «nuevo» no porque no existiera antes, sino que se dice «nuevo» a causa de haberse tomado de ello nueva posesión. Y que estas palabras «he aquí que yo creo un cielo nuevo y una tierra nueva» deben ser entendidas de aquella patria celestial, lo atestigua lo que viene después, pues dice: «Y exultaréis de gozo eternamente», ya que esto no puede acomodarse a las cosas sujetas a la vida humana, sino a la felicidad eterna y a la dicha divina, como enseña también el versículo siguiente: «y no se oirá en ella más la voz del llanto y la voz del clamor». Pero los judíos aplican todo esto a las cosas terrenas y frágiles de esta vida, a las que no se ajusta ni la letra ni el sentido [22].

Esta exegesis representa una no pequeña inflexión en la línea del pensamiento secular, dado que a los antiguos comentaristas les habían preocupado otros aspectos de la profecía. Siguiendo una vieja tradición

---

[20] F. 88r y v.
[21] Cf. ff. 109-110 para los años. El autor parece fechar la destrucción del segundo Templo, en consecuencia, en el 73 d.C.
[22] F. 94-95.

que remonta a la literatura pseudoepigráfica y rabínica [23], San Jerónimo [24] había debatido sobre todo si el vaticinio se refería a una renovación o a una creación del universo, decidiéndose por la primera hipótesis. Esta misma explicación es la defendida por Haimón de Halberstadt [25] y la que hace suya Herveo Burgidolense [26]: el cielo y la tierra no perecen ni por naturaleza ni por esencia, sino que han de sufrir un cambio, una innovación, un mejoramiento, permaneciendo siempre inalterada su sustancia. Curiosamente, en estas palabras late todavía el eco lejano de la antigua polémica entre los paganos, partidarios de la eternidad del mundo, y los cristianos, defensores de la creación de la nada, polémica que dio origen a un conocido tratado de Juan Filópono contra Proclo; sólo que en este caso la posición cristiana se muestra permeable a la doctrina pagana. En definitiva, el paso implacable del tiempo ha hecho que los antiguos problemas cosmogónicos hayan pasado a la historia y que los dardos de la apologética cristiana se dirijan preferentemente contra los hebreos. El nudo de la cuestión es la Cristología. Con todo, en los antiguos tratados antijudaicos no encuentro alusión alguna a este versículo de Isaías [27], que, en cambio, cobra especialísimo relieve en el siglo XV, cuando un rabí como Efraím pone en él singular énfasis.

Todavía durante el siglo XVI continuó la vivaz disputa sobre la expresión bíblica, en cuya exegesis los teólogos cristianos veían desvariar para perdición de sus almas a los judíos. Uno de ellos, el profesor de Coimbra Héctor Pinto, al comentar el tan citado versículo de Isaías, volvió a repetir en su glosa la doctrina ya centenaria: «Los ciegos judíos esperan que en el tiempo del Mesías habrá otro cielo y otra tierra, no considerando que en las divinas escrituras se dice con frecuencia de algo que es nuevo no porque no existiera antes, sino porque se ha tomado de ello nueva posesión» [28]. Eran, pues, los ciegos judíos los que enmarañaban

---

[23] Véase el todavía fundamental libro de P. Billerbeck, *Die Briefe des Neuen Testaments und die Offenbarung Iohannis, erläutert aus Talmud und Midrasch,* München, 1969, p. 840ss y cf. Enoc 45 4; 72 1; 91 16, Baruc sirio 326, Jubileos 1 29.

[24] *Comm. in Esaiam,* XVIII 17-18 (*Corpus Christianorum* LXXIII A, p. 760).

[25] *Comm. in Isaiam,* III 64 (*PL* 116, c. 1071).

[26] *Comm. in Isaiam,* VIII 65 (*PL* 181, c. 574).

[27] No aparece, por ejemplo, ni en el *Nizzahon Vetus,* obra anónima que recoge los argumentos anticristianos del s. XIII tardío (cf. D. Berger, *The Jewish-Christian Debate in the High Middle Ages,* Philadelphia, 1979, p. 117ss). ni en la Disputa de Tortosa.

[28] *Opera omnia Latina. Tomus primus,* Lugduni, 1584, p. 326a. Llega incluso a citar Pinto la autoridad de Ezequiel 18; a su juicio, los nuevos cielos son los apóstoles y la nueva tierra el nuevo pueblo que abrazó la fe cristiana. Para Forerio (*o.c.,* f. 231v) el «nuevo mundo» es el reino de Cristo. Tanto León de Castro (*Commentaria in Esaiam prophetam,* Salamantiae, 1570, pp. 993-94) como Jerónimo Osorio, obispo de Silves (*In Isaiam paraphrasis libri quinque,* Bononiae, 1577, f. 228v), explican el pasaje de Isaías a partir de la

una cuestión que de suyo era meridiana para embaucar a los simples de espíritu; para los cristianos el asunto estaba zanjado hacía ya muchos siglos, mientras que los hebreos lo seguían removiendo en espera de poder llevar agua a su molino.

Hora es ya de volver a Colón después de estas enojosas, pero necesarias puntualizaciones. El primer punto que nos llama la atención es que, precisamente, el almirante interpreta la Biblia en su sentido literal: esa «nueva tierra y nuevo cielo» no descienden de las nubes, como afirmaba él en persona: ese cielo lo ha visto con sus propios ojos, esa tierra la ha palpado con sus propias manos. Colón, pues, se encuentra en el mundo presente judaico y no en el mundo futuro cristiano. Su descubrimiento marca, sí, un hito en la historia de la Humanidad porque la aparición de esa nueva tierra indica que está a punto de iniciarse, si es que no ha empezado ya, la tan suspirada era mesiánica. Es comprensible, en consecuencia, que todos los pensamientos de Colón converjan en última instancia sobre Jerusalén, a la que habían de arribar en la apoteosis final las naves de las islas del mar a mayor gloria de Sión. El almirante se mueve, en definitiva, en el marco de las ideas de Isaías, no en el arrebato apocalíptico de San Juan, aunque cita a ambos sin darse cuenta en apariencia de que sus profecías son contradictorias desde su propio punto de vista. Ahora bien, este desliz no es involuntario, no se debe a un atolondrado despiste, ya que la mención de San Juan le permite arroparse a él, un judío sin duda, con nombres venerados de la ley Nueva que le sirven de soporte y de protección en una sociedad en la que constituía un crimen seguir los preceptos de la Ley Mosaica, pero en la que hasta el mismísimo rey tenía en sus venas gotas de sangre hebrea. Para sobrevivir era menester el disimulo, y Colón es un maestro en el arte de fingir y aparentar.

En segundo lugar, si bien se repara, este «nuevo cielo y nueva tierra»,

---

Apocalipsis, refiriéndolo a la gloria de la Jerusalén celeste. Arias Montano (*o.c.,* p. 1419-20) piensa que la renovación del cosmos se ha de entender del microcosmos, es decir, del hombre renovado por Cristo. Para Cornelius a Lapide (*Commentaria in Sacram Scripturam,* Parisiis, 1877, XI, p. 753 a), el nuevo mundo designa al reino de Cristo en la Iglesia, nuevo mundo que empieza en la tierra y se acaba en la resurrección, cuando será renovado verdadera y materialmente. Esta interpretación un tanto ecléctica de las opiniones de Forerio por un lado, y de Castro y Osorio por otro, es la que parece con mucho la más verosímil a A. Calmet (*Commentarius litteralis in omnes libros Veteris et Novi Testamenti,* Augustae Vindelicorum, 1759, V, p. 636 b). Es curioso que en la actualidad se vuelva al pensamiento jeronimiano: así, por ejemplo, P. -E. Bonnard (*Le Second Isaïe, son disciple et leurs éditeurs. Isaïe 40-66,* París, 1972, p. 473: «cela signifie qu'il transfigure le monde actuel pour y instaurer un mode de vie meilleur») o Muilenburgh (en *The Interpreter's Bible,* V, p. 755: «the present world will be completely transformed»). J. L. McKenzie (*Second Isaiah* en *The Anchor Bible,* New York, 1981, p. 199) se limita a destacar que la idea es rara tanto en el Antiguo como en el Nuevo Testamento.

esta campanuda terminología que maneja Colón cuando, al parecer, hace su segunda reflexión sobre la dimensión de su propio descubrimiento, no diverge en un extremo fundamental de la significación que entraña la otra expresión «otro mundo». En efecto, el «otro mundo» se refiere siempre al mundo de los antípodes. Pues bien, ya se sabía desde la Antigüedad que en los antíctones brillaban otras estrellas, es decir, que lucía en verdad otro cielo. En 1498 hacía muchos años que los portugueses habían franqueado el ecuador y descubierto que, allende la línea, no se divisaba la Polar, sino que resplandecía la Cruz del Sur, cuya figura intentan delinear de manera tosca los roteros de la época [29]. Era lógica, por tanto, la emocionada excitación mesiánica de los judíos, que veían cumplirse el preludio del vaticinio de Isaías cuando se hallaba, en realidad, un nuevo cielo y una nueva tierra. Los grandes descubrimientos geográficos traen como secuela esta agitación religiosa incalculable. A mediados del siglo XV es cuando puede esgrimirse contra los cristianos que no apareció a la venida de Jesús un nuevo cielo ni una nueva tierra, y así se explica la vehemencia de Efraím. Entonces, en efecto, se divisaba un cielo tachonado de estrellas desconocidas y surgía ante la vista maravillada de los navegantes «la parte meridional [del globo terráqueo], llena de árboles y de frutos; pero los frutos son de otra naturaleza y los árboles de tanta grosedad y altura que no puede creerse. Y en verdad digo que vi gran parte del mundo, pero nunca nada parecida a esta», concluía extasiado Diogo Gomes de Sintra [30]. Si Diogo Gomes sentía este entusiasmo al recortar la costa de Africa, excusado es decir el júbilo que embargaba a los judíos ante la perspectiva de su sublimación inmediata.

Colón, en suma, no hace segundas lecturas de su descubrimiento, no anda tanteando a ciegas hasta que de pronto le llega una inspiración repentina, sino que, como en tantas otras ocasiones, se limita a recoger la experiencia acumulada en las exploraciones de los portugueses. Ya en su primer viaje, pues, hemos de suponer que andaba en busca de la «nueva tierra y el nuevo cielo»; de ahí deriva su interés obsesivo en asegurar que ha llegado a los antípodes, ya que sólo allí se ve iluminada la negrura de la noche por el resplandor de nuevos astros, cuyo enigmático parpadeo está cargado de hondo contenido religioso para los judíos. Colón, en definitiva, sabe muy bien lo que quiere. La cercanía de las amazonas o la existencia de hombres «monstrudos» le sirven para probar que ha llegado a la India; a su vez, el jubiloso anuncio de que se ha cumplido por fin la

---

[29] Véase al respecto el util resumen de A. Fontoura de Costa, *A marinharia dos descobrimentos,* Lisboa, 1960, p. 118ss.

[30] Cf. su *De prima inuentione Guinee* en *O manuscrito Valentim Fernandes,* Lisboa, 1940, p. 191.

profecía de Isaías se convierte en todo un manifiesto religioso. Quien tenga oídos, que escuche: la hora de la redención para el pueblo elegido ha llegado y ya se vislumbra la final peregrinación de los fieles exultantes a Jerusalén, donde se espera la reconstrucción definitiva del Templo de Yavéh. Bajo esta perspectiva se invierten los términos y resulta que ese barniz de Geografía clásica, la lectura de esos Ptolemeos y Plinios con cuyas citas esmalta sus relaciones, es en realidad muy posterior al estímulo de la Biblia, único libro que explica de verdad el increíble descubrimiento. Colón, por tanto, no nos engaña: «llenamente se cumplió lo que dijo Isaías», cuando el 11 de octubre de 1492 desembarcó en la incógnita playa de Guanahaní, una de aquellas «lejanas islas del mar» de las que tanto habían hablado los profetas.

Esclarecidos los significados, queda por trazar la ulterior evolución lingüística de los significantes. De las dos expresiones que usa Colón, una de ellas, «otro mundo», resulta quizá demasiado ambigua y por lo menos clásica en exceso: la otra, «nueva tierra y nuevo cielo», no puede prosperar por su longitud desmesurada. La solución viene por sí sola, impuesta por su misma sencillez: forjar con los dos términos un híbrido «nuevo mundo». No he documentado esta vía intermedia en las obras colombinas, pero hay que recordar que el «nuevo mundo», término al que no puso reparo alguno el pedante Pedro Mártir de Angleria, acabó por entrar hasta en el escudo de armas del almirante. El apelativo tuvo después una fortuna insospechada, quizá por su propio exotismo —como ahora abusamos de la palabreja «galaxia»—, quizá porque esta denominación hacía posible que un emigrante encontrara en ese Nuevo Mundo otras Nuevas Españas, Nuevas Galicias y Nuevas Granadas con las que consolar su nostalgia. En cualquier caso, parece claro que se trata de una acuñación colombina, ya que ninguno de los que la usaron después se puso de acuerdo sobre el significado del término y cada cual propuso una explicación diferente, divergencia pasmosa que no hubiera ocurrido de haber sido su origen diáfano y paladino.

«Es lícito llamarlo Nuevo Mundo, ya que nuestros antepasados no tuvieron de él conocimiento alguno y es cosa muy nueva para todo el que la oye», proclama Vespuche en su carta llamada precisamente *Mundus novus* (1503)[31], adelantando una interpretación que en el siglo XVII volvió a repetir el marqués de Barinas[32]. Para otros, se trata de un Nuevo Mundo «por su enorme extensión», como se lee en la *Orbis nova descriptio* de Marco Beneventano en el Ptolemeo romano de 1508 (cap. XIIII). Esta idea, que halagaba la sensibilidad española y criolla, recibió pronto

---

[31] *Raccolta,* III 2, p. 123, 8 ss.
[32] *Grandezas de las Indias,* en BN Madrid, ms. 2933 f. 1r.

nuevos matices y perifollos: la razón del nombre se debe, como dice Motolinía [33], a que «tiene aparejo para fructificar todo lo que hay en Asia y en Africa y en Europa, por lo que se le puede llamar Nuevo Mundo». Lo mismo viene a decir Cervantes de Salazar [34], cuando escribe que los descubridores no pudieron «explicar su grandeza sino con llamarlo así», o fray A. de Calancha [35], al sostener que recibió ese apelativo «por ser mejor y más excelente en las condiciones». Incluso quien no se mostró conforme con tal denominación, como Gonzalo Fernández de Oviedo [36], acabó por plegarse al uso general aceptando sin mayores escrúpulos la tiranía de la norma.

Es así como unas palabras que en su origen tenían una evidente proyección escatológica fueron poco a poco vaciándose de contenido, al quedar desgajadas de su contexto ideológico, y adquirieron un nuevo significado, al principio no demasiado claro todavía. Con el tiempo, no obstante, cualquier descubridor de pacotilla no se sintió contento, como veremos, si no se ofrecía a descubrir para los reyes de España un Nuevo Mundo, en frase ya ritual y tópica, pero que tenía la enorme ventaja de su eufonía no exenta de misteriosa grandeza; y así, con el tiempo, ante el mágico embrujo de este renovador Nuevo Mundo acabaron por rendirse todos: clérigos, militares, pensadores, poetas, músicos y hasta el propio Viejo Mundo.

2. La reconstrucción de la Casa de Jerusalén

He de ocuparme ahora de otro detalle al parecer nimio que se nos desliza entre las quimeras del navegante visionario. Desde siempre el almirante se muestra poseído de una idea fija: la conquista de Jerusalén. Ya en el *Diario de navegación del primer viaje* aquel varón «prudentísimo y cuasi profeta» (*Raccolta,* I 1, p. 119, 24), nos hace partícipes de su magno sueño:

y dize qu'espera en Dios que, a la buelta que él entendía hazer de Castilla, avía de hallar un tonel de oro, que avrían resgatado los que allí entendía de dexar, y que avrían hallado la mina del oro y la espeçería, y aquello en tanta cantidad, que los reyes antes de tres años emprendiesen y adereçasen para ir a conquistar la Casa Santa; «que así», dize él, «protesté a Vuestras Altezas que toda la ganançia d'esta mi empresa

[33] *Historia general de los indios de la Nueva España,* III 9, p. 200 O'Gorman.
[34] *Chrónica de la Nueva España* en BN Madrid, ms. 2011 f. 3v.
[35] *Chrónica moralizada del Orden de San Agustín en el Perú,* Barcelona, 1638, p. 31.
[36] *Historia,* XVI proemio (*BAE* 118, p. 86) y XXXXV 4 (*BAE* 120, p. 300 a).

se gastase en la conquista de Hierusalem, y Vuestras Altezas se rieron y dixeron que les plazía, y que sin esto tenían aquella gana (doc. II [p. 101]; cf. *Historia de las Indias,* I 60 [p. 198]).

El nuevo texto (carta I, p. 4) especifica más e introduce algunos matices, corroborados por la carta enviada en 1502 a Alejandro VI:

Concluyo aquí que,... de oy en siete años yo podré pagar a V. Al. çinco mill de cavallo y çincuenta mill de pie en la guerra e conquista de Hierusalem, sobre el cual propósito se tomó esta empresa; y dende a otros çinco años otros çinco mill de cavallo y çincuenta mill de pie (cf. doc. LXI [p. 312]).

El 22 de febrero de 1496, cuando hace la institución del mayorazgo, insiste Colón en la misma utopía:

al tiempo que yo me mobí para ir a descubrir las Yndias fue con intención de suplicar al rey y a la reina nuestros señores que, de la renta que Sus Altezas de las Indias oviesen, que se determinassen de la gastar en la conquista de Jerusalem, y anssí se lo supliqué (doc. XIX [p. 197]).

Sus ideas, si no sufren variación, se van decantando con el tiempo y con las adversidades. Colón no está viviendo en la historia, sino que se encuentra inmerso en un devenir trascendente. Los acontecimientos son por tanto predecibles. Y si hasta el fin del mundo, según su interpretación de las tablas alfonsíes, «no falta salvo çiento e çinquenta y cinco años para conplimiento de siete mill [años]» (*Racolta* I 2, p. 81), nada más comprensible que Colón se dedicara febrilmente a recoger vaticinios en 1501-1502 para saber por ellos el curso de esa historia futura que no era ya sino escatología. Es lástima que su *Libro de las profecías* quedara en mero borrador, y que incluso los materiales recogidos fueran cercenados por una mano bárbara en tiempo de Ambrosio de Morales. En último término, la conquista de Jerusalén se encuentra siempre en un primer plano en este devenir de los últimos tiempos. Dice en el *Libro de las profecías*:

El abad calabrés diso que había de salir de España quien havía de redificar la Casa del monte Sión (doc. XLV [p. 281]).

Ex epistola legatorum Genuensium ad reges Hyspaniae habita Barchinonie anno 1492. Nec indigne aut sine ratione assevero vobis, regibus amplissimis, maiora servari, quando quidem legimus predixisse Iochinum abbatem Calabrum ex Hyspania futurum, qui arcem Syon sit reparaturus (*Raccolta*, I 2, p. 148).

y añade en la relación del cuarto viaje:

Hierusalem y el monte Sión ha de ser reedificado por mano de christiano: quién a de ser, Dios por boca del propheta en el déçimo cuarto psalmo lo diçe. El abad Ioachín dixo que éste avía de salir de España (doc. XLVI [p. 327]; cf. *Raccolta*, I 2, p. 166).

La conquista de Jerusalén, en efecto, era imprescindible en el drama escatológico. Las profecías del Pseudo-Metodio, que leía ávidamente Pedro d'Ailly y extractaba con no menor afán Colón (*Raccolta*, I 2, pp. 108-109), auguraban que el emperador de los últimos días había de vivir en Jerusalén diez años y medio. En la corte de los reyes Católicos la cruzada contra Granada había despertado de nuevo delirios imperialistas enlazados con la toma inmediata de Jerusalén. Las ideas de Colón, por ende, parecen encajar muy bien con las alucinaciones que mecían los ánimos de los castellanos en la lucha postrera contra los nazaríes. Y, sin embargo, hay en estas utopías una nota discordante, a la que, según creo, se ha prestado poca atención. Colón, en efecto, sueña con la reedificación del Templo de Jerusalén, ese Templo al que él llama «Casa»; y hay que advertir que, en los escritos de Colón, «Casa» designa también al Templo, según el uso hebreo, en otras dos ocasiones también relacionadas con el mundo judaico: en la traducción de la *Carta* de rabí Samuel (*Raccolta*, I 2, p. 95) y en la famosa nota del 1481 en la que transcribe la cronología del mundo rabínica (*Raccolta*, I 2, p. 369). Ahora bien, ¿qué Padre de la Iglesia ha dicho que el Templo ha de ser reconstruido?

Colón menciona su fuente: Joaquín de Fiore, o mejor dicho, un apócrifo atribuido al abad calabrés [37]. Pero, como observa De Lollis, Colón utiliza esa fuente a su manera. Tampoco en la carta en que los genoveses felicitan a los reyes por la conquista de Granada se encuentra ese famoso vaticinio tan citado. Es que el almirante entresaca de sus lecturas lo que le conviene, incluso contradiciendo la lógica más elemental. ¿No asegura en otro lugar (*Raccolta*, I 2, p. 81) que «Santo Agostín diz que la fin d'este mundo ha de ser en el sétimo millenar de los años de la criación d'él», sin que tal aseveración se lea en ningún pasaje de las obras del

---

[37] Las mismas fábulas sobre el emperador postrero y la conquista de Jerusalén aceptaba el propio Joaquín de Fiore; así lo atestigua el hecho de transcribir el vaticinio de Gerardo Odonis en su *Psalterium decem cordarum* (impreso juntamente con la *Expositio magni prophete Abbatis Ioachim in Apocalipsim*, Venetiis, 1527, f. 279r): «et illi et omnes christiani constituent unum imperatorem Romanum; iste autem imperator fidelis faciet unum scutum, in quo erunt picti duo uiri, et super illos ponet alium uirum ad denotandum quia ipse supra illos reges et supra omnes christianos dominus. Postea ille imperator sicut fidelis christianus et alii christiani accipient crucem Christi et ibunt in Hyerusalem, et ibi Imperator faciet mansionem; et sic totus mundus erit in pace». Este desenlace apocalíptico es frecuente (cf. M. Reeves, *The Influence of Prophecy in the Later Middle Ages*, Oxford, 1969, p. 328 [sobre Carlos VI de Francia], p. 353 [sobre Maximiliano], etc.), pero en ninguna parte se dice que la Casa será reedificada. Bien es verdad que en unos versos recogidos por Salimbene (M. Reeves, *The Influence...*, p. 399) se habla de un Papa que *mundum pacabit et Ierusalem renouabit*. Pero es evidente que por Jerusalén se entiende aquí la Iglesia: se habla sólo de una *restauratio ecclesiae*, de una reforma. La metáfora no se toma nunca en su sentido literal.

santo, que es, por el contrario, adversario acérrimo del milenarismo? Colón ha oído campanas y no sabe dónde. Pero es más: esa reedificación del Templo va en contra de todas las tradiciones antañonas de los cristianos; el Templo había sido destruido como castigo de Dios a la perfidia de los judíos, que se habían negado a reconocer al verdadero Mesías [38]. En consecuencia, la desolación del Santuario ha de permanecer hasta el final de los tiempos; con júbilo recordaban los cristianos el intento fallido de Juliano el Apóstata por restaurarlo [39]. En los últimos días, es cierto, el Templo había de ser reconstruido; pero en su edificación no podía intervenir mano cristiana, como aseguraba el almirante, ya que tan loca empresa estaba guardada nada menos que para el Anticristo o sus secuaces. De los testimonios aducidos por W. Bousset [40] me contentaré con citar unos pocos: el Anticristo «edificará el Templo destruido y lo restaurará a su estado» (Adsón); «y reedificarán el Templo, que ha sido desolado por los romanos, y se sentará [el Anticristo] allí» (Haimón); «el Anticristo reedificará la antigua Jerusalén, en la cual ordenará que se le adore como a un Dios» (Honorio de Autun). Baste traer a colación, entre los historiadores, a Otón de Frisinga [41] y a Pedro Coméstor [42]. Y no estará de más recordar que en la mapamundi catalana de 1375, aun hecha por un judío, Cresques, un notable letrero relativo al Anticristo precisa: «diuse que rehedifficara lo temple».

A finales del s. XVI se comenzaron a representar en España y en las Indias autos sacramentales sobre la figura del hijo de la perdición, por aquello de que todas las postrimerías del siglo invitan por su especial melancolía a especulaciones escatológicas. No sé quién sería el autor de la obra que sobre esta macabro tema se representó en Lima en 1599 con prodigalidad de efectos especiales y consiguiente espanto y edificación del auditorio [43], pero sí podemos hacernos una idea de su contenido gracias al drama homónimo de Juan Ruiz de Alarcón. En este archivo de truculencias el Anticristo, instalado ya en Jerusalén, anuncia a todos sus partidarios:

> Desde hoy
> Da principio al edificio
> Del Templo, con prevención

---

[38] Cf. Hegesipo, *Hist.*, V 2 (pp. 296-97 Ussani).

[39] Cf. p.e. Antonio Honcala, *Pentaplon Christinae pietatis*, Alcalá, 1546, f. 72r.

[40] *Der Antichrist in der Ueberlieferung des Judentums, des neuen Testaments und der alten Kirche*, Göttingen, 1895, p. 105.

[41] *Chron.*, VIII 26 (*Monumenta Germaniae Historica, Scriptores*, XX, p. 292, 15ss.).

[42] *Historia escolástica, Daniel* (PL 198, c. 1454 D).

[43] Cf. G. Lohmann Villena, *El arte dramático en Lima*, Sevilla, 1945, p. 73ss.

De que en grandeza, hermosura,
Riqueza y arquitectura
Exceda al de Salomón [44].

Mas aún cabía otra posibilidad. En efecto, los peregrinos cristianos que visitaban Jerusalén en la Edad Media, sorprendidos por la imponente fábrica de la mezquita de Omar, la identificaron en su piadosa ignorancia con el Templo de Salomón. Aunque muchos sabían que había sido Omar quien había alzado en el emplazamiento del antiguo templo cristiano un nuevo y magnífico oratorio [45], la creencia más grosera fue la que señoreó entre el pueblo indocto luengos años, ya a partir del siglo XI, por lo que los letrados tuvieron que dar explicación a tan intrigante aporía. Una solución plausible se ofrece en un libro muy manejado, el tratado *De terra sancta et itinere Iherosolimitano* de Ludolfo de Sajonia [46]: «El Templo del Señor, según se lee, fue construído por Salomón; y aunque haya sido destruído por muchos muchas veces, sin embargo ha sido reedificado en el mismo lugar y con la misma forma y con las mismas piedras». Así, el aparente misterio se reducía a un portento trillado: la providencia de Dios reparaba al instante lo que intentaban asolar los hombres en su perversa estulticia; y así se explica también que en los conventos franciscanos de la Nueva España los pórticos del atrio fueran una réplica de lo que los frailes, guardianes del Santo Sepulcro, consideraban el Templo del Señor [47]: caso típico es, por vía de ejemplo, el triple arco del triunfo que remata la escalera de la iglesia en Huejotzingo. Como se ve, caían en saco roto las observaciones que hacía por aquellas fechas A. de Aranda, intentando extirpar la superstición popular:

Es de saber, porque ninguno se llame engañado, que dado que se llama templo de Salomón, ni lo es ni cosa que le parezca, salvo que el edificio que agora hay sin falta ninguna está en el mesmo sitio e lugar que el templo de Salomón estuvo, e por esto retiene el nombre [48].

---

[44] *BAE* 20 p. 368a (cf. antes lo que dice Elías en p. 359a: «yo soy el rey, yo el Mesías, prometido a los hebreos. Reinaré en Jerusalén, reedificaré su Templo»).

[45] Así, p.e., W. Rolevinck, *Fasciculus temporum*, Venecia, 1484, f. 43r. Pedro Coméstor en su *Historia escolástica* (PL 198, c. 1602 B-C) se muestra más ecléctico: «El Templo del Señor, como es hoy y es llamado Bethel, no se sabe quién lo edificó; unos dicen que fue construido por Helena después del descubrimiento de la Cruz; otros por Heraclio, cuando trajo de Persia en triunfo la Cruz; otros por el emperador Justiniano y otros por un sultán de Egipto en nombre de Allichivis, esto es, 'del sumo Dios'».

[46] Capítulo *De dulcissima ciuitate Iherusalem* (utilizo el ejemplar incunable de la Biblioteca Colombina, 13-5-10).

[47] Cf. E. W. Palm, «Los pórticos del atrio en la arquitectura franciscana de Nueva España», *Les cultures ibériques en devenir, Hommage à Marcel Bataillon*, Fondation Singer-Polignac, París, 1979, p. 497ss.

[48] *Verdadera información de Tierra Santa*, Toledo, 1537, f. 64r (escrita en realidad en

En ningún caso, pues la fe cristiana puede esperar la reconstrucción del Templo, porque una de dos: o permanece destruido hasta el fin de los siglos como castigo a la perfidia judaica o ha sido ya levantado de nuevo por un milagro divino. Cuando un Cristóbal de San Antonio habla de la reedificación del Templo, utiliza la expresión en sentido alegórico para referirse siempre a la erección final de la Iglesia que ha de sucumbir bajo la persecución del Anticristo; que bien sabe el escriturista que no va a haber nunca jamás un tercer templo material [49]. En otros casos, cuando se predice una *restauratio* jerosolimitana, ha de entenderse más bien por tal expresión una *restauratio ecclesiae*; tal ocurre, p. e., cuando Juan López de Palacios Rubios augura a Fernando el Católico la conquista de la Ciudad Santa, *quam a maiestate uestra recuperandam restaurandamque omnia uaticinia prenuntiant* [50] («que todos los vaticinios profetizan que será recobrada y restaurada [al culto cristiano] por Vuestra Majestad»).

La reconstrucción del Templo tan ansiada por Colón resulta ser, en consecuencia, una creencia que no se ajusta a la ortodoxia cristiana, por más que forme parte de la escatología de la Iglesia, dado que el reconstructor del Templo ha de ser el Anticristo, el Mesías judío. La reconstrucción del Templo: ¿no era éste el pensamiento que había consolado la zozobra y la angustia de los hebreos durante los largos siglos de la diáspora? ¿No se había referido San Jerónimo [51] a las «fábulas judaicas... de que Jerusalén volverá a ser edificada»? Este anhelo irresistible llega a encontrar cobijo en las lápidas sepulcrales: «Dios lo haga digno de ver la reconstrucción del Templo», se lee en el epitafio de Mar Abisay, muerto en 1135 [52]. Tal creencia se transmitía amorosamente de generación en generación, manteniendo enhiesto el espíritu de Israel.

He aquí cómo Colón, el siempre cauto Colón, el hombre que logra mantener su vida en el más completo de los misterios, comete una indiscreción temeraria. Pero es que la escatología, que refleja los más íntimos sentimientos de la comunidad, es lo más difícil de asimilar de una religión; con mayor o menor facilidad se pueden entender conceptos básicos o imitar hábitos externos, pero echar por la borda todo lo que se ha sentido en la niñez, cortar por lo sano con todas las tradiciones seculares

1529-1530). En f. 67r afirma que fue edificado en tiempo de Heraclio o de Godofre, quizá basado en Pedro Coméstor (cf. nota 45), al que cita en f. 81v.

[49] *Triumphus Christi Iesu contra infideles,* Salamanca, 1524, f. 216v b; sobre la reedificación espiritual cf. ff. 223v-224r.

[50] *Libellus de insulis Oceanis quas uulgus Indias appellat* (BN Madrid, ms. 17641, f. 27v).

[51] *Cartas,* 59, 3.

[52] F. Cantera y J. M. Millás: *Las inscripciones hebraicas de España.* Madrid, 1956, p. 20 (núm. 6).

es punto menos que imposible, sobre todo en una cuestión en que la escatología cristiana y la escatología judía convergían, por irreductibles que fuesen sus respectivos puntos de vista. Atávicas creencias hacen desear a Colón que el Templo sea reconstruido: la llamada del subconsciente es demasiado fuerte para que el almirante pueda vencerla. A esta luz la enfermiza manía de Colón por Jerusalén es totalmente comprensible: se trata de la misma obsesión que impele a Jehudá ha-Leví a componer sus siónidas o a emprender el viaje a Tierra Santa. Porque Colón, a juzgar por estos pasajes, fue educado de chico en la religión judía [53]; y quizá así reciba explicación el hecho de que en su torturada personalidad se imbriquen el hombre de acción, el mercader (hasta de esclavos) y el visionario, porque, como dice Las Casas [54], «toda su vida fue un trabajoso martirio».

Ahora bien, una contradicción irreductible parece que nos sale al paso: Colón, a quien Jerusalén le sorbe el seso, nunca hace ademán de acercarse a Tierra Santa, sino que, por el contrario, esas Indias por él descubiertas reclaman su atención preferente y exclusiva. Y sin embargo, es el propio almirante quien nos saca de este turbador atasco. A su juicio, la tierra a la que ha arribado no es otra que la mítica Tarsis [55], de donde una vez cada tres años venían navíos para traer el rey Salomón oro, plata, marfil, monos y pavos reales (III Reg. 10, 22; II Par. 9, 21). Por ello, el *Libro de las profecías* reúne todos los testimonios bíblicos habidos y por haber en torno a Tarsis y Ofir, situados en esa India que ahora se abre a

[53] Uno de los pocos americanistas que se han ocupado de la escatología de los evangelizadores del Nuevo Mundo, J. L. Phelan, (*The Millennial Kingdom of the Franciscans in the New World,* Berkeley y Los Angeles, 1970, p. 136, n. 28), niega expresamente que Colón fuera judío. Pero la base doctrinaria del meritorio libro de Phelan es a veces endeble; así, p. e. en p. 18, cuando afirma: «It seemed to these mystics that after all the races of mankind have been converted, nothing further could happen in the world; for anything else would be an anticlimax», se olvida de que el propio Jesús (Matth. 24, 14) proclamó: «Y será predicado este Evangelio del reino en todo el orbe, para que sirva de testimonio a todas las gentes. Y entonces vendrá el fin». Con iguales reservas han de acogerse sus afirmaciones: «The discoverer was the first to see the possibility of converting all the races of the world as an apocalyptical and Messianic vision» (p. 19), o «In 1501-1502 Columbus linked the crusading tradition to an apocalyptical vision with himself cast in the role of Messiah» (p. 22).

¿Era Colón sefardí, como defiende Madariaga? En tal caso se esperaría mayor énfasis en la profecía de Abdías, a la que se alude muy de pasada en el *Libro de las profecías* (*Raccolta*, II, p. 128, leyendo además Bósforo en vez de Sefarad). Una última observación: en *Raccolta*, II, p. 148, Colón poetiza sobre el cautiverio de los judíos, pero alguien ha mutilado el texto, pensando quizá que era demasiado comprometedor o tal vez herético.

[54] Las Casas, *Historia de las Indias*, I 146 (p. 391 b).

[55] Cf. *Raccolta*, I 2, 164, 24; 387 (es interesante: «nota quod de regno Tharsis uenit rex in Ierusalem ad Dominum, qui stetit in itinere annum unum cum diebus tresdecim, ut uult beatus Ieronimus super Matheum, loquens de magno itinere quod non potuebant uenire in 13, diebus); *Historia de las Indias,* I 128 (I, p. 342 a); II 38 (II, p. 96 a).

la historia occidental. Evidentemente, según la concepción antigua y medieval predominante, Tarsis y Ofir (= la Española) se encontraban en el confín de la «India» descubierta por Colón. Pero esta atención inusitada a los parajes del Antiguo Testamento nos llama otra vez poderosamente la atención. Al genovés, no hay duda, lo encandilan el oro y la pedrería de las minas del rey Salomón. En esta ingenua fantasía, no obstante, no sólo reluce el oro y la plata a efectos mercantiles. Salomón había dado un uso especialísimo a ese oro: con él había construido el Templo. Cuando Colón, con terca obstinación, se empeña una y otra vez en haber encontrado los riquísimos mineros bíblicos ante la incredulidad un tanto burlona de Pedro Mártir de Angleria, se deja llevar —es lógico— por un comprensible afán de lucro, pero sobre todo se inflama con su obsesiva utopía: el re-descubrimiento de las minas del rey Salomón está ligado con la re-edificación de la Casa Santa, porque las coordenadas mentales de Colón se mueven al compás del antiquísimo pensamiento mítico para el que no hay nada nuevo bajo el sol, sino que la historia es constante repetición, un eterno retorno a esquemas que ya se han producido en el devenir del mundo. Si aquellos yacimientos, sepultados tantos siglos en el olvido, habían vuelto a ser utilizados por el hombre, había de seguirse, por conclusión lógica, lo que aquellos yacimientos habían otrora posibilitado, porque de las mismas causas derivan los mismos efectos.

Después de expuestas estas ideas en 1977 [56], A. Milhou [57], en un muy erudito libro sobre el mesianismo colombino, manifestó su escepticismo sobre mis conclusiones, concluyendo que las palabras colombinas se podían referir sin más a la restauración material de los Santos Lugares. Afortunadamente, un nuevo texto —la octava carta a los reyes (p. 66)— zanja de manera definitiva la polémica. Escribió Colón el 3 de febrero de 1500:

yo espero la vitoria de aquel verdadero Dios, el cual es trino y uno y lleno de caridad y de savidaría, así como milagrosamente me a dado de toda otra cossa contra la opinión de todo el mundo; y le plazerá que, así como el templo de Jherusalem se hedificase con madera y oro de Ofir, que agora con ello mesmo se restaura <rá> a la Yglesia Santa y se reedifique él más suntuoso de lo qu'estaba de primero.

[56] «Colón y la Casa Santa», *Historiografía y Bibliografía Americanista*, XXI (1977) 125ss. Sobre el «nuevo cielo y nueva tierra» hablé en el *Homenaje a Pedro Sáinz Rodríguez*, Madrid, 1986, II, p. 297ss.

[57] *Colón y su mentalidad mesiánica en el ambiente franciscano español*, Valladolid, 1983 (cf. mi reseña en *Historiografía y Bibliografía americanistas*, XXVII [1983] 154ss.). Con agudeza busca Milhou como fuente de la profecía pseudo-joaquinita a Arnaldo de Vilanova.

A decir verdad, no se puede expresar con más rotundidad la confianza en la reedificación del Templo gracias al oro de Ofír, bajo la mirada benevolente de una Trinidad ciertamente extraña, en una mezcla inaudita de creencias antagónicas que forman una singularísima y espectacular ensalada religiosa.

A esta luz oigamos ahora el vaticinio de Isaías, ese profeta que Colón se sabía de memoria, sobre la Jerusalén futura, pero no en la versión de la Vulgata (60, 1 ss. [*Raccolta*, I 2, pp. 116-17]), usada por elemental prudencia, sino en el texto hebreo:

Levántate, resplandece, pues ha llegado tu luz y la gloria de Yavéh ha brillado sobre tí... Alza en torno tus ojos y mira: todos están reunidos, vienen a tí [i. e. a Jerusalén]. ¿Quiénes son aquéllos que vuelan como una nube y como palomas a sus palomares? Ciertamente, congréguense a mí los barcos, con las naves de Tarsis [i. e. las Indias] a la cabeza, para traer a tus hijos de lejos, su plata y su oro con ellos, para el nombre de Yavéh, tu Dios, para el Santo de Israel, pues te glorifica. Extranjeros [i. e. los reyes Católicos] reconstruirán entonces tus muros [i. e. los de Jerusalén] y sus reyes te servirán: porque los batí en mi furor, mas en mi clemencia me compadecí de tí [58].

De nuevo Jerusalén y las Indias: he aquí ratificado el eslabón que nos faltaba. En efecto, las profecías de Isaías se cumplen para Colón, mas no en un sentido cristiano, sino hebraico, porque Dios «va al pie de la letra», como escribe en su carta desde Jamaica (doc. LXVI [p. 323]: el Mesías está al llegar, y los bajeles de las Indias, cargados de oro y plata, han de transportar los primeros a los judíos dispersos hasta Jerusalén, cuya reconstrucción por obra de Isabel y Fernando es inmediata. Y entonces, en aquel futuro dichoso, no será él, Colón, el extranjero, sino los monarcas a cuyo servicio se encuentra. He aquí la clave para entender el orgullo de Colón: la redención se encuentra cercana.

Ahora comprendemos mejor la lógica excitación que se apodera del almirante antes de zarpar en su último viaje (mayo de 1502). Mientras él escudriñaba una y otra vez los pasajes del Antiguo Testamento, un verdadero frenesí sacudía los ánimos de los judíos. Isaac Abarbanel († 1508) había fijado como fecha mesiánica el año 1503 [59]. Ya en el 1500 y 1501 el delirio se había apoderado de los conversos de Herrera y Sevilla; en 1502

[58] Sigo la traducción de Cantera, advirtiendo sólo que «congréguense» es lectura dudosa; también puede traducirse «esperan», versión que se acerca más a la de los LXX, que sí mencionan a Tarsis (también San Jerónimo, en su *Comm. in Is.* XVII, 608-9 [*CC* LXXIII2/A, p. 699]). Como es natural, esta profecía fue comentada una y otra vez, por los rabinos: véase por ejemplo una alusión a la interpretación de Saadía en S. W. Baron, *Historia social y religiosa del pueblo judío,* Buenos Aires, 1968, VIII, p. 211.

[59] A. H. Silver, *A. History of Messianic Speculation in Israel,* Boston, 1959, p. 116ss.

Asher Lämmlein se anunciaba como precursor del Mesías o el Mesías en persona. ¿Cómo no iba a dejarse arrastrar Colón por este contagioso movimiento? Su último viaje había de ser la culminación de la historia: de Tarsis había de comenzar la milagrosa migración a Jerusalén.

Por si esto fuera poco, a partir de febrero de 1502 empezó Colón a firmar no con su habitual «el almirante», sino con el famoso anagrama rematado por el *Christo ferens*, como señaló Streicher y después recalcó muy oportunamente C. Varela [60], poniendo con gran agudeza este uso gráfico en relación con el fervor religioso de aquellos años; y tal expresión no significa «portador de Cristo», sino «portador para Cristo [i. e., el Ungido, el Mesías]», de algo, un algo que se deja en suspenso por prudencia. Quiero resaltar, por último, que por dos veces fue utilizada la cifra en las apostillas colombinas, las dos en la *Historia rerum* de Pío II (B 54 y 59); ambas anotaciones se refieren a parajes del último Oriente, la primera a los Seres, la segunda a los Atocos, pueblos uno y otro que disfrutan de riquezas inenarrables y de maravillosa templanza de aire, equiparados a los míticos Hiperbóreos. Pues bien, en la primera se indica: *nota de seres, multa nobis spectantibus pro* [palabras en clave]. ¿Qué razón pudo haber para que Colón creyera oportuno disimular su pensamiento, y eso cuando escribía al margen de un libro de su propiedad? Una posible respuesta la dan las enigmáticas palabras: «al esperar nosotros por...», ya que justamente eso, esperar, es lo que están haciendo siempre los judíos para gran burla de los cristianos, que se mofan de que todavía el pueblo de Israel aguarde incansable al Mesías. Y precisamente «Mesías» cuadra muy bien en el contexto, pues según viejas tradiciones el Ungido está oculto, es de suponer que en el fin de Oriente, viviendo con aquellos pueblos justos y dichosos hasta que viniera la hora de la redención.

Pero hay más. En el siglo XVI había muchos judíos que interpretaban que la paloma mencionada por Isaías en 60, 8 se refería nada menos que a Colón, cuyo nombre latino, *Columbus*, significa efectivamente 'pichón' y puede ser trasplantado sin dificultad al hebreo con la misma ambivalencia, ya que Jonás quiere decir también 'palomo'. He aquí que Colón se convierte en Jonás, la Paloma, en virtud de un fuerte pero no ilógico simbolismo: el profeta Jonás se había embarcado para Tarsis [61], de la misma manera que Colón, nuevo Jonás, había zarpado rumbo a esa Española transformada en Tarsis por la varita mágica de la imaginación. No es por tanto un Colón cristiano, sino un Jonás hebreo el que se ve implicado

---

[60] *Textos*, p. LXXI.
[61] Que Jonás se dirigió a Tarsis y no a Tarso, como quiere Josefo, es el sentir común en la actualidad (cf. J. A. Bewet en *The International Critical Commentary*, Edinburgh, 1937, p. 29 nota).

en esta elucubración mesiánica judía, fruto del frenesí del momento; sólo un «levantisco tinto en ginovés», como hubiera dicho Mateo Alemán [62], pudo haber sido sublimado de tal manera por los rabíes. Con el pasar de los años, no obstante, esta interpretación, en su origen exclusivamente hebraica, pasó a ser aceptada al menos en teoría por los cristianos; y así dice Tomás Bozio [63]: «Si se quiere que el profeta Isaías aluda de alguna manera con aquel vocablo 'paloma' a Cristóbal Colón, a lo que los hebreos hacen frecuente alusión, también puede admitirse». Claro es que más adelante se propusieron otras exegesis más ortodoxas del pasaje en cuestión: para la opinión un tanto interesada de Lumnio [64], las palomas designan a los padres jesuitas que volaban a sembrar el evangelio entre los indios. Como cada cual exalta a los suyos, apenas hace falta advertir que Lumnio es uno de los hijos de Loyola, cuyo negro hábito no empecía a que fueran comparados con la blancura del ave, ya que —según barrunto— su corazón debía de ser inmaculado. A fin de cuentas, se llega a una conclusión con la que jamás en un principio se hubiera contado, a ver a un Colón enaltecido y medio beatificado por los judíos por virtud nada menos que de las propias palabras de Isaías, esas palabras cuya aplicación al descubrimiento de América sacaba de sus casillas a Ballesteros.

No quiero terminar sin llamar la atención sobre una serie de hechos sorprendentes que pueden recibir luz bajo esta interpretación. El curioso tratado antijudaico llamado *Libro del alboraique* [65] afirma a finales del siglo XV que «ellos [i. e. los judíos] dizen que [el Mesías] verná a Sevilla o a Lisbona», y unas líneas más abajo precisa que «verná a Sevilla él, emperador, rico, cavallero en un carro de oro». En 1491/1492 llega a oídos de la Inquisición que Fernando de Madrid, ya muerto, creía «que avía de aparescer el Antechristo [i. e. el Mesías] en la cibdad de Palos, que es de Sevilla» [66]. ¿Cómo cabe explicar tan extrañísima creencia? ¿En virtud de qué razones el Mesías judío ha de llegar a puertos atlánticos como Lisboa, Sevilla o Palos? Parece que estamos escuchando la misma profecía de Isaías que interpretaba Colón a su manera, pero con una salvedad fundamental: Colón todavía no había descubierto sus ansiadas Indias. Con todo, no deja de ser llamativo que se nombren precisamente

---

[62] *Guzmán de Alfarache*, I 2 (I, p. 37 Gili Gaya).

[63] *De signis ecclesiae Dei libri XII*, Romae, 1591, II, p. 319. Recoge y acepta esta interpretación Ulysses Vettius Aldrovandus, *Ornithologiae, hoc est, de avibus historiae libri XII*, Bononiae, 1599, I, p. 256.

[64] *O. c.*, p. 162 ss.

[65] Editado por N. López Martínez, *Los judaizantes castellanos y la Inquisición en tiempo de Isabel la Católica*. Burgos, 1954, p. 393.

[66] Cf. F. Baer, *Die Juden im christlichen Spanien*, Inglaterra, 1970, II, p. 529 (doc. n.º 423 A 1).

las ciudades en torno a las que gira en cierto modo la vida del almirante. Aquí está, según creo, la solución del problema. Colón, ante la corte de Portugal y de España, expone un proyecto que a cualquier persona sensata parecía loco y descabellado: llegar a la India por Occidente; al mismo tiempo, en la más estricta intimidad habla de Tarsis, de las profecías de Isaías, de la pronta llegada del Mesías. De ahí deriva su confianza inquebrantable, porque en último término a Colón lo anima una fe religiosa que mueve montañas: Colón habla como un profeta [67]. Y no considero un azar que, cuando toda negociación entre el almirante y los reyes Católicos parece rota, sea precisamente un converso, Luis de Santángel, quien vuelque su influencia para hacer triunfar la empresa. Hemos de sospechar que Santángel no hubiese arriesgado tanto en apoyar una navegación suicida de no haber tenido también él fe, una fe religiosa en el éxito final. De esta suerte parece que van encajando los diversos datos: unos pocos criptojudíos saben que un iluminado está empeñado en emprender un viaje nunca visto gracias al cual se han de cumplir las profecías mesiánicas del Antiguo Testamento; ellos son los que propalan el rumor de que la redención ha de venir por el Océano: y así se suspira por la llegada del Mesías a Lisboa, cuando Colón está en tratos con Juan II, o a Palos o Sevilla, cuando Colón negocia con los reyes Católicos.

También de esta manera se explica, a mi juicio, otra estridente convicción: en el siglo XVI es opinión generalizada que los indios americanos no son más que los restos de las diez tribus perdidas de Israel. Se trata de una creencia extraña que mal pudo habérsele ocurrido a un cristiano: en cambio, dentro de las concepciones escatológicas judías el descubrimiento de las tribus perdidas era fundamental, por ser previo a la magna concentración de Israel en Jerusalén. Me atrevo a pensar que esta idea remonta a los primeros tiempos del descubrimiento, a Colón mismo, a ese Colón que creía haberse aproximado al Paraíso Terrenal, a ese pragmático visionario que no veía la realidad sino a través de la Biblia. Pero esta creencia hebrea venía además a entrelazarse con la saga cristiana correspondiente, que le prestaba gran respaldo y autoridad aunque fuese de signo contrario. Conviene, pues, examinarla a continuación.

---

[67] De ahí las reacciones ante Colón que anotaba Las Casas (*Historia de las Indias,* II 6 [*BAE* 97, p. 18 a]): «unos burlaron d'ello y quizá d'él; otros lo tuvieron por adevino; otros, mofando, por profeta».

3. *Alejandro Magno y la puerta*
   de hierro

Según una antigua tradición de probable origen sirio, que recogen el Pseudo-Calístenes [68] y el Pseudo-Metodio [69], Alejandro Magno, espantado de la bestialidad de unos pueblos que había encontrado en los confines del Asia, los venció y, acorralándolos en un circo de montañas, cerró el único paso, para evitar futuros desmanes y desafueros, con una puerta de hierro de la que les era imposible salir, pues el macedonio la untó con una mágica brea, el incombustible «asiceto», también resistente al filo de la espada: se trataba ni más ni menos que de los 22 pueblos que habrían de arrasar la tierra en las postrimerías del siglo, poco antes de la aparición del Anticristo; encabezaban su lista los bíblicos Gog y Magog, pero también engrosaban la sombría hueste los más clásicos y no menos monstruosos cinocéfalos, entre otras etnias de nombre más transparente, como sármatas y alanos. Ya la aparición amenazante de los bárbaros hizo pensar en el fin del mundo, de suerte que una mente febril buscó una conexión etimológica entre Gog y godos [70], si bien ningún texto latino de la época alude a la puerta de hierro, mencionada ya a finales del siglo V y que antes, en el imperio de Oriente, había sido evocada en un sermón atribuido a San Efrén. La leyenda, apoyada por una historia y un vaticinio, los dos apócrifos, gozó de popularidad incalculable, y su éxito fue tan arrollador que incluso Mahoma no vaciló en otorgar validez canónica a la puerta de Dulcarnain-Alejandro con expresa referencia a la cárcel secular de Gog y Magog en la azora 18, 91ss. del Corán. Por este desfiladero imaginó la fantasía occidental que se habían derramado todos los azotes que asolaron el suelo europeo, empezando por los hunos [71], siguiendo por los húngaros [72] y los tártaros, a juicio tanto de los cristianos, católicos [73]

[68] III 29 Müller.

[69] Editado por E. Sackur, *Sibyllinische Texte und Forschungen*, Halle a. S., 1898, 72ss. (sobre la leyenda cf. p. 33ss.). Cf. L. Vázquez de Parga, «Algunas notas sobre el Pseudo-Metodio y España», *Habis*, II (1971) 147ss.

[70] Cf. San Ambrosio, *Sobre la fe*, II 16, 138; San Jerónimo, *Cuestiones sobre el Génesis*, X 21, *Comentario a Ezequiel* 34, prólogo.

[71] Paulo Orosio, VII 33, 10; Jordanes, *Getica*, 123ss.; San Isidoro, *Etimologías*, IX 2, 66). .

[72] Liutprando, *Antapodosis*, I 5 (*PL* 136, c. 793 A).

[73] Así el abad de Marienberg (cf. la nota a la edición de la *Crónica* de Mateo París en *Monumenta Germaniae Historiaca, Scriptores*, XXVIII, p. 209, 14ss.) o Riquerio (*Gesta Senonensis ecclesiae* en *Monumenta Germaniae Historica, Scriptores*, XXV, p. 310, 33ss.). También entonces se fantaseó sobre etimologías; la conexión escatológica queda clara en un pasaje de fray Simón de San Quintín (*apud* Vincent. Bellou., *Spec. hist.*, XXI 34 [f. 421r]): «Quiere decir lo mismo 'cuyne' que Gog y su hermano Magog, ya que el Señor por

o monofisitas [74], como de los mismísimos judíos [75], y acabando por los turcos [76].

Como se puede apreciar a simple vista, los pueblos de la escatología bíblica fueron retrocediendo conforme progresaban los conocimientos geográficos y cambiaban las circunstancias políticas. En un primer momento, el cierre de hierro fue situado sobre el desfiladero de Derbend, en las puertas del Cáucaso [77]; después éstas se confundieron con las puertas

Ezequiel [38-39] predice la llegada de Gog y Magog y por el mismo profeta promete que les dará la muerte. Los tártaros con propiedad se llaman mongoles o mongol, palabra que quizá tiene relación con Mosoth» (i.e., Mosoch, uno de los hijos de Jafet del que normalmente se dice que descienden los capádoces [San Isidoro, *Etim.* IX 2, 29]). En el globo de Martín Behaim una leyenda reza: «dieser kaiser von tartaria heist macoc», y Ravenstein *(Martin Behaim,* p. 80) comenta despistadamente que entre los kanes tártaros no figura ningún Macoc; evidentemente se ha de entender Magog, sin que se alcance a comprender la razón por la que es situado en Crimea. Para nuestra sorpresa censura la opinión común fra Mauro (XXXIII 77 [p. 56]; XXXVIII 45 y 46 [p. 61]), siguiendo la pauta de la moderación agustiniana.

Esta tradición fue recogida todavía por Pedro d'Ailly en su *Tractatus de legibus et sectis,* cap. IV, anotado por Colón en su apostilla C 546 (cf. C 389) y por Benedetto Dei en su *Cronica* (ed. de R. Barducci, Florencia, 1984, p. 111).

[74] P.e., Abulfaragio (cf. J. S. Assemanus, *Bibliotheca Orientalis Clementino-Vaticana,* Roma 1728, III 2, p. CCCCLXXXVIII).

[75] Así se desprende de la carta recogida por Mateo París en sus *Chronica maiora* (*Monumenta Germaniae Historica, Scriptores,* XXVIII, p. 218, 5ss.).

[76] Según Eneas Silvio Piccolómini *(Historia rerum ubique gestarum,* cap. XXVIIII), como apunta Colón al margen de su ejemplar (B 314, cf. B 369).

[77] Así lo describe Plinio (*Hist. Nat.,* VI 30): «Después están las puertas del Cáucaso, llamadas por muchos y muy equivocadamente puertas del Caspio [cf. *ibidem,* VI 40], trabajo inmenso de la naturaleza por haber hendido de golpe la cordillera, donde se añadió un portón de vigas cubiertas de hierro, fluyendo por medio un río de olor repugnante en cuya orilla de acá se ha fortificado en la roca un castillo... para impedir el paso de pueblos sin cuento».

Con los grandes viajes de mercaderes y comerciantes varió algo la tradición. Marco Polo (I 14) dio una explicación racionalista al mito, situándolo en Georgia. Buscaron en vano las puertas Caspias, en parte por comezón escatológica, en parte por curiosidad turística, los frailes dominicos que residieron en Tiflis durante siete años y que interrogaron sobre el particular a georgianos, persas e incluso judíos, según cuenta Vicente de Beauvais *(Spec. hist.,* XXIX 89 [f. 393v]). Guillermo de Rubruc, por su parte, a su regreso de la Corte del Gran Kan, llegó a Derbend, después a la ciudad de Samaron y al día siguiente cruzó «por un valle en el que se veían restos de una muralla de uno a otro monte, sin que hubiera camino en la cima de la cordillera; ésta solía ser la puerta de Alejandro que detenía a los pueblos feroces, esto es, los pastores del desierto, para que no pudiesen entrar en las tierras cultivadas y en las ciudades. Hay otra puerta detrás de la cual se encuentran los judíos, de la que no pude saber nada con certeza, y eso que en todas las ciudades de Persia hay muchos hebreos» (37 20 [van Wyngaert, *Sinica Franciscana,* I, p. 319]). Esta curiosa distinción estuvo muy en boga en todo el s. XIV, puesto que también el armenio Haitón apunta que la ciudad de Mirali «se llama puerta de hierro, que levantó el rey del Caspio; por fin se llegó hasta la gran muralla china [78], que contenía a los tátaros que en Europa, por su lúgubre relación con el diabólico Tártaro, recibieron el nombre más apropiado de tártaros.

El paso del tiempo introdujo en la leyenda otra variación fundamental. En un principio, los pueblos encerrados por Alejandro no tenían nada que ver con los judíos; después, no obstante se tendió a unir las diez tribus perdidas, separadas del común de los mortales, con aquellas salvajes hordas cuyo avance frenaba la puerta del macedonio. A decir verdad, la tentación era demasiado fuerte para que no cayera en ella la cristiandad: los judíos tenían cabida por derecho propio en la escatología cristiana, según hemos visto; idéntico papel les reservaba la profecía a los pueblos inmundos, de modo que tal identificación entraba dentro de la lógica más rigurosa para la mentalidad medieval, muy poco amiga de componendas ideológicas con la odiada Sinagoga. Esta doctrina pasó en el siglo XII a formar parte de un manual de tan amplia resonancia en la cultura europea como la *Historia escolástica* de Pedro Coméstor [79]; una centuria después fue recogida en el *Poema de Alixandre*, que no tuvo empacho en ampliar en este caso la *Alexandreis* de Gualtero de Châtillon [80], dando pábulo al creciente antisemitismo popular. Algunos detalles de la leyenda judía contribuían a fomentar tal identidad: las diez tribus perdidas se hallaban según algunas tradiciones, ridiculizadas por Pedro Bruto [81], más allá de los montes del Cáucaso y los fines de Armenia la Mayor, es decir, por los mismos parajes donde se situaba el desfiladero de Derbend; y allí se encontraba también el pobre Mesías separado del resto de los mortales por un río, el Sabático [82], de 30 millas de circunferencia y

Alejandro a causa de unos pueblos varios y diversos, moradores en el riñón de Asia, que no quería que tuviesen acceso a Asia Mayor sin su permiso; está emplazada esta ciudad en una comarca del mar Caspio, y toca el gran monte del Cáucaso» (*De Tartaris* IX, cf. XLVII).

En la *Embajada a Tamorlán* de Ruy González de Clavijo (pp. 145-46) se hace mención tanto de las puertas del Cáucaso (=Derbend) como de las puertas del Caspio, situadas entonces en los dominios de Tamorlán, y emplazadas a 1.500 leguas las unas de las otras; extraño parece, sin embargo, que el texto no contenga referencia alguna a las creencias escatológicas de entonces. El *Libro del conosçimiento de todos los reynos e tierras* (ed. de M. Jiménez de la Espada, Madrid, 1877, p. 108) localiza entre Derbend y Caraol «el puerto que dizen *januas ferri*», sin apercibirse claramente de su significado al parecer, ya que en otro lugar (p. 83ss. y antes p. 80) describe los castillos de Gog y Magog, formado este último «todo de piedra magnita férrea..., que lo fizo d'esta manera la natura e confina con las nuves», entre los cuales tendió Alejandro «las puertas de hierro».

[78] Cf. Ibn Battuta, *Viajes*, p. 727.

[79] *Ester (PL* 198, c. 1498).

[80] 2101ss. Nelson, con atribución poco probable a Gonzalo de Berceo.

[81] *Tractatus contra Iudeos*, cap. IV, f. 58v (numeración moderna de la BU Sevilla).

[82] De un milagro semejante se tiene noticia en Judea, según refiere Plinio (*Hist. Nat.*, XXXI 24) y el Midrás (*Beresit Rabba* 2). Según Josefo (*Guerra judaica*, VII 97-99), sus

agitado por terrible oleaje, que sólo amainaba el sábado, justo el día en que a los hebreos les está prohibido viajar más de una milla de camino.

Trató de reaccionar la cartografía judía: en el mapa catalán de 1375 aparece, como no podía menos, una alusión al «princep de Gog e de Magog», añadiendo que «exira en temps d'Antechrist ab molta gent», pero sin especificar para nada la condición hebrea de aquellas naciones. Todo fue en balde, dado que los cosmógrafos cristianos volvieron a poner las cosas en su sitio [83]. Todavía en las mapamundis del siglo XVI aparecen al Norte de Asia, cercados por doquier de montañas, los *Iudei clausi*, las diez tribus perdidas: así, p. e., en la Contarini-Roselli (1506), Ruysch (1508) o Waldseemüller (1513). En el *Theatrum orbis terrarum* de A. Ortelio [84], junto al promontorio Tabis de Plinio, que bordea la región de Arsareth (cf. IV Esdr. 13, 45), se pone la siguiente leyenda: «Aquí se retiraron las diez tribus y como tótaros o tártaros sustituyeron a los escitas. Por pregonar la gloria suprema de Dios fueron llamados allí Gauthey o Gauthay; de ahí procede el reino ilustrísimo de Cathay». Y no son éstos los únicos pinitos etimológicos de Ortelio, que parecen salidos de la imaginación calenturienta de Goropio; antes por el contrario, las hordas de los danos y de los neftalitas se convierten en herederos directos de Dan y de Neftalí. Para colmo, en el monte Tabor o Tybur, el ombligo de la Tartaria, se señala que su rey «llegó en 1540 a Francia a la Corte de Francisco, el primer rey de este nombre, y después, por orden de Carlos V, pagó en Mantua con el fuego el castigo de su perversidad, pues en secreto incitaba a los monarcas a judaizar, asunto del que trató con Carlos V». Es decir, se llegó a pensar y a creer que Salomón Molko [85] era un

---

aguas sólo corren en sábado. Lo identifica A. Neubauer (*La Géographie du Talmud*, reimpr. Amsterdam, 1965, pp. 33-34) con el Nahr-el-Arus, que fluye entre Arca y Rafanea.

[83] Sin embargo, ni fra Mauro ni Martín Behaim aluden a los judíos, y eso que el primero trata de los pueblos encerrados y el segundo dedica un letrero a la *porta de feri* (E. G. Ravenstein, *Martín Behaim*, p. 96).

[84] Amberes, 1584, tabla correspondiente al f. 92: *Tartaria*.

[85] Cf. A. H. Silver, *A History of Messianic Speculation in Israel*, Boston, 1959, p. 145ss. A ellos parece referirse A. de Aranda, *Verdadera información de Tierra Santa*, Toledo, 1537, f. 22r-22v: «Si no fuesse por no dar ocasión de reyr, diría que los judíos, que acá están, muy largamente dessean la venida de nuestro invictíssimo emperador, porque ciertos falsos prophetas suyos de poco acá han soñado (según que d'ellos mesmos yo lo he oydo) que en estos tiempos les ha de ser restituyda esta tierra [Judea] por la mano de un emperador christiano, el cual, ganándola del turco, ha de tomar su ley e darles el señorío de la tierra. Assí que, pues los turcos del grande miedo que tienen cobrado por ciertas prophecías antiguas que les dizen que en este tiempo ha de perder la casa de los Othomanes, esto es, el gran Turco, su señorío, están medio vencidos, los moros y judíos, por lo sobredicho, desseosos de nuestro vencimiento, no resta sino que Nuestro Señor de tal manera concuerde los príncipes christianos que a gloria y honra suya y ensalçamiento de su Yglesia tomen esta empresa, negocio e batalla de Dios, dexando las que siguen por sus intereses propios».

rey de los tártaros, una especie de Preste Juan judío, ese rey José, que según fantaseaba David Reubeni, regía en Kaibar sobre más de 300.000 miembros de las tribus de Rubén, Gad y Manasés.

La leyenda cobró palpitante realidad en el siglo XVI, a raíz de los nuevos descubrimientos. En Asia, la existencia de las diez tribus intrigó mucho a San Francisco Javier, cuando oyó decir a un chino «que en su tierra hay mucha gente entre unas montañas, apartada de la otra gente, la cual no come carne de puerco y guarda muchas fiestas» [86]. Pero era el Nuevo Mundo, como es lógico, la tierra que despertaba más ilusiones y expectativas. J. F. Lumnio [87] asegura que en 1561 tuvo ocasión de leer un pliego impreso en Amberes *apud Ioannem Mollijns*, intitulado *Nieuwe tüdhinge wt Pera ghecomen*, en el que se contaba cómo dos numerosas catervas de judíos, que habían salido de las montañas del Caspio, habían visto cortado su avance por un mar de arena (probablemente se pensaba en el desierto de Gobi); pero ahora, encontradas por las navegaciones de los españoles y enteradas gracias a un astrónomo de la manera de escapar de su encierro, ardían en deseos de volver a Jerusalén. Consecuencia lógica de todo ello era que la nueva geografía surgida de los descubrimientos venía a enlazar con la escatología: si los judíos perdidos se encontraban en algún confín del globo terráqueo, por forzosidad había que buscarlos en esas Indias que poco a poco desvelaban sus secretos milenarios. Esta es la idea que, como queda apuntado, hubo de impulsar ya a Colón, tanto más cuanto el Nuevo Mundo se anunciaba como Asia según su doctrina, cuya certeza era corroborada por nuevas observaciones que remontan al círculo íntimo del descubridor, si no al almirante en persona. Ya Cúneo [88] anotó que los indios tenían «la cabeza chata y el rostro mongólico»; idéntica observación se lee en las *Nauigationes* de Vespuche [89]: los naturales se caracterizan por su «cara ancha, parecida a la de los tártaros». No cabía duda, pues, de que se había llegado al extremo de Oriente, donde se encontraba el grueso de los judíos separados por sus hermanos. Así fue como, corriendo el tiempo, fray Diego Durán dedicó el primer capítulo de su *Historia de las Indias de Nueva España* [90] a demostrar

---

[86] Doc. 55, 15 (p. 196 Zubillaga). En pleno s. XVII Thévenot formuló una pregunta al respecto a F. Bernier, cuya contestación se puede leer en *Viaje al Gran Mongol, Indostán y Cachemira,* Madrid, 1940, II, pp. 190-91.

[87] *De extremo Dei iudicio et Indorum uocatione,* Amberes, 1576, p. 176.

[88] *Cartas,* p. 249.

[89] *BAE* 76, p. 132 (Carta a Soderini [V, p. 40, 16 Formisano]).

[90] México, 1961 (II, p. 1ss. Garibay Kino). Para forzar el paralelismo entre los judíos y los indios se dijeron entonces muchas inexactitudes. No sin sorna anota fray Diego de Landa (*Relación de las cosas de Yucatán*, México, 1938, cap. V [p. 67], XXVIII [p. 124]: «Se engañó el historiador general de las Indias cuando dijo que se circuncidaban».

que los indios eran los restos de las diez tribus perdidas, y a probar la misma teoría consagró un libro curiosísimo el dominico Gregorio García [91]: los hebreos, provenientes de Mongul o bien de China, pasaron al Nuevo Mundo por el estrecho de Anián, así que no es de extrañar que las características de los indios, «cuán tímidos y medrosos son, cuán ceremoniáticos, agudos, mentirosos e inclinados a la idolatría» [92], correspondan a rasgos y costumbres judías; bien se echa de ver el poco aprecio que profesaba García a los indígenas. Claro es que estos mismos argumentos no hacían sino atizar las esperanzas de los hebreos, como demuestra la famosa *Luz de Israel* de Menasséh ben Israel, quien buscaba en los valles del Perú el consuelo de una pronta redención. No es éste el momento de trazar la evolución de una polémica que se prolongó, como es sabido, años y años hasta culminar en el siglo XIX con la voluminosa obra de lord Kinsborough; a nuestro propósito basta señalar aquí que todos estos estímulos debieron ya de actuar como poderoso acicate en Cristóbal Colón. Después la propia esencia del mito, ayudada por las circunstancias, alumbró nuevos y más efímeros retoños del mismo en suelo indiano; fue así como, a menor escala y con menos lustre, surgieron los «perdidos de Ordás» o los «perdidos del Estrecho». Pero eso es ya otra historia.

---

[91] *Orígenes de los indios de el Nuevo Mundo e Indias Occidentales,* Madrid, 1729, sobre todo p. 79ss.

[92] *O.c.,* p. 85.

VIII.   LOS ERUDITOS FRENTE AL DILEMA OFIRICO. LA *TRANSLATIO IMPERII*

1.   *La localización de las comarcas bíblicas*

Hay que volver todavía al misterio de las minas salomónicas y su trascendencia ideológica. Ya hemos visto cómo los letrados acogieron con gran incredulidad las ideas colombinas al respecto. No sólo Pedro Mártir desechó por improcedente el presunto descubrimiento de Ofir, sino que otro cronista como López de Gómara [1] propuso identificar las Indias con la Atlántide platónica, y no con «las Hespérides ni Ofir y Tarsis, como muchos modernos dicen», pues

Ofir y Tarsis no se sabe dónde ni cuáles son, aunque muchos hombres doctos, como dice San Agustín, buscaron qué ciudad o tierra fuese Tarsis. San Jerónimo, que sabía la lengua hebrea muy bien, dice sobre los profetas, en muchos lugares, que Tarsis quiere decir 'mar'; y así, Jonás echó a huir a Tarsis, como quien dice a la mar, que tiene muchos caminos para huir sin dejar rastro. Tampoco fueron a nuestras Indias las armadas de Salomón, porque para ir a ellas habían de navegar hacia Poniente, saliendo del mar Bermejo, y no hacia Levante, como navegaron; y porque no hay en nuestras Indias unicornios [rinocerontes] ni elefantes ni diamantes ni otras cosas que traían de la navegación y trato que llevaban.

A pesar del fundado escepticismo de los eruditos, la localización de Ofir en la Española permaneció viva largo tiempo. Cuando J. Forsetier celebró el triunfo de Pavía (1525), consideró obligada la exaltación del inmenso imperio de Carlos I, entre cuyos dominios y señoríos figuraba «la rice Ophir, isle nommée Espaignole à present» [2]. La misma doctrina

---

[1] *Historia,* CCXX (*BAE* 22, p. 292 a).
[2] Tomo esta curiosa noticia del pliego volandero recogido por H. Harrisse, *Bibliotheca Americana Vetustissima, Additions* (reimpr. de C. Sanz, Madrid, 1958), n.° 77, p. 89.

se lee en un letrero del mapa correspondiente a las Indias del Ptolemeo de Miguel Servet («Spagnola, que et Offira dicitur») [3], en el *Nouus Orbis* de S. Grynaeus («alii appellant huiusmodi insulam Offiram») [4] o en los escolios de la Biblia atribuidos a Vatablo [5], que en III Reg. 10, 48 comentan: «Tarsis. En este pasaje es una isla en el Océano al poniente» y más adelante, en 22, 63, remachan: «naos marítimas (o, según algunos, africanas) para ir a Ofir, esto es, naves africanas, vale a decir, que fueran a Africa por el Mar Rojo para ir a la Española [escrito "Spagniolam"]». El arraigo que tenía tal creencia en las capas populares lo atestigua fray Toribio de Benavente:

> Cuando los españoles se embarcan para venir a esta tierra, a unos les dicen, a otros se les antoja que van a la isla de Ofir, de donde el rey Salomón llevó el oro muy fino, y que allí se hacen ricos cuantos en ella van; otros piensan que van a las islas de Tarsis o al gran Cipango, a do por todas partes es tanto el oro, que lo cogen a haldadas [6].

Es de observar que en todos estos pasajes tiene lugar ya la primera mixtificación moderna, que ha de acarrear consecuencias incalculables: por inercia se sigue dando el nombre de Tarsis y Ofir a islas y regiones de las que se sabe con toda seguridad que no pertenecen a la India, sino que forman parte de un Nuevo Mundo; mas la aureola de tales quimeras resulta en definitiva irresistible, y constituye un excelente gancho, como bien dice Motolinía, para atraer a incautos pobladores a colonizar tierras inhóspitas y malsanas. Ahora bien, esta burda pero elemental suplantación produce el consiguiente desdoblamiento: Tarsis y Ofir se pueden encontrar, sí, en las Indias orientales, pero también en las Indias occidentales, en ese inmenso continente lleno de incógnitos misterios que a partir del siglo XVI comienza a ser llamado América.

Conviene ahora escuchar el dictamen de la ciencia de la época; claro es que, al tratarse de Tarsis y Ofir, por ciencia ha de entenderse de modo casi exclusivo la Teología, a la que hicieron una gigantesca contribución los religiosos peninsulares del Quinientos. Pues bien, sorprende de manera agradable ver cómo, en vez de lanzarse a elucubrar por su cuenta en materia no dogmática, los teólogos frenan su imaginación y aceptan casi de manera unánime la doctrina de San Jerónimo: la mayoría de los biblistas diferencian a Ofir de Tarsis y alegan todos ellos, con el santo betlemi-

---

[3] Editado en Lyon, 1535.
[4] Basilea, 1537, p. 101.
[5] Utilizo la edición de Salamanca, 1584.
[6] *Historia de los indios de la Nueva España* III 11, § 381 (p. 167), ed. O'Gorman. Todavía cita esta creencia el gran padre Simón, en sus *Noticias historiales de Venezuela*, I 11.

ta, que *tarsis* en hebreo significa 'mar', así que, cuando aparece la frecuente expresión 'naves de Tarsis', la hacen equivalente a 'naves de carga' o
'naves de alto bordo'. Con esta mesura se expresan F. Forerio [7], B. Pere-
rio [8], H. Pinto [9] y F. Ribera [10]. Sobre Ofir, dentro de un orden, reina
mayor desconcierto: Forerio [11] la localiza en Oriente sin apurar más la
exegesis, Pinto [12] en Sofala o quizá Malaca, Ribera [13] en Sumatra. Como
es de prever, nunca se llegó a un acuerdo completo, imposible de alcanzar
en estas cuestiones: Arias Montano [14], siguiendo a los *Setenta*, identifica
Tarsis con Cartago, a pesar de que tal teoría había recibido el anatema
justificado de Forerio [15].

En líneas generales, pues, la Teología de la época hace oídos sordos a
los cantos de sirena de los descubridores y no se deja arrullar por fantasías
ni embelecos: la región bíblica sigue envuelta en densas tinieblas, pero
permanece siempre bien emplazada en Oriente, como había enseñado la
Antigüedad. Tan sólo los portugueses se permiten la comprensible licencia de introducir una innovación, tratando de descubrir Ofir en las costas
de Africa, en Sofala, adonde también era posible que hubiesen arribado
las naves partidas del puerto de Asiongaber: se trata de una interpretación plausible, que tenía encima la virtud de henchir de orgullo los cora-
zones lusos, dignos herederos de las virtudes y de la sabiduría de Salomón.

En la frenética carrera por alcanzar la India, por consiguiente, surgen

---

[7] *Francisci Forerii Vlisipponensis Iesaie prophetae uetus et noua ex Hebraico uersio*, Venecia, 1563, f. 77v.

[8] *Commentariorum et disputationum in Genesim tomus IV*, Maguncia, 1614, p. 415.

[9] *Operum omnium Latinorum tomi primi et secundi pars prima* (comentarios a Isaías),
Lyon, 1590, p. 103 F y 105 B.

[10] *In librum duodecim prophetarum commentarii*, Salamanca, 1587, p. 461.

[11] *Op. cit.*, f. 78v.

[12] *Operum omnium quae ad hunc usque diem peruenerunt tomus secundus*, Lyon, 1589,
p. 21.

[13] *Op. cit.*, p. 464. La localización de Ofir en Oriente la defendió también la orden
agustina: así fray Juan González de Mendoza (*Historia de las cosas más notables, ritos y
costumbres del Gran Reino de la China*, Roma, 1585, Segunda parte, libro tercero, cap. 23),
al hablar de la Tapróbana, es decir, Sumatra a su juicio, añade «que según algunos piensan
es la isla de Ofir donde se envió la flota que hizo Salomón..., que fue y volvió cargada de
oro y maderas riquísimas... y de otras muchas cosas curiosas, cuya noticia dura hasta el día
de hoy entre los naturales, aunque confusamente, pero no tanto que los que la tienen de la
Sagrada Escritura no la tengan por verosímil». Al comentar Job 28, 16 escribe fray Luis de
León: «Por *colores de India* el original dice *con oro de Ofir*, que es región de la India
oriental según algunos dicen, cuyo oro es finísimo» (*Obras completas castellanas*, ed. B.A.C.,
Madrid, 1959, p. 1112). Así también piensa Lope de Vega (*Triunfo de la Fe* [*BAE* 38,
p. 171 b]).

[14] *Commentarii in Isaiae prophetae sermones*, Amberes, 1599, pp. 144-45, 480ss.

[15] Al explicar Is. 23, 10 (f. 78v.).

dos nuevas variantes a la hora de situar Tarsis y Ofir, cuya posesión
efectiva se disputan en enconada contienda españoles y portugueses: Africa y América. El engreimiento humano, en efecto, no se resiste a perder
timbres de gloria legendarios que distan mucho de ser tan hueros como
parece. Esta es la razón última que induce a dejar siempre algún portillo
abierto a la esperanza; y este motivo, unido a un oscuro miedo al vacío,
hace que desbarre incluso la certera inteligencia del padre Acosta al
afrontar el problema. El jesuita, en efecto, aunque niega la duplicidad de
Tarsis y Ofir y los sitúa en la India oriental, sin embargo, experimentando
en propia carne cuán penoso resulta cortar las alas a la fantasía, concluye:

En fin, mi parecer es que por Tarsis se entiende en la Escritura, comúnmente, o el
mar grande o regiones apartadísimas o muy extrañas; y así me doy a entender que las
profecías que hablan de Tarsis, pues el espíritu de la profecía lo alcanza todo, se
pueden bien acomodar algunas veces a las costas del Nuevo Orbe [16].

Por otro lado, cascadas de plata y oro se habían vertido sobre la
Península a raíz de la conquista del imperio inga. La honda impresión y
pasmo que produjeron las riquezas peruanas incitó a algunos escriturarios, entre ellos al misterioso y magnético Guillermo Postel, a resucitar la
vieja idea colombina de situar a Ofir en el Viejo Mundo, si bien introduciendo en ella las modificaciones pertinentes. La posibilidad de que el
Perú fuera Ophir, defendida quizá en Amberes por La Boderie durante la
confección de la Biblia Poliglota, sedujo a Arias Montano [17], que no sólo
dio crédito a la etimología absurda Pirú = Ophir, sino que explicó de esa
guisa el oro *pharuaim* citado en II Par. 3, 7. Sobre el oro peruano, por
consiguiente, venía a imponerse una unción sacra, por el hecho de estar
mencionado en la Escritura y de haberse construido con él el Templo de
Jerusalén. Esta tesis descabellada halagaba tanto la vanagloria de los españoles en el siglo XVII, que se mostró proclive a ella el pade Juan de
Pineda, según veremos, y la aceptó fervorosamente el dominico Gregorio
García [18], si bien se mostraba escéptico el agustino A. de Calancha [19] y la

---

[16] *Historia natural y moral de las Indias* I 14 (*BAE* 63, pp. 24-25).

[17] *Communes et familiares Hebraicae linguae idiotismi*, Antuerpiae, 1572, Phaleg, p. 12
§ 9: «Ofir... perpetuó su estirpe y su nombre en la costa del gran Océano hasta dos
regiones separadas por un istmo de tierra estrecho, pero muy alargado [Panamá], que
hasta el tiempo de Salomón y después conservan intacto el nombre de Ofir; que poco
después, invertido, se aplicó a una y otra parte, y una y otra región se llamó *Perú* y
asimismo, por la pronunciación de número dual, *Paruaim*». La misma doctrina se lee en el
prólogo del Phaleg; y obsérvese que descienden de Yectán los topónimos Yucatán y Parías.

[18] *Origen de los indios del Nuevo Mundo e Indias Occidentales*, Madrid, 1729, p. 129ss.

[19] *Chrónica moralizada del Orden de San Agustín en el Perú*, Barcelona, 1638, p. 12 a; el
agustino conoce a un autor tan sospechoso como Joaquín de Fiore (*ibidem*, p. 23).

rechazaba de manera abierta el cronista A. de Herrera [20]. En definitiva, pues, que Tarsis y Ofir estén en América o no depende, no de una discusión racional, sino de un insensato sentimiento de patriotismo mal entendido, que arrebata en llamaradas de ilusión a espíritus propensos a la utopía.

En el marco de estos delirios se comprende mejor la propuesta de identificar Tarsis con la legendaria Tarteso de la Bética, que salta ahora a un primer plano de actualidad. De hecho, ésta es la idea que presenta a la atención de los hispalenses y de Felipe II el flamenco Juan Goropio Becano (†1572), antiguo bibliotecario en Roma del cardenal Mendoza [21], Francisco de Bobadilla, amigo en Amberes de Arias Montano [22], médico afamado y hombre de muy varia lectura y arrebatada fantasía, que tuvo la humorada de demostrar que no sólo la filosofía poética de Lino, Orfeo, Támiris y otros vates inspirados de la Antigüedad procedía de Noé y sus hijos, que pusieron buen cuidado en transmitirla a los pueblos a los que arribaron, sino que esta Música poética concordaba punto por punto con la Ley de Moisés. Pero no se conformó Goropio con formular este curioso proyecto de sincretismo religioso, producto quizá de las enseñanzas de la *Familia Caritatis*, sino que, en un audaz intento de aprehender el recto significado de los vocablos, rizó el rizo, descolgándose con la teoría de que el flamenco («címbrico» lo llama él) había sido la lengua hablada por Noé antes del diluvio, previa a la dispersión de lenguas, por haber permanecido más pura en su aislamiento, sin mezcla de elementos extraños. Siguiendo esta excéntrica y para su tiempo peligrosa doctrina, que destronaba al hebreo de su pedestal de lengua madre, no sólo se podía identificar a Tarsis con Tarteso, sino que resultaba que esta última palabra se había de descomponer en *tar tes sees*, 'audaz del mar', perteneciendo *tar* a la misma raíz que el gr. *tharrô*, con lo que venía a confirmarse que Tarsis era un topónimo y no 'el mar' a secas [23]. El método etimológico recuerda al usado por los glosadores y San Isidoro, que atiende sólo al aparecido formal y a la asonancia, sin preocuparse por otras menudencias, aunque en este caso concreto Goropio intenta al menos justificar el trueque de la aspirada con la oclusiva sorda y sonora gracias al testimonio de

---

[20] *Historia general de los hechos de los castellanos en las Islas y Tierra Firme del Mar Océano,* Madrid, 1730, I, p. 2 (Década I, libro I, capítulo 1).

[21] Así lo asegura él mismo en sus *Hispanica,* Amberes, 1580, p. 107.

[22] Cf. B. Rekkers, *Arias Montano,* Madrid, 1973, pp. 106-107.

[23] Cf. *Hispanica,* Amberes, 1580, pp. 68ss., 73ss., 105ss., 112-13; *Hermathena,* Amberes 1580, pp. 227ss. Ambos tratados fueron publicados póstumamente por Levino Torrentio y dedicados a Montano, con prefacio escrito en 1578. Curiosamente, en *Hispanica,* p. 69 se da una nueva etimología: *Tar-sees* equivale a *calcator maris,* 'thalassopatetikós'.

Josefo, y explica la diferencia entre los dos vocablos por la falta en Tarsis del artículo en genitivo (*des*), consevado en cambio en Tarteso.

Aclarado este extremo, tarea fácil resulta acumular a continuación testimonios que ponderen las riquezas de Tarteso, la ciudad asentada en la isla de un río «de fuentes argénteas», como había cantado Estesícoro. Tampoco paran aquí las sorpresas, pues en el litoral occidental de Hispania se encuentran los Campos Elisios de Homero, donde Elisa, hermano de Tarsis, fundó Lisboa, topónimo que procede de *Elis-won*, compuesto de Elisa (i. e. *Eel-his* 'el que incita a la nobleza') y *won* (étimo que en otras ocasiones Goropio empareja con *wonen* 'habitar'). Pero, en definitiva, los reyes de Tarsis son los reyes de la Bética y aun de toda Hispania, según la costumbre de designar a un país por la denominación de su región más rica. En cuanto a *Ophir*, cualquier duda etimológica ofende, pues está más claro que el agua que procede del címbrico *opher, over, ober* según los dialectos, esto es, 'lo que está más allá', que hay que distinguir de Perú, salido de la misma raíz que da nombre a la ciudad de Zelandia Ver, 'tutela del puerto', que vuelve a hacer su aparición en *paruaim*, que se reduce a *pherhu heim*, 'casa construida para vigilar el puerto'. Las naves salomónicas, en conclusión, ponen rumbo primero a Tarsis (Tarteso) y después se dirigen a Ofir (América), haciendo un largo periplo que explica la duración de tres años que tenía la travesía [24].

Por virtud de un quite magistral, Goropio encandila a los españoles con la posesión pretérita de fantásticas minas, pero al mismo tiempo, al retrotraer la lengua de su propia patria al tiempo de Noé [25], afianza el sentimiento de nacionalidad de un pueblo que se debatía en la encrucijada de la guerra civil y de la ocupación militar. Sus tesis lingüísticas y sus medievales etimologías recuerdan por lo extremado de su argumentación disparatada las conclusiones desaforadas a que llegó Larramendi en sus estudios sobre el vascuence. De hecho, no parece un azar del destino que cabalmente en el siglo XVIII se aireara el nombre del esforzado etimologista flamenco. Entre los autores «que llevaron la pasión por su tierra hasta la extravagancia» hace figurar el padre Feijoo [26] a Goropio, «natural de Brabante, que muy de intento se empeñó en probar que la lengua flamenca era la primera del mundo». ¿Encierra esta afirmación un solapado palmetazo a Larramendi que, más moderado, sostenía que el vascuence era una de las setenta y dos lenguas matrices? No se puede descartar esta

---

[24] *Hispanica*, pp. 112ss.

[25] Como se recordará, el problema de la prioridad de las lenguas preocupó ya mucho a los antiguos; como cuenta Heródoto (II 2, 3ss.), se decidió la cuestión a favor de la lengua frigia, después de un curioso experimento llevado a cabo por el faraón Psamético.

[26] *Teatro crítico universal*, selección de A. Millares Carló en Clás. Cast., II, p. 61.

posibilidad, sobre todo cuando el nombre de Goropio vuelve a aparecer en la polémica de Traggia [27] contra el enardecido jesuita enamorado de su idioma ancestral.

A pesar de este eruditísimo despliegue de fantasías etimológicas, la doctrina de Goropio, gran debelador de la farsa cronística urdida por Annio de Viterbo, no brilla precisamente por su originalidad en este punto concreto, pues la identidad de Tarsis y Tarteso había sido propugnada ya en el siglo II d. C. por Hipólito y después por algún que otro oscuro Padre de la Iglesia. Tampoco la excelente Teología que florecía en la Península en el Quinientos desconocía la posibilidad de esta exegesis. Al comentar el paso de Isaías 23, 10, Forerio, aun sin renegar de su interpretación última ('mar'), escribió: «Si alguien dijere que Tarsis es Tarteso en Hispania, de donde los fenicios sacaban antaño infinita cantidad de oro y de plata, de creer a las historias, puesto que la palabra conforma, no me parece que sentará una tesis absurda» [28]. Por tanto, también Forerio se fija en el paralelo formal de los dos vocablos: *uox consentit*, luego la raíz puede ser la misma y la identificación posible.

La teoría, pues, flotaba en el ambiente; mas, como suele suceder tantas veces en nuestro país, sólo despertó interés cuando la apadrinó un extranjero arropándola en una más que peregrina erudición. A mayor abundamiento, hacia 1588 el presbítero natural de Gubbio Tomás Bozio [29] se encontraba muy ocupado en refutar en dos enormes volúmenes la doctrina luterana, determinando a tal efecto las señales que diferencian a la Iglesia verdadera de la herética, y acabando por discutir a tal efecto de lo divino y de lo humano. Pues bien, uno de estos indicios evidentes lo constituye el hecho de que las regiones de la tierra se hayan hecho mejores y más habitables después del nacimiento de Cristo; entre los ejemplos que pone Bozio figura en sexto lugar el estado desértico del litoral de Africa antaño, en tiempo del periplo de Necao, en las mismas costas donde se alzaban ahora las factorías florecientes de los portugueses; y añade de pasada:

De este viaje y de su relación se confirma una opinión que no nos desagradó por un tiempo, la de los que afirman que la flota de Salomón solía bordear la costa de Africa y dirigirse a Hispania y a su ciudad Tarteso, que quieren que sea llamada Tarsis por la Escritura.

---

[27] *Diccionario geográfico-histórico de España por la Real Academia de la Historia*, Madrid, 1802, II, p. 152 b (cf. A. Tovar, *Mitología e ideología sobre la lengua vasca*, Madrid, 1980, p. 102).

[28] *Op. cit.*, f. 78v (Is. 23, 10).

[29] *De signis ecclesiae Dei libri XII*, Roma, 1591, II, p. 148.

La reacción de Arias Montano, defensor de una interpretación opuesta y siempre huidizo a la hora de tomar una postura tajante, fue dar la callada por respuesta, condenando al silencio la exegesis del galeno amigo, ya difunto. En cambio, el acendrado sentido particularista de los sevillanos acogió esta explicación a bombo y platillo, y, como era de esperar, la explayó con particular mimo y cuidado la amena erudición del padre Juan de Pineda, muy complacido de poder unir su nombre a los cantores del «valor, la antigüedad, la opulencia, la abundancia en todas las cosas mejores, la erudición, la elocuencia y la alabanza de los ingenios [sevillanos], refrendada por los testimonios de escritores ilustrísimos» [30]. Con gran aparato erudito Pineda presenta las ventajas y refuta los inconvenientes de la teoría de Goropio, de manera que el lector sale punto menos que convencido de que Tarsis es Tarteso y Ofir las Indias occidentales. De esta suerte, pues, da comienzo la corriente interpretativa que colea con mejor o peor fortuna en nuestro siglo.

Los falsificadores vieron el cielo abierto para adobar con tal ficción sus historias. Lorenzo Ramírez de Prado, en los *Adversaria* que hace escribir a su propia Crónica al supuesto Julián Pérez, arcipreste de Santa Justa, recoge la tradición de la venida de las naos de Salomón a Tarsis o Tarteso, de donde, cruzando el estrecho de Hércules, pasaban a la Aurea Quersoneso. Un detalle precioso nos proporcionan estos escolios inapreciables: la nave en que se embarcó Jonás había sido fletada en Cádiz, y llevaba por insignia los doce trabajos de Hércules; el Melkart gaditano entraba con todos los honores en la tradición bíblica [31].

A los cronistas regionales les vino de perlas la tesis de Pineda. Rodrigo Caro la refuerza con el testimonio de la toponimia, pues el cuño hebreo se aprecia bien claro en lugares como Zalamea, que el seseo convierte en Salamea y que —maravilla de las maravillas— tiene cerca el castillo de Salomón, o el río Odiel o la aldea Abiud, «todos los quales parecen nombres hebreos» [32]. Caro, puesto a soñar, reivindica también para su Sevilla las glorias y laureles homéricos que Goropio había situado en Lisboa; en la vega hispalense estaban sin duda los Campos Elisios, «porque en ella únicamente concurren todas las señas que da Homero, que son no nevar Júpiter ni durar mucho el tiempo del invierno» [33]. Sin

---

[30] *De rebus Salomonis libro octo*, Lyon, 1608, pp. 186ss.

[31] *Iuliani Petri, Archipresbyteri S. Iustae Chronicon*, París, 1628, pp. 4-5 de los *Adversaria* de Lorenzo Ramírez de Prado, que dedicó su engendro al conde-duque de Olivares.

[32] *Antigüedades y principado de la ilustríssima ciudad de Sevilla y Chorographía de su convento iurídico o antigua chancillería*, Sevilla, 1634, libro I, cap. 7, f. 10v ss.

[33] *Op. cit.*, I 6 (f. 10r). Según creo, el primero de los modernos investigadores de Tarteso que se tomó la molestia de consultar el libro de Pineda fue J. Caro Baroja en su

embargo, no chica disculpa cabe encontrar a este frenesí de Caro, tan delirante a la hora de exaltar la cacareada puerta y puerto de las Indias, pues desde el siglo XVI era normal en la historiografía hispana ver milagros y bienaventuranzas por doquier: Lucio Marineo Sículo [34] y Florián de Ocampo [35] dan como etimología de la Bética el hebreo *Behin*, 'tierra fértil o deleitosa', y sitúan en ella también los Campos Elisios; incluso un valenciano como Pero Antón Beuter [36] acepta esa preciada perla de la erudición sícula o peninsular. En cuanto a Tarteso, quedaba localizado en Tarifa por Ocampo [37] y Mariana [38], sin que este último desechara una derivación de Tarsis, es decir, de Cartago o Túnez.

Localizado Tarsis en Hispania, la lógica y el patriotismo luso exigía dar otro paso más: buscar en ella también el solar de Ofir. Pues bien, de esta estrafalaria idea quedó prendado el impenitente forjador de supercherías que fue el jesuita Jerónimo Román de la Higuera, cuando, al fraguar el falso cronicón de Flavio Lucio Dextro, registró entre los sucesos del año 66 d. C. el siguiente:

Florece la memoria de San Pedro de Rades, mártir, primer obispo de Braga, que recibió la muerte en el año 45 junto a Rades, villa de Braga, en la región Ofirina, que trajo este nombre de haber arribado a ella los descendientes de Ofir [39].

todavía fundamental monografía sobre *Los pueblos de España,* reimpr. Madrid, 1976, p. 128, nota 2.

[34] *De las cosas memorables de España,* Alcalá, 1530, I, f. 3r (en España se encuentran los Campos Elisios), VI f. 44v (Baetica = Behin).

[35] *Corónica general de España,* Alcalá de Henares, 1578, I 9, f. 22v.

[36] *Primera parte de la Corónica general de toda España y especialmente del reino de Valencia,* Valencia, 1546, I 9, ff. 22-23. La misma doctrina se lee en Francisco Tarafa, *De regibus Hispaniae* (edición de la *Hispania illustrada* de Schott, Francfurt, 1603, I, p. 520). Buena culpa de todas estas fantasmagorías la tuvieron nuestros humanistas, y muy en especial uno de los más ilustres de todos ellos, el tan mentado como poco leído Antonio de Lebrija, que para ennoblecer a su patria, Nebrissa, no vaciló en pregonar en sus clases alcalaínas que el vocablo venía del griego *nebrís,* prenda de las bacantes que acompañaron a Dioniso en uno de sus viajes a España, siguiendo la rancia doctrina de Silio Itálico *(Púnicas,* III 393ss.), según afirma Ocampo en su *Corónica General de España,* I 31 [f. 39v]; la etimología la defiende también Lucio Marineo Sículo, *De las cosas memorables de España,* I [f. 9r]; pero Lebrija, que sabía dar gusto a los diferentes pueblos y nacionalidades como buen cortesano, descubrió también que Jaca venía de *Iakcha* (Ocampo, *Corónica general,* I 31 [f. 39v]: todos, en consecuencia, quedaban contentos después de esta resaca báquica, que inundaba con sus efluvios a los reinos de Castilla y Aragón (cf. Beuter, *Primera parte,* I 12, f. 31r).

[37] *Corónica general,* I 11 (f. 24r).

[38] *Historiæ de rebus Hispaniae libri XX,* Toledo, 1592, I 2 (p. 3); aceptando, en consecuencia, la identificación de Arias Montano, traduce la expresión *naues Tharsis* como 'naves de Cartago' (I 18 [p. 33]).

[39] *Fl. Lucii Dextri Barcinonensis... chronicon,* Lyon, 1627, p. 142, con los escolios de Francisco de Bivar.

Buscaba Román de la Higuera por doquier apoyo para sus engendros a costa de halagar sentimientos provincianos y glorias de campanario, y así aceptó de mil amores la tradición de este fabuloso Pedro de Rades, discípulo de Santiago, que le brindaba el portugués Lousada en un taimado intento de arrebatar, por lo menos sobre el papel, el primado a Toledo en beneficio de Braga [40]. Bien se ve que, para nuestro jesuita, el fin justificaba los medios.

En lo que importa a nuestra historia, era obligada esta reparación al reino de Portugal, cada vez más renuente a someterse a la Corona de los Austrias y muy celoso guardián al mismo tiempo de sus viejos blasones, que en nada podían ceder a los de Castilla. Con este fundamental retoque todos quedaban felices y contentos. Como señalaba en los escolios al pseudo-Dextro la erudita ignorancia de fray Francisco de Bivar, si Tarsis se encontraba en la Bética, Ofir se hallaba en la Bracarense. Hispania bien podía sentirse orgullosa de haber albergado en su seno a estas dos luminarias salomónicas, que servían para engalanar con añejos florones la refulgente gloria del rey Sol, cuyas armas parecían obtener por aquel entonces triunfos resonantes por todo el globo.

Esta quimérica invención encontró pronto seguidores. El influjo del pseudo-Dextro se deja sentir, por ejemplo, en el *Comentario a Isaías* del jesuita Andrés Lucas de Arcones [41], que sólo *in extremis* se salva de tragar la píldora, que era ingerida entre tanto por toda la beatería provinciana, mientras que Juan Bautista Suárez de Salazar [42], para dotar de mayor relumbre a su patria chica, la milenaria Cádiz, tornaba a dejarse seducir por los sueños de Tarsis y del Jardín de las Hespérides.

Esta erudición de aldeanos culminó en un voluminoso libro de fray Jerónimo de la Concepción [43], atractivísima suma de todas las extravagancias y disparates salidos del magín de los sabios nacionales y extranjeros. La verdad es que, cuando tratan de la Antigüedad, sus páginas no tienen desperdicio. Con la doctrina de Goropio se apuntala la tesis de que Cádiz fue poblada por Tarsis, el hijo de Yawan, luego ni que decir tiene que Cádiz era el puerto adonde se dirigían las naves de Salomón. Pero se daba el caso de que a fray Jerónimo no le acababa de agradar la novísima

---

[40] J. Godoy Alcántara, *Historia crítica de los falsos cronicones,* reimpr. Madrid, 1981, pp. 177-79).

[41] *Isaiae prophetae elucidatio litteralis, mystica et moralis,* Lyon, 1642, p. 380, §§ 10-11.

[42] *Grandeza y antigüedades de la isla y ciudad de Cádiz,* Cádiz, 1610, I 4, p. 31ss.

[43] *Emporio de el orbe, Cádiz ilustrada. Investigación de sus antiguas grandezas, discurrida en concurso de el general imperio de España,* Amberes, 1690, p. 4ss. (población), 43ss. (polémica contra Rodrigo Caro, en la que subyacen las temibles envidias provincianas), 49ss. (localización de Ofir en la India), 130ss. (Reyes Magos) y 133s. (genealogía de Jesús). En Cádiz se encuentran también los Campos Elisios (p. 61ss.).

propuesta de localizar en Braga la tierra de Ofir, a la que prefería situar en el Extremo Oriente; bien pronto quedaba obviada tan nimia dificultad, aun con el resultado de que entonces el derrotero supuesto de la armada de Hiram fuese más retorcido que una columna salomónica, pues las naves se dirigían primero a cargar oro a Ofir, esto es, a la India Oriental, y después costeaban Malaca, Sumatra, Ceilán, Borneo y Madagascar y doblaban el Cabo de Buena Esperanza hasta tomar puerto en Cádiz, donde se hacía acopio de plata. Todo en estas páginas hiperbólicas sirve para enaltecer la incomparable gloria del emporio más antiguo de Occidente, sin retroceder ante idea tan peregrina como la de suponer que por las venas de Jesucristo corría sangre gaditana, dado que nada menos que en Cádiz había nacido la mujer de Matatías, según se podía leer en la crónica apócrifa de Julián Pérez, arcediano de Santa Justa. Y deslizándose ya por esta peligrosa pendiente, convertía el buen fraile en paisanos suyos hasta a los tres Reyes Magos, unos españoles que, militando bajo las banderas romanas en una imaginaria conquista de la India, se habían quedado allí como régulos de algunas provincias, en memorable prenuncio de los futuros conquistadores. Para apoyar su origen hispano, Tamayo de Salazar, no contento con la estrella, se había inventado otras luminarias no menos milagrosas, suponiendo que los habitantes de Hispania habían visto brillar tres soles en la hora de la Natividad; de este portento concluye fray Jerónimo que los magos, siguiendo al parecer el mismo rumbo que las flotas de Ofir y Tarsis, habían venido de Oriente a Cádiz, para pasar por fin a Judea. Pocas veces se ha escrito un tratado tan imaginativo; mas pocas veces también la ciencia ha sido puesta de manera más clara al servicio de la política, ya que lo que se ventila a fin de cuentas no es que adorne a la ciudad el ajado laurel de unas antiguallas que a nadie interesan, sino un negocio mucho más suculento: el que suponía el traslado a Cádiz de la Casa de la Contratación, muy próximo a realizarse, y que se intentaba justificar ya con la más que milenaria historia de la ciudad.

Gran mérito tiene, por tanto, la renuncia de la mayoría de teólogos hispanos a dejarse obcecar por los fuegos fatuos de razones más especiosas que verdaderas. El jesuita Tomás Maluenda, recopilando mil datos sobre el particular al escribir su monumental monografía sobre la vida y andanzas del Anticristo, siguió insistiendo en la interpretación de Tarsis como 'mar', así como no dudó en situar Ofir en Sumatra [44]. El también jesuita Gregorio Sánchez, anotando los libros de los Reyes, introduce una variante razonada: a su juicio, Tarsis significa 'mar' o todo lo relacionado con el mar, pero referido en un principio al Mediterráneo oriental y

---

[44] *De Antichristo libri undecim*, Roma, 1604, p. 165.

septentrional y a sus islas y después, por sinécdoque, al mar en general.
Sánchez rechaza expresamente la hipótesis de Montano, ya que Cartago
recibe el nombre de «hija de Tarsis» en Isaías 23, 10, estando claro que es
Tiro y no Cartago la metrópolis; por la misma razón desecha la teoría de
Goropio, pues Tarteso, vecino de Gades, hubo de ser también fundación
de Tiro, así como Medina Sidonia fue colonia de Sidón, según proclama
su mismo nombre [45]. La misma sana crítica aflora en su discusión del
emplazamiento de Ofir, que sitúa en Oriente, no lejos del Mar Rojo.
Sánchez confiesa que en la solución de este complejo y enmarañado
problema se procede por conjeturas, aunque le parecen carentes de todo
peso los argumentos aducidos para situar Ofir en España o en el Perú [46].
Su conclusión refleja cierta tristeza no exenta de ironía: «Pero lo que no
pudo conseguir la razón» —dice— «lo logró, como dijo un autor profa-
no *dulcis amor patriae ratione ualentior omni*». El diagnóstico de Sánchez
acierta en la diana. Sólo un rabioso y exacerbado patriotismo, sobrepo-
niéndose a toda lógica, pudo porfiar en mantener semejantes dislates.
Pero en estas quimeras necesitaba buscar mullido acomodo la angustia
sentida por el español en el siglo XVII, cuando el entorno político comenzaba a presentar aristas cada vez más desagradables y el ideal de un
imperio universal, apenas acariciado, se iba de las manos para siempre.
Los ensueños sustituyen entonces a las realidades y los nombres sonoros
embozan y enmascaran una desgarradora frustración. Tarsis, Ofir, Tarteso, pasan a convertirse en consuelo y alivio de unos hombres que se
sienten desasistidos.

El país del oro bendito se desplaza y cambia de lugar, pero no a
capricho, sino siguiendo los dictados de una voluntad firme y declarada,
como se mueven sobre el tablero las fichas de ajedrez, acomodándose al
ritmo que marcan las disputas de los dos grandes imperios coloniales del
momento, España y Portugal, pero fomentando también ilusiones y utopías colectivas para ahuyentar los momentos de desmayo y desaliento.
Tarsis y Ofir se convierten, a la postre, en el símbolo en el que se cifran
las esperanzas de una Corona insegura y tambaleante; pero mala cosa es
cerrar los ojos al entorno y refugiarse en mitos que son, por lo general,
malos consejeros, máxime cuando prometen oro sin tasa y dominios universales. Por eso resulta sintomático que la última interpretación suponga
un cerrojazo al exterior y un definitivo ensimismamiento: quien tiene las
minas en casa y dispone ya del áureo cíngulo de la profecía, puede vivir

---

[45] *In quattuor libros Regum et duos Paralipomenon commentarii*, Amberes, 1604, c.
1132-34. Hace malabarismos para explicar el texto de Isaías el buen padre Pineda (*De
rebus Salomonis*, p. 195 b, 209).

[46] *Op. cit.*, c. 1111-12.

tranquilo y confiado, sin sufrir sobresaltos ni desengaños aunque truene el mundo enderredor. Y así, Tarsis, disfrazado ya de Tarteso, hace de la bética Andalucía una Arcadia feliz en la que se aletargan las desdichas y vagan fantasmas risueños, transformándola en una bucólica entelequia en la que se trenza el ameno recuerdo del longevo Argantonio con el sagrado encanto que inspiran las Escrituras. De esta suerte, el halo mágico de Salomón y el prestigio de Tarteso pone sordina a los gritos del hambre, la peste y las quiebras bancarias. No todos, sin embargo, se dejaron seducir por apócrifos escritos y falsas glorias. Empezaba a cundir el pesimismo, que también quiso buscar amparo en vaticinios campanudos y teorías antañonas.

2. *Translatio imperii, translatio ecclesiae*

A partir de Daniel, tanto el judaísmo como el cristianismo han interpretado el devenir histórico como una sucesión de cuatro imperios. Este turno fatídico viene a establecer un sistema que podríamos llamar generacional, ya que un imperio muere cuando nace otro, y cada uno de ellos crece, madura y envejece siguiendo el ritmo que impone la naturaleza a cualquier ser animado. Pero es que además el imperio es en realidad uno, de suerte que constituye una especie de gracia que se va transmitiendo de una nación a otra, si bien dentro del desarrollo vital de un mismo imperio cabe una mutación: es así como se supone que el imperio de los romanos pasa sin cambiar su esencia a los francos, transferencia (*translatio imperii*) que justifica la descarada usurpación de Carlomagno y su sucesores, sancionada con no menor desfachatez por el Papado. Pues bien, en este fluir de la historia hay una constante que ya puso de relieve Otón de Frisinga [47], y es que toda la sabiduría y todo el poder procede de Oriente, pero termina su curso en Occidente: en cuanto al imperio, se suceden babilonios, medos-persas, macedonios y romanos; por lo que toca a la ciencia, surge en Babilonia y pasa a Egipto, Grecia, Roma y, por último, al Occidente, a Galia e Hispania. Es decir, la hegemonía política y cultural está sujeta a un movimiento idéntico al que rige el curso de los astros o, por decirlo con la bella metáfora de Ortega [48], «los Reyes Magos nos enseñan que la historia se mueve de Oriente a Occidente, como las estrellas». Muy característica de la impronta medieval del Humanismo es la

---

[47] *Chron.* praef., *Monumenta Germaniae Historica, Scriptores,* XX, p. 118, V prol., p. 213.

[48] *Obras completas,* II, p. 683.

rapidez con que se empezaron a manejar estas ideas para dar espaldo ideológico a los nuevos imperios. Así, este argumento de cinética cósmica es una baza fundamental que sirve a Antonio de Lebrija para justificar la supremacía de España en el mundo. Después que nuestros primeros padres salieron del Paraíso, que estaba plantado en Oriente, y procrearon el género humano, la monarquía pasó a los asirios, medos-persas, macedonios y romanos, y de los romanos derivó a galos y germanos. Y razona entonces el maestro Antonio:

Ahora, ¿quién hay que no vea que, aunque el título del imperio esté en Alemania, el imperio en sí está en poder de los reyes de España, que, dueños de una gran parte de Italia y de las islas del Mediterráneo, se disponen ya a llevar la guerra a Africa y, siguiendo al despachar sus flotas el movimiento del cielo, tocan ya las islas colindantes con los pueblos de las Indias? Y sin contentarse con eso y tras haber explorado la mayor parte del mundo, poco falta para que el extremo occidental de España y Africa se una con el cabo oriental del globo terráqueo [49].

El vaticinio de Abdías sobre Sefarad alienta estos propósitos de guerra contra Africa; a su vez, es el flujo de la historia, que se mueve al compás de los astros, el que legitima ese imperio que los españoles ostentan de hecho, que no de derecho. Ahora bien, esta profesión de imperialismo se mezclaba entonces de manera inextricable con oscuros aunque comprensibles agobios y presentimientos escatológicos, dentro y fuera de España. Por primera vez en la historia se podía soñar con un monarca de verdad universal, el emperador de los últimos días que había de someter la tierra a su dominio. Para colmo, todas las señales parecían indicar que se estaba cumpliendo a la sazón la profecía de Cristo cuando, requerido por sus discípulos, había predicho que vendría el fin del siglo en el punto y hora en que se hubiera predicado el evangelio a todas las criaturas [50]; los estupendos descubrimientos geográficos y las no menos estupendas misiones semejaban dar la razón a quienes así pensaban. Pero la comezón escatológica se vio asimismo marcada por ese movimiento astral creador de señoríos, pues también la Iglesia, como el imperio, daba la impresión de que iba basculando de Oriente a Occidente. Un hombre muy preocupado por el fin de los tiempos como el dominico milanés Isidoro de Isolanis [51] veía que la Iglesia militante había tomado comienzo en Asia,

[49] *Rerum a Fernando et Elisabe Hispaniarum felicissimis regibus gestarum decades duae*, Granada, 1545, *Exhortatio ad lectorem*. La historia, dada a conocer por Sancho de Lebrija, fue escrita en Alcalá de Henares en 1509.

[50] Como es sabido, a tratar esta cuestión, tratando de posponer la angustia escatológica, está dedicado todo el libro tercero del admirable tratado de Tomás Maluenda, *De Antichristo libri undecim*, Roma, 1604.

[51] Ya en 1489 la beata Verónica de Binasco había observado los azotes que se cernían

después se había desplazado hacia Occidente y por último, contra lo que pensaban algunos, había de volver de nuevo a esas «islas remotísimas que se dice que están hacia Oriente», es decir, al Nuevo Mundo colombino [52]. Cuando aquellas «islas remotísimas» se convirtieron en una vastísima tierra firme, comenzó a roer las conciencias no ya la sensación de que la Iglesia proseguía su curso inexorable hacia Occidente, sino incluso el temor de que el imperio siguiese el mismo rumbo. El cisma luterano no hacía sino fomentar esos recelos. El comisario general de los franciscanos, Nicolás Herborn, tras escuchar en el capítulo de Tolosa mil noticias increíbles sobre las maravillas de la Nueva España, escribió en 1532 una no menos fantástica relación sobre las tierras recién descubiertas, cuyos habitantes no conocían ni enfermedades ni pestes y vivían cien, doscientos y trescientos años, y aún más las mujeres, sin que hubiera carestía alguna, pues el suelo que se pisaba eran minas de oro y de plata, los campos florecían todo el año y la noche duraba apenas hora y media; ante el tremendo contraste de este paraíso con la triste realidad de Europa, Herborn se aterraba y concluía:

Cuídese ya Alemania, no sea que aquella nación [de los indios] reciba el reino y el cetro, mientras que ella se vea azotada por la misma sentencia que flageló la ciega obstinación de los judíos: «Se os quitará el reino y será dado al pueblo que produzca fruto» [Mat. 21, 43] [53].

De hecho, el imperio romano, el último de la serie, era el ejemplo más claro de la vanidad y transitoriedad de las cosas de este mundo, dado

---

sobre la Iglesia; como destacó el religioso en su biografía (*Inexplicabilis mysterii gesta beatae Veronicae uirginis praeclarissimi monasterii sanctae Marthae urbis Mediolani*, Milán, 1517, libr. I, tít. 6, quaest. 3), la Inquisición acababa de quemar en la diócesis de Como nada menos que 60 herejes: ¿podía haber indicio más seguro de que se acercaban los tiempos peligrosos? Aún había de escribir nuestro dominico una *Summa de donis sancti Ioseph* (Pavía, 1521), dedicada a propagar el culto a San José, no incluido hasta entonces en el santoral.

[52] *De imperio militantis ecclesiae libri quattuor,* libr. I, tít. 6, quaest. 2 (utrum imperium militantis ecclesiae remotissimas insulas magni maris Occeani subiciet aliquando secundum diuinas litteras). Frente a los que pensaban que el Nuevo Mundo nunca podría abrazar la fe cristiana arguye el fraile: «No es un contrasentido que, aun permaneciendo en la infidelidad muchos pueblos de Asia, los cristianos occidentales lleven por mar el nombre de Nuestro Señor Jesucristo a los hombres de las islas remotísimas del mar Océano, a las cuales islas, aunque llegó la voz de la predicación de Cristo, según pensamos, también en época de los apóstoles..., sin embargo hoy no se guarda memoria de ella, según dicen los que de allí llegan». Las tierras nuevas, en consecuencia, no sólo pueden ser convertidas, sino que recibieron ya la predicación apostólica.

[53] Publica el texto A. Tibesar, *Franciscan Beginnings in Colonial Peru,* Washington, 1953, p. 98ss. Sobre este punto de la traslación del imperio cf. P. Borges, *Missionalia hispanica,* XIII (1956) 169ss.

que «su grandeza y anchura se ha reducido y ensangostado, por la flaqueza de algunos emperadores pasados, a una parte pequeña de Alemania e Italia»[54]. Pero los males pretéritos no tenían comparación con los presentes. En la primera mitad del siglo XVI Europa, apretada por la amenaza turca, veía encima extenderse en su seno el cisma y la herejía por doquier. El Nuevo Mundo, en cambio, se ofrecía a los ojos de todos como un continente virgen, donde todavía se podía construir una verdadera ciudad de Dios con aquellos indios que los humanistas y los misioneros presentaban como dechados de perfección, como los hombres más virtuosos del mundo. Además, a la imagen idílica de esta utopía evangélica se unía el efectivo cambio de mentalidad experimentado por los primeros colonizadores que, solos en un mundo a veces desafiante y hostil, tenían que afianzar su propia personalidad sublimando su nuevo hogar a expensas de la antigua patria[55].

Ahora bien, si un imperio como el romano puede cambiar de dueño permaneciendo siempre el mismo, cabe pensar también que la Iglesia, sin alterar su esencia, pase de un país a otro: aceptando la idea de la *translatio*, en definitiva, no es un disparate pensar que Roma pueda dejar de ser la capital de la Cristiandad y que otra ciudad ocupe entonces su puesto. En medio de su ajetreo misionero el gran Motolinía tuvo tiempo de aludir en una ocasión a la *translatio ecclesiae* que, muy al estilo medieval, recogió en un símbolo contrapuesto: la fe que surge, como el sol, en Oriente, ha de ponerse en Occidente:

La cristiandad ha venido de Asia, que es en Oriente, a parar en los confines de Europa, que es nuestra España, y de ahí se viene a más andar a esta tierra, que es lo más último de Occidente... En toda la redondez de la tierra ha de ser el nombre de Dios loado y glorificado y ensalzado; y como floreció en la Iglesia en Oriente, que es el principio del mundo, bien así ahora en el fin de los siglos tiene de florecer en Occidente, que es el fin del mundo[56].

Ideas muy semejantes se escuchan en el silencio de los claustros. Al dominico Felipe de Meneses[57] lo espanta la ignorancia generalizada que reina en España, país que tiene trazas de correr la misma suerte que Alemania, porque lleva la misma senda. Pero es que la fe, acorralada, hace más de 40 años que va huyendo de sus enemigos, y en su retirada se

[54] Pero Mexía, *Primera parte de la Silva de varia erudición*, cap. 29, Sevilla, 1587 (escrito en 1540, cf. f. 55v), f. 62r.

[55] Señala agudamente Ortega *(Sobre los Estados Unidos,* en *Obras completas,* IV, 1951, p. 375):* «un sorprendente 'patriotismo' colonial germina ya en ellos, y dentro de él se percibe ya el fermento separatista».

[56] *Historia de los indios de Nueva España,* II 9, p. 198.

[57] *Luz del alma cristiana,* Valladolid, 1554 (he utilizado la edición de Medina del Campo, 1567, f. 20v y sobre todo 22v-23v).

dirige siempre hacia Occidente, donde Dios pregonó un *plus ultra* cuando «començó la miseria de Alemaña», y donde se da prisa en labrar una casa para que quizá en un futuro pueda establecerse en ella su Iglesia, equiparada a la mujer que escapa del dragón apocalíptico. También estas alucinaciones llegaron a tentar al propio Las Casas [58], que manifestó una vez que eran las Indias donde Dios «había de dilatar su santa Iglesia y quizá del todo allí pasarla» [59], mientras que era cosa de asombro que Dios esperase tanto tiempo «sin hundir a España» [60]. A fray Bartolomé lo arredra un tanto exponer a las claras su pensamiento, que disimula con un prudente «quizá»; pero todo hace sospechar que, en el pensamiento lascasiano, tras la destrucción en un futuro muy próximo de España en castigo de los crímenes cometidos contra los indios, la cristiandad toda habría de pasar al Nuevo Mundo. Importancia excepcional para seguir la pista a estas ideas tiene el proceso del pseudoprofeta dominico fray Francisco de la Cruz —el confesor de Pedro Sarmiento de Gamboa—, quemado por la Inquisición en Lima en 1578. También a fray Francisco, otro antiguo colegial del convento de San Gregorio de Valladolid, no le cabe la menor duda de que, una vez conquistada en breve España y Roma por el turco, habrían de sobrevivir al desastre unos cuantos predestinados que pasarían al Nuevo Mundo, inaugurándose allí una nueva era para la Iglesia durante los mil años en que estaría atado el demonio. En apoyo de sus quimeras traía a colación el visionario profecías del propio Las Casas, sólo que en este caso habría de ser él, fray Francisco, papa y rey de la cristiandad indiana. Por otra parte, las apostólicas ideas de Las Casas se esfumaban aquí para dejar paso a una fogosa defensa de la conquista: aparte de otorgar permiso a los clérigos y a los frailes para abandonar el celibato y no contento con sancionar la poligamia de los seglares, fray Francisco, lejos de poner en duda la legitimidad de la conquista, único medio de convertir al pueblo de Dios relapso en la idolatría, reconocía el derecho de la encomienda, por más que la suya fuera una encomienda de tipo popular y no aristocrático. Se trata, pues, como apunta M. Bataillon [61], de una «revolución de contenido religioso y social a la vez», que podía abocar a un movimiento separatista de carácter criollo.

[58] Cf. el excelente artículo de M. Bataillon en *Cultura universitaria,* 66-67 (1959) 97ss., ahora en *Etudes sur Bartolomé de las Casas,* París, 1965, p. 249ss. Glosa estas ideas R. Menéndez Pidal *(El padre Las Casas. Su doble personalidad,* Madrid, 1963, p. 328ss.) para reforzar su tesis de la anormalidad del dominico; pero tales creencias eran entonces muy comunes, como vemos.

[59] *Historia de las Indias,* I 130. Cf. Cieza de León, *Crónica del Perú,* 3.

[60] *BAE* 110, p. 76 b (cf. 111 b).

[61] *Miscelánea de estudios dedicados al Dr. Fernando Ortiz,* La Habana, 1955, I, p. 145ss., ahora en *Etudes sur Bartolomé de las Casas,* París, 1965, p. 339ss.

No era la Orden dominica la única a la que turbaba en España y en las Indias la posibilidad de una *translatio ecclesiae*. Un santo obispo agustino, Tomás de Villanueva, no tenía reparo en pregonar en sus sermones al pueblo de Valencia que nunca la Iglesia se había encontrado en mayor aprieto desde la época de Constantino; que en Grecia, Inglaterra y Alemania se había abierto una tremenda vía de agua, amenaza incalculable para la nave de San Pedro, y que la fe había pasado a las islas del poniente [62]; y en otra prédica, glosando el versículo «las islas esperarán su ley» de Isaías 42, insistía en que hacía tiempo que la fe había comenzado a secarse en Oriente para fluir a Occidente, de modo que era de recelar que la Iglesia se refugiara al otro lado del Océano de forma definitiva [63].

El pesimismo no ya de los españoles, sino de todos los europeos se acrecentó conforme avanzaban los años, mientras que las noticias hiperbólicas venidas de las Indias echaban a volar la fantasía de muchos; pero en arrebatos imaginativos nadie fue capaz de sacar ventaja al belga Lumnio, insaciable en su manía de aplicar a los indios parábolas bíblicas: ellos eran los obligados a entrar en el banquete, ellos el siervo que recibe los cinco talentos, ellos los operarios de la viña enviados en la hora undécima, esto es en el fin del mundo [64], que se augura muy próximo, para el año 1586 [65].

Precisamente por esas fechas, en 1588, Tomás Bozio tocó el tema de la propagación de la fe, que ocupa el libro cuarto de su magna obra sobre las señales de Dios [66]. Para Bozio, la interpretación de Isaías 43, 5ss., no podía llevar a otra conclusión sino a que la Iglesia, partida de Oriente, había penetrado primero en el Norte y después en el Sur. Además, el vaticinio de Ezequiel (45, 2) en el que se habla de la ciudad que ha de construirse en el futuro mirando al Sur, le permitía deducir que esa ciudad era la Iglesia católica, por lo que bien se decía que en los últimos tiempos la Iglesia había de mirar al Sur, ya que la mayor parte de ella estaba situada al otro lado de la equinoccial, si bien Roma se encontraba

---

[62] *Conciones sacrae*, Compluti, 1572, f. 81.

[63] *Conciones*, f. 87v.

[64] Esta es una idea que gustaba de repetir Las Casas (cf. *BAE* 110, p. 43 b; 77 a).

[65] Es curiosa la manera por la que llegó a determinar esa fecha. El número de años que el mundo ha de permanecer en gracia ha de ser igual al número de años que transcurrió desde la Creación al Diluvio, esto es, 1656 años (p. 45). Ahora bien, Lumnio introdujo aquí una original interpretación de las 70 semanas danielinas: la abreviación de las semanas se refiere al acortamiento del tiempo, es decir, Dios quitó 70 semanas de años del plazo prefijado, de suerte que Cristo, en vez de aparecer a los 980 años, vino al mundo a los 490 (p. 70); de la misma manera puede ahora acortarse el plazo, pero no en semanas de años, sino en 70 años (p. 74).

[66] *De signis ecclesiae Dei libri XXIIII*, Romae, 1591, I, p. 131.

en el hemisferio Norte [67]. He aquí cómo Bozio intentaba conciliar el irresistible avance de la fe con el prestigio de la Roma papal, aun teniendo que imaginar —enorme concesión— que la Iglesia en su mayoría había de ocupar el Austro. Es que Bozio se percataba de la trascendencia radical de los descubrimientos geográficos: en el siglo XVI había habido más conversiones a la religión cristiana que en cualquier otra época de la historia; y este hecho, que podía parecer increíble al ignorante, no lo era para quien considerase que antes el mundo no tenía más que 120 grados de longitud, mientras que ahora, una vez cumplida la circunnavegación del globo, se habían añadido a la predicación evangélica otros 240 grados más.

En el polo opuesto a las hábiles componendas de Bozio se encuentra el pensamiento del exaltado Tomás Campanella [68], que ponía en orden sus ideas escatológicas en 1606 y 1607. A su juicio, «el orden fatal» de las estrellas, en su curso de Oriente a Occidente, exigía inexorable la monarquía universal de España. Ahora bien, en el fin de la sexta edad (para 1630 se esperaban grandes acontecimientos), podría acontecer que la Iglesia se viera forzada a emigrar al Nuevo Mundo huyendo del dragón, según la conocida metáfora apocalíptica; de allí había de pasar al Japón, para tornar por último a Jerusalén. Cabía, pues, la posibilidad de que el Papa Angélico renovara la Iglesia desde América, si bien Campanella, siguiendo los dictados de su mente más rigurosa, preveía un avance ulterior de la fe hasta completar la circunferencia terráquea, es decir, hasta que el principio se convirtiera en fin y la enseña de Cristo ondeara en Jerusalén, último y trascendental acontecimiento de la humanidad.

En el marco de estas quimeras escatológicas se comprende mejor el espíritu que anima a un curioso reformista y aventurero, Gabriel Fernández de Villalobos, marqués de Barinas, a quien a finales del siglo XVII vemos muy poseído de su don profético, empleado en verter gravísimas acusaciones contra los españoles; el marqués, hombre muy amigo de arcanidades, era un Las Casas de vía estrecha, hay que reconocer que muy a tenor del siglo que le tocó vivir: tampoco las amonestaciones iban dirigidas a Carlos I, sino a Carlos II. Entre mil cartas y memoriales, Barinas enderezó a Carlos II en 1687 una curiosa obrilla en doce capítulos con título más curioso todavía: *Mano de relox que muestra y pronostica la ruyna de la América reducida a epítome* [69]. Resulta que Barinas prescinde de la interpretación tradicional de la visión del profeta Daniel:

[67] *Ibidem,* I, p. 141ss.
[68] Cf. M. Góngora, «El Nuevo Mundo en el pensamiento escatológico de Tomás Campanella», *Anuario de Estudios Americanos,* XXXI (1976) 385ss.
[69] Fue publicada por C. Fernández Duro en *C.D.I.U.,* XIII, 1899, 327ss. Tengo ante mi vista una copia manuscrita (BN Madrid, ms. 2341 f. 227ss.).

El imperio de las Indias es el más antiguo del mundo, pues se ha conservado en continua serie asta nuestros tiempos en la misma gente que le fundó desde la división de lenguas de Babilonia [70].

¡Ahí es nada! Cuando el poderío babilonio, persa y griego se ha sumido en el polvo, los indios preservan incólume su imperio. Es que se trata de

los reynos... más ricos del mundo, de quienes no se sabrá affirmar si fueron más dichosos en su gentilidad que desdichados por haver venido a manos de cathólicos [71],

proposición que a oídos de un cristiano a machamartillo debía de sonar a herética. Como es lógico, sobre estos indios han caído como aves de rapiña los españoles todos, sin que el mismísimo monarca esté libre de su parte de culpa, pues

quien sienbra odios entre sus vassallos, no puede coger más que aborrecimientos concitados [72],

y mal pueden querer al rey de España esos indios de los que habían perecido a millones a mano airada. El castigo está cercano, sin embargo:

Muy sabido es de todos aquel texto del Spíritu Santo, que por los dolos e injusticias se transfieren los reinos y passan de gente en gente [73].

Menos mal que en el mismo año en que nacía ese demonio de Lutero venía al mundo Hernán Cortés, para reparar el uno el daño causado por el otro. Barinas se mueve en un campo de antítesis y paralelismos conocidos, pero también sabe intercalar entre sus visiones de mal agüero apuntes y reflexiones que le debían de parecer muy propias de un hondo pensador político, como cuando señala muy atinado —aunque para ello tampoco hacía falta ser un lince— que los enemigos de España (Francia, Inglaterra y Holanda) acechan a las Indias para apoderarse de ellas cuando puedan. Y el resultado final será catastrófico: «Con la falta de las Indias o sus comercios, cae España de toda su grandeza» [74]. La concepción histórica de Barinas, que no se basa a primera vista en una laboriosa armazón de textos proféticos, es sin embargo la misma que inspira a un

---

[70] Cap. I, p. 329 (= f. 227v).
[71] Cap. 2, p. 333 (= f. 228v).
[72] Cap. 4, cap. 338 (= f. 228r).
[73] Cap. 9, p. 358 (= f. 230v).
[74] Cap. 12, p. 276 (= f. 232v).

Montesinos o a un Tenorio, según veremos: en todos ellos encontramos la exaltación más radical de las Indias —e incluso, lo que es más importante, del indio—, que les otorga por fuerza un puesto principalísimo en el futuro catastrófico que se avecina. Está al llegar la *translatio imperii*, que cada uno interpreta a su manera, pero presumiblemente no de forma dispareja. De esta suerte, la semilla del separatismo prende desde el primer momento, y es la expectación escatológica la que presta una apoyatura teórica a este movimiento en cierne: en 1749 vio la luz en México un folleto del jesuita Francisco Javier Carranza, llamado precisamente *La transmigración de la Iglesia a Guadalupe*, en que se pretendía que, sumida Roma en la idolatría y desaparecido del mundo el sacrificio de la misa, el santuario de la Virgen de Tepeyac sería el último bastión del catolicismo [75]. La propaganda política se hacía todavía al modo medieval, esgrimiendo oráculos y ennobleciéndose con visiones del fin del mundo, cuyo principal objeto era la sublimación de la patria.

3. El llanto de las «naves de Tarsis»

Es hora de volver al mítico oro de Salomón, pues en los vaticinios bíblicos los escrituristas que identificaban Tarsis con el Perú también encontraban pábulo abundante para desfogar su pesimismo escatológico. No en vano, Isaías (23, 1ss.) había predicho:

¡Ululad, naves de Tarsis, porque ha sido arrasada la casa de donde solían venir! De la tierra les ha sido revelado... ¡Pasad a Tarsis, ululad, habitantes de la costa!... Cultiva tu tierra, hija de Tarsis; ya no hay puerto. Yavéh ha ordenado sobre Canaán destruir sus fortalezas y ha dicho: «No te regocijarás ya más, doncella maltratada, hija de Sión. Levántate y pasa a los kiteos, ni aun allí encontrarás reposo...» ¡Ululad, naves de Tarsis, pues destruido está vuestro refugio! Y sucederá aquel día que Tiro será olvidada por espacio de setenta años, como los días de un rey.

[75] Cf. J. Lafaye, *Quetzalcóatl et Guadalupe. La formation de la conscience nationale au Méxique*, París, 1974, pp. 135-36 y 371. Otro sermón se llama *El trono de San Pedro en México* (*ibidem*, p. 125).
He de advertir que el prestigio de los oráculos también era utilizado en España como sostén y apoyo de inconfesables tramas políticas. Así, p.e., en el *Sermón que en la Santa Iglesia Cathedral de Valladolid predicó el M.R.P. Manuel Ignacio de la Reguera, de la Compañía de Jesús, Cathedrático de Prima de Sagrada Theologia de su Colegio de dicha ciudad, en la Missión que se hizo en dicha Santa Iglesia el año passado de 1708*, Granada, s.a., p. 5, se lee: «La célebre Profecía de San Isidoro, que cantó como cisne al morir, ¿cómo fue? Que se perdería España, si se desenfrenassen los españoles en la inobservancia de los mandamientos de Dios. Assí sucedió, y puede bolver a suceder. Bien celebrado es también aquel dicho del Illustríssimo Señor Cabeça de Baca, Arçobispo de Sevilla: que era menester se destruyesse otra vez España para repararse». Debía de ser enorme el efecto que causaban estas palabras terribles en un pueblo asolado por la interminable guerra de sucesión.

La predicción, como siempre, puede ser proyectada hacia el pasado o hacia el futuro; en este último caso, si se descifra el vaticinio con la vieja clave colombina, la significación está muy clara y produce honda desazón y abatimiento, pues resulta que los turcos (Kedar [cf. Jeremías, 2, 10]) han de arrasar el Viejo Mundo e incluso España (Tiro), la casa de donde solían venir las naves, por lo que los cristianos habrán de buscar refugio en el Nuevo Mundo (Tarsis). Ahora comprendemos quizá por qué, mientras se seguía jugando con el nombre de Ofir, la mayoría de los teólogos rechazaba la identificación de Tarsis con las islas o la tierra firme del Poniente: su aceptación venía a equivaler en principio a condenar a España a una destrucción más o menos inmediata. También el divino Herrera, en su canción a la victoria de Lepanto, mostró su repulsa indirecta a tan lúgubre manera de entender las Escrituras, glosando a su modo la profecía; para él, las «naves de Tiro[=Tarsis]» son las galeras de Selim (vv. 149-50), de modo que bien se puede exclamar sin miedo, retorciendo el oráculo contra los turcos:

> ¡Llorad, naves del mar, que es destruida
> toda vuestra soberbia y fortaleza! (vv. 181-82)

La antigua exegesis no podía escandalizar, sin embargo, a quienes creían en la *translatio ecclesiae*. Sería tentador pensar que cuando Las Casas, otorgando testamento el 17 de marzo de 1564, escribió que Dios había de «derramar sobre España su furor e ira» de no hacer pronta penitencia por los 70 años que robaba y mataba a los pueblos de las Indias, estaba influido por este capítulo de Isaías; pero más bien este plazo es eco de los años de la cautividad de Babilonia [76], los mismos que aparecen en el esquema de Jerónimo de Mendieta, que divide la historia del Nuevo Mundo en tres períodos, a la manera joaquinita: el primero es la época prehispana, comparada al cautiverio de Egipto; el segundo la Edad de Oro (1524-1564), inaugurada por la conquista de Cortés, al que

---

[76] Fray Bernardino de Sahagún (*Historia general de las cosas de Nueva España*, México, 1979, XI 13, 7) se refiere a la profecía de un «santo varón dominicano» (¿Las Casas?), que había predicho la destrucción de los indios a los 60 (mejor 70) años de su conquista. En cualquier caso señala con razón R. Ricard (*La «Conquête spirituelle» du Mexique. Essai sur l'apostolat et les méthodes missionnaires des ordres mendiants en Nouvelle-Espagne de 1523-24 à 1572*, París, 1933, p. IXss.) y J. Lafaye (*Querzalcóatl et Guadalupe*, París, 1974, p. 52) que el año 1572 marca el final de una época.

El mismo plazo bíblico, con referencia a Lutero, usa intencionadamente el padre Rivadeneyra en su *Tratado de la tribulación*, II 4 (*BAE* 60, p. 417 b): los luteranos «en poco más de setenta años que han corrido... han asolado y arruinado tantas y tan ilustres provincias y reinos»; II 9 (p. 424): «en estos setenta años o poco más que ha que la perversa y diabólica secta de Martín Lutero comenzó a perturbar la paz de la Iglesia católica».

Mendieta equipara con Moisés, el hombre providencial que libera a un pueblo postrado en el error y el pecado; el tercero la edad de los desastres sin cuento (1564-1596), durante la cual, mientras aumenta la maldad y el vicio de los españoles, los indios se ven diezmados por las epidemias de 1576-1579 y 1595-1596 [77].

A mediados del siglo XVII, el presbítero ursonense Fernando de Montesinos, llegado a Cartagena en 1628 en la misma armada que el virrey conde de Chinchón, escribió un notable tratado, *Ophir de España. Memorias historias y políticas del Pirú*, que nunca llegó a publicarse en su tiempo. Dejando a un lado las curiosas teorías sobre la prehistoria inga, es de observar que Montesinos, partidario convencido de que Perú y Ophir eran una misma cosa, llegó a distinciones más sutiles:

Yo tengo para mí qu'el Ophir es el Dorado y Paytiti y el Tarsis los çerros de plata [= Potosí] y todo junto la Hamérica, conforme a lo cual, tomando la parte por el todo, una vez se llama a este orbe Ophir y otras Tharsis [78].

De esta suerte, la hegemonía española queda engarzada directamente con el poderío de Jerusalén, pues los reyes de España son los descendientes directos de David y de Salomón, los ungidos del Señor, y la prueba de ello era que la corona, el ceñidor de su grandeza mencionado por Jeremías, es precisamente la posesión de Ofir, de América, la cual, después de haber sido concedida a Salomón para financiar la construcción del Templo —por eso «diçe... el profeta que esta negoçiación e interés» la «santificó Dios para sí, que fue la de Ophir»—, fue retenida por el Señor y alejada del comercio humano hasta su donación última a los reyes de España [79]. Es decir, frente a la concepción clásica de los cuatro imperios

---

[77] Cf. sobre todo J. L. Phelan, *The Millennial Kingdom of the Franciscans in the New World*, Berkeley-Los Ángeles, 1970.

[78] Libro III, cap. 18 (BU Sevilla, ms. 332/35 sin foliar; BN Madrid, ms. 2124 f. 90r, también autógrafo). Por cierto que en este último códice aparece otra distinción más genérica en la nota, asimismo de mano de Montesinos, que se halla en ff. 268-69: «El Tarsis es lo que llamamos en el Pirú y Nueva España páramo..., donde de ordinario se saca plata... y Ophir es toda montaña adonde se hallan los veneros de oro subidísimo».

[79] Merece citarse por extenso el párrafo en cuestión:
La prueba de que Dios passó en España el señorío de los tratos y rriqueças de Tiro, después que los passó a Salomón y a los reyes de Hierusalén, conforme a lo rreferido por Ysayas en esta profeçía, está en otra de Hieremías en el capítulo 13, donde devaxo de la sentençia de un çeñidor arma la sentençia qu'es prueva de lo propuesto... Luego que trasfirió Dios este señorío de Ophir, se çerraron las çiudades del Austro, esto es, se prohibió el comerçio y se suspendió la comunicación d'él con las demás partes del mundo. Y así estubo desde el tiempo de Iosaphad, que fue el último rey de Hierusalén y Iudá, que la tubo hasta el final, hasta el feliçísimo de los Católicos reyes... que se (queste *ms. hispalense*) descubrió por 2542 años. Esto da a entender aquel *Translata est omnis Iuda transmigratione*

danielinos, Montesinos propone una tesis nueva, en la que América desempeña un papel fundamental, puesto que supone como el símbolo y la garantía del imperio y sus riquezas son «como mayorazgo del çielo» [80]. Dios arrebató a Tiro el comercio con Tarsis por haber faltado a la fe. Esta hipótesis conduce de manera inevitable a dar nuevas interpretaciones a la profecía veterotestamentaria, y a fe que Montesinos sale medianamente airoso de su empeño, al que no falta al menos cierta cuerda discreción. Extraigo aquí de su obra los pasajes más importantes, que a pesar de su extensión, interesan sobremanera:

> Por aquellos reynos a que fue por la mar la gente del rey de Tiro se entiende el Ophir o Tarsis, en donde tenían particular contratación e interés los de Tiro. Colíxiese esto de lo que queda dicho en el libro 1.º, capítulo 24. También se prueva en que, supuesto que los de Tiro tenían comerçio con el Ophir y el castigo de quitar el comerçio fue total, vien se infiere que, siendo el Ophir lo más rico d'él, que entró en este castigo la privaçión del Ophir, que hera lo más preçioso. También se prueva de que diçe el testo que se le quitó a Tiro la negoçiaçión por setenta años y luego se la volvió, y al cavo se la quitó Dios y la dedicó para ssí, que fue cuando se la dio a Salomón. Y luego la quitó a los reyes de Hierusalén y la detubo en sí, como veremos, sin darla a ninguno de los reyes de España [81].

Así pues, si los reyes de España son ahora los dueños de ese comercio, es porque «sienpre están perseverantes en çelar la honrra de Dios, sin que admita tan continuo ttenor pequeña intercadençia». Por esta razón, las *Memorias antiguas y anales del Perú* [82] se pierden en mil digresiones crematísticas concernientes siempre a nuevos descubrimientos de minas o al puntual recuento de la producción de azogue de las minas de Huancavelica año tras año: es que ese diluvio de mercurio, necesario para beneficiar la plata infinita, atestigua que Dios ve con buenos ojos a la monarquía hispana, ya que el dominio de América, en definitiva, es señal inequívoca del beneplácito divino, pues sólo la poseen los elegidos del Señor. He aquí cómo los galeones españoles que surcan majestuosos el Atlántico

---

perfecta, «fue trasladado el reyno de Iudá y Hierusalem con perfecta traslaçión», esto es, sin escrúpulo, porque fue por horden de Dios. Y dónde se passó este señorío díxolo el profeta Abdías en el capítulo 1.º: *Transmigratio Hierusalem que in Bosphoro est posideuit ciuitates Austri*. Aquella palabra Bosphoro significa a España (y açerca d'esto se ha de ver lo que dixe en el libro 1.º, capítulo 24; es admirable) y según esta doctrina quiere deçir que se passó al señorío a España, y por él poseen sus reyes las çiudades del Austro, la América o Ophir, por reyes de Hierusalem, que es el nuevo título, como diximos en el lugar çitado, por donde nuestros reyes lo son d'estas Yndias como de Hierusalem (libro III, cap. 12; ms. Madrid ff. 83r-84r).

[80] Libr. III, cap. 21 (ms. Madrid, f. 95r).

[81] Libro III, cap. 11 (ms. Madrid, ff. 82r-82v).

[82] Alcanzan hasta el año 1642. Montesinos compuso asimismo un *Auto de la fe celebrado en Lima a 22 de enero de 1639*.

portando los tesoros indianos por la gracia de Dios son los herederos
directos de las naos de Salomón, y he aquí cómo el canto a América
adquiere cada vez tonos más apasionados, incluso en la pluma de un peninsular.

Desde el punto de vista de Montesinos, según se ha visto, la profecía
viene referida al pasado, con lo que quedan obviados posibles peligros y
amenazas muy preocupantes para la monarquía española. Por tanto, la
primera vez que logro documentar de manera clara la exegesis proyectada
sobre el futuro, es en la obra de un franciscano también del Perú, Gonzalo Tenorio, nacido en 1602, que escribió un voluminoso comentario a
Isaías que, como las *Memorias* de Montesinos, vino a dormir el sueño de
los justos en el polvo de las bibliotecas. También en él se establece que
España es el reino de Dios y las Indias la señal de su misión providencial,
aunque

el Señor traslada su Iglesia a las Indias, cuando Europa la va despidiendo abriendo sus
puertas a la herejía, cuando los ingleses apostatan admitiendo la herejía y la secta [83].

Pero lo que más nos interesa es la interpretación que se hace bajo el
prisma escatológico del pasaje de Isaías, en el que se introduce una original variante exegética:

El castigo reservado a las Indias es otro, *quod uereor iam imminere*, a saber, que por
espacio de 70 años hayan de pasar a manos de otro señor distinto de nuestros reyes de
España, ya que, siendo reino adjunto al reino de España, cuando a ésta le sobrevenga
el castigo anunciado por el profeta, aquél correrá la misma suerte [84].

De esta suerte Tenorio parece negar incluso el consuelo de la traslación de la Iglesia a las Indias, ya que también ellas, como parte de la
Corona de España, están sometidas a la humillación y al escarnio de los
enemigos. ¿Cabe pintura más negra? Pero no todo es desesperanza, pues
esta postración suprema debe desembocar en el imperio escatológico, que
ha de corresponder a un descendiente indiano del rey de España («león
de Judá», cuya insignia será el león coronado), gracias al cual, y por boca
del Papa, también refugiado en las Indias, será proclamada en la tercera
predicación general la definición de la Concepción inmaculada de la
Virgen; y este prolongado imperio universal partirá de «aquellos pocos
que fueron dejados entonces [tras la muerte del Anticristo], es decir, los

[83] Cf. el resumen de A. Eguíluz, *Missionalia hispanica*, XVI (1959) 289. Una real cédula
de 30 de septiembre de 1675 ordenó recoger el libro de Tenorio; quedó advertida la
Audiencia de La Plata en 30 de enero de 1678 (A.G.I., Charcas 23).
[84] *Ibidem*, p. 281, cf. 312ss.

habitantes de las islas del mar» [85]. En el año 1680 sólo faltaban 120 años para que terminara la sexta edad; por ende, semeja que Gonzalo Tenorio esperaba un séptimo milenario en el que Cristo habría de reinar en la tierra. Y hay que destacar que el fin del sexto milenario acaece en el 1800 de la era cristiana, por lo que el nacimiento de Cristo se fecha en el 4200 de la era del mundo; esto es, se retrasa ni más ni menos que un milenio la datación jeronomiana, y los que llamé «terrores del año 800» se proyectan, en consecuencia, mil años después. Hasta tal punto el bagaje profético es siempre el mismo. No deja, pues, de ser significativo que Juan Pablo Viscardo iniciara su famosa carta dirigida a los españoles americanos con una clara alusión a la «inmediación del cuarto siglo» del descubrimiento del Nuevo Mundo, y que después se extendiera en la posibilidad cercana de implantar en él «el principio eterno del orden y de la justicia»; todo ello rondando el 1800 y con cierto sabor a milenio igualitario.

Es así como siempre, para bien y para mal, el oro y la plata de Tarsis y Ofir mantuvieron íntima relación con las Indias occidentales, al menos para una serie no pequeña de estudiosos y visionarios. Tanto fue así que las utopías salomónicas dieron lugar incluso en tiempos modernos a otras sorprendentes supercherías: así ocurre, p. e., con la famosa inscripción hallada en Brasil en 1881 y en la que se habla de los supervivientes de una de las flotas enviadas por Hiram... sin duda a las minas bíblicas [86]. He aquí el último y más descarado eslabón de la cadena comenzada por Colón en 1492.

---

[85] *Ibidem*, p. 311.

[86] La autenticidad de la inscripción ha sido defendida nada menos que por Cyrus Gordon, *Orientalia*, XXXVI (1968) 75ss. y *Before Columbus: Links Between the Old World and Ancient America*, 1971. Es curioso comprobar que ya el judío Eupólemo (FGrHist 723) había escrito una imaginaria correspondencia literaria entre Salomón e Hiram (cf. Josefo, *Antigüedades judaicas*, VIII 50-56; *Contra Apión* I 111).

IX. EL FIN DE UN MITO: LA FUENTE DE LA JUVENTUD

En las cartas y relaciones de Colón no aparecen reflejadas de manera expresa todas las creencias que albergaba respecto a las Indias de que era virrey, ya que no fue nunca su propósito escribir un catálogo exhaustivo de las maravillas del Oriente. Esta razón hace que algunas tradiciones, como la tocante a los pigmeos, afloren por escrito muchos años más tarde, si bien salta a la vista que se encuadran en el mismo marco de la India fabulosa con que soñaba el almirante, pues la armonía de contrarios exige que donde hay gigantes haya enanos; otras, en cambio, apenas rozadas en el *Diario del primer viaje*, salen muy pronto de la circulación por ley de vida. Es de rigor, en efecto, que el sistema mítico, compuesto siempre de diversos estratos, esté sujeto a una dinámica constante, de modo que unos mitos sucumben antes que otros sin que su ausencia suponga un corte fundamental con el pasado ni su presencia introduzca novedades esenciales en el modo tradicional de entender las cosas, de la misma manera que la lengua sufre constantes cambios sin que por ello se altere sustancialmente su estructura. Así, mientras que la búsqueda de Tarsis y Ofir, con todo lo que ello conlleva, no puede desaparecer del pensamiento judeo-cristiano en la época de los grandes descubrimientos sin que se desplomen al mismo tiempo otros pilares básicos del sentir religioso, otras creencias, por el contrario, son más volátiles —aunque no de menor cuantía— por su misma decrepitud, de manera que se esfuman con mayor rapidez; así ocurre con la en tiempos firme convicción de que había una fuente de la Juventud, convicción que también asoma en esta época primeriza de la exploración de las realidades indianas. Como siempre, el prodigio se localiza en una isla, cercana o idéntica a Tarsis/Ofir, según la conocida tendencia a acumular y concentrar en un solo lugar los portentos. En definitivas cuentas, semejante esperanza venía impuesta por la lógica: en las cercanías del Paraíso Terrenal se había de hallar la fuente que podía reparar, si no la vida, al menos las gastadas energías de los humanos. Y ¿no era tenido el clavo por el fruto de un árbol del Paraíso? [1] ¿No se decía que en Ceilán se podía oir el ruido que hacían las aguas que caían del Edén? [2] ¿No había embargado a Colón un jubiloso arrobamiento al topar con la impetuosa corriente de agua dulce del Orinoco? Todo era posible entonces. Volvamos, pues, nuestra atención a los archipiélagos del Nuevo Mundo, a las «islas del mar» de que tanto habían hablado los profetas, según creían entonces muchos, empezando por el propio almirante.

1. La expansión insular: Juan Ponce de León

Los problemas que planteó el asentamiento en la Española no permitieron en un principio realizar nuevas conquistas; además, aquélla era la isla donde se pensaba que había oro a espuertas, aunque la realidad era por lo general muy otra: los mineros se hacían ricos con el esquilmo del dorado metal a costa de los esclavos y luego ese oro pasaba a manos de los mercaderes, que amasaban fortunas ingentes con la sola venta a precios abusivos de sus géneros a los colonos. Unicamente en las postrimerías de su gobierno, cuando las condiciones económicas y sociales comenzaron a cambiar, hubo de pensar Ovando en la conquista de las islas circunvecinas, de las que San Juan, la más atractiva por su posición estratégica, tamaño y población no caribe, fue al menos la que sedujo a un bastardo de la casa de Arcos, Juan Ponce de León, «escudero pobre... y en España criado de Pedro Núñez de Guzmán, hermano de Ramiro Núñez, señor del Toral» [3]. Había pasado Ponce a Indias en 1493 y, tras combatir en 1502 como capitán en la jornada de Higüey contra el cacique Cotubanamá y vivir algún tiempo en Salvaleón, en 1507 disfrutaba de una posición desahogada, siendo entre otras cosas «cogedor de los diezmos» de la villa de Santo Domingo y su término [4]. Pero la Española

---

[1] Así lo asegura Filostorgio en su *Historia eclesiástica* (III 10 [p. 38 Bidez], aun dudando de si es un fruto o una flor.

[2] Tal es la doctrina de Juan de Marignolli (A. van Wyngaert, *Sinica Franciscana*, I, p. 53), que sitúa Ceilán a cuarenta millas italianas del Paraíso.

[3] Así dice G. Fernández de Oviedo, *Historia de las Indias*, XVI 2 (*BAE* 118, p. 91 a).

[4] Le entregó Cristóbal de Santa Clara a Ponce 39 pesos el 20 de diciembre de 1507 (A.G.I., , Justicia 990, 1 1). También desempeñó el mismo cargo de arrendador de tributos en la isla de San Juan, según se desprende de las cuentas publicadas por V. Murga Sanz en su libro a veces elogioso en exceso, pero hecho con muy concienzuda seriedad, sobre *Juan Ponce de León, fundador y primer gobernador del pueblo puertorriqueño, descubridor de la*

comenzó a quedarse pequeña para un hombre de su ambición inquieta. Así, a la firma de la capitulación con el comendador el 15 de junio de 1508 siguió casi de inmediato, el 12 de julio, la partida de Santo Domingo; la tripulación que iba en el carabelón rumbo a San Juan se reducía a 42 hombres de tierra y ocho de mar. Tras bordear la costa meridional de la isla, avistada el 12 de agosto, decidió Juan Ponce levantar una población en el litoral Norte, en una hermosa bahía donde había encontrado agua; allí, cerca de las minas, estableció su primer asiento. A su vuelta a Santo Domingo, llegó Ponce el 1 de mayo de 1509 a un nuevo y ventajoso concierto con Ovando, por el que se estipulaba que, una vez sacado el quinto real, todo el oro que se obtuviera debía dividirse a partes iguales entre el monarca y el capitán; también se le permitía hacer un conuco en la isla de Santa Cruz, con vistas a la extensión del dominio español por el archipiélago, así como mantener un bergantín para tener a raya a los caribes. Brindó Juan Ponce a Ovando la oportunidad de bautizar la ensenada donde se había plantado la primera casa y a frey Nicolás, cacereño al fin y al cabo, lo atrajo la idea de que la bahía y el puerto se llamase de Cáparra: el recuerdo del impresionante tetrástilo romano estaba sin duda grabado de manera indeleble en su memoria [5]. No obstante, muy desatinado anduvo Ovando en la designación propuesta, y no es de maravillar que, nada más aparecer el oro, la intempestiva remembranza de Cáparra pasara sin remisión a la historia, sustituida por un nombre infinitamente más sonoro y sugerente: Puerto Rico [6], pues ricos se habían de hacer los hombres que en él desembarcasen, muy a tenor de la significación de otros topónimos (Costa Rica, Villa Rica) que traicionan el pensamiento de los primeros colonos, obsesionados por el afán de encontrar tesoros nunca vistos.

Instalado ya en San Juan, Juan Ponce, además de explotar las minas de oro [7], consagró buena parte de sus esfuerzos a realizar correrías por las

---

Florida y del Estrecho de las Bahamas, Madrid, 1959, pp. 224-25. En 1508, a medias con el maestre Alonso Sarmiento, era poseedor de la nao «Santa María de Regla», que hacía la carrera de Indias (cf. p.e. A.P.S., XV 1509, 2 f. 326r).

[5] Cf. sobre el monumento el estudio de A. García Bellido en *Archivo Español de Arte y Arqueología,* XLV-XLVII (1972-1974) 45ss., que lo fecha a finales del s. I d. C. En tiempos de P. Madoz (*Diccionario,* V, pp. 505-06) Cáparra era ya un despoblado. La villa de Cáparra aparece citada en una serie de protocolos notariales: así, p.e., en un poder otorgado por Juan Bono de Quejo en Sevilla el 27 de agosto de 1510 (*Catálogo de los fondos americanos del Archivo de Protocolos de Sevilla,* II, n. 49, p. 19). Por una vez desbarra Las Casas (*Historia,* II 555 [*BAE* 96, p. 136 a]) al escribir que Cáparra es «nombre de indios».

[6] Las capitulaciones y los demás documentos en A.G.I., Patron. 175, 7: las dos capitulaciones y la relación del viaje en folios sin numerar.

[7] El rey, que el 14 de agosto de 1509 lo había confirmado en el puesto de gobernador de San Juan hasta nueva orden (A.G.I., Indif. 418, vol. II, f. 46r), le apremió mucho el 12

islas aldeañas; sabemos de una incursión suya en Santa Cruz, de donde en
1509 trajo cautivos a algunos caníbales, éxito de que el regente holgó
mucho [8], en clara contraposición con la abierta repulsa que mostró Fernando el Católico un año después cuando Nicuesa hizo lo propio en la
misma isla [9]; pero tampoco las circunstancias eran iguales, pues la alocada
imprudencia de Nicuesa hacía concebir justificados temores sobre el éxito
de su jornada, mientras que se podía disculpar la dureza de Ponce presen-
tándola como una ineludible toma de represalias. El alzamiento a principios de 1511 de los naturales de Boriquén y la muerte de D. Cristóbal de
Sotomayor, hijo de los condes de Camiña —catástrofe sin parangón desde el desastre de la Navidad—, supuso, por lo pronto, la victoria de las
tesis de quienes propugnaban sentar la mano con dureza a los indígenas
enemigos; no por ello se olvidó la cobertura legal, pues el 9 de noviembre
de 1511 deslindó el monarca a los colonos de las Indias —y muy particularmente a los de San Juan— las islas donde podían hacer presa de
esclavos. El 28 de febrero de 1512 ante una muchedumbre curiosa, apiña-
da en la calle de las Gradas, se voceó en Sevilla el siguiente pregón,
después de leída una cédula regia dada el 24 de diciembre:

Los juezes e ofiçiales de la reina nuestra señora de la Casa de la Contrataçión de
las Yndias, que residen en esta çibdad de Sevilla, fazen saber a todas e cualesquier
presonas que Su Alteza por virtud d'esta probisión da liçençia a todos los que quisieren armar e fazer guerra contra los caribes de las islas de San Bernaldo e isla Fuerte e
de los puertos de Cartagena e islas de Barú e la Dominica e Matininó e Santa Luzía e
Sant Biçente e la Asençión e la isla de los Barbudos e Tabaco e Mayo, dond'estan
rebelados los dichos caribes faziendo guerra a los indios de paz de las otras islas; e
como quiera que se an fecho muchas diligençias, no han querido venir en conosçimiento de nuestra santa fee cathólica ni reduzirse a la obidiençia de Sus Altezas; e por
estas razones e por otras los puedan cativar e tomallos por esclavos libremente, sin
que ayan de pagar ningund quinto ni derecho a Sus Altezas, e para que los puedan
vender e servirse d'ellos en las Yndias como de esclavos propios, con tanto que no los
puedan traer a Castilla. E porque venga a notiçia de todos mándanlo apregonar públi-
camente [10].

de noviembre del mismo año a que se diera «toda la más priesa que se pudiere en el sacar
del oro» (ibidem, f. 87r).

[8] A.G.I., Indif. 418, vol. II, f. 40r (carta del rey a Miguel de Pasamonte desde Valladolid, a 14 de agosto de 1509).

[9] A.G.I., Indif. 418, vol. II, f. 111r (carta al almirante D. Diego desde Madrid, del 28
de febrero de 1510, comunicándole que su tío D. Diego había escrito a los oficiales de la
Casa de la Contratación para informarles de que Nicuesa había tomado en dicha isla 150
indios provocando gran alboroto y escándalo); ibidem, f. 112v (carta a Miguel de Pasamonte, de la misma fecha, ordenando que se tornaran los dichos indios a Santa Cruz).

[10] A.P.S., I 1512, 1 f. 316r. Precede una copia de la cédula en cuestión.

Una demarcación semejante de tierras de caribes y «guatiáos» realizó casi un decenio más tarde el licenciado Figueroa en Santo Domingo, señal de que no habían variado ni los problemas ni la dinámica jurídica en la conquista. En realidad, esta actividad pirática venía impuesta a los colonos por las circunstancias: la vida económica de las Indias dependía de la mano de obra, y las incursiones por el archipiélago caribe no sólo servían para poner coto a la audacia de los indios comehombres, sino también y sobre todo para abastecer de esclavos el mercado de la Española y de San Juan. Ahora bien, la caza de caribes siempre entrañaba riesgos y peligros; en cambio, por la banda del Norte se extendían unas islas amenas, pobladas de muy mansos yucayos que para protegerse de los españoles no tenían más armas que la huida [11]: a una isla de yucayos, Guanahaní, había arribado Colón el 11 de octubre de 1492. Como es lógico, tan apetecible presa fue sometida a una implacable persecución desde tiempo muy temprano por parte tanto de los habitantes de Puerto Rico como de los de Santo Domingo, que se disputaron enseguida el monopolio de este pingüe y tranquilo comercio.

Sustituido Ovando en el gobierno de las Indias por D. Diego Colón (1509) y reconocido éste en el virreinato (1511), estalló una guerra sin cuartel entre los oficiales de D. Diego (Cerón y Díaz) y Ponce. El peligroso auge de nuevos enemigos, entre ellos el licenciado Sancho Velázquez, justicia mayor en Puerto Rico, que el 6 de octubre de 1512 condenó a Ponce al pago de 1.350 pesos [12], llegó a preocupar a Fernando el Católico que, fiel a su política de equilibrios, concedió el 23 de febrero de 1512 una capitulación al bastardo para descubrir y poblar la isla de Bímini, empresa también codiciada entonces por el adelantado D. Bartolomé Colón, a quien se engolosinó después con la conquista de Veragua. El complicado curso de la política insular impidió la inmediata realización del proyecto, así que sólo el 1 de enero de 1513 pudo Ponce registrar en el puerto de Yuma los dos navíos que habían de partir al descubrimiento, el «Santa María de la Consolación», de que era capitán Juan Bono de Quejo, y el «Santiago», que llevaba por maestre a Diego Bermúdez y por piloto al después famoso Antón de Alaminos [13]; a estos dos barcos se

[11] De la «mitísima condición» de los en verdad desdichados yucayos se hizo lenguas Las Casas (*Historia*, III 4 [*BAE* 96, p. 108 a]), que en el capítulo siguiente relata sus desventuras, siguiendo sobre todo a Pedro Mártir (*Decades* VII 1, f. 91r ss.), como si él no hubiese sido testigo presencial de los desmanes; puede ser que invoque su testimonio por ser el de un extranjero no muy partidario, todo hay que decirlo, de los indios.

[12] Por fortuna para el adelantado, Sancho Velázquez fue preso por la Inquisición el tercer día de Pascua de Resurrección de 1520. De lo indebido de esta multa se quejó después Ponce, cuando el licenciado Antonio de la Gama tomó la residencia al difunto (A.G.I., Justicia 44, n.º 1 f. 171v).

[13] A.G.I., Contaduría 1071.

añadió en San Juan el «San Cristóbal», de que era capitán Juan Pérez de Ortubia. El rotero está hoy perdido, pero los extractos de Herrera en sus *Décadas* permiten reconstruir a grandes trazos el viaje: la armadilla, abandonando el puerto de San Germán el 3 de marzo, marchó rumbo al Noroeste hasta que avistó tierra el 27 de marzo, día de Pascua Florida. El 2 de abril ancló cerca del litoral a 30° 8'. A continuación bajó bordeando la costa hacia el Sudeste, entró en la corriente de las Bahamas el 21 de abril, día infausto por la pérdida de una nave, y llegó al Cabo de Corrientes el 8 de mayo. Después prosiguió el reconocimiento de la tierra, hasta que el 14 de junio se puso proa de nuevo a las islas de los yucayos. En septiembre decidió Juan Ponce enviar a Ortubia con el carabelón «San Cristóbal» en busca de Bímini, mientras él regresaba a Puerto Rico. Terminó, pues, la jornada cuando el 20 de febrero de 1514 fondeó en el puerto de San Germán el «San Cristóbal», trayendo cuatro indios de la isla de Bímini y Acacoa y otros seis de la isla de Ciguateo, único y menguado fruto de un largo peregrinar por el Océano, en el que sólo se divisó tierra anegadiza dotada —eso sí— de un verdor lujuriante [14].

El negocio atisbado, no obstante, le pareció al descubridor de tanta monta que prefirió volver a España de inmediato para confirmar sus privilegios con la Corona antes de enzarzarse en previsibles pleitos con D. Diego Colón y para pedir, además, el despacho de una armada contra los caribes, cuyas canoas habían vuelto a asaltar las costas de San Juan e incendiado Cáparra en junio-julio de 1513, por lo que parecía prudente hacerles guerra sin cuartel. Todo en España salió a pedir de boca, de modo que el 27 de septiembre de 1514 consiguió Ponce el título de adelantado de las islas Florida y Bímini, amén de un largo despacho que recibió él personalmente en Sevilla el 30 de septiembre de ese mismo año [15]. De entonces, data una serie de escrituras que reflejan otras facetas del descubridor, si bien dista mucho de ser una tarea sencilla distinguir al indiano entre las diversas personas homónimas y con tratamiento de Don que vivían entonces en Sevilla, a las que únicamente diferencia la firma, muy tosca y ruda la que parece de nuestro hombre, que la pintaba trabajosamente y que una vez, distraído, la llegó a estampar al revés, lo que en verdad no dice mucho de su cultura. Pero la rebusca en los archivos depara ciertos incómodos sobresaltos, y aquí nos asalta uno de ellos, pues resulta que esta laboriosa firma sigue apareciendo en 1522, 1523 y 1525, años en los que estaba muerto el descubridor, que ni siquiera en 1521 usó el título de Don y que escribía con más soltura, como hombre acostumbrado a usar la pluma ejerciendo de contador. El intrigante misterio sólo

---

[14] Sobre el viaje cf. Murga, *Juan Ponce de León*, p. 100ss.
[15] A.G.I., Indif. 419, vol. V, ff. 234-71; la capitulación en f. 293ss.

acierto a explicármelo suponiendo que este nuevo D. Juan Ponce de
León, avecindado siempre en la collación de Santa Catalina —hay otro
en la de San Martín—, se avino a hacerse pasar por su pariente, tomando
su personalidad en común provecho de ambos cuando bien les parecía.
No hace falta encarecer entonces la dificultad de deslindar las acciones
del uno de las del otro, por lo que, como toque de atención, he señalado
con asterisco las escrituras que no son dudosas, curiosamente, las carentes
de firma. En todo caso, sí parece seguro que el flamante adelantado —a
través de su pariente— traspasó a otras personas por buenos dinerillos la
licencia que le había sido concedida para pasar esclavos a Indias [16], según
práctica común de la época; otorgó varios poderes que a su vez origina-
ron el subsiguiente rosario de procuradores sustitutos, también conforme
al uso de aquel tiempo [17]; recibió él a su vez otras comisiones [18] y realizó

---

[16] Conozco las siguientes:
— 16 de febrero de 1514 (A.P.S., III 1514, 1 s. f.)] D. Juan Ponce de León, vecino en
Santa Catalina, da poder a Francisco del Castillo, vecino en Santa María la Blanca, para
pasar a la Española o a San Juan una esclava cristiana de las seis piezas de esclavos que
tenía de merced de Sus Altezas, según se contenía en una cédula dada en Madrid el 6 de
diciembre de 1513 (se adjunta copia de la cédula).
— 17 de febrero (A.P.S., IIII 1514, 1 s.f.)] Da poder a Gil Romero, vecino de Palos, para
pasar un esclavo cristiano en los mismos términos.
— 20 de febrero (A.P.S., I 1514, 1 f. 174r)] Traspasa a Alonso de Hojeda poder para
llevar seis esclavos de la licencia que tenía de pasar a la Española 3 esclavos y 3 esclavas.
— 15 de marzo (*ibidem*, f. 223r)] Traspasa a Jerónimo Aimerique, vecino de Cállari,
licencia para que pase en su nombre un esclavo negro llamado Cristóbal.
— 15 de marzo (*ibidem*, f. 223v y 225)] Traspasa al catalán Francisco Vilperto licencia
para pasar un esclavo negro llamado Martín.
— 1 de julio (A.P.S., I 1514, 2 f. 25v)] Traspasa al jurado Antón Bernal licencia para
pasar dos esclavas y un esclavo.
[17] Helos aquí:
—* 11 de octubre de 1514 (A.P.S., I 1514, 2 f. 378r)] Buenaventura de Soto, vecino de
San Germán en la isla de Puerto Rico, en nombre de Juan Ponce de León por poder que
pasó ante Juan de la Moneda el 26 de agosto de 1514, hace procuradores sustitutos a Juan
de León de Sotomayor y a Gómez de Prado, vecinos de Sevilla.
— 19 de julio (*ibidem*, f. 633r)] Juan Ponce de poder general al procurador Gonzalo Fernández.
— 21 de octubre (*ibidem*, f. 410v)] Da poder a Juan Muñoz, albardero, vecino de Escacena,
para entrar y tomar posesión de una casa que poseía en esa villa, que tenía por lindes las
casas de Juan de las Casas y de Alvar Sánchez.
— 24 de enero de 1515 (A.P.S., I 1515, 1 f. 837f)] Da otro poder general al procurador
Gonzalo Fernández.
[18] Así, p.e., el 10 de mayo de 1515 el mercader Pedro de Soria, vecino en Santa María,
le dio poder a Ponce, «adelantado de Vímene e isla Florida», para cobrar de Antonio
Sedeño, contador de Su Alteza en la isla de San Juan, 632 pesos de oro que le debía por 16
piezas de esclavos que el dicho contador había recibido por Pedro de Soria, según parecía
por una carta mensajera de Sedeño, así como para cobrar otras deudas de otras cualesquier

algunas compras de esclavos [19]. Semeja menos probable que arrendase una serie de casas que tenía en la ciudad y en los alrededores [20]; y casi raya en lo imposible, aunque tampoco es de descartar, que creyera llegado el momento de consolar su viudedad [21] celebrando esponsales *per suppositam personam* con doña Mayor de Barrios, hija del doctor ya difun-

personas (*A.P.S., III 1515, 1 s.f.). Sobre este Sedeño, que después irá en busca del Dorado, cf. por ahora nota 65.

[19] El 2 de marzo de 1515 el racionero de la Catedral Miguel de Pastrana, vecino en San Isidoro, vendió a Ponce, «adelantado de Bímene», un esclavo albañil de color blanco, herrado en la cara con dos eses y un clavo en las mejillas, de nombre Leonís, de 25 ó 26 años de edad, natural de «allende», por 103 ducados. La escritura se canceló el 5 de marzo, devolviéndose el esclavo y los dineros, ignoro por qué motivos (*A.P.S., I 1515, 1 f. 243v). Asimismo el herrador Juan Jiménez, herrero en Santa María, le vendió el 21 de febrero de 1515 otro esclavo de color blanco llamado Francisco, de 22 años de edad, por 37.500 mrs. (*A.P.S., V 1515, 1 s.f.).

También aparecen de cuando en cuando negocios de sus criados: el 23 de abril de 1515 Alonso de Grañón, vecino en Santa María, recibió del vizcochero Juan García, vecino en Triana, siete ducados de oro y tres reales de plata que García se había obligado a pagar por un escudero de Juan («escudero» escribió, y tachó después, el escribano) Ponce, vecino de San Juan, por un caballo de color rucio (*A.P.S., VII 1515, 1 s.f.).

[20] No me atrevo a identificar las casas. Las escrituras tienen todas ellas un común denominador, el plazo de un año:
— 14 de marzo de 1514 (A.P.S., I 1514, 1 f. 224r)] a Pedro Delgado, sacabuche del duque de Medina Sidonia, una casa en la collación de San Vicente desde el 20 de marzo por 2.200 mrs. y tres pares de gallinas.
— 15 de julio (A.P.S., I 1514, 1 f. 538v)] al naipero Francisco de Valladolid y al sastre Pedro Montoso una casa en la collación de San Juan desde el 15 de julio por 2.500 mrs. y tres pares de gallinas.
— 21 de julio (A.P.S., I 1514, 2 f. 60r)] al sayalero Diego Fernández, vecino en San Juan de la Palma, una casa en dicha collación desde el 15 de agosto por 2.500 mrs.
— 9 de enero de 1515 (A.P.S., I 1515, 1 f. 10r)] a Diego de los Ríos, fiel ejecutor de Sevilla y vecino en San Vicente, una casa en dicha collación desde el 9 de enero por 7.000 mrs.
— 27 de enero (A.P.S., I 1515, 1 f. 97v)] a Diego de los Ríos y al doctor Martín Fernández de Herrera, vecinos de Sevilla, una casa en la collación de San Vicente desde el primero de enero por 7.000 mrs., quizá la misma que figura en el documento anterior (este último no lleva firma).
— 2 de abril (A.P.S., I 1515, 1 f. 396r)] al criador Pedro de Arévalo, vecino en San Vicente, una casa en dicha collación desde el 1 de abril por 2.200 mrs. y tres pares de gallinas.
— 10 de julio (A.P.S., I 1515, 2 f. 80r)] a Cristóbal Martín Cardeñoso, vecino de Alcalá de Guadaira, una casa en esa villa desde el 10 de julio por 1.700 mrs.
— 28 de julio (A.P.S., I 1515, 2 f. 161r)] al sastre gallego Pedro Montoso, vecino en San Juan de la Palma, una casa en dicha collación. Tenía un pleito por ella con Juan Martínez Alvarazado, hijo del jurado del mismo nombre.

[21] En tal caso, hay que pensar que para entonces había muerto ya su mujer Leonor Ponce de León, la única de la que tuvo hijos; pero no fue ella la única esposa, según veremos.

to Ruy Fernández Infante; el 4 de agosto de 1514 la madre, Leonor de
Barrios, le dio de dote a doña Mayor 300.000 mrs. en dineros contados,
comprometiéndose a entregar de inmediato 50.000 y en el plazo de un
año los otros 250.000, mientras que las arras de este Ponce montaron la
bonita cantidad de 2.000 doblas de a 71 mrs. cada una; pero este alarde
de rumbosidad fue más bien un gesto de cara a la galería, porque el 2 de
septiembre la joven desposada, que no había cumplido todavía los 25
años, acudió otra vez al escribano para hacer constar que la verdad era
que su marido no le debía más que 1.000 doblas y que el resto era fingido
y simulado [22]. Esta documentación nos presenta a un Ponce necesitado de
dinero, como era normal y corriente en todo capitán antes del despacho
de la armada; además, nos permite deducir que entre sus presuntos planes
figuraba estar de vuelta en Sevilla pronto, al cabo de un año —cuando
vencían los arrendamientos, si eran suyos—, quizá para vivir allí el resto
de sus días; pero también revela su proceder una cierta carencia de escrúpulos, pues Ponce cedió su derecho al paso de esclavos a más de una
persona, obrando con notable despreocupación, sin sentir remordimiento
y sin que nadie —todo hay que decirlo— le hiciera reproche alguno;
asimismo, nos precave del crédito de nuestro hombre, de haber sido él
quien contrajo matrimonio, pues no fue ésta la única vez que se vio
metido en líos por cuestión de las arras [23].

Una nueva incursión de las canoas caribes por las costas puertorrique-
ñas (1514), así como el sobresalto que produjo en la Corte la arribada
forzosa a San Juan de una carabela portuguesa que venía al parecer de
Castilla del Oro, movió al monarca a ordenar a Juan Ponce que, antes de
incorporarse a su adelantamiento, se dirigiera a reconocer esas costas de
caribes, ya que hacerlo así no le supondría un rodeo de más de 50 leguas [24], y cumpliera de paso el viejo objetivo colombino de «destruir» las
islas de los caníbales con su armada; esta provisión real supuso por otra
parte un nuevo desaire a las pretensiones de D. Diego Colón, pues también él había solicitado la ejecución de la misma empresa a través de su
testaferro Diego Méndez [25].

---

[22] A.P.S., I 1514, 2 f. 96v, 98ry 210r. Doña Mayor sabía firmar, cosa rara en las
mujeres de entonces.

[23] Ignoro la causa de la «carcelería» que le había puesto el teniente de asistente de
Sevilla, por la que Ponce tuvo que dar poder el 10 de marzo de 1515 a Cristóbal de
Montoro, Pedro Ponce y Pedro de Soria para que comparecieran ellos en su nombre
(*A.P.S., IV 1515, 2).

[24] Cf. A.G.I., Indif. 419, vol. V, f. 415v, cf. 416r.

[25] En efecto, en 1514 se encontraba en la Corte con licencia del segundo almirante el
fiel servidor de los Colones que fue Méndez, negociando el envío de una armada a su costa
contra los caribes, «donde otras vezes avía ido» (A.G.I., Justicia 2, n.º 1 f. 44v); como se

Las tres naves (la «Bárbara» [Bárbola], la «Santa María» y la «Santiago») que integraban la armada [26] se dieron a la vela de Sevilla el 14 de mayo de 1515. La expedición, lejos de alcanzar frutos visibles, cosechó encima un vergonzante revés en una refriega en la Guadalupe, ya que, al saltar algunos tripulantes a tierra para hacer aguada, se descuidaron las precauciones y, a consecuencias de un ataque por sorpresa de los caribes, quedaron heridos 12 hombres, de los cuales murieron imediatamente cuatro soldados y un capitán. Juan Ponce, habiendo dejado una guarnición en Santa Cruz, arribó con su flotilla a Puerto Rico el 25 de junio de 1515 [27], sin que su llegada despertara gran entusiasmo. Como había señalado el propio tesorero de la isla Andrés de Haro [28], la necesidad de aquella armada no se hacía ya sentir después de las expediciones realizadas contra los caribes. En efecto, el 5 de agosto de 1514 habían hecho compañía para enviar una armada de castigo muchos vecinos de la Española, entre los que se encontraban los licenciados Villalobos y Matienzo, el contador Gil González Dávila, el factor Juan de Ampíes, el secretario Pedro de Ledesma, Juan Fernández de las Varas, Gómez de Ribera, Cristóbal Sánchez Colchero, Bartolomé de Palacios, Diego Bernal, Diego Caballero y Juan de León [29]. Las naves de Juan Ponce, en consecuencia,

---

especifica en una petición presentada en Santo Domingo el 22 de marzo de 1514, tal armada había de hacerse «para la isla de los caribes e para otras partes donde mejor aparejo fallare, para de aquellas tierras traer gente a esta isla de que tanta nesçesidad ay» (A.G.I., Justicia 6, n.º 4, tercera parte, f. 13r y sobre todo sétima parte, f. 44v ss.). En estas palabras se aprecia el agobiante necesidad de mano de obra que empezaban a experimentar los colonos de la Española.

[26] Las cuentas de la armada se encuentran en el Libro Manual de Sancho de Matienzo (A.G.I., Contrat. 4675-B, f. 53v ss.). Da abundantes noticias sobre su capitán general M. Giménez Fernández (*Bartolomé de las Casas,* I, p. 84). Es de observar que Gonzalo Fernández de Oviedo entregó a Matienzo en Plasencia el 3 de diciembre de 1515 seis indias, dos indios y dos caríbes, por cuyo mantenimiento le fueron pagados 10.095 mrs. y medio el 14 de febrero de 1516. Los indígenas se encontraban entonces en los monasterios de Sevilla, aunque uno había fallecido en el Hospital del Cardenal el último de abril (A.G.I., Contrat. 4675-B, ff. 14r-15r). Ignoro las causas por las que fueron traídos a la Península, de manera más o menos oficial, estos caríbes.

[27] Resumen de una carta de Andrés de Haro del 8 de agosto de 1515 (A.G.I., Patron. 175, 5).

[28] Carta del 20 de abril de 1515 (A.G.I., Patron, 175, 5).

[29] A.G.I., Justicia 42, f. 404r, con el texto del asiento. Ya en 1512 Diego Méndez y Juan Fernández de las Varas habían corrido las costas de la Dominica y las Once Mil Vírgenes, y en ese mismo año una armada de cuatro naos y dos bergantines habían devastado las islas de los caríbes (quizá se trate de la misma expedición). En 1512 Juan Bastidas también participó en una flota contra los caríbes, que ha de ser verosímilmente ésta. Los datos los da L. Arranz, *D. Diego Colón,* Madrid, 1982, I, p. 139, sobre una carta de D. Diego Colón a Cisneros. Cf. asimismo V. Murga, *Juan Ponce de León,* p. 129ss. La armada contra los caríbes de la Dominica capitaneado por Juan de Yúcar fue relatado con todo pormenor por Juan de Castellanos (*Elegía* VI, cantos V-VI [*BAE* 4, 64ss.]).

llegaron tarde. Una vez que se procedió a la pública almoneda del puñado de indios apresados, se fue desinflando poco a poco el ardor bélico, y
los hombres y los capitanes, como suele suceder cuando se marra el
objetivo, emprendieron cada uno un camino diferente en busca del medro personal; la pomposa armada contra los caribes se había desvanecido
sin haber entrado apenas en acción y la fama del adelantado quedaba en
entredicho: «el buen Ponce... perdió el honor», apostilló en sentencia
lapidaria Pedro Mártir [30]. Mientras, en ese mismo julio había muerto en
Sevilla un pariente del adelantado, el viejo conde de Arcos D. Manuel
Ponce de León, que había cedido sus derechos nobiliarios a D. Rodrigo;
el 19 de julio los escribanos entraron en la cámara mortuoria y tocaron el
cadáver y conocieron ser su cuerpo,

vestido un ábito de Sant Agustín, e echado en el suelo con una almohada a la cabeça e
con una cruz sobre los pechos e una imagen de Nuestra Señora la Virgen María a la
cabeçera [31].

A finales de 1516, según había previsto, se hallaba de vuelta en España el descubridor de la Florida [32]. El 12 de enero de 1517 Carlos I orde-

[30] *Decades,* III 10, f. 54v. Juan Ponce, por su parte, encareció la falta de oficiales
manuales en la armada y solicitó bastimentos y cirujano; anunció asimismo que los marineros, que habían ido sin sueldo, no querían servir más (resumen de carta del 8 de agosto de
1515 [A.G.I., Patron. 175, 5]). Como «capitán del armada de Su Alteza» Juan Bono de
Quejo reconoció en un albalá haber recibido de Antonio del Espinar en la isla de la Mona
15 cargas de cazabi (A.G.I., Justicia 48, n.º 2, 1 f. 67r).

[31] Este día se dio testimonio público de su fallecimiento en Sevilla (A.P.S., I 1515, 2 f.
119r).

[32] De esta estancia en Sevilla tengo alguna documentación, que presento acto seguido.
Las primeras escrituras llevan firma:
— 10 de enero de 1516 (A.P.S., I 1516, 1 s.f.)] Da poder a su escudero, Bartolomé de
León, para tomar la tenencia y posesión de unas casas en Utrera.
— 19 de enero (A.P.S., I 1516, 1)] Diego de Buendía, corredor de caballos, le da 3.500
mrs. en satisfacción de haberle herido, lisiándolo, un esclavo negro.
— 28 de enero (A.P.S., I 1516, 1)] Arrienda a Diego de los Ríos, fiel ejecutor, y al doctor
Martín Fernández de Herrera una casa en San Vicente desde el primero de enero hasta un
año cumplido por 7.000 mrs.
— 12 de abril (A.P.S., I 1516, 1)] Da poder a su criado Alvar González para ir en alcance
de un esclavo blanco llamado Francisco, de 25 años de edad, que se le había ausentado
hacía un año.
— 13 de junio (A.P.S., I 1516, 1)] Arrienda a Pedro de Arévalo una casa en la collación
de San Vicente desde el primero de abril por dos años por 2.200 mrs. anuales y tres pares
de gallinas.
—* 4 de noviembre (A.P.S., III 1516, 2 f. 326r)] El sillero Alonso Montesino vende a
Juan Ponce, ausente, una esclava blanca herrada en la barbilla de una señal azul que se
llamaba Juana, natural del cabo de Aguer, de unos 13 años de edad, por 21.000 mrs., que
recibió en nombre de Ponce de Miguel de Toro.

nó a los oficiales de la Casa de la Contratación que, además de enviarle la cuenta y relación que les había dado Juan Ponce sobre la armada de Bímini, procurasen averiguar si el adelantado había tenido alguna parte de culpa en que no se hubiera acertado el viaje. En tales aprietos, un remedio eficaz suele ser la protesta, y cuanto más enérgica mejor. Por ende, Ponce se quejó en Madrid el 22 de julio de 1517 de la actuación entrometida de Diego Velázquez que, so capa de descubrir una isla, había despachado navíos a las partes de Bímini y Florida, cautivando allí 300 indios, así que otros sacaban el fruto y provecho del descubrimiento que él había realizado con su esfuerzo [33]; claro es que el Yucatán y la Florida quedaban muy lejos, pero como desde España todo se veía cerca, la reclamación podía tener ciertos visos de verosimilitud. Por último, pidió Ponce el finiquito de la armada de Bímini [34] y apoyado por sus poderosos valedores logró escurrir el bulto y conservar el título de capitán general de Puerto Rico.

De vuelta en San Juan en mayo de 1518, tuvo que hacer frente el adelantado a un sonado pleito que le pusieron en Sevilla sus nuevos suegros, Diego Melgarejo [35] y D.ª Inés Ponce de León, por asuntos de dinero, los únicos que desconocen fronteras. El 14 de febrero de 1519 y en nombre del adelantado, su fiel criado y pariente Juan de Villacorta presentó al anciano matrimonio un requerimiento, instándole a elegir entre las arras y las donaciones que una vez casado Ponce había hecho a su mujer, D.ª Juana de Pineda, pasada a mejor vida y de la que eran ellos los herederos [36]; pero esta muestra de generosidad no debía de ser sino

---

—* sábados (?) de 1517 (A.P.S., IV 1517, 1 s.f.)] Escritura, firmada por Ponce, en lamentable estado de conservación: pacto y contrato entre un vecino de Sevilla y Ponce para servirle en Indias por 4.000 (?) mrs.

—* 6 de julio (A.P.S., XV 1517, 1 f. 15r)] Juan de Mendoza, vecino en San Marcos, le debe 84 ducados de préstamo.

—* 14 de octubre (A.P.S., XV 1517, 2 f. 643r)] Juan de Villacorta, criado de Juan Ponce, debe a Juan Francisco de Grimaldo y a Gaspar Centurión 59 (el número tachado) ducados de préstamo para el despacho de la nao «San Francisco», que partía con destino a la isla de San Juan.

[33] A.G.I., Indif. 419, vol. VI, f. 651.

[34] A.G.I., Indif. 419, vol. VI, f. 655=171r (la numeración moderna está equivocada).

[35] Su hermano, Alonso Fernández Melgarejo, estaba casado con doña Inés de Porras, pariente de los famosos hermanos Porras enemigos de Colón, que eran conversos.

[36] *A.P.S., XV 1519, 1 f. 338r. Como dice Villacorta, a doña Juana su señor el adelantado le «mandó en arras çierta cantidad de mrs., e seyendo desposado se dio en donas muchas cosas de oro e paño e seda e olanda e perlas e otras muchas cosas. E después d'esto plugo a Dios Nuestro Señor que la dicha señora Doña Juana de Pineda fallesçió d'esta presente vida, cuyos herederos son sus merçedes, y han querido e açebtado la herençia; e segund dispusiçión del derecho, han de aver e llevar las donas o las arras, cual más quisieren, e es en su eleçión d'escojer lo uno o lo otro; e no escogendo, buélvese a eleçión

una añagaza o al menos así lo pensó Melgarejo, que el 3 de marzo replicó que tal requerimiento era nulo de todo derecho porque le correspondía hacerlo a Ponce en persona o a quien tuviera de él un poder especial para el caso. De manera previsible el proceso, con todo su aparato legal, proseguía su farragoso curso en 1520 en las Audiencias de España y de las Indias [37].

A pesar o quizá a causa de estos reveses, continuó Juan Ponce ilusionado con su isla Florida. Tanto fue así que, una vez casadas sus hijas, decidió consagrar la «pobreza» [38] que le quedaba a completar su descubrimiento, poblarla y averiguar si era isla o confinaba con la tierra de Diego Velázquez (la Nueva España) o con otra alguna. El 10 de febrero de 1521 escribió a Carlos I y al cardenal Adriano anunciándoles su partida en un plazo de unos cinco o seis días en dos navíos y con la gente que pudiera llevar; tan oportuna ocasión no la dejó escapar sin solicitar de paso alguna merced en compensación de sus esfuerzos y fatigas: que si antes no la había reclamado era por ver a Carlos con «poco reposo y mucho trabajo» [39]. De esta jornada, en la que Juan Ponce «perdió el cuerpo», según

del dicho Juan Ponçe de León». Es de notar que el requerimiento fue presentado en casa de Juan Fernández de Mendoza, en la collación de San Marcos, personaje que hemos visto aparecer antes en otro documento. Antes, el 25 de enero, el contador de la Casa de la Contratación Juan López de Recalde, en nombre de Juan Ponce de León por poder dado el 9 de octubre de 1518 ante el escribano de Puerto Rico Juan de Soria, había hecho procuradores sustitutos a Juan de Villacorta y al procurador Juan Albítez (A.P.S., XV 1519, 1 f. 81v). Por cierto que el 29 de abril de 1519 este Villacorta, que era hijo de Fernando de Villacorta y de Leonor Ponce de León, vecinos de Santervás de Campos, y pariente, por tanto, de nuestro Juan Ponce, otorgó poder a su vez a Juan de Madrid, vecino de Santervás, para que éste cobrase en su nombre la herencia que le habían dejado sus padres y su hermano Bartolomé de Villacorta (A.P.S., XV 1519, 1 f. 688r).

[37] En efecto, el 8 de agosto Diego Melgarejo dio poder a fray Juan González, prior de Alcolea, de la encomienda de la Orden de San Juan, para comparecer ante los alcaldes y jueces de Santo Domingo y de San Juan, exhibirles una carta de receptoría del teniente de asistente de Sevilla y pedirles que cumplieran su contenido, y asimismo para presentar testigos y probanzas en el pleito que tenía con Ponce; otro poder semejante se hizo el 2 de setiembre (A.P.S., I 1520, f. 735v y 866r, respectivamente).

[38] Tiene esta curiosa expresión un sabor muy altomedieval, cuando se aludía a la fortuna personal con el diminutivo *paupertacula*, que al menos evitaba envidias.

[39] Como garantes de sus trabajos puso al obispo de Burgos, al secretario Conchillos, al comendador mayor de la Orden de Calatrava y al licenciado Samano. Las dos cartas se conservan en A.G.I., Patron. 176, 9.

Al fallecimiento de Ponce su familia tuvo que hacer frente a algunos pleitos. Así, p.e., en 1527 Francisco Velázquez, contador de Puerto Rico, hizo cargo a los herederos de Juan Ponce y a García Troche, como su curador, de 42 pesos, un tomín y 6 grados de oro de ciertas armas que Fernando el Católico había dado al adelantado para la defensa de la isla de San Juan y la lucha contra los caribes, y que se reducían a ovillos de hilo para cuerdas, ballestas, lanzas jinetas y alabardas. Alegó la parte encausada que dichas armas se habían gastado y perdido en la guerra hecha por Juan Ponce a los indios de San Juan. De todas las

sentencia Las Casas [40], apenas queda eco documental; en cambio, sí consta la ayuda que le prestó en Sevilla su poderosa familia, que facilitó el pasaje a las Indias de numerosas personas afectas a los Ponce de León y que habían quedado en posición muy desairada después del fracasado motín de las Comunidades en Sevilla en 1520 [41].

2. Rumores sobre una fuente

Durante su estancia en España en 1514, Juan Ponce dijo muchas cosas maravillosas de la nueva tierra descubierta, y entre ellas pregonó que en ella había una fuente que devolvía la juventud. Era éste un antiquísimo mito, cuyo eco se puede rastrear en las creencias de muy diversos pueblos. Heródoto [42] nos informa de que los etíopes vivían por regla general 120 años, tomando como alimento carne cocida y leche; y cuando unos ictiófagos, enviados por el rey persa Cambises, se admiraron de su longevidad, los etíopes los condujeron a una fuente que dejaba el cuerpo impregnado de olor a violeta y brillante, como si su agua, de menor densidad que la normal, fuese aceite; gracias al baño en ese manantial, alcanzaban esa edad tan provecta [43]. De la misma manera, fue dogma de

probanzas destaca el testimonio de Lozano Pérez por los datos que nos proporciona sobre los problemas que planteaba la naturaleza en una isla tropical: las lanzas jinetas no servían a causa de la maleza y las armas se pudrían por la humedad de la tierra (A.G.I., Justicia 986, 2 n.º 2). Por otra parte, en ese mismo año Garci Troche porfió con Pánfilo de Narváez por la conquista de la Florida, pidiendo para sí el adelantamiento de la tierra por ser ya Luis Ponce fraile profeso (*ibidem*, 2 n.º 3).

[40] *Historia* III 20 (*BAE* 96, p. 222 b).

[41] Cf. M. Giménez Fernández, *Bartolomé de las Casas*, II, p. 999ss.

[42] *Historia*, III 23. Como se recordará, los Seres prolongaban su vida comiendo hojas de los árboles. Los sacerdotes que según el Pseudo-Calístenes cuidaban del culto de los árboles del Sol y de la Luna tenían edad muy provecta, porque comían de sus frutos (llega esta tradición todavía a la *Historia eclesiástica* de Pedro Coméstor (*Liber Genesis*, XXIV [*PL* 198, c. 1075], *Liber Esther*, IV additio 2, [c. 1498]).

En época helenística, la curiosidad filológica se preocupó mucho de la longevidad no sólo de los hombres, sino también de los animales. Se escribieron entonces tratados cuya esencia descarnada queda recogida hoy en libros como los *Macrobios* de Luciano. También Valerio Máximo en sus *Hechos y dichos memorables* (VIII 13) hizo acopio de ejemplos de luenga vida; pero es curioso que terminara su exposición con una cita del *Periplo* de Jenofonte, según el cual en la isla de los Latmios el rey tenía 800 años y su padre había vivido 600. Como siempre, es en las islas encantadas donde pueden ocurrir los hechos más extraordinarios y peregrinos.

[43] A estos Etíopes «macrobios» que viven en el extremo del mundo atribuye Heródoto toda suerte de maravillas, que otros autores refieren de otros pueblos igualmente fabulosos: es muy raro entre ellos el uso del bronce, por lo que las cadenas y grilletes se hacen de oro; asimismo sus tumbas son de cristal.

fe entre los iranios la existencia de una fuente de la vida, Adnisur, citada en el Avesta [44]. Este mágico hontanar pasó muy pronto a estar en relación con una isla. Ya la Antigüedad griega tuvo vaga noticia de la existencia de islas donde se podía detener el paso del tiempo: la promesa de la inmortalidad es el cebo con que intenta retener a Ulises Calipso, la ninfa que mora en la isla Eea (¿«la del Poniente»?), situada en «el ombligo de la tierra» [45], es decir, en el lugar más sagrado del mundo, como Delfos y Jerusalén; y Calipso no parece ser sino una réplica de la mesopotámica Siduri, 'la copera', también habitante de una isla y también dadora de la vida eterna, pues indica a Guilgamés el camino que a través de las aguas de la muerte lo ha de conducir hasta Utnapistim. Este arcano refugio insular, amparo y redención del común destino reservado a los humanos, vive perdurable a lo largo de los siglos: en las mapamundis medievales aparece dibujada de cuando en cuando una «isla de Júpiter (*insula Iouis*) o de la Inmortalidad, en la que nadie muere» [46]. Así las cosas, es más que comprensible que un gran farsante como Juan de Mandevilla se sintiese obligado a ver en la isla de Lomba la fuente de la Juventud, de la que él había llegado a beber en nada menos que en tres ocasiones:

Al cabo de esta foresta, bajo el nombre Polumbo, se halla la ciudad llamada Polimba, y a la falda del mismo monte se encuentra una fuente nombrada Fuente de la Juventud. Su agua huele y sabe a toda suerte de especias, pues casi a cada hora cambia tanto de sabor como de olor. Y quienquiera que beba en ella tres veces durante algunos días en ayunas, sana en poco tiempo de toda enfermedad interna que lo aqueje, excepción hecha de solo el langor de la muerte. Yo, Juan, bebí de este agua tres o cuatro veces, por lo que hasta el día de hoy creo que tengo más vigor corporal. Se piensa que aquella fuente deriva directamente por canales subterráneos de la fuente del Paraíso terrestre [47].

El ensueño de haber alcanzado el país de la eterna juventud meció ya la imaginación de Cristóbal Colón al arribar justamente a una isla yucaya, a Guanahaní. Según escribe en su *Diario*, los indios que salieron a recibirlo eran muy mozos: «Ninguno vide de edad de más de XXX años». Nadie, que yo sepa, ha reparado en el verdadero sentido de estas pala-

[44] Sobre el simbolismo acuático cf. M. Eliade, *Tratado de Historia de las religiones*, Madrid, 1954, p. 185ss. y sobre todo 189-90 para el «agua de la vida». Acerca de la fuente de la Juventud cf. A. Graf, *Miti, leggende e superstizioni del Medio Evo*, reimpr. Nueva York, 1971, I, p. 31ss.

[45] *Odisea*, I 50.

[46] *Monumenta cartographica Medii Aeui*, I, 52, 11: mapa de Walsperger, Zeitz y Bell.

[47] Capítulo XXIX del texto latino, que utilizo en el códice de la Biblioteca Colombina, f. 26v (introduzco las siguientes correcciones: *singulis fere horis* [*omnis* cod.]; *inmediate* [*inmedietate* cod.]; *poros* [*porros* cod.]). Cf. la versión inglesa, p. 113, 1ss.; versión aragonesa, f. 47v.

bras, que vienen a decir que los isleños no rebasaban la edad considerada «perfecta» dentro de viejas concepciones judaicas muy pronto acogidas por el cristianismo. Según San Jerónimo, en efecto, al comentar un famoso pasaje de San Pablo (Ef. 4, 13), el hombre ha de resucitar como «varón perfecto», es decir, en la edad «en la que los judíos piensan que fue creado Adán y resucitó Cristo» [48], dado que era inconcebible que Dios hubiese hecho algo imperfecto en el momento de la creación; y al igual que la primera luna del mundo había sido luna llena [49], del mismo modo era forzoso colegir que el hombre había aparecido en la plenitud de su virilidad. Sólo se cernía la duda sobre un pequeño pormenor: unos afirmaban que Adán, como las demás criaturas, había sido creado en la lozanía de los 30 años, edad en la que había de resucitar el hombre; así dice Gonzalo de Berceo, aludiendo al Juicio Final:

> Cuantos nunca murieron en cualquier etat
> Ninnos o eguados o en grant vegedat,
> Todos de treinta annos, cuento de Trinidat,
> Vernán en essi día ante la Magestat [50].

Para el cómputo de otros, en cambio, prevalecía el número de años que tenía Jesús a la hora de triunfar sobre las tinieblas de la muerte; de creer a otro tratado medieval, «los justos resucitarán en la edat que Jesuchristo resucitó, que fue casi de treinta e tres años, e es la más fermosa edat del home» [51]. En cualquier caso, esta discrepancia no hace ahora al caso. Para Colón, todos a una, hombres y mujeres, se encontraban en una maravillosa primavera, y esta idea, la de la primavera, vuelve a repiquetear una y otra vez jubilosa en el *Diario* del almirante: los árboles estaban

---

[48] *Cartas* 108, 25.

[49] Cf. la discusión de San Agustín (*De Gen. ad litt.* II 15 [*PL* 34, c. 276]), que se muestra muy cauto sobre la edad que tenía el hombre en el momento de su creación (*ibidem*, VI 13 [c. 348ss.]); cf. asimismo Beda, *Hexaemeron* I (*PL* 91, c. 25 A), Pedro Coméstor, *Historia escolástica, Génesis* 6 (*PL* 198, c. 1061 B), *Exodo* 25 (c. 1154 D).

[50] *De las señales que aparesçerán ante del Juicio* (*BAE* 57, pp. 101-102). Más cautos, Santo Martino de León (*serm.* 30 [*PL* 208, c. 1191B-C) y Diego García (*Planeta* V [p. 389, 26 Alonso]) afirman que todos han de resucitar con la misma edad que tenía Cristo a su muerte; según el primero, sobre la treintena. Adán fue creado a los 30 años según Honorio de Autun (*Elucidarium*, III 11 [*PL* 172, c. 1164D]) y Alvaro Pelayo (*De planctu ecclesiæ*, I, art. 36 [f. 4v]) y que ésta sea la edad del hombre en la resurrección es una posibilidad que baraja San Agustín (*De ciuitate Dei*, XXII 15), seguido por San Julián de Toledo (*Prognostica*, III 20 [*Corpus Christianorum* 115, pp. 94-95]). Otra solución de compromiso aparece en el *Laterculus Malalianus*, 16-17 (*Monumenta Germaniae Historica, Auctores Antiquissimi*, XIII, p. 432): la edad de la resurrección coincide con el bautismo de Cristo, es decir, otra vez los 30 años.

[51] *Castigos e documentos del rey Don Sancho*, 89 (*BAE* 51, p. 225).

verdes y con hoja, como «en el mes de abril y de mayo» [52], y había «mucha agua». Se descubre, por tanto, un mundo virgen y como recién nacido, ya que en el equinoccio de primavera había sido creado el universo, según la autorizada opinión de muchos padres de la Iglesia y de no menos venerandos rabíes. En estas islas Colón no advierte indicio alguno que anuncie vejez y decrepitud; antes al contrario, todo se le presenta riente y hermoso, en verdor perenne, en perpetua juventud. Y parece que remonta al propio almirante la equiparación que hizo después Las Casas de los yucayos con los Seres [53], esos Seres llenos de justicia y poblados en el confín del mundo de donde esperaba Colón quizá la venida de su Mesías.

La misma obsesión persiguió a los navegantes coetáneos. En una carta dada en Lisboa en 1502 anotó Vespuche que los indios que habitaban la nueva tierra descubierta vivían muchísimos años, hasta 1.700 meses lunares, «que me parece que son 132 años, contando 13 meses lunares por año» [54]. Es que aquel suelo era tan ameno y saludable y sus árboles, siempre verdes, despedían tan suavísimos aromas y perfumes que Amerigo, moviéndose en el marco de las ideas colombinas, pensaba haber llegado cerca del Paraíso, puesto que ninguno de los hombres de la tripulación había caído enfermo en los diez meses que anduvieron por aquella comarca. Otro tanto ocurre en esa portentosa isla de Bímini, fuente de vida, morada de bienaventurados, lugar donde no anida la malicia ni arraiga la envidia, verdadero paraíso donde discurre otra Edad de Oro, tal como se la imaginaba Juan de Castellanos [55]:

> Decían admirables influencias
> De sus floridos campos y florestas;
> No se vían aun las apariencias
> De las cosas que suelen ser molestas,
> Ni sabían qué son litispendencias,
> Sino gozos, placeres, grandes fiestas:
> Al fin nos la pintaban de manera
> Que cobraban allí la edad primera.

No siempre las palabras de Juan Ponce encontraron crédulos oídos. Pedro Mártir [56] apunta que la isla llamada Boyuca o Ananeo (Anagneo) se

---

[52] *Diario*, 14 de octubre (p. 33).
[53] *Historia*, II 43 (*BAE* 96, p. 107 b); III 21 (p. 223 b).
[54] *Cartas familiares*, III (p. 23, 35 Formisano); cf. R. Levillier, *América la bien llamada*, II, p. 351.
[55] *Elegía* VI, canto VII (*BAE* 4, p. 69 a).
[56] *Decades*, II 10, f. 35v (de la isla de Bímini y de la tierra Florida habla en VII 1, f. 91v). Es mencionada la isla Bouca y la fuente de la Juventud por L. Gambara (*De nauiga-*

encontraba a 325 leguas al Norte de la Española; y sigue diciendo que, aunque no pocos varones muy sesudos y hacendados daban crédito en España a la fábula de la fuente de la Juventud, él, escribiendo en diciembre de 1514, no juzgaba que tal prerrogativa, propia exclusivamente de Dios, le hubiese sido concedida a la Naturaleza, «a no ser que pensemos que el mito de la Cólquide sobre el rejuvenecimiento de Esón fue las hojas de la Sibila», esto es, la pura verdad.

Tampoco fue Pedro Mártir el único en pregonar su escepticismo ante la sorprendente nueva que traía de las Indias Juan Ponce. Cabe pensar, y no sin cierto fundamento, que también Diego Alvarez Chanca, el médico del segundo viaje colombino, manifestó su parecer contrario a estos rumores en un libro que imprimieron en Sevilla los tórculos de Jacobo Cromberger en ese mismo año de 1514: el *Commentum nouum in parabolis diui Arnaldi de Villanoua* [57]. No es en realidad una refutación clara y tajante la que aparece en el mal rodado latín de las páginas de este tratado un tanto plúmbeo; mal podía ser así cuando el manual médico estaba dedicado precisamente al duque de Arcos, «la gala de la juventud de su tiempo», y D. Rodrigo Ponce de León no iba a permitir que en un volumen impreso a sus expensas se tachara de mentiroso a una persona de la familia, a un tío suyo, por muy bastardo que fuese. Chanca, aun concediendo que las aguas termales puedan curar las enfermedades largas y humorales, como la parálisis y la artritis [58], expresa no obstante su solapada negativa a la posibilidad de detener y vencer la vejez cuando trata de los humores, entre los que distingue dos clases: el nutritivo (*nutrimentale*, subdividido a su vez en *propinquum* y *remotum*) y el radical o substancial; en efecto, así como se puede subvenir a la falta de humor nutritivo gracias a alimentos como la leche, el jugo de la carne o el vino tinto, en cambio «la sequedad con que se consume la humedad sustancial de los miembros no tiene cura». El retorno a la juventud se convierte, en consecuencia, en puro disparate de una imaginación desbocada, pues «la sequedad se opone a la humedad de forma como privativa, y la humedad se comporta

tione Cristophori Columbi libri quattuor, Romae, 1581, libro III, pp. 87-88), basado en el relato de Pedro Mártir. V. Murga (*Juan Ponce de León,* p. 119ss.) afirma que la idea de la fuente de la Juventud no pasó siquiera por la imaginación del adelantado, y que la leyenda se debe a una humorada de los cortesanos. Pero más bien hemos visto cómo todos los descubridores pensaron hallar lo mismo.

[57] De segunda mano dice A. Tió (*Dr. Diego Alvarez Chanca,* Barcelona, 1966, p. 19) que el galeno «escribió en Sevilla en 1514 una refutación a un libro de Arnaldo de Villanueva sobre el «Retardo de la Vejez y conservación de la Salud», poco después que Ponce de León descubriera la Florida». No aborda esta cuestión la monografía, por lo demás muy documentada, de J. A. Paniagua, *El Doctor Chanca y su obra médica,* Madrid, 1977 (cf. p. 99ss. para un análisis detallado del *Commentum nouum.*)

[58] Cuadernillo e.

respecto a la sequedad como una posesión; y dado que se llega con más facilidad de la posesión a la privación que de la privación a la posesión, por esta causa es difícil dar humedad» [59]. Aquí radica el nudo de la cuestión; tanto es así, que Pedro Mártir [60] pone este argumento en primer lugar como el principal de los que esgrimen los médicos en contra del principio teórico: no se puede volver a tener lo que se ha perdido, «no hay retorno desde la privación a la posesión». Ni más ni menos que estas palabras, no con tanta brusquedad, sino con más limada cortesanía, hacía imprimir Chanca en 1514.

3. Un pretexto: la trata de los indios yucayos

A la poco santa actividad de traer esclavos a la Española de las islas comarcanas se entregaron también con no menor celo los tres primeros jueces de apelación de la Española, los licenciados Marcelo de Villalobos, Juan Ortiz de Matienzo y Lucas Vázquez de Aillón, que se compenetraron bien al parecer unos con otros. Nada menos que diez capítulos del juicio que les incoó en abril de 1517 el juez de residencia, el licenciado Alonso Zuazo, en Santo Domingo están dedicados a desenmascarar sus fechorías marítimas [61]. Fueron acusados, en efecto, de haber intervenido en el despacho de armadas no sólo a la costa de las perlas, sino también a las islas de los yucayos, barbudos, gigantes [62] y otras que estaban en paz y recibían amigablemente a los españoles, enviando expediciones a la caza de indios ya por sí solos, ya haciendo compañía con otros mercaderes; como resultado de tales correrías había quedado asolada buena parte de las islas de los yucayos, siendo causa de que muchos indios murieran de mala muerte por venir hacinados y faltos de bastimentos en las carabelas, y eso que no eran caribes, sino «guatiáos», es decir, indios amigos; no contentos con todo ello, los oidores habían impedido —siempre según la acusación— que se hicieran armadas a otras partes lícitas, de donde había venido muy gran perjuicio a la Española; además, y en el colmo del descaro, habían creado para atender los pleitos de las armadas una nueva

[59] Cuaderno c vuelto.
[60] *Decades* VII 7, f. 97v.
[61] Llamó la atención sobre las armadas esclavistas M. Giménez Fernández (*Bartolomé de las Casas,* I, pp. 327-28).
[62] De una armada realizada por orden de don Diego Colón a las islas de los gigantes y aledañas se dio por enterado el rey el 19 de octubre y el 28 de noviembre de 1514, haciendo constar su aprobación (A.G.I., Indif. 419, vol. V, f. 69r ([=303r]) y 121v ([=355v])).

jurisdicción, compuesta por el licenciado Villalobos, el mercader genovés Jerónimo de Grimaldo y el escribano Lope de Bardeci; así eran al mismo tiempo sin el menor rubor jueces y parte.

Parece fuera de duda que en este interrogatorio no es verdad rigurosa todo cuanto se imputa a los magistrados salientes: p. e., los testigos apenas saben nada de ese presunto tribunal de armadas, que Jácome de Castellón [63] reduce a una ocasión excepcional en que los acusados actuaron como factores de una armada a las islas de los gigantes. Por otra parte, se procura con exquisito cuidado dejar al margen de los desafueros a Ortiz de Matienzo, quizá por miedo o por respeto a su pariente, el canónigo Sancho de Matienzo, el tesorero de la Casa de la Contratación; semeja como si su única culpa a este respecto hubiese haber sido armador —con otros muchos, desde luego— en una expedición a tierra de caribes que, por muerte de los capitanes, acabó de manera inevitable volviéndose contra los «guatiáos» [64].

De la declaración de los testigos en este juicio de residencia se desprende sin ambages que los dos oidores de espíritu más emprendedor, Villalobos y Aillón [65], habían llegado pronto a un más o menos tácito

[63] A.G.I., Justicia 42, f. 103v.

[64] En 1528 el licenciado Antonio Serrano acusó a Matienzo de haber favorecido al segundo almirante y a sus criados (A.G.I., Justicia 50, f. 37 bis recto); pero poner entre sus incriminaciones la de que Matienzo vivía amancebado —como tantos otros— ronda la mojigatería o la estupidez. Bien podría ser que Matienzo, más acomodaticio que sus colegas, buscara arrimo al lado de D. Diego Colón y después de su presunto representante, Alonso Zuazo.

[65] Al «bachiller» Vázquez de Aillón lo envió como letrado a la Española el rey Fernando por cédula dada en Salamanca el 15 de noviembre de 1505 (A.G.I., Indif. 418, vol. I, f. 185v). Cuando regresó a la Península en 1510, vino por capitán de la nao de Tomás Sánchez, entregando al tesorero Matienzo los 10.000 pesos que le habían sido consignados (A.G.I., Contrat. 4674, Libro manual de Matienzo, II, f. 30v). En 1511-1512 residió varios meses en Sevilla, donde lo vemos asistido por un vecino de Toledo —pues toledanos lo acompañaron durante toda la vida—, el jurado Fernando Vázquez, a quien el 28 de mayo de 1511 confió la cobranza de todo el oro y demás cosas que le trajeren de las Indias «de la hazienda e otras cosas que tengo en la dicha isla» (A.P.S., XV 1511, 1 f. 756) y a quien dio poder general el 14 de febrero de 1512 (A.P.S., XV 1512, 1 f. 290r). A su vez, este Fernando Vázquez apoderó a los también toledanos Lope de Bardeci y Juan Rodríguez de Siruela, tesoreros de la Santa Cruzada en las Indias, para cobrar del bilbaíno Ortuño de Vedia, maestre de la nave «Santiago», 120.000 mrs. por contrato que pasó ante la Casa de la Contratación y también para reclamar de Vázquez de Aillón y de Rodrigo Mejía de Córdoba, vecino de la villa de Santiago, 217.500 mrs. que éstos le debían por otra escritura semejante.

El 9 de marzo de 1512, visto que él no podía ocuparse de concertar el matrimonio de su hijo Pedo Alvarez de Aillón con Mari Terrible, hija de Juan Terrible (†) y de Inés Díaz de San Jorge, vecina de Salamanca, dio poder a su hermano, el comendador Pero Alvarez de Aillón, para ir a Salamanca y ultimar el contrato y celebrar el casamiento por poderes, fijando la cuantía de las arras (A.P.S., V 1511, s.f. [pero el documento es de 1512, como la

acuerdo sobre el alcance de sus respectivas zonas de influencia: a Villalobos lo absorbieron los negocios de las islas de los gigantes y barbudos, mientras que Aillón consagró su energía a dejar yermas las islas de los yucayos [66]. A lo largo de estos folios apenas aparecen citadas expediciones de descubrimiento: sólo un testigo, Fernando de Salazar, se refiere al viaje de exploración de Pedro de Salazar, que encontró calurosa acogida entre los desgraciados yucayos, muy ajenos a la negra suerte que los esperaba en el futuro [67]. En cambio, menudean las alusiones a las algaradas esclavistas: a correr las costas de Cosoba, Payomo, Yucanatán, Caicos y Habacoa —isla esta última donde había 1.600 almas— se encaminaron las carabelas de Toribio de Villafranca, a quien sucedió García de Paredes, y después de un tal Gordillo [68], fletadas por Aillón, Rodrigo Manzorro, Guijano y Cristóbal Hidalgo [69].

En 1520 un azar, o mejor un acuerdo tácito, hizo coincidir en los Lucayuelos a dos carabelas esclavistas. Una, en la que iba por capitán Pedro de Quejo y por maestre el vizcaíno Martín de Monsoro, acababa de volver de Cuba de hacer allí cierto trato de mercaderías; tras recalar en la Yaguana, donde desembarcó su armador Sancho de Urrutia, retornó la carabela a Baracoa a cargar cazabe, y después puso proa a las islas de los

venta que hizo Aillón el 6 de marzo al espartero Alonso Castellano de un esclavo negro, Juan, de 20 años, por 24 ducados]). En 1512 era su mayordomo Juan Fernández de Almonacid (A.P.S., XV 1512, 1 f. 422r) y el 12 de febrero del mismo año entró a su servicio Pedro de Medina, hijo del labrador de Medina del Campo Fernando Moreno, que se comprometió a atenderle durante tres años con un salario de 7.000 mrs. anuales (A.P.S., XV 1512, 1 f. 273r). Vivía el licenciado en calle de Catalanes, en la collación de Santa María, en una casa que el 26 de junio de 1512 arrendó al mercader genovés Simón de Forne por un año por 6.000 mrs. y seis pares de gallinas (A.P.S., XV 1512, 2).

Un presunto pariente de Aillón, Francisco de Prado, estudiaba en Salamanca. En su nombre el conocido mercader de libros Francisco de Leon de Dei dio poder el 7 de marzo a Pedro de Aguilar, estante en Santo Domingo, para cobrar de Vázquez de Aillón 27 ducados y medio más otros seis ducados y medio, que montaba el interés a que fue tomado a cambio dicho dinero (A.P.S., XV 1517, 1 f. 211r).

El licenciado había contraído matrimonio con Ana Becerra. De esta Ana Becerra, avecindada en Puerto de Plata, se conservan los autos de un pleito entablado contra el licenciado Zuazo, que en 1529 le había vendido 100.000 mrs. de tributo y censo anual; le reclamaba la viuda (y en su nombre Bautista Justinián) 230.000 mrs. en noviembre de 1533 (A.G.I., Justicia 13, n.º 4).

[66] Así lo dijo expresamente el testigo Rodrigo de Vargas (A.G.I., Justicia 42, f. 202r).

[67] A.G.I., Justicia 42, f. 332.

[68] A.G.I., Justicia 42, f. 229v (testimonio del aserrador Bartolomé) y 232 (testimonio de Fernando de Salazar).

[69] A ellos se refieren el aserrador Bartolomé (A.G.I., Justicia 42, f. 229v) y Fernando de Salazar (f. 232r y 232v). Rodrigo de Vargas (f. 202v) nombra como armadores a Rodrigo Manzorro, Lope de Bardeci y al licenciado Becerra, mientras que Antonio de Vallejo (f. 117r) añade a Aillón y Manzorro un tal «Sanper».

yucayos para capturar indios; como la búsqueda resultó infructuosa, avanzó hasta Habacoa la Grande, hallando allí rastro de cristianos, y acto
seguido zarpó rumbo a Bahama, Yuca y Oveque, dispuesta a descubrir
tierra por la banda del Norte de estas dos últimas islas o, en caso negati-
vo, a bajar a coger indios de la Florida. De la otra carabela, armada por el
escribano de Santo Domingo Diego Caballero, era maestre y piloto Alonso Fernández Sotil, pariente de Quejo, y la capitaneaba Francisco Gordillo, que a la sazón se hallaba en Habacoa. Reunidos en esta última isla,
Quejo y Gordillo acordaron proseguir el negocio a medias; en esta paz y
armonía las dos carabelas emproaron al Norte durante 8 ó 9 días y,
teniendo la mar en calma, navegaron algún tiempo por aguas de poco
fondo hasta que por fin, al cuarto del alba del 24 de junio de 1520 [70], fue
avistada tierra. Por la mañana se despachó un batel al río que, en honor
del santo del día, fue llamado de San Juan Bautista, y desembarcaron
unos 20 hombres de los dos navíos, que a poco comenzaron a entenderse
con unos indios que se acercaron pasmados ante el insólito espectáculo.
El trato amistoso se prolongó 22 días más; pero por último se impuso la
codicia. Así, la carabela de Quejo, a la que se trasladó Gordillo, volvió a
Santo Domingo con sesenta y tantos indios bien atados en la bodega; de
la otra nave no se supo nunca nada más.

El incidente, normal en estas fechas e indicativo, todo lo más, de la
despoblación creciente —todavía no total— de las islas de los yucayos y
de la audacia de los tratantes de esclavos, revistió no pequeña importancia por haberse divisado al Norte de la Florida tierra nueva y habitada. El
singular botín reveló además que, detrás de Urrutia y Caballero, se escon-
dían en realidad otros personajes bien conocidos: los oidores Matienzo y
Aillón respectivamente, el cual estaba por entonces muy bien asociado en
la explotación azucarera con un opulento vecino de Puerto de Plata,
Francisco de Ceballos [71]. De acuerdo con la resolución de una consulta se

[70] Especifica este detalle el interrogatorio de las probanzas de Aillón, A.G.I., Justicia
3, 3, pregunta sexta, f. 62r. Según Pedro Mártir (*Decades,* VII 2, f. 92r), las naves arribaron
allí a consecuencia de una tormenta.

[71] Dos escrituras testimonian esta compañía. El 7 de febrero de 1522 los mercaderes
genoveses Adán de Vivaldo y Gaspar Centurión vendieron a Vázquez de Aillón y a Ceballos, ambos ausentes, 30 esclavos, las tres cuartas partes varones y la otra cuarta parte
hembras, para entregar en Santo Domingo, de los esclavos que llevaba Juan Genovés de la
ciudad de Lisboa a la Española, en término de cuatro días a partir de la arribada; en caso
de que el licenciado los quisiera tomar de los que había llevado Gaspar Centurión en la
nao de que fue maestre Lope Sánchez, también consentían en ello; el precio de cada
esclavo consistía en 50 arrobas de azúcar lealdado, blanco y asoleado a entregar en un
ingenio que Aillón y Ceballos tenían en Puerto de Plata, en un plazo de treinta días desde
la llegada de la nao a puerto (A.P.S., XV 1522, f. 38r).
El 5 de abril de 1522 el tonelero portugués Juan Ribero, natural de Lagos, entró a

procedió a un reparto de los indios, que fueron dados por libres: la mitad quedó en casa de Matienzo, donde todavía Juan de Ampíes pudo ver «una india muy señalada la cara a manera de red e asimismo... otros indios altos y de buena disposición» [72], en tanto que los demás pasaron a manos de Aillón y de Caballero. Reinó la armonía entre los compinches mientras todos soñaron con las ricas ganancias que produciría la conquista de la tierra; y continuaba el concierto cuando Aillón partió para España a finales de 1521, llevando consigo un memorial redactado en comandita por tan ilustres socios, la flor y nata de las Indias. Pero a Aillón, que cuidaba mucho las apariencias, se le ocurrió la genial idea de pasear por Castilla a uno de aquellos indios, llamado Francisco en las aguas del bautismo, que muy pronto tuvo ocasión de lucir extraordinarias dotes de actor y de farsante [73].

En la Corte el licenciado se dio tal maña que, a su vuelta a la Española en 1523, traía bajo el brazo la capitulación con el rey; sólo había una pega que poner a su diligencia, y es que en el asiento no figuraban para nada sus otros dos amigos —y eso que Diego Caballero era hasta compadre suyo [74]—, que habían sido desplazados porque Fonseca, según alegaba Aillón en su descargo, no había querido capitular con tres sino con uno. Aunque la jornada debía haberse iniciado en 1525, sus obligaciones como juez de residencia en la isla de San Juan mantuvieron ocupado a Aillón durante algún tiempo [75]; ya antes el rey había tenido que conceder-

soldada con Vázquez de Aillón y Ceballos, ausentes, y en su nombre con el toledano Francisco de Vargas para servirles como tonelero por tres años a razón de 11 castellanos anuales (A.P.S., V 1522, 1 f. 373r).

[72] A.G.I., Justicia 3, 3, interrogatorio de las probanzas de Matienzo, pregunta sexta, f. 36r. De los indios pertenecientes a Matienzo unos fueron vendidos y los otros murieron, salvo uno que tenía el oidor en la isla de Cubagua pescando perlas como buceador, indicio quizá de que se trataba de un yucayo (*ibidem*, pregunta décimosegunda del interrogatorio de Aillón, ff. 62-63); según dijo el propio Matienzo (*ibiden*, f. 67r), trece de ellos se huyeron con su cacique y después fueron tenidos en Higüey. Es de notar que también se acusó a Aillón de haber vendido yucayos para la pesquería de perlas (A.G.I., Justicia 50, f. 53r).

[73] De aquella época data una escritura, por la cual el 29 de febrero de 1524 Vázquez de Aillón, comendador de Santiago y del Consejo real de Su Majestad en Santo Domingo, dio poder al jurado Fernando Vázquez para que le pudiera obligar hasta en cuantía de 1.500 ducados en los oficios y cargos de la Santa Cruzada y bula de San Pedro que tenía el dicho Fernando Vázquez del rey en los obispados de Cuenca, Sigüenza, Osma, Avila y reino de Valencia, a pagar en los plazos que fijase (A.P.S., V 1524, 1 f. 192r).

[74] Así lo declara el propio Caballero (A.G.I., f. 48v).

[75] Entre los pleitos que tuvo que sentenciar Aillón se encontraba el presentado por los hermanos de Andrés de Haro, muerto en San Germán *ab intestato* en diciembre de 1520. Protestaban éstos, como herederos de Haro, de que el licenciado de la Gama, al conocer el fallecimiento de su hermano, había irrumpido en la casa de piedra, propiedad de Juan

le prórroga por un año (Burgos, 23 de marzo de 1524). Para salvar las apariencias y atajar de paso las reclamaciones de Matienzo [76], en 1525 despachó Aillón a la nueva tierra dos carabelas con 60 hombres y el piloto Pedro de Quejo [77], los cuales, según aseguró, no sólo sosegaron los alborotados ánimos de los indios de San Juan Bautista, sino que descubrieron 250 leguas más y tomaron posesión de ella por Su Majestad, haciendo el capitán los autos de rigor y mandando levantar cruces de piedra con letreros esculpidos que declaraban tanto el nombre del monarca reinante como el año y el día en que la comarca había sido puesta bajo el dominio real; asimismo, dada la diversidad de lenguas existente, se tuvo buen cuidado en coger a uno o dos intérpretes de cada idioma —sutil subterfugio para hacer esclavos que ya había inventado Colón—. Las naves habían tornado a la Española en julio de 1526 [78]. No se podía

Ponce, donde vivía Haro en Pueblo Viejo, descerrajando en compañía de su hermano Sebastián de la Gama y el contador Antonio Sedeño, entre otros, el cofre de Flandes que guardaba multitud de escrituras y reconocimientos de deudas, taleguillos de oro fino, perlas y otros objetos preciosos, y ello sin preocuparse de hacer el inventario conveniente. Remitió Aillón el pleito a la Audiencia de Santo Domingo, que falló a favor del licenciado de la Gama el 16 de diciembre de 1525, sentencia que fue ratificada el 22 de mayo de 1528 por el Consejo de Indias. Los hermanos de Andrés de Haro eran Juan, Diego Jaimes (tesorero de la Inquisición en Sevilla), Francisco, Antonio y una mujer, Isabel, monja profesa en el convento de franciscanas de Castil de Leuces (A.G.I., Justicia 3). Los herederos de Haro presentaron en Granada el 27 de octubre de 1526 otra acusación contra Sedeño, culpándole de la misma usurpación y de haber falsificado ciertos pliegos horadados, es decir, libros de contaduría (A.G.I., Justicia 7 n.º 1 y Justicia 987).

Por otra parte, Aillón condenó en la residencia a ciertas penas al contador Sedeño y al factor Baltasar de Castro, y más en concreto al primero al pago de 637 pesos. Por esta razón el rey y el Consejo emplazaron al contador a presentarse ante su vista en un plazo de cien días (cédula del 13 de octubre de 1525 en A.G.I., Indif. 420, vol. X, f. 132); por mandado de Aillón Sedeño dio depositarios y unas fianzas por cuantía de 2.000 pesos, pidiendo en 1526 que le fueran desembargados sus bienes. Como solía suceder, se siguió un largo pleito con el fiscal real Pedro Ruiz (*ibidem*, f. 268v, 271r, 274r, 284r; Indif. 421, vol. XI, f. 168r, 197v, 218r, 287v, 297v, 324r, 330v, 349r; vol. XII, f. 25r, 27v, 36v, etc.). En ese mismo año le fue aumentada la fianza en 1.000 pesos más, de los que salió garante un vecino de Santo Domingo, Melchor de Castro; el 19 de marzo de 1526 y en Sevilla Sedeño se comprometió a sacar en paz y a salvo a Castro de su fiaduría (A.P.S., V 1526, 2 f. 17r [la fianza] y 18r [la obligación]. Volveré a tratar de la figura de Sedeño en el volumen tercero.

[76] El 1 de diciembre de 1525 una cédula regia informó a Aillón de las justas quejas de su compañero en la Audiencia (A.G.I., Indif. 420, vol. X, f. 190r).

[77] Cf. su respuesta a la pregunta decimosexta (A.G.I., Justicia 3, f. 79v).

[78] Dieron cuenta los oficiales de la Audiencia de Santo Domingo de la arribada de estas dos carabelas de Aillón: la tierra que habían descubierto, entre la Florida y la tierra asignada al dicho licenciado, mostraba perlas, guanines y tenía muchos mantenimientos, así como sus naturales eran de paz (carta del rey a los oficiales dada en Valladolid, el 28 de junio de 1527 [A.G.I., Indif. 421, vol. XII, f. 124r]).

comparar, pues, este reconocimiento a fondo con la anterior expedición, en la que sólo se había descubierto lo que buenamente se pudo ver desde las naves por tierra llana, como reconoció muy oportuno el propio Pedro de Quejo.

Muy revueltos, por el contrario, andaban los ánimos de Caballero y sobre todo de Matienzo, irritados ante lo que consideraron traición por parte de su socio. Un recurso elevado a la Corte por Matienzo le valió que el rey, por cédula dada en Toledo el 10 de noviembre de 1525, remitiese a los oidores de Santo Domingo Villalobos y Lebrón el pleito de Matienzo contra Aillón, acusado de haberse llevado la gloria del descubrimiento dando al monarca relación no verdadera y tendenciosa de los hechos, con grave perjuicio de Matienzo, que llevaba gastados en la empresa más de 600 pesos de oro. La querella se vio en Santo Domingo a partir de marzo de 1526 y todavía continuaban los autos en junio, a pesar de que Aillón clamaba que no había motivo para fundar un pleito sobre tan injusta y frívola petición, máxime cuando, según arguía en marzo [79], tenía ya aprestados cuatro navíos para emprender la navegación. El 25 de junio la mermada Audiencia remitió al rey el proceso, que fue presentado en la cancillería de Granada el 26 de noviembre del mismo año.

Por la capitulación, firmada el 26 de junio de 1523, había conseguido Aillón la conquista de la tierra que se encontraba a 35, 36 y 37 grados al Norte de la Española, tierra que, en su mayor parte, estaba señoreada por un hombre de estatura gigantesca. Así, sin mayores tapujos, se cuela en la seca prosa cancilleresca una máxima novelería. Como no podía menos, la comarca era muy rica, fértil y aparejada para poblarse, siendo su gente también más «política» que la de la Española, el señuelo con que entonces se engatusaba a la Corte. Pero Aillón, además de declararse muy dispuesto a emular a Colón navegando otras 800 leguas y, de haber estrecho, a reconocerlo, abrumaba después a los consejeros con los nombres, tan sonoros como atractivos por lo incomprensible, de la tierra e islas por descubrir: Direche, Chicora, Xapira, Ita, Tancac, Anica, Tixecotaca, Guacaya, Xoxi, Sonapasqui, Arambe, Xaminambe, Huaque, Lancaca, Yenhohol, Pahoc, Yanimaron, Orixa, Inisiguanin, Noxa. El licenciado sabía muy bien el encanto que posee la onomástica exótica, que siempre

De al menos otra armada a los yucayos queda constancia, y es la que enviaron Francisco de Garay y Cristóbal Guillén. Con este motivo, las ciudades de la Española pusieron un pleito a los dos poderosos socios (A.G.I., Justicia 45, ff. 497-98; una hija de Guillén, Elvira, se casó con Alonso Dávila). En este pleito actuó como amigable componedor el bullicioso mercader burgalés Gaspar de Astudillo, que después aireó su tercería como prueba de su intachabilidad en el pleito que sostuvo con la ciudad de Santo Domingo sobre su regimiento (A.G.I., Justicia 3, n.º 2).

[79] A.G.I., Justicia 3, 3, pregunta primera, f. 80v.

despierta en el hombre misteriosos anhelos de aventuras; pero su habilidad no se limitaba a este alarde de toponimia extraña.

Durante su estancia en la Corte Aillón fue invitado a almorzar varias veces con su inseparable Francisquillo en casa de Pedro Mártir, siempre amante de novedades, junto con el deán de la Concepción de la Española, Alvaro de Castro [80]. Según refiere el milanés, «el chicorano no es de boto ingenio ni discurre mal, y ha aprendido bastante bien la lengua española»; de viva voz le contó, pues, Francisco, aunque no se dejó de aducir y manejar la relación escrita por los socios, que en Duharhe, más allá de Chicora, los hombres eran de piel blanca —él mismo tenía el pelo rubio y suelto hasta los pies, a pesar de su tez cobriza—; allí era donde reinaba el gigantón Datha y su mujer, también de pareja estatura, con sus cinco hijos. Como monturas los soberanos se servían de criados jóvenes, que los llevaban a hombros; pero en ese punto surgía siempre discusión entre Aillón y Castro, pues el primero afirmaba que se trataba de caballos, mientras que el deán insistía en que nadie había visto allí corceles, y Francisco, el único que hubiese podido zanjar la polémica, prefería callar, es de presumir que muy divertido en su fuero interno. Y no era éste el único extremo en que disentían los graves y sesudos contertulios en sus animadas charlas de sobremesa: según Aillón y Francisco, el tamaño descomunal de los caciques se debía a que, en su infancia, se les tensaban los huesos después de haberlos reblandecido con pomadas, en tanto que Castro atribuía su anormal crecimiento a una dieta especial y exclusiva de los monarcas, opinión esta última que era la que le merecía mayor crédito al milanés [81]. Gracias a Pedro Mártir, nuestra fuente fundamental en todo lo que respecta a las costumbres y propiedades de la tierra, que se consideraba vecina, si no idéntica, a la de los Bacalaos, sabemos además que en Xapida se criaban perlas y otra gema parecida; pero de la detallada descripción de los naturales sólo interesa destacar ahora que vivían largo tiempo, alcanzando una vejez robusta, y que curaban sin mayor dificultad las enfermedades con muchas yerbas salutíferas. Se trata de una vieja canción, que siempre se repite cuando se está a punto de realizar una sensacional conquista; y su aparición extraña más por cuanto es uno de los pocos arrebatos de fantasía que se permite un relato muy pegado a la realidad.

Al renombre de Aillón, bien secundado por el dinero de Ceballos y los buenos oficios de su sobrino Francisco de Vargas [82], se arremolinó la

---

[80] *Decades*, VII 2, f. 92v.
[81] *Decades*, VII 3, f. 94v.
[82] Por virtud de un poder que le dio Aillón en Sanlúcar de Barrameda el 30 de marzo de 1524, Francisco de Vargas, que era hijo de otro vecino de Toledo, Diego Bonifacio,

gente. Fueron nada menos que 600 ó 700 los hombres que acudieron a enrolarse en la armada, compuesta de tres navíos grandes, una carabela, un bretón y un bergantín. En julio de 1526 la flota partió de Puerto de Plata y alcanzó en la costa septentrional de la tierra firme un río al que se puso por nombre Jordán. Allí se empezó a levantar la población, pero como no era bueno su suelo y los que habían ido en descubierta anunciaron que más adelante se extendían fértiles campos, avanzó el real 200 leguas hasta el puerto de San Miguel. Tan granadas esperanzas quedaron tronchadas a la muerte del propio Aillón en San Miguel de Guandape [83]. Habiendo cundido el desánimo, se abandonó el asentamiento con gran pérdida de hombres y de hacienda [84]. Años después, el hijo de Aillón pidió al rey una merced en pago de los servicios paternos; lo más sorprendente de esta información es que depusiera en ella testimonio nada menos que Bartolomé de las Casas, accediendo a honrar la memoria de un hombre que en teoría hubiese debido de ser blanco de sus iras; y aun en su *Historia* tuvo el dominico palabras muy blandas y suaves para el toledano: a su juicio, fue

hombre muy entendido y muy grave, al cual hizo el comendador [Ovando] alcalde mayor de la Concebición... Este bachiller Aillón después fue a Castilla y tornó licenciado y por oidor de la Audiencia que aquí está [85].

[83] reconoció el 5 de marzo de 1526 a Ceballos una deuda de 292.352 mrs. que había costado cierto aceite (A.P.S., V 1526, 1 f. 619r), cantidad que hubo de ser saldada pronto. En efecto, el 9 de enero de 1527 Vargas se obligó a pagar a Ceballos 446.956 mrs., de los que había salido fiador Ceballos, por una serie de compras que había hecho en nombre de Aillón, y que se desglosaban en las siguientes partidas: 211.092 mrs. a Juan de Espinosa Salado por lienzos; 150.000 mrs. al jurado Francisco de la Corona por mercaderías; 32.989 mrs. a Francisco de Lerma Polanco; 26.250 mrs. (70 ducados) a Diego Beltrán, 26.625 mrs. (71 ducados) a Alonso Enríquez (A.P.S., V 1527, 1 f. 105r). El 6 de setiembre Vargas, por no saber a causa del fallecimiento del licenciado si podría pagar las deudas a los plazos correspondientes, dio poder a Ceballos y al mercader burgalés Melchor de Carrión para comprar mercaderías suficientes para pagar la deuda, y se obligó a pagar el daño que pudieran recibir. Ese mismo día otorgó facultad a Ceballos y a Carrión para cobrar todos los mrs. que viniesen de Indias (A.P.S., V 1527, 4 f. 265v y 267r).

[83] En cambio, según Alonso de Chaves *(Espejo de navegantes,* transcripción, estudio y notas de Paulino Castañeda, Mariano Cuesta y Pilar Hernández, Madrid, 1983, p. 370), «este río [Jordán, situado a 33 ½ grados] se llama río de Aillón, porque aquí falleció».

[84] El 28 de junio de 1527 la cancillería regia anunció a los oficiales de la Audiencia dominicana haber recibido nuevas de la armada de Aillón: que las dos carabelas que había enviado habían arribado a Santo Domingo con tormenta; que la tierra que habían descubierto mostraba perlas y guanines, tenía muchos mantenimientos y sus indios eran de paz; se encontraba entre la Florida y la tierra de dicho licenciado (A.G.I., 421, vol. XII, f. 140r).

[85] II 41. He controlado el pasaje sobre el original (BN Madrid, ms. Res. 22, f. 115v marg.).

Quizás esta versallesca cortesía [86] se deba al respeto debido siempre a los difuntos; pero tampoco hay que olvidar que entre los expedicionarios figuraban dos dominicos: fray Antonio de Cervantes y sobre todo el famoso fray Antonio Montesino. La expedición, aunque desbaratada, pasaba por consiguiente a formar parte de los títulos de gloria de la Orden, que podía blasonar así de haber predicado el evangelio en la tierra firme tanto septentrional como meridional. Y todavía conviene recordar que uno de los hombres de Gordillo, arrepentido de su vagar aventurero, había abrazado después el hábito de Santo Domingo, declarando, ya bajo el nombre de fray Pedro de Aldana, en el pleito de Aillón y Matienzo [87].

Lo que más nos importa y aun nos admira es el arte con el que Aillón logró cautivar el interés de su auditorio, teniéndolo prendido en el embrujo de sus palabras. El golpe de efecto de venir acompañado de un indio que cuenta mil maravillas no es ninguna novedad —Colón había hecho lo mismo en su primer tornaviaje—, pero Aillón demuestra enorme talento al aprovechar la capacidad histriónica de su Francisco. El mito también acude en su auxilio en el momento oportuno. Así, como la banal historia de un cacique de desaforado tamaño podía dejar fríos a sus hombres, acostumbrados como estaban a hacer prisioneros a los indios que la generación de Hojeda había llamado gigantes, y urgía encontrar otros señuelos, el licenciado demostró con un verdadero hallazgo lingüístico su genialidad para evocar vivencias insospechadas: en efecto, el río de San Juan Bautista pasa a convertirse en el río Jordán, de manera muy lógica, pero con una carga conceptual y afectiva infinitamente mayor. No es ésta, por otra parte, la primera vez que un río de las Indias había recibido este nombre de resonancia incalculable. Ya Vespuche había usado esta denominación en uno de sus viajes, según L. Hugues [88], por haber descubierto la corriente fluvial así llamada el 13 de enero de 1501, el día del bautismo de Jesús; mas Levillier [89], que identifica, con la mayoría de los historiadores [90], este Jordán con el río de la Plata, piensa que Vespuche lo avistó «entre la segunda y la tercera semana de marzo» de 1502, sin arriesgarse a dar una explicación del hidrónimo. Dejando, pues, a un lado el testimonio del florentino, que como siempre se nos escurre de los dedos, tornemos al río Jordán, que todavía hemos de ver aparecer en una lejana isla del Pacífico. El río Jordán, en efecto, simboliza el bautismo, es decir,

[86] Que contrasta ciertamente con las duras palabras escritas en otro capítulo de su *Historia* (III 20 [*BAE* 96, p. 221a]).

[87] A.G.I., Justicia 3, 3, pregunta segunda, f. 70r (en su propio testimonio).

[88] *Raccolta colombiana*, V 2, p. 123.

[89] *América la bien llamada*, II, p. 14.

[90] Así ya F. J. Pohl, *Américo Vespucio, piloto mayor*, Buenos aires, 1947, p. 162; cf. asimismo G. Arciniegas, *Amerigo y el Nuevo Mundo*, México-Buenos Aires, 1955, p. 249.

representa una vuelta a nacer; ahora bien, este re-nacimiento espiritual necesariamente va ligado en la mentalidad popular con el re-nacimento corporal, y por ende, con la eterna juventud. Ya en la época de Gregorio de Tours [91] el baño en el Jordán supone no sólo una renovación anímica, sino que entraña asimismo una regeneración corporal: en el lugar donde fue bautizado Cristo se curaban los leprosos de su enfermedad, y en el día de la Epifanía todos se bañaban en el río «para lavar tanto las heridas del cuerpo como las cicatrices del alma». En la fuente del Jordán se introduce precisamente cada siete años, cada semana cósmica, el mítico personaje judío Juan d'Espera (=Desespera) en Dios para conservar siempre su misma edad [92], que en el *Crotalón* se considera que es la edad perfecta, los 33 años, la edad en que murió Cristo y ha de resucitar el hombre. Un río bajo la advocación de San Juan Bautista no despierta grandes emociones; en cambio, nadie desdeña encontrarse a la vera del Jordán, en cuyas aguas cabe librarse de la decrépita vejez. Por tanto, en esta jornada de Aillón se están barajando otra vez las mismas ideas que habían espoleado a los hombres de Juan Ponce, sólo que la fuente de Bímini recibe el nombre cristiano que le corresponde.

En efecto, en la navegación de 1515 no se había descubierto ningún Jordán. A la tierra, sí, se le había puesto el nombre de Florida, tanto por haber tenido lugar su hallazgo en tiempo de Pascua como por su verdor; otro río fue llamado de la Cruz, sin duda porque a su orilla se plantó un padrón cruciforme. Con el tiempo, no obstante, se afirmó —así lo hizo al

---

[91] *Liber in gloria martyrum* 16 (*Monumenta Germaniae historica, Scriptores rerum Merowingicarum*, I 2 [p. 49 Krusch] y 87 [p. 96]).
No es el agua del Jordán el único reconstituyente milagroso de Judea. Los itinerarios medievales a la Tierra Santa registran que, a once millas de la ciudad de Clisma, había una isla pequeña en piedra viva, que producía una especie de ungüento (llamado precisamente *oleum petrinum* 'aceite de piedra'), gracias al cual recobraban la salud los enfermos, en especial los posesos; la comercialización de tan portentoso unto se hacía en Clisma, adulterándolo con aceite (*Itinerarium Antonini* 42 en *Corpus Christianorum* CLXXV, p. 151).

[92] Cf. M. Bataillon, *Varia lección de clásicos españoles*, Madrid, 1964, p. 111 y sobre todo 119 y n. 51, así como el comentario de F. Rodríguez Marín al *Licenciado Vidriera* (Clás. Cast. 36, p. 67, 18).
En el s. XVII, más descarado en sus manifestaciones, una riada de testimonios viene a indicar la virtud milagrosa que se atribuía al río de Judea. Recojo unos cuantos al desgaire. Rodrigo de Carvajal y Robles (*Fiestas de Lima*, ed. F. López Estrada, 1950, p. 83): D. Bernardo de Añasco «tanto en la carrera se alboroça como en propio Jordán». Maestro Valdivielso (*La amistad en el peligro* [BAE 58, p. 234 a]): «sales cual cristal puro de entre el cristal del Jordán. Cual águila te remozas entre la argentada espuma». *Loa representada por Antonio de Prado* (NBAE 18, p. 516 a): «Jordán soy, mis amigos. Ningún tema, en donde yo estuviere, comedia vieja». Luis Quiñones de Benavente (*La puente segoviana* [NBAE 18, p. 533 b]): «El Jordán soy milagroso, que mocedades esparce»; *Entremés cantado de las dueñas* (*ibidem*, p. 567 a): «esta noche es el Jordán, y en él os remozaréis»; *Las burlas de Isabel* (*ibidem*, p. 612 b): «Jordán es de los viejos el dinero».

menos Hernando de Escalante Fontaneda [93]—, que Juan Ponce había ido
en busca del río Jordán en la Florida, que tornaba jóvenes a los viejos; se
trata, como se ve, de una fabulación muy posterior a la jornada de Aillón,
en la que tanto se habló de las portentosas cualidades del río de marras.
De hecho, Escalante, que había estado cautivo entre los indios de la
Florida desde los 13 a los 30 años, por haber naufragado en 1551 el
galeón en que lo enviaba su padre desde Cartagena para cursar sus estudios en España, escribía después de 1574 [94]; la autoridad de la leyenda lo
impulsó a bañarse en muchos ríos sin que para su desgracia acertara a dar
con el Jordán, que era cosa de burla, o mejor dicho, de «buçión» —así
decía Escalante en su pintoresco castellano por «devoción»,— de los
indios de Cuba, que solían pasar en tan gran cantidad a la Florida a
«cumplir su ley» que el padre del cacique Carlos pudo reunirlos en un
pueblo. He aquí, pues, cómo se va racionalizando el mito, achacando a
una superstición indígena muy localizada lo que había sido firme creencia
de los cristianos. De la Florida, concluía muy escarmentado el antiguo
cautivo, lo único que cabía esperar eran perlas, sobre todo entre Abalachi
y Olegale, en el río llamado *Guasaca esguique,* esto es, 'río de cañas'.

Al río Jordán llegaron después una y otra vez los expañoles, entre
ellos el curtido piloto Gonzalo Gayón, que realizó diversos viajes de
exploración por las costas de la Florida, primero con el capitán Juan de
Rentería hacia 1558, un año después con D. Tristán de Arellano y por fin
con Hernando Manrique de Rojas en 1564 [95]. Pues bien, en el rotero de
Isidro de la Puebla, tras hablar del río Dulce, a 32 grados y un tercio
largos, se anota [96]:

pasando el río Jordán cuatro leguas, sale a la mar nuebe leguas un baxo de arena todo
una rebentazón; y por de tierra d'él llegando a la tierra ay pasaje de dos leguas. De
este baxo al cabo de San Román es tierra más alta y mejor de reconocer. Y es todo
esto lo que andubo y vido Gonzalo Gayón.

[93] A.G.I., Patron, 18, 5.

[95] Lo fecha con toda razón hacia 1576 E. Schäfer (*Indice de la Colección de documentos
inéditos de Indias,* Madrid, 1947, I, p. 437 n.º 3149; cf. *C.D.I.A.,* V, p. 532ss., X, p. 66). De
los conocimientos históricos de Escalante dan idea los deslices cometidos en unos apuntes
para la historia de la Florida (A.G.I., Patron. 19, 32); allí asegura muy serio que «Colón
descubrió las islas yucayo y de Achiti [Haití] y parte de la Florida con otros vecinos de
Santo Domingo». En esta relación menciona Escalante también al río Jordán, «qu'está a la
banda del Norte», aunque deja su declaración para más adelante. En la enumeración que
hace de todos los caciques de la Florida alude a dos que tienen perlas: Aquera y Ostaga.

[95] A su regreso hizo una información de sus servicios el 13 de julio de 1564 (A.G.I.,
SDom. 11, 2 n.º 50).

[96] BN Madrid, 4541, f. 89r. Al final acaba diciendo Isidro de la Puebla: «Y aquí aze fin
esta relación de la Florida, la cual uve de Joan de Herrera el año de 1576 en la Bera Cruz
de Nueba España».

Nada se dice, sin embargo, sobre las supuestas cualidades milagrosas del río, sobre el que habían corrido innumerables rumores. Resulta, en efecto, que hasta en la Corte española reinaba la misma creencia en 1523; y lo que más pasmo causa es que Pedro Mártir, que tan escéptico se había mostrado en 1514, comenzara a titubear en su radical agnosticismo. Es que en la existencia de tamaña maravilla creía no ya un oscuro bastardo de la casa de Arcos, sino las lumbreras de las Indias: el letrado Aillón, el deán Castro y hasta el propio licenciado Figueroa, enviado a la Española como juez de residencia de Zuazo. Contaba el deán que el padre de un yucayo criado suyo, Andrés el Barbado, había acudido, ya muy rendido por la edad y achacoso, al manantial de la Florida; tras lavarse en él y beber su agua varios días había regresado a su isla con empuje y vigor tan renovado, que se casó otra vez y tuvo hijos. El anciano humanista de Anghiera, engolosinado con tales relatos, acabó también él apoyando la posibilidad del rejuvenecimiento corporal, a sabiendas de que su opinión contrariaba la de todos los filósofos y médicos, muy seguros de que no se podía restaurar la pérdida del humor del agua y del aire en la naturaleza humana; pero ¿no se renueva el águila? ¿no cambia la serpiente de camisa? ¿no rejuvenece el ciervo al tomar el veneno del áspid? Si la providencia se había mostrado tan espléndida y liberal con brutos animales, no era de extrañar que hiciera gala de igual generosidad con el hombre, gracias a esa fuente que templaba la sequedad terrena y devolvía el humor perdido del aire y del agua al cuerpo ya seco y frío por la vejez. Se percibe en Pedro Mártir un claro afán por dejar una puerta abierta a la esperanza, la suya incluida; pero aun así, su aguda inteligencia le hizo advertir que tal fuente, incluso en caso de existir, no estaba al alcance de todos los hombres, sino de sólo unos pocos, que tampoco lograrían nunca obtener la inmortalidad [97]. Por otra parte, añade, para que el agua milagrosa surtiera efecto, el hombre había de pasar por una serie de sacrificios, que recuerdan de manera muy clara las ásperas ceremonias de un rito iniciático, del mismo modo que el palo santo sólo curaba las bubas después de un ayuno de treinta días. Es lástima que Pedro Mártir, temeroso quizá de ser víctima de despiadadas burlas en la crítica Italia, no se atreviera a especificar en que consistían esas pruebas y esos baños y esos «remedios establecidos por los encargados de los baños», que sin duda amenizaron sus largas conversaciones con Aillón, Castro y el indio de Chicora; para el italiano la fuente de la Juventud viene a ser una especie de balneario al que se va desde muy lejos y en el que se exige un duro régimen no sólo dietético, cuyo significado último se le escapa. No deja de ser notable, asimismo, que los ejemplos tomados de la Zoología provengan no de la Antigüedad,

---

[97] *Decades*, VII 7, f. 97v ss.

sino de la Edad Media. En concreto, que los ciervos recuperan la salud con el veneno de las serpientes es una tradición que remonta a San Isidoro [98]; a su vez, ya en el *Fisiólogo* se encuentra una muy curiosa relación sobre la manera en que el águila recobra la vista y su juventud [99].

En cualquier caso, el mito de la perenne juventud, de esa perpetua primavera ante cuya vista se extasiaba Colón, murió muy pronto, con la tercera generación de colonos. Que yo sepa, nunca más se emprendió una expedición a la Florida con la mira puesta en tornarse mozo en la fuente del Jordán; lo intentaron, sí, algunos hombres aislados, como el Escalante que estuvo prisionero de los apaches largos años, pero nada más. Era lógico que así sucediera: la inmortalidad ya estaba prometida a los cristianos, pero no en este mundo, por cuyo valle de lágrimas está destinado a peregrinar el hombre, sino en el otro, donde les espera a los justos la recompensa del Paraíso y a los malvados el castigo eterno. La búsqueda de este hontanar de la Juventud contrariaba en definitiva la esencia misma de la religión cristiana, que no admitía otra fuente que la bautismal; de ahí que se atenuara con sutiles matizaciones su contenido, según hemos visto que hizo Juan de Mandevilla. Con el tiempo, no se olvidó, pero sí cayó en descrédito y hasta en ridículo la idea de remozarse por la simple inmersión en unas aguas milagrosas; y así G. Fernández de Oviedo, escribiendo a pocos años de los acontecimientos, consideró la «fábula» no de origen español, sino creencia de los indígenas, en cuyo haber se ponían todos los disparates del mundo, por lo que «fue muy gran burla decirlo los indios y mayor desvarío creerlo los cristianos» [100]. Y de esta manera desapareció este mito primerizo, antiquísimo por otra parte: que no en vano la búsqueda de la inmortalidad por Guilgamés había deleitado y suspendido ya con sus lances y desventuras la imaginación de los sumerios.

[98] *Etimologías*, XII 1, 18. Calla al respecto Plinio (*Historia natural*, XII 118); la historia parece ser una mala interpretación de otras leyendas recogidas por Plinio (*Historia natural*, VIII 97 y 101). El *Fisiólogo* dice que el ciervo «corre a las fuentes de agua, y si no la prueba en un plazo de tres horas, muere; si la encuentra, vive otros cincuenta años» (*PG* 43, c. 521 C). Esta tradición es la que más se asemeja a los efectos que produce la famosa fuente de Polimba en la que se solía bañar Mandevilla.

[99] «Al envejecer, se encorva su pico y sus ojos sufren miopía hasta el punto de no ver, así que no puede comer. Pero sube a todo lo alto y se lanza sobre una peña tajada, hiriéndola con el pico; después se baña en una laguna fría y se posa al calor del sol. Entonces se desprenden las escamas de sus ojos y otra vez comienza a contarse entre las jóvenes» (*PG* 43, c. 524 A-B). Brunetto Latini (*Li livres dou tresor*, I 144 [p. 136 Carmody]) recoge una tradición parecida: el águila vuela tan alto hacia el sol que sus plumas arden y se quita toda la oscuridad de sus ojos; entonces se baña tres veces en una fuente y se torna tan joven como acabada de nacer.

[100] *Historia general de las Indias* XVI 11 (*BAE* 118, p. 102 b); en XVI 13 (p. 105 b) insiste en la «vanidad» de los que dieron crédito a tal disparate.

INDICE DE LUGARES

INDICE DE PERSONAS